Baum, Friedri

Kirchengeschichte für Haus und Schule

Baum, Friedrich

Kirchengeschichte für Haus und Schule

Inktank publishing, 2018

www.inktank-publishing.com

ISBN/EAN: 9783747790045

Kirchengeschichte

für

Haus und Schule

von

Friedrich Baum.

Mit 196 in den Text gedruckten Holzschnitten und Facsimile's, 12 Vollbildern und Beilagen und 2 Karten.

Nördlingen.
Verlag der C. H. Beck'schen Buchhandlung.
1881.

Vorwort.

Die vorliegende Kirchengeschichte, von einem Diener der Kirche geschrieben und aus der Unterweisung der Jugend hervorgewachsen, ist für die Gemeinde bestimmt, insbesondere die werdende Gemeinde dieser Zeit. Daß eine solche Darstellung einem Bedürfnisse der evangelischen Gemeinde entgegenkommt, darüber haben sich alle Beurteiler den ersten Lieferungen gegenüber einmütig zustimmend geäußert. Und in der That, mehr denn je thut heutigen Tags eine Einführung der Gemeindeglieder in die Geschichte der Kirche not. Unsere Zeit bringt für die Glieder der Kirche, zumal für die heranwachsenden, nicht bloß Anfechtungen, welche ihre Stellung zur Kirche bedrohen, sondern auch Anforderungen, denen sie gewachsen sein müssen. Sie verlangt nicht allein die allgemeine Erweisung des Glaubens in christlichem Leben, sondern auch die Beteiligung an den kirchlichen Angelegenheiten, die Mitthätigkeit an der Lösung der großen Aufgaben, welche der Kirche in diesen Tagen gestellt sind. Um eine bewußte und sichere Stellung der Gemeindeglieder zur Kirche und deren Bekenntnis, um eine eifrige und gewisse Erfüllung des christlichen Berufes in der kirchlichen Gemeinschaft zu erzielen, ist die Einführung in die Geschichte der Kirche unerläßlich. Es fördert die Entwicklung, wenn das einzelne Glied geistig nacherlebt, was die Kirche im ganzen und von Anfang an erlebt und gethan, erlitten und erkämpft, erstrebt und erreicht hat. Die werdende Gemeinde bildet sich an der Geschichte der gewordenen Gemeinde.

Der Verfasser hat es sich angelegen sein lassen, ein im wesentlichen vollständiges und gleichmäßiges Bild der Kirche Christi nach ihrer bisherigen Entwicklung zu geben sowohl nach ihrer Ausbreitung in den drei großen Missionszeiten, als auch nach ihrer innern Entwicklung in Sitte und Wandel, in Glaube und Lehre, in Dichten und Trachten, in Erziehung und Unterweisung, in Gottesdienst und Festfeier, in Verfassung und Zucht. Wenn dabei die innere Entwicklung in denjenigen

Zeiten, deren Geschichte abgeschlossen vorliegt, in die der evangelisch-lutherischen Gemeinde wohlbekannten Hauptstücke von Luthers Katechismus gefaßt ist, so wird sich das wohl als zweckentsprechend erweisen und um so mehr begründet erscheinen, als jene Hauptstücke nicht willkürliche Begriffe, sondern die Hauptstücke des Lebens der christlichen Kirche sind, das von Anfang an nach seinen wesentlichen Beziehungen in dieselben beschlossen war.

Die Verlagshandlung hat es sich angelegen sein lassen, durch die Ausstattung des Buches mit dem Schmucke zahlreicher authentischer Abbildungen, Porträts, erläuternder Beilagen, Karten die Erreichung des angestrebten Zieles zu sichern. Es ist kein willkürlicher Bilderschmuck, sondern eine aus den verschiedenen Zeiten selbst geschöpfte Illustration derselben. In dieser Hinsicht kann das Buch als eine neue Erscheinung bezeichnet werden.

Möchte es durch Gottes Gnade auf seinem Gange in die Gemeinde ausrichten, wozu es geschrieben ist! Möchte es werden ein „Sonntagsbuch" für die kleine Hausgemeine des evangelischen Hauses, eine Weihegabe für die konfirmierte evangelische Jugend und wenn auch nicht ein Schulbuch im gewöhnlichen Sinn, doch eine Art Christenlehre höherer Stufe, und ein Hilfsbuch für die Lehrer in Kirche und Schule, auf daß die Gemeinde dadurch erbauet werde!

St. Georgen zu Bayreuth im November 1880.

Der Verfasser.

Inhalts-Verzeichnis.

B. Innere Entwicklung der Christenheit im Mittelalter. Seite 87—128.

Drittes Buch. Die neue Zeit.

I. Das Zeitalter der Reformation (1517—1648 n. Chr.).

A. Äußerer Verlauf der Reformation. Seite 140—198.

B. Innere Entwicklung in der Reformationszeit. Seite 199—239.

II. Vom westphälischen Friedensschlusse bis auf unsere Tage (1648—1880 n. Chr.).

A. Das Zeitalter der Erweckung. Seite 259—273.

B. Das Zeitalter der Aufklärung. Seite 274—288.

C. Unsere Zeit. Seite 288—383.

Vollbilder, Beilagen und Karten.

Einleitung.

Der lehrende Heiland, von Wolken getragen. Aus dem Mosaik in der Tribuna der Basilika der Heiligen Cosma und Damiano zu Rom (Anfang des 6. Jahrh.), von Papst Felix IV. gestiftet.

„Das Reich Gottes hat sich also, als wenn ein Mensch Samen auf das Land wirft und schläft und stehet auf Nacht und Tag, und der Same gehet auf und wächset, daß ers nicht weiß. Denn die Erde bringt von sich selbst zum ersten das Gras, darnach die Aehren, darnach den vollen Weizen in den Aehren. Wenn sie aber die Frucht gebracht hat, so schickt er bald die Sichel hin, denn die Ernte ist da.“ (Mark. 4, 26 ff.)

Mit diesen Worten hat der HErr selbst den Gang voraus bezeichnet, welchen die Geschichte des Reiches Gottes und seiner Kirche nehmen werde. In dem bisherigen Verlaufe sind drei Zeiten zu unterscheiden. Die erste gehört noch der alten Welt an, welche in der Fülle der Zeit in dem griechisch-römischen Weltreiche zusammengefaßt war. Die zweite brach an, als mit der Völkerwanderung neue Völker auf den Plan traten und nach der Zerstörung des römischen Reiches Europa in Besitz nahmen, die germanischen die westliche, die slavischen die östliche Hälfte. Die dritte, in der wir stehen, begann, als ungefähr zu gleicher Zeit mit der Entdeckung der neuen Welt auch eine neue und höhere Erfassung des christlichen Glaubens in der Reformation sich Bahn brach.

Die Geschichte und das Bild des Stifters der christlichen Kirche, des Ecksteins des ganzen Baues (Eph. 2, 20), des Hauptes der Gemeinde

(Eph. 1, 22), ist uns ursprünglich beschrieben und urkundlich bewahrt in den vier Evangelien. In dem fünften Geschichtsbuche des Neuen Testamentes, der Apostelgeschichte, ist dann die Ausbreitung der christlichen Kirche während der ersten drei Jahrzehnte, zuerst unter den Juden, dann unter den Heiden, erzählt. An diese Zeit und an diesen Bericht schließt sich unsere Darstellung an.

Der Evangelist Matthäus, einer der Zwölfe, früher ein Zöllner (Matth. 9, 9), schrieb sein Evangelium zunächst für Christen, die aus dem jüdischen Volke stammten, darum ursprünglich auch in hebräischer Sprache. Er erwies ihnen darin Jesum als den Christ, den Messias, in welchem Gesetz und Propheten erfüllt seien. (1, 1; 2, 5, 15, 17, 23; 5, 17 u. a. St.; Röm. 3, 21). Ihm wurde, als die Evangelisten mit Sinnbildern (Offb. 4, 7) bezeichnet wurden, der Engel zugesellt (vgl. 1. Petri 1, 10—12).

Johannes, mit dem Zunamen Markus (Apostelg. 12, 12), ein Apostelschüler, beschrieb „als Dolmetscher des Petrus" für die römischen Christen, welchen Anfang die Predigt des Evangeliums genommen und mit welcher Gotteskraft Christus, gleich als „der Löwe aus Judas Geschlecht", in Wort und That hervorgetreten sei und die Welt überwunden habe (Apostelg. 10, 38). Ihm wurde der Löwe als Sinnbild beigegeben. Markus soll die christliche Gemeinde in Alexandria gegründet und dort auch den Märtyrertod gefunden haben.

Der Evangelist Lukas, ein griechisch gebildeter Arzt und Gefährte des Apostels Paulus (Kol. 4, 14), schrieb auf Grund zuverlässiger mündlicher und schriftlicher Berichte für einen römischen Christen Theophilus ein zweiteiliges Buch, das Evangelium und die Apostelgeschichte enthaltend. Der Zweck der „ersten und der andern Rede" ist der, zu zeigen, wie in Christo, dem „andern Adam" (Luc. 3, 38 vgl. Matth. 1, 1), dem „Menschensohn", allen Völkern, der ganzen Welt, das Heil erschienen sei. Im Evangelium zeigt er, wie die Geschichte Christi von so geringem und verborgenem Anfang an zu so herrlichem Abschlusse gekommen in der Erhöhung Christi über alle Welt. In der Apostelgeschichte legt er dar, wie die Gemeinde Christi so gering anhob in Jerusalem (Apostelg. 1, 15) und wie sie doch durch das Zeugnis der Apostel, zuerst unter den Juden unter dem Vorgange des Petrus, dann unter den Heiden unter dem Vorgange des Paulus trotz aller Anfeindung solchen Fortgang genommen, daß sie nach kurzer Zeit selbst in Rom, der großen Welthauptstadt, nicht bloß eine Stätte gefunden, sondern auch immer mehr Boden gewann. Das Buch des Lukas, dem der Stier als Sinnbild beigegeben worden, ist die erste Kirchengeschichte und die erste Missionsgeschichte der Christenheit.

Auffallend unterschieden von den drei ersten, unter sich so verwandten (synoptischen) Evangelien ist das vierte, von dem Apostel Johannes, dem ehemaligen galiläischen Fischer, verfaßte Evangelium. Es ist das „geistige", das „mystische", das „spekulative" Evangelium, in dem weniger von den Thaten des HErrn, als von seinem Selbstzeugnis in seinen Reden berichtet wird. Im hohen Adlerfluge des Geistes, — wie denn auch der Adler sein Sinnbild ist —, bezeugt Johannes Christum als das Wort, das von Anfang war, und an dem man, als es Fleisch geworden, die Herrlichkeit des Eingebornen vom Vater, voller Gnade und Wahrheit, ersah (Joh. 1, 1—14; 20, 30—31).

Die Zeit der Verabfassung der Evangelien läßt sich nicht genau bestimmen. Es ist wohl keines derselben vor dem sechsten Jahrzehent der christlichen Zeitrechnung geschrieben, da erst bei der weiteren Verbreitung des Evangeliums sich das Bedürfnis schriftlicher Überlieferung fühlbarer machte. Auch über das gegenseitige Abhängigkeitsverhältnis der synoptischen

Die vier Evangelisten in ihren Sinnbildern dargestellt. (Nach einem Vortragekreuz des 12. Jahrhunderts.)

Evangelien wird noch unter den Männern der Wissenschaft gestritten. Jedenfalls ist das vierte Evangelium später als die andern verfaßt, da es vielfach Ergänzungen zu den früheren Berichten gibt; es ist wohl erst in den letzten Jahrzehnten des ersten Jahrhunderts entstanden.

— —

Erstes Buch.

Die alte Zeit.

Von den Tagen der Apostel bis zum Untergange des römischen Reiches. (33–476 n. Chr.)

A. Äußere Verbreitung des Christentums

1. in der apostolischen Zeit

a. im jüdischen Lande.

Mit dem Tage der Pfingsten (33 n. Chr.) wurde aus der Jüngerschaft, die sich um den HErrn als ihren Meister gesammelt, durch den Geist, der über sie kam, eine Kirche und Gemeinde des HErrn. An den Zeichen dieses Tages wurde offenbar, welch eine gewaltige Geistesmacht in ihr und durch sie wirksam sei, durch welche noch die ganze Völkerwelt mit ihren verschiedenen „Zungen" werde erfaßt und zusammengefaßt werden in Christo (Eph. 1). In dem großen Erfolge, welchen gleich die erste Predigt des Apostels Petrus hatte, indem sofort bei 3000 Seelen hinzugethan wurden, war ein Unterpfand weiterer Erfolge gegeben. Und in der That kam es trotz aller Anfechtungen in einem Zeitraum von etwa 12 Jahren (33—44 n. Chr.) dahin, daß nicht bloß allenthalben im jüdischen Lande christliche Gemeinden sich fanden, sondern daß das Evangelium auch schon nach Samarien übergegangen war und bereits an der Grenze der Heidenwelt stand (Apostelg. 1—12).

Das erste öffentliche Auftreten des Petrus und Johannes im Tempel und der Erfolg ihrer Predigt rief allerdings sofort eine Anfechtung von Seite des hohen Rats und der sadducäischen Partei hervor. Aber diese konnte den Fortgang des Evangeliums um so weniger aufhalten, als die Christengemeinde Gnade bei dem Volke fand, das mit scheuer Bewunderung sah, welch ein Geist nicht der Furcht, sondern der Kraft und der Liebe und der Zucht diese Christen beseelte. Dazu hielten sich ja auch diese so viel als möglich an den Tempel, während sie ihrer engern Gemeinschaft hin und her in den Häusern bei ihren Brudermahlen (Agapen) pflegten, an welche sich das Brodbrechen, die Feier des Abendmahles, anschloß. Als aber die Zahl der Christen immer größer wurde, auch durch den Zutritt von Priestern, als durch die Einrichtung eines neuen Dienstes, der Almosenpflege (Diakonie), nicht bloß die Apostel ungehemmter ihres Predigtamtes warten konnten, sondern auch aus den Almosenpflegern selbst neue Zeugen erstanden, da erhob sich im Jahre 37 n. Chr. eine blutige Verfolgung, in welcher der Diakonus Stephanus als der erste den Märtyrertod starb. Aber war auch die nächste Wirkung der Verfolgung die Zerstreuung der jerusalemischen Gemeinde, mit Ausnahme der Apostel, welche in der Stadt blieben, so war das weitere Ergebnis doch nur wieder ein neuer Erfolg des Evangeliums. Denn nun ging es, obwohl örtlich noch auf das jüdische Land beschränkt, über den Kreis des jüdischen Volkes hinaus, und mehr und mehr bereitete sich der Übergang desselben in die Heidenwelt vor. Zunächst fand es durch das Zeugnis des Almosenpflegers Philippus bei dem Mischlingsvolke der Samariter freudige Aufnahme, und gelegentlich auch in dem Herzen des Kämmerers aus Mohrenland, wohl eines „Proselyten“. Dann wurde bereits in der Bekehrung des Verfolgers Saulus aus Tarsus das auserwählte Rüstzeug bereit gestellt, welches den Namen Christi vor die Heiden und ihre Könige tragen sollte. Schließlich wurde Petrus dahin geführt, daß er in dem römischen Hauptmann Kornelius den ersten Heiden in die christliche Kirche aufnahm. Und schon gelangte auch um diese Zeit die Kunde nach Jerusalem, daß in der Hauptstadt Syriens, in Antiochia, eine christliche Gemeinde aus Heidenchristen entstanden sei, bei der auch zuerst der Name „Christen“ aufkam. Als nun alles so weit gekommen war, da brach im Jahre 44 n. Chr. eine zweite blutige Verfolgung über die Gemeinde in Jerusalem herein, diesmal durch den König Herodes Agrippa I. Der Apostel Jakobus der Ältere fiel als Opfer; Petrus aber, den Herodes auch ins Gefängnis hatte setzen lassen, entging auf wunderbare Weise dem gleichen Schicksale.

Von einem Altarkelch in vergoldetem Silber aus dem 4. Jahrhundert: das älteste vorhandene Bildnis des Petrus. Im Vatikanischen Museum.

Bei der ersten Verfolgung waren die Apostel trotz der äußersten Gefahr für sie in Jerusalem geblieben; sie wollten nicht von Jerusalem weichen, so lange noch nicht alle Hoffnung für die Bekehrung ihres Volkes verschlossen war. Aber bei der zweiten Verfolgung zeigte sich, daß sich die Stimmung der Juden zu Ungunsten der Christen verändert hatte (Apstlg. 12, 3). Nun war ihres Bleibens nicht länger, wenn sie nicht nutzlos ihr Leben opfern und dabei den Befehl des HErrn versäumen wollten: „Gehet hin und lehret alle Völker!“ Die Leitung der Muttergemeinde in Jerusalem übernahm Jakobus, der Bruder des HErrn (Gal. 1, 19), wohl ein anderer als der Apostel Jakobus, Alphäi Sohn. Er war unter den judenchristlichen Gemeinden, überhaupt unter seinem Volke wegen seiner Gesetzestreue so angesehen, daß er den Beinamen der „Gerechte“ erhielt; indessen konnte ihn dies nicht vor dem Märtyrertode bewahren. Im Jahre 62 wurde er auf Betreiben der Pharisäer, weil er Christum nicht lästern wollte, von der Zinne des Tempels heruntergestürzt und mit einem Walkerholze vollends erschlagen.

Die Schicksale der zwölf Apostel sind zum Teil in tiefes Dunkel oder doch in das Dämmerlicht der Sage gehüllt. Wohin Petrus sich von Jerusalem aus gewendet, ob etwa nach Babylon (1. Petri 5, 13), ist ungewiß. Sicher ist, daß er später in Rom den Märtyrertod starb. Unerweislich aber ist, daß er 25 Jahre dort zugebracht und der „Bischof“ der dortigen Gemeinde gewesen sei. Vgl. unten S. 18. Sein Bruder Andreas soll bei den Skythen das Evangelium gepredigt und in Griechenland den Kreuzestod (× Andreaskreuz) gefunden haben. Philippus soll hochbetagt in Phrygien gestorben sein, Bartholomäus (Nathanael) soll in Indien gepredigt haben, nach einer andern Sage in Armenien lebendig geschunden worden sein. Thomas wird der Apostel Parthiens und Indiens genannt. Den Matthäus läßt die Sage das Evangelium in Äthiopien verkünden. Judas (Lebbäus, Thaddäus) soll in Folge eines angeblichen Briefwechsels zwischen Christus und dem Fürsten Abgar von Edessa hier günstige Aufnahme gefunden haben und dann in Persien oder Assyrien den Märtyrertod erlitten haben. Simon der Kananite soll in Persien von heidnischen Priestern zersägt worden sein. Matthias wurde angeblich in Judäa gesteinigt.

b. in der Heidenwelt.

Der Apostel Paulus.

Gleich nachdem die Entscheidung in Jerusalem eingetreten war, begann die Mission unter der Heidenwelt des griechisch-römischen Reiches. Der Apostel **Paulus** erfüllte in drei Missionsreisen seinen Beruf als Heidenapostel in der großartigsten Weise, einem Welteroberer, aber mit dem Schwerte des Geistes, welches ist das Wort Gottes (Ephes. 6, 17), vergleichbar. In den 13 Jahren seiner Missionsthätigkeit (45–58) entstand eine große Anzahl von christlichen Gemeinden in Kleinasien und selbst in Macedonien und Griechenland, während zu gleicher Zeit, Dank dem lebhaften Verkehr und Austausch der Gedanken, wie er in dem alles umfassenden römischen Reich damals vorhanden war, auch schon in Rom und anderwärts in Italien das Christentum festen Fuß faßte (Apostelg. 13—28). Überall knüpfte der Apostel bei den jüdischen Gemeinden der „Zerstreuung" (Diaspora) an. Aber auf jeder Missionsreise sah er sich, so schwer es ihm auch ankam (Röm. 9, 1—5), genötigt, von den Juden „rein zu den Heiden sich zu wenden." Auch mit einem Teile der Judenchristen selbst hatte der Apostel schwere Kämpfe, und vor seiner zweiten Reise mußte ihm die Apostelversammlung in Jerusalem (50 n. Chr.) die Bahn für seine weitere Thätigkeit unter den Heiden offen halten, indem sie den Anspruch der Eiferer zurückwies, als ob die Heiden erst das jüdische Gesetz annehmen, zum Judentum übertreten müßten, wenn sie an dem Heile vollen Anteil und in der Gemeinde das volle Bürgerrecht haben wollten; nur sollten die Heidenchristen durch eine strengere Sitte, unter Annahme der sog. Noachischen Gebote, den Verkehr zwischen den beiden Teilen der Christenheit ermöglichen oder erleichtern. Aber trotzdem begegnete der Apostel allenthalben störenden Einflüssen jener Eiferer auf die neuen Gemeinden und heftigen Angriffen auf seine apostolische Würde. Und je größer seine Erfolge wurden, desto heftiger wurde die Erbitterung der Juden gegen ihn, so daß er nach seiner dritten Missionsreise in Jerusalem 58 n. Chr. fast das Opfer ihres Hasses geworden wäre. Nach zweijähriger Gefangenschaft in Cäsarea (58—60) blieb ihm ihren Angriffen gegenüber nichts anderes mehr übrig, als von seinem römischen Bürgerrechte Gebrauch zu machen und sich auf den Kaiser zu berufen.

Erste Reise (45—48). Von der Gemeinde in Antiochia abgeordnet, zogen Barnabas und Paulus in Begleitung des Markus zum Missionswerke aus. Schon auf Cypern machte sich die Überlegenheit des Saulus bei der Bekehrung des Statthalters Sergius Paulus geltend, so daß er als „Paulus" von da weiter zog. Auf dem Wege nach Kleinasien wich Markus von ihnen. Dort wurde in dem pisidischen Antiochia und der Umgegend eine bedeutende Gemeinde gegründet, nicht minder in Ikonium und in Lystra, wo sie beinahe wie Götter verehrt wurden, Paulus aber bald darauf fast unter den Steinwürfen erlegen wäre. In Derbe am nordwestlichen Abhange des Taurusgebirges kehrten sie wieder um, wobei sie überall die Gemeinden der Leitung von Ältesten (Presbytern) unterstellten. Von Perge in Pamphylien aus an ihrem Ausgangsorte Antiochia wieder angelangt, verkündigten sie mit Freuden der Gemeinde, wie viel Gott mit ihnen gethan und wie er den Heiden die Thüre des Glaubens aufgethan.

Zweite Reise (50—54). Bald nach der Apostelversammlung in Jerusalem drängte Paulus zum Wiederaufbruch. Aber da er dem Wunsche des Barnabas, Markus wieder mitzunehmen, entgegen treten mußte, so zog jeder seine Straße, Barnabas nach Cypern, Paulus aber in Begleitung des Silas zu Land nach Kleinasien. In Lystra nahm er auch Timotheus mit sich. Auf seinem weiteren Wege, auf dem er das Evangelium auch in Galatien verkündete, fühlte er sich vom Geiste gedrungen, die Richtung nach Europa hin zu nehmen. In Troas, wo sich ihm auch Lukas anschloß, kam er durch ein Traumgesicht zur Entscheidung, nach Europa überzusetzen. Die erste Gemeinde entstand hier in Philippi, der Hauptstadt Macedoniens, die nächste in der Seestadt Thessalonich. Von da und hernach auch von Beröa durch die Feindschaft der Juden vertrieben, wandte er sich nach Griechenland. In Athen, der auserwählten Stätte der antiken Bildung, predigte er auf dem Areopag, aber ohne daß es zur Begründung einer Gemeinde gekommen wäre. Um so überraschender waren seine Erfolge in der damaligen Hauptstadt Griechenlands, in Korinth, wo eine große Christengemeinde erblühte. Nach einer anderthalbjährigen Wirksamkeit daselbst kehrte Paulus über Ephesus nach Jerusalem und Antiochia zurück.

Dritte Reise (54—58). Auf dieser Reise durchzog Paulus zuerst das galatische Land und Phrygien und zog dann hinab nach Ephesus. Im Gegensatz zu der vorigen Reise blieb er diesesmal 2½ Jahre an demselben Orte. Aber Ephesus war auch ein Mittelpunkt, von dem aus leicht auf das ganze vordere Kleinasien eine umfassende Wirksamkeit ausgeübt werden konnte. Und es entstand auch eine Reihe von Gemeinden in dem Kranze von Städten, die im weiten Umkreis von Ephesus her lagen, wenn nicht schon zu dieser Zeit, doch von da aus, wie Kolossä, Smyrna, Pergamus, Thyatira, Sardes, Philadelphia, Laodicea (Offb. 2—3). Nachdem der Tumult, welcher durch den Goldschmied Demetrius gegen die neue Lehre erregt worden, ohne weitere Folge vorübergegangen war, besuchte Paulus die Gemeinden in Europa. Dann kehrte er, in Milet von den Ältesten der Gemeinde in Ephesus Abschied nehmend, nach Jerusalem zurück, wo Bande und Trübsal, wie ihm der Geist auf dem ganzen Wege bezeugt hatte, seiner warteten.

Pauli Gefangennahme in Jerusalem (58 n. Chr.) durchkreuzte den Plan des Apostels, über Rom nach Spanien zu gehen. Indessen durfte er doch, nach zweijähriger Gefangenschaft in Cäsarea, nach Rom kommen, wenn auch in anderer Weise als er es gedacht, und während er in Cäsarea hatte stille sitzen müssen, durfte er in Rom, obwohl Gefangener, „das Reich Gottes predigen und vom Herrn Jesu lehren mit aller Freudigkeit unverboten" (Apostelg. 28, 31). Ob er aber im Jahre 63 n. Chr. wieder aus der Gefangenschaft entlassen und nach einer Reise durch Macedonien und Griechenland auch noch nach Spanien gekommen, ist ungewiß; gewiß ist nur, daß er in der Neronischen Verfolgung, wohl im Jahre 64 n. Chr., den Zeugentod und zwar durch's Schwert gefunden hat.

Die Bedürfnisse der neugegründeten Gemeinden erheischten, daß der Apostel auch aus der Ferne durch schriftlichen Verkehr seinen leitenden Einfluß fortsetzte. Es sind uns dreizehn Briefe des Apostels erhalten. Neun derselben sind an Gemeinden gerichtet, vier an einzelne Personen, von denen zwei in amtlicher Stellung waren. Sie sind alle in der Zeit von 52 bis 64 n. Chr. geschrieben.

Die frühesten sind die beiden Briefe an die Christen in Thessalonich, einer üppigen griechischen Kauf- und Handelsstadt, bald nach dem Weggange des Apostels von Korinth aus (52 oder 53) geschrieben, um sie im Vertrauen auf seine apostolische Thätigkeit zu bestärken und zu einem sittlichen Wandel zu ermahnen, insbesondere sie vor schwärmerischen Hoffnungen zu warnen und zu stiller Arbeit in ihrem irdischen Berufe anzuhalten.

Der nächste Brief ist der an die Galater, wahrscheinlich von Ephesus aus um 56 n. Chr. geschrieben, sowohl um seine apostolische Geltung gegenüber den judenchristlichen Gegnern zu wahren, als auch um die galatischen Christen vor der Knechtung unter das jüdische Gesetz, das doch nur ein Zuchtmeister auf Christum gewesen, in ihrer christlichen Freiheit zu bewahren.

Ebenfalls von Ephesus aus schrieb der Apostel seinen ersten Brief an die Korinther nach einem andern, der nicht auf uns gekommen ist. Derselbe bezieht sich auf schriftliche Anfragen und mündliche Mitteilungen aus der Gemeinde. Er bekämpft das Parteiwesen in der Gemeinde, tritt entschieden gegen sittliches Ärgernis in derselben auf, beklagt die unbrüderliche Streitsucht, beantwortet Fragen über die Stellung des Christen im irdischen Berufe, über die Teilnahme an Götzenopfermahlzeiten, tadelt Unordnungen bei den Liebesmahlen und bei der Abendmahlsfeier, warnt vor Überschätzung der Geistesgaben und vor deren ungeordneter Geltendmachung beim Gottesdienste und begründet endlich die Lehre von der Auferstehung. Schon auf dem Wege nach Korinth durch Macedonien schrieb Paulus noch einen zweiten Brief dahin (57 oder 58), welcher sein Auftreten der Gemeinde gegenüber rechtfertigt, dann an die Sammlung für die arme Muttergemeinde in Jerusalem mahnt und vor der Verführung durch falsche Apostel warnt.

Den Brief an die Römer schrieb Paulus, während er in Korinth weilte und übersandte ihn wahrscheinlich durch Phöbe, eine Diakonissin an der Gemeinde zu Kenchrea (58). Wohl stand er jener Gemeinde, welche ohne sein Zuthun entstanden war, persönlich ferne; aber er wünschte sich bei ihr eine freundliche Aufnahme und eine Stütze zu bereiten für seine künftige Missionsthätigkeit im Westen Europas (15, 14–33). Zu diesem Zwecke legte er vor ihr die weltgeschichtliche Bedeutung des Christentums und seiner apostolischen Predigt dar: Er schäme sich nicht, das Evangelium auch in Rom zu verkünden, da es eine Gotteskraft sei, selig zu machen alle, die daran glauben, die Juden vornämlich und auch die Griechen, sintemal es die Gerechtigkeit offenbare, die vor Gott gelte, eine Gerechtigkeit, die ebensowohl den Heiden wie den Juden ohne Unterschied mangle. Die Gerechtigkeit aber, die aus Gottes Gnade in Christo durch das Evangelium der Welt angeboten werde, gewähre in jeder Hinsicht die vollste Befriedigung, denn es sei darin ebenso erfüllt, was mit Abraham begonnen, als wieder gutgemacht, was durch Adam verdorben. Daher sei auch die Vollendung des Menschenlebens durch dieselbe gesichert; denn in ihr liege ebenso sehr der stärkste Antrieb zur Heiligung, als die Bürgschaft der Bewahrung zum ewigen Leben. Freilich sei es eine traurige Sache, daß sein Volk sich der seligen Botschaft verschließe; aber so schmerzlich dies für einen Christen aus Israel sein müsse, so dürfe er deswegen doch nicht an seinem Volke verzweifeln, und die Christen aus den Heiden dürften sich nicht überheben; denn es werde sich der Bann der Verblendung Israels lösen, wenn die Fülle der Heiden in das Reich Gottes eingegangen sein werde. An diese Darlegung knüpft er dann (c. 12, 1–15, 13) Ermahnungen zum entsprechenden Verhalten der Christen, insbesondere auch in ihrer bürgerlichen Stellung und bezüglich des Gebrauches und Genusses der weltlichen Dinge.

Die übrigen Briefe sind aus der Gefangenschaft geschrieben, der Brief an die Philipper jedenfalls aus Rom, die Briefe an die Epheser und Kolosser wohl auch aus Rom und nicht aus Cäsarea. Zu dem Briefe an die Epheser stellt der Apostel die Herrlichkeit der Kirche Christi ins Licht, als in welcher die Vereinigung und Zusammenfassung der getrennten Welt unter dem einen Haupte Christus geschehen, und mahnt zur Heiligung, insbesondere auch zur Einigkeit im Geist durch das Band des Friedens. Im Briefe an die Gemeinde zu Kolossä, die, wenn auch nicht durch den Apostel selbst, so doch von Ephesus aus gegründet worden, tritt der Apostel einer Irrlehre entgegen, welche noch eine besondere Wissenschaft (Gnosis) über Christum hinaus suchte und die Völligkeit des Christenstandes abhängig machte von der Beobachtung besonderer Satzungen und Übungen (Askese), um sich von der Welt und ihren Einflüssen ganz frei zu machen. Der Brief an die Christen zu Philippi ist ein Danksagungsschreiben des Apostels für eine Unterstützung, welche ihm diese Gemeinde hatte zukommen lassen (4, 10–20). Nachdem der Apostel Mitteilung über sein Ergehen in Rom gemacht, mahnt er sie zur Einmütigkeit des Sinnes unter einander und zum treuen Festhalten an ihm, an seiner Lehre wie an seinem Beispiele, entgegen jüdischen Irrlehrern, welche die Gerechtigkeit aus dem Gesetze aufrichten wollten.

Außer diesen Briefen an Gemeinden schrieb der Apostel auch Briefe an einzelne Personen. Der Brief an Philemon, einen Christen in Kolossä, ist zugleich mit dem Briefe an diese Gemeinde geschrieben. Er ist ein Empfehlungsbrief für den Onesimus, einen entlaufenen Sklaven des Philemon, der aber nun, durch den Apostel bekehrt, zu seinem Herrn zurückkehrte; es ist dieser Brief eine wichtige Urkunde über die Einwirkung des Christentums auf die socialen Verhältnisse, hier auf das Verhältnis von Herrschaft und Gesinde, und über seine Stellung zur Sklaverei.

Der Apostel Paulus nach Peter Vischer (von dessen Sebaldusgrab in der Sebalduskirche zu Nürnberg). Anfang des 16. Jahrhunderts. Früh schon führte der Apostel Paulus im Bilde das Schwert, „das Erd und Himmel erobernde Schwert des Geistes“.

Die andern Briefe dieser Art sind an Personen in amtlicher Stellung gerichtet. Der Brief an Titus ging nach Kreta, wo Titus vom Apostel zur Leitung und Ordnung der dortigen Gemeinden zurückgelassen worden war. Mit gleichem Auftrag war Timotheus in Ephesus geblieben, und ähnliche Anweisungen enthalten die beiden an ihn, „seinen rechtschaffenen Sohn im Glauben" gerichteten Briefe. Über die Zeit, in der diese drei „Pastoralbriefe" verfaßt worden, herrscht Ungewißheit. Der Brief an Titus und der 1. an Timotheus sind vom Apostel auf einer Reise durch Macedonien und Griechenland geschrieben, was zur Annahme geführt hat, daß Paulus aus der römischen Gefangenschaft frei geworden. Im zweiten Briefe an Timotheus aber schreibt er als Gefangener und lebt in der Voraussicht des nahen Märtyrertodes (4, 6–8).

Daß die Thätigkeit des Paulus und des Petrus, der um jene Zeit gleichfalls in Rom war (s. unten), auf die hauptstädtische Bevölkerung nicht ohne bedeutenden Eindruck blieb, davon zeugt jene Stelle in den Annalen des größten römischen Geschichtsschreibers jener Zeit, des Tacitus (XV, 44), wo er sagt:

„Der Urheber des Christennamens, Christus, war unter des Tiberius Herrschaft von dem Statthalter Pontius Pilatus mit dem Tode bestraft worden; aber der verderbenbringende Aberglaube, dadurch für eine Zeitlang zurückgedrängt, brach wieder hervor, nicht allein in Judäa, dem Ursprungsort dieses Unheils, sondern auch in der Hauptstadt".

Die Sage läßt auch den Philosophen Seneka durch Paulus bekehrt sein und in Briefwechsel mit ihm gestanden haben. Möglich, daß Seneka Anregungen vom Christentum empfangen hat. Jedenfalls wird das Zeugnis des Apostels über den sittlichen Zustand des damaligen Heidentums durch die Schriften des heidnischen Philosophen bestätigt.

Es regierte damals das römische Reich der Kaiser Nero, ein zerrütteter Mensch, eine Mischung von eitler Ruhmsucht, Wahnwitz, Sinnlichkeit und Blutdurst. Ein sechstägiger Brand wütete in Rom, von dem es ungewiß ist, ob ihn nicht Nero selbst veranlaßt hatte: jedenfalls war der Verdacht im Volke verbreitet (64 n. Chr.).

„Da wälzte er, um dies Gerücht zu stillen — so erzählt uns Tacitus — die Schuld auf die dem Volk wegen ihrer Greuelthaten (!) verhaßten Christen und peinigte diese mit den ausgesuchtesten Strafen. Zuerst wurden einige festgenommen, welche (offenbar ein falsches, durch Martern erzwungenes) Geständnis ablegten, dann, auf ihre Anzeige hin, eine ungeheure Anzahl, die zwar nicht der Brandstiftung verdächtig, aber doch durch den Haß des ganzen menschlichen Geschlechtes als des Todes würdig erschienen. Indem man ihnen den Tod anthat, fügte man Verhöhnungen hinzu, so daß sie, in Thierhäute gehüllt, durch den Biß der Hunde umkamen, oder an Kreuze genagelt, oder mit brennbaren Stoffe überzogen nach Ablauf des Tages zum Behuf nächtlicher Erleuchtung verbrannt wurden. Nero hatte zu diesem Schauspiel seine Gärten eröffnet und gab Cirkusspiele, wobei er sich als Wagenlenker gekleidet und auf dem Wagen stehend unter die Menge mischte."

Unter denen, die damals das Martyrium erlitten, befanden sich auch Paulus und Petrus. Ihre Gräber wurden im zweiten Jahrhundert in Rom gezeigt, das des Paulus auf dem Weg nach Ostia. Darüber erhob

Apsis der Basilika S. Paul. Die Mosaik-Ausschmückung des sog. Triumphbogens geschah auf Kosten der Galla Placidia um 440. Das Brustbild Christi, umringt von den 24 Aeltesten aus der Apokalypse. Über diesen die Sinnbilder der Evangelisten, unterhalb die Apostel Paulus und Petrus.

sich bereits im vierten Jahrhundert die berühmte Basilika S. Paolo fuori le mura (St. Paul vor den Mauern), gegründet von Konstantin, verschönert von Theodosius d. G. Die Kirche hatte sich bis auf unsere Tage erhalten, und erst im J. 1823 wurde sie ein Raub der Flammen, um dann aber noch schöner als zuvor wieder aufgebaut zu werden. Es wird überliefert, daß Paulus als römischer Bürger die weniger schimpfliche Todesart der Enthauptung erlitt, während Petrus gekreuzigt wurde.

c. Die Zerstörung Jerusalems.

Nicht lange nachdem das jüdische Volk mit solcher Entschiedenheit und Feindseligkeit das Evangelium von Christo verworfen hatte, brach das vom Herrn Luc. 19, 41 f. geweissagte Gericht über dieses Volk herein. Unter dem Einfluß der pharisäischen Partei und unter dem schmählichen Drucke der römischen Statthalter brach ein Aufstand um den andern aus. Und immer wieder ließ sich die Menge durch „falsche Propheten und falsche Messiasse" (Matth. 24) bethören. Endlich kam es zu einer allgemeinen Erhebung (im Jahre 66), welche in ihrem Verlaufe (im J. 70) zur Zerstörung Jerusalems durch Titus, den Sohn und Feldherrn des Kaisers Vespasian, führte. Unbeschreiblich waren dem jüdischen Geschichtschreiber Josephus zufolge die Drangsale, welche bei der Belagerung und Zerstörung über die mit Menschen überfüllte Stadt hereinbrachen. Die Hungersnot führte zu schrecklichen Scenen in den Häusern, die blutigen Parteikämpfe richteten den Greuel der Verwüstung an der heiligen Stätte an, und außen herum zog sich ein furchtbarer Kranz von Kreuzen, an welche die Flüchtigen von den erbitterten Belagerern geschlagen wurden. Als schließlich der Tempel erstürmt werden sollte, gab Titus den Befehl, das herrliche Gebäude zu schonen. Aber es sollte kein Stein auf dem andern bleiben; ein römischer Krieger warf einen Feuerbrand in ein Fenster der an den Tempel gebauten Zimmer, und vergeblich waren des Titus Befehle, das Feuer zu löschen. Am 8. September war die Eroberung und Zerstörung vollendet, nachdem die Belagerung Anfang April begonnen hatte. Die Zahl der allein in Jerusalem Umgekommenen berechnet Josephus auf 1,100,000, die Zahl der Gefangenen auf 97,000. Die Christengemeinde in Jerusalem war den Drangsalen und dem Blutbade durch rechtzeitige Flucht nach dem jenseits des Jordans gelegenen Bergstädtchen Pella entgangen. Trotz dieser furchtbaren Heimsuchung machte übrigens der Rest der Juden ein halbes Jahrhundert später unter der Führung des Barchochba („Sternensohn", 4 Mos. 24, 17) nochmals einen verzweifelten

Versuch, sich vom Joche der Römer loszureißen. Dieser Aufstand endigte nach dreijährigem Kampfe (132—35) mit der gänzlichen Verwüstung des heiligen Landes, mit der Aufrichtung eines heidnischen Tempels in der heiligen Stadt, aus welcher alle Juden bei Todesstrafe verbannt waren, und mit der völligen Auflösung des jüdischen Staates. Innerlich aber setzte das Judentum sich fest in den Satzungen des Talmud nach der Weise der Schriftgelehrten und Pharisäer. Aber auch in der Zerstreuung setzten viele unter ihnen die Feindseligkeit gegen das Christentum fort durch Aufhetzung der Heiden gegen die Christen, und täglich dreimal erschallt von jetzt an in den Synagogen der furchtbare Fluch über die Abtrünnigen, die Christen!

Pontius Pilatus, Antonius Felix, von dem Tacitus (Hist. V. 9) schon sagt, daß er „mit der Grausamkeit und Willkür des Despoten die ganze Niedrigkeit einer Sklavenseele verband", und Gessius Florus waren die Statthalter Judäas — eine Reihe der ausgesuchtesten Bedrücker, die auch das geduldigste Volk zur Empörung getrieben haben würden. Als sich zuerst im J. 66 das Volk gegen Gessius Florus erhob, begieng dieser einen schweren Mißgriff, indem er sich mit seinem Kriegsvolk nach Cäsarea zurückzog. Die dort wohnenden Juden wurden den heidnischen Bewohnern der Stadt preisgegeben und von diesen nach der Angabe des Josephus 20,000 von ihnen ermordet. Von Cäsarea aus verbreitete sich der Judenmord wie eine Epidemie und ähnlich den Judenhetzen des Mittelalters über alle Städte jener Gegend, wo Juden und Heiden gemischt wohnten, bis nach Damaskus, Antiochien, Alexandrien. Nur wenige retteten sich durch die Flucht nach Jerusalem, wo sie, wie sich denken läßt, nicht wenig dazu beitrugen, die dort bereits herrschende Aufregung zu vermehren. Die Juden rächten sich an den Römern, indem sie die in Jerusalem zurückgebliebene Besatzung niedermetzelten. Vergebens versuchte der Statthalter von Syrien, Cestius Gallus, die römische Sache in Judäa zu retten; Galiläa mit seinen festen Plätzen, ganz Palästina war in der Gewalt der Judäer und der kriegerischen nationalen Partei. Man erkannte zu Rom den Ernst der Lage. Einen Feldherrn von erprobter Tüchtigkeit, Flavius Vespasianus, der in 30 Schlachten mit den Britanniern gekämpft hatte, sandte Nero gegen die Juden. Dieser landete mit seinem Sohn Titus im Frühjahr 67 in Galiläa. In zwei Sommern — 67 und 68 — führte er den Krieg und nahm Alles bis auf Jerusalem in Besitz, wo der Fanatismus sich steigerte und schreckliche Parteikämpfe wüteten. Da kam für die Juden nochmals eine Gnadenfrist: Vespasian wurde in die Händel um die römische Kaiserkrone gezogen — Nero war im Juni 68 getödtet worden —, und erst im Frühling 70, nachdem Vespasian seinen Nebenbuhler besiegt hatte, wurde der Krieg in Palästina von Titus wieder aufgenommen, der nun rasch von Cäsarea aus vor die Stadt rückte. Er machte auf dem Berge Skopos Halt. Nun erst begann der letzte schauerliche Akt des Trauerspiels. Die Stadt war mit Menschen überfüllt, die z. T. aus weiter Ferne gekommen waren, um das Paschafest in der ein Jahr früher so wunderbar verschonten Stadt zu feiern. Titus umfaßte die Stadt mit einem Wall mit Türmen, um von da durch Geschosse die Verteidiger von den Mauern zu vertreiben, während gegen diese Sturmböcke herangebracht wurden. Den Juden gelang es zwar einmal, den ganzen Bela-

Scene aus dem römischen Triumphzug des Titus (nach der Zerstörung Jerusalems). Die Legionen tragen die Bundeslade und den 7armigen Leuchter (von dem Titusbogen in Rom, zu Ehren des nachmaligen Kaisers Titus errichtet a. 81).

gerungsapparat durch Feuer zu zerstören, endlich aber, im Monat September nach einer fast 5monatlichen Belagerung drangen die Legionen des Titus in die Stadt. Titus selbst trat in den Tempel und heidnische Opfer rauchten da, wo zum ersten Mal das tägliche hohenpriesterliche Opfer aufhörte. Die Zerstreuung des jüdischen Volkes über den Erdkreis nahm von diesem schrecklichen Ereignisse ihren Ausgang.

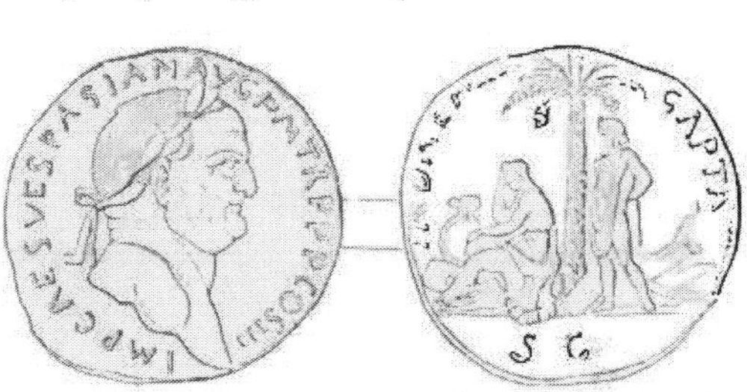

Münze des Vespasian, geprägt zum Andenken an den jüdischen Krieg.

Über das Schicksal der christlichen Muttergemeinde in Jerusalem erzählt Bischof Eusebius in seiner im 4. Jahrhundert entstandenen Kirchengeschichte, es sei „den Bewährtesten in der Kirche durch Offenbarung ein Orakelspruch zu Teil geworden, welcher dem ganzen christlichen Volk befahl, aus Jerusalem auszuwandern und in einer Stadt Peräas, Namens Pella, neue Wohnsitze zu suchen“ (vgl. Matth. 24, 15 ff.). Dies war noch ehe der Krieg im J. 66 seinen Anfang genommen hatte. „Aus der königlichen Stadt und ganz Judäa, bemerkt Eusebius weiter, verschwanden die Gerechten, welche durch ihr Dasein den Ausbruch des Unheils noch aufgehalten hatten; erst als sie in der syrischen Stadt ihre Zuflucht gefunden hatten, durfte sich das Ungewitter entladen.“ — Daß die christlichen Gemeinden Palästina's in den Kriegsjahren schrecklich gelitten haben, dürfen wir wohl vermuthen. Sie waren von beiden kämpfenden Teilen gleich gehaßt: von den Juden als Abtrünnige, von den Römischen als Judäer. Welcher Teil auch die Oberhand hatte, sie wurden die schuldlosen Opfer des furchtbaren Krieges.

d. Das Verschwinden des Judenchristentums.

Der Apostel Petrus.

Von den 27 Schriften des Neuen Testaments sind es drei, welche an die Christen aus dem jüdischen Volke besonders gerichtet sind: vor allem das Evangelium Matthäi (vgl. S. 2), dann der Brief an die Hebräer und endlich der Brief Jakobi.

Die älteste dieser Schriften ist wohl der Brief des Jakobus, des „Bischofs" der Gemeinde zu Jerusalem, an die 12 Geschlechter, die da sind hin und her, — in welchem vor allem die Ermahnung hervortritt, daß die Christen sich nicht mit dem bloßen Wissen im Glauben sollten genügen lassen (vgl. Röm. 2, 17—24), sondern daß sie in guten Werken ihren Glauben bewähren müßten, der ohne diese tot sei. — Wer der Verfasser des Hebräerbriefs sei: ob Barnabas oder Apollo oder doch der Apostel Paulus (13, 22—23), ist streitig. Der Brief richtet sich an die ebräisch redenden Christen, und tröstet sie darüber, daß sie sich mehr und mehr mußten von ihrem Volk, von seinem Tempel und Gottesdienst ausgeschlossen sehen: sie sollten indes um so unverrückter festhalten an der Gemeinde Christi, welcher „eines so viel besseren Testaments Ausrichter geworden, als das alte war!"

Schon durch den großartigen Fortgang der Heidenmission wurde indes das Judenchristentum in Schatten gestellt. Als ihm vollends mit der Auflösung des jüdischen Staatswesens und Tempeldienstes der heimische Boden entzogen war, trat es bald ganz zurück. Noch gingen aber aus ihm zahlreiche Irrlehrer hervor, welche wie Simon der Magier (Apostelg. 8), allerlei Geheimlehren und Geheimkünste zu besitzen und zu lehren vorgaben, unter Vermengung des Christlichen mit Jüdischem und Heidnischem. Indessen war nun ja dem Christentum, als seine Heimatstätte zertrümmert wurde und die erste Form seines Lebens zurücktrat, schon eine neue und größere Stätte in der weiten Heidenwelt gegründet und eine neue und freiere Form unter den Heidenchristen gewonnen worden.

Als die Überreste der jüdischen Bevölkerung sich nach der Zerstörung Jerusalems wieder sammelten, richteten auch die Christen ihr Gemeinwesen wieder auf. Sie erwählten an des Jakobus Stelle den Symeon, der ein Verwandter des HErrn, ein Sohn des Kleophas (Luc. 24, 11), gewesen sein soll. Er erlitt nach langer treuer Amtsführung den Märtyrertod unter Kaiser Trajan im J. 107, indem er nach den Qualen der Folter an's Kreuz geschlagen wurde.

Ein Denkmal der Einheit im Geiste zwischen Petrus, dem „Apostel der Juden", und Paulus, dem „Apostel der Heiden" (Gal. 2), bei aller Selbständigkeit eines jeden für sich, sind die beiden Briefe Petri.

Der erste Brief, wohl von Babel-Rom (5, 13) und unter dem Eindruck der immer mehr drohenden Christenverfolgungen geschrieben, richtet sich an die kleinasiatischen Gemeinden, die unmittelbar oder mittelbar durch Pauli Thätigkeit entstanden waren. Der freudige Bekenner ermahnt darin zur Standhaftigkeit im Glauben unter allen Anfechtungen und zur Bewährung der Christen, als des wahren auserwählten Volkes und als der Fremdlinge und Pilgrime, in den Verhältnissen dieses Weltlebens, auch in den schwierigsten Lagen, auf daß die, so von ihnen afterredeten als von Übelthätern, zu Schanden würden. Es ist dieser Brief, der Martyriumsbrief,

Kathedra Petri. Statue aus dem 2. Jahrhundert, von Papst Damasus in der Peterskirche aufgestellt. Eine der vielen römischen Legenden erdichtete später, Papst Leo I. habe nach seiner Rückkehr von der Begegnung mit Attila (s. S. 70) zum Danke die Statue des Capitolinischen Jupiters in die Figur des Apostels Petrus umgießen lassen.

nicht wohl vor dem Zeitpunkt geschrieben worden, mit dem die Apostelgeschichte schließt.

Während der Apostel im 1. Briefe die äußern Feinde im Auge hat, so warnt er im zweiten vor den innern Feinden, den falschen Propheten, welche die christliche Lehre in ihr Widerspiel verkehren zum Deckmantel ihres ungöttlichen und fleischlichen Sinnes, vor denselben, auf welche dann auch der Brief des Judas, eines Bruders des Jakobus, zielt (v. 17). Der zweite

Brief des Petrus ist ähnlich, wie der 2. an Timotheus ein Abschiedsbrief. Der Apostel weiß, daß er seine Hütte bald ablegen muß (1, 14).

Er starb, wohl etwas später als Paulus, unter Nero in Rom den Märtyrertod am Kreuze, und zwar mit dem Haupte zum Boden gekehrt.

Für den Kreuzestod Petri liegt ein noch älteres Zeugniß als das der Kirchenväter vor, nämlich das Evangelium Johannis, im 21. Kapitel, wo Christus zu Petrus spricht: „Wenn du alt wirst, wirst du deine Hände ausstrecken und ein Anderer wird dich gürten und dich führen, wohin du nicht willst". Auch des Petrus Grab haben die Christen in Rom bereits im 2. Jahrhundert gezeigt und zwar in der rechten Tiberhälfte der Stadt auf dem Vatikanischen Hügel neben einem Heiligtum des dort noch länger dauernden Kybeledienstes im Cirkus des Nero. Die ursprüngliche Peterskirche ist ohne Zweifel aus dem Material dieses Cirkus errichtet. Über dem Apostelgrab steht noch heute jene berühmte Kathedra Petri, ein Stuhl aus morschem Eichenholz mit den in Elfenbein geschnitzten Arbeiten des Herkules, darauf Petrus (eine Statue anscheinend antiker Arbeit). Dieses Denkmal wurde bereits von Papst Damasus in der Peterskirche im 4. Jahrhundert aufgestellt. Schon zu Theodosius d. Gr. Zeit wallfahrten Schaaren von Pilgern über die Hadrianische Brücke dahin, vorbei am Mausoleum des Hadrians (wie es in einem Hymnus des Prudentius heißt: „Ibimus ulterius, qua fert via pontis Hadriani, Laevam deinde fluminis petemus"), um sich am Grabe des Petrus niederzuwerfen, welcher bald in dem neuen Kapitole Roms über die Welt zu herrschen begann in großartigerer Weise als die römischen Kaiser ehedem!

c. Ausgang der apostolischen Zeit.

Der Apostel Johannes.

Als Petrus und Paulus vom Schauplatz abgerufen waren, trat Johannes, der Lieblingsjünger des HErrn, leitend hervor. Er erwählte sich Ephesus, den örtlichen Mittelpunkt der damaligen Christenheit, zu seinem Standorte und wirkte dort und von dort aus bis an das Ende des Jahrhunderts und bis ins höchste Lebensalter an der Erbauung der Kirche.

Auch hier steht er mit seinem Leben und Wirken im stillen Grunde der Verborgenheit, die von der Dichtung wie mit einem Schleier übersponnen ist. In Rom soll er, als er mit Petrus dahin gekommen, in glühendes Öl eingesenkt, doch trotz der Qual bewahrt worden sein. Unter Domitian wurde er nach der Insel Patmos verbannt (Offb. 1, 9). Von ihm gieng die Sage: „Dieser Jünger stirbt nicht!" sein Körper soll bloß im Grabe schlafen, aber sein Odem soll die Erde über demselben bewegen (Joh. 21, 22 ff.). Das Wirken des Apostels Johannes spiegelt sich wider in den Berichten der Überlieferung. Als er einmal hörte, daß der Irrlehrer Cerinth in dem Bade sich befinde, in das er gerade sich begeben wollte, wich er davon zurück aus Furcht, das Gebäude möchte über dem Feinde der Wahrheit zusammenstürzen. (Mark. 3, 17; Luc. 9, 51 ff.) Bekannt ist die Geschichte von dem geretteten Jüngling, der, von ihm erweckt, dann abgefallen und zum Räuberhauptmann geworden, von ihm durch die Kraft der hingebendsten Liebe gesucht und wiedergewonnen wurde. Als Johannes schon das höchste Greisenalter erreicht hatte und nicht mehr predigen konnte, ließ er

Heutige Ansicht von Patmos. Der Gebäudecomplex auf der Höhe ist das im 11. Jahrhundert unter der Regierung des byzantinischen Kaisers Alexius Komnenos gestiftete Johanniskloster. Eine Felsengrotte, der Tradition zufolge die Einsiedlerwohnung des Apostels, wo er die Offenbarung erhielt, ist zu einem Kirchlein ausgebaut, wo mehrmals im Jahre mit Bezug auf diese Thatsache Gottesdienst gefeiert wird.

sich noch in die Versammlung tragen und ermahnte und erbaute die Gemeinde mit seinem Zuruf: „Kindlein, liebet einander!"

Am größten steht Johannes da in der stillen Wirksamkeit seiner Schriften, in denen er seine große und hohe Mission in umfassender Weise nicht blos für jene Zeit der Kirche erfüllte. Außer dem Evangelium finden sich im Neuen Testamente auch drei Briefe von ihm und die Offenbarung; er erscheint somit als Evangelist, als Apostel und als Prophet.

Wie er in seinem Evangelium dem Glauben das Bild Christi als des Sohnes Gottes vorhält (s. S. 2), so sucht er in seinem ersten Briefe mit gleicher Innigkeit und Kraft zur Liebe Gottes und der Brüder als dem Leben der Kinder Gottes zu erwecken im scharfen Gegensatz gegen alles widerchristliche Wesen. Auch der zweite Brief, an eine Frau (Gemeinde?) gerichtet, mahnt gegenüber dem Widerchristentum in der Wahrheit und Liebe zu bleiben, ebenso der an einen Ältesten Gajus geschriebene dritte, mit seinem Lobe eines guten Presbyters, der in der Wahrheit und Liebe geblieben, und mit seinem Tadel gegen einen eigenmächtigen Vorsteher. Wann diese Briefe geschrieben worden, ist nicht näher zu ersehen. In seiner Offenbarung (Apokalypse) durfte er in einer Reihe von Gesichten der Hoffnung der christlichen Gemeinde einen großartigen Ausblick in die Zukunft eröffnen, in die Vollendung der Gemeinde durch Kreuz zur Krone, durch Kampf zum Siege, in die Vollendung des Reiches Christi zu einem neuen Himmel und einer neuen Erde (Daniel, Matth. 24, 2. Thess. 2). Diese Schrift wurde zunächst den hervorragendsten kleinasiatischen Gemeinden gewidmet (cp. 2—3). Wann sie geschrieben worden, ist nicht ganz sicher anzugeben; das Buch selbst weist mit der Angabe des Ortes: Patmos (1, 9) auf die Zeit der domitianischen Verfolgung hin, wie auch einer der ältesten Zeugen bestätigt.

Der neutestamentliche Kanon.

Dies war der Stand der Dinge am Ende des apostolischen Zeitalters. Schon hatte sich das Christentum weithin in das römische Reich Bahn gebrochen, und zum weitern Gang in die Zeit hinein, ohne die Apostel, waren die Christengemeinden ausgerüstet mit einer festen Grundlage kirchlicher Ordnung in dem von den Aposteln eingesetzten Presbyterium sammt dem Diakonat, sowie durch die apostolischen Schriften, dem Erzeugnis des Geistes, der in den Aposteln sich so kräftig erwiesen, so lange sie unter ihnen wandelten und wirkten.

Die apostolischen Schriften waren allerdings zunächst noch nur zerstreut und vereinzelt vorhanden; indessen wurden sie bald durch Abschriften weiter verbreitet. Die Handschriften der Apostel selbst (die Autographe) sind nicht auf uns gekommen; die Papyrusblätter, auf welche man damals schrieb, besaßen zu geringe Dauerhaftigkeit. Die ältesten Manuskripte derselben, die wir besitzen, stammen aus dem 4. Jahrhundert, und zwar sind die berühmtesten „Codices": 1) der sog. Codex Alexandrinus, jetzt in Lon=

don, 2) der sog. Codex Vaticanus, jetzt in der Vatikan-Bibliothek in Rom, und endlich 3) der Codex Sinaiticus, erst 1859 von dem Leipziger Professor Tischendorf im Katharinenkloster auf dem Sinai aufgefunden; er befindet sich jetzt in Petersburg. Gesammelt in der uns aufbehaltenen Vollzahl, unter Ausscheidung aller unechten, apokryphischen Schriften, wurden die neutestamentlichen Schriften erst im 4. Jahrhundert.

„Das von Tischendorf durch Zufall bei den Mönchen des Katharinenklosters aufgefundene Manuskript besteht aus 346 Blättern des größten Formats und enthält außer den Büchern des alten Testaments in griechischer Übersetzung (Septuaginta) das ganze Neue Testament ohne die geringste Lücke; außerdem noch zwei Sendschreiben apostolischer Väter, welche die Kirche des 2. u. 3. Jahrhunderts in hohem Ansehen hielt, ja denen sie sogar gleichen Rang mit den Briefen der Apostel Paulus und Petrus anwies, die aber bisher wenigstens teilweise nur in einer späteren, lateinischen Übersetzung, nicht aber in griechischer Sprache erhalten waren: nämlich den Brief des Barnabas und den ersten Teil des sog. „Hirt des Hermas".

Es ist besonders derjenige Theil des Codex Sinaiticus, welcher das Neue Testament enthält, von geradezu unschätzbarem Werte; denn weder der Codex Alexandr., noch der Codex Vaticanus ist vollständig: jenem fehlt fast das ganze Evangelium Matthäi mit zwei Kapiteln, das Johannes-Evangelium, sowie der 2. Korintherbrief größtenteils; von diesem sind vier ganze Apostelbriefe, nebst den letzten Kapiteln des Hebräerbriefs und die Apokalypse verloren gegangen. Die von Tischendorf aufgefundene Handschrift aber ist nicht nur zum wenigsten so alt wie die beiden andern, sondern sie ist auch vollständig. Sie wird von nun an die sicherste Grundlage für alle Forschungen über den heiligen Text.

Es sei hier von der Bedeutung der Sinaitischen Handschrift auch außer ihrer Beziehung auf die Herstellung des wahren, ursprünglichen Schrifttextes ein Beispiel angeführt. Wie S. 3 bemerkt, ist das Alter der 4 Evangelien und das ihrer kirchlichen Anerkennung nicht durchaus sicher. Vorzugsweise bedeutsam zu deren Bestimmung wäre es daher, wenn sich in einer der ältesten, beglaubigtesten christlichen Schriften, wie dem Barnabasbriefe, etwa ein den Evangelien entnommenes Zeugnis fände. Im Briefe des Barnabas, der vor Tischendorfs Entdeckung nur lateinisch vorhanden war, erregte nun längst das Citat: „Viele sind berufen, aber wenige sind auserwählt" besondere Aufmerksamkeit, um so mehr, als dabei stand: „Wie geschrieben steht". Das Evangelium Matthäi wurde also schon im ersten Viertel des 2. Jahrhunderts — denn aus diesem stammt der Brief des Barnabas — mit derselben Formel angeführt, die in des Heiland's und der Apostel Munde nur dem alttestamentlichen Offenbarungskanon zukam? Das wäre das wünschbar gewichtigste Zeugnis dafür, daß schon im ersten Viertel des zweiten Jahrhunderts, wider alles Erwarten derjenigen, die gern das Ansehen der Bibel erschüttern möchten, unser Matthäus-Evangelium nicht etwa nur vorhanden war, sondern in der Kirche bereits für kanonisch galt. Alles kam nun darauf an, zu erweisen, daß jener Beisatz: „Wie geschrieben steht" nicht etwa nur ein Zusatz des lateinischen Übersetzers des Barnabasbriefs ist, und diesen Nachweis liefert nun die Sinaitische Handschrift in befriedigendster Weise. Solcher und ähnlicher Beispiele ließen sich aber gar viele anführen!

Das Katharinenkloster am Sinai, durch Kaiser Justinian im Anfang des 6. Jahrh. da begründet, wo der Tradition zufolge der HErr dem Mose im brennenden Busche erschienen ist. Die „Kapelle des brennenden Busches" wird nur mit unbeschuhtem Fuße betreten, in Erinnerung jenes Mahnworts, das einst an Mose ergieng: „Zeuch deine Schuhe aus von deinen Füßen; denn der Ort, darauf du stehest, ist ein heilig Land!" Das Kloster ist seit seiner ersten Anlage unzerstört geblieben, da der Ort auch den Bekennern des Islam heilig ist.

2. Die Zeit der Verfolgungen bis zum Übertritt des Kaisers Konstantin (100—312).

Von diesem Anfange an breitete sich nun das Christentum unaufhaltsam weiter aus und zwar mehr durch den allgemeinen Verkehr als durch einzelne Missionare (Apostelg. 12, 24). Die Geringen im Volke, die Armen und Unterdrückten, vor allem die Sklaven, dazu die Frauen, nahmen das Evangelium am begierigsten auf (1 Cor. 1, 26; Gal. 3, 28). Um das Jahr 300 n. Chr. war es allenthalben im römischen Reiche verbreitet und berührte bereits die Grenzen Deutschlands am Rhein und an der Donau, wie es auch schon in Britannien festen Fuß gefaßt. Ungemein erleichtert wurde diese rasche Ausbreitung durch die Vereinigung der Völker im römischen Weltreich (Apostelg. 17, 26—27) und durch die allgemeine Verbreitung der griechischen Sprache als Weltsprache; daneben bot im Abendlande auch die lateinische Sprache, die Sprache der Weltherrscher, ihre Dienste (Joh. 19, 19—22).

„Es liegt ein tiefer Sinn darin, wenn der Evangelist Lukas seinen Bericht über die Geburt des Erlösers der Welt mit der Erinnerung an das Schatzungsgebot des römischen Kaisers Augustus beginnt. Das römische Weltreich war auf seiner Höhe angelangt, und „die Zeit war erfüllt“. Der Heiland hat das Himmelreich mit einem Samenkorn verglichen — in dem römischen Weltreich aber, das alle Bildungselemente und alle Kultur des Erdkreises umfaßte, war von Gott der Acker bereit gemacht worden, in welchen dieses Samenkorn eingesenkt werden konnte. Rom war der Mittelpunkt der Welt, der Mittelpunkt aller civilisirten Völker der Erde, der Mittelpunkt eines Netzes von Kunststraßen, welche von den Enden Britanniens bis nach Ägypten und von den Donauländern bis zu den Säulen des Herkules, die alte Welt verbanden, auf welchen nicht nur die Legionen marschirten, sondern auch die Reisenden verkehrten und die Boten des Evangeliums von einem Ende Europa's zum andern die Kunde tragen konnten von dem in Bethlehem geborenen Erlöser der Menschheit. Wir haben die Missionsthätigkeit des Paulus kennen gelernt, wie sie nirgends eine Schranke findet, über Kleinasien den Weg nach Griechenland sucht, und endlich nach Rom und Hispanien die Botschaft des Evangeliums trägt. Zwei Umstände waren es noch besonders, die ihm zu Statten kamen: seine Eigenschaft als römischer Bürger und seine Kenntnis der griechischen Sprache, welche die Sprache der Gebildeten der damaligen Welt war. Das römische Recht und die griechische Bildung waren das geistige Band, welches sich um die zahlreichen Völker schlang, die im Römerreich zusammengekommen waren. Es war etwas Neues, was hier vorliegt: die einzelnen Nationalitäten waren aufgegangen in ein universelles Reich, und erst dieses war fähig, den Universalismus des Christentums in sich aufzunehmen; erst jetzt, da die alten Nationalitäten zertrümmert waren, konnte der Gedanke eines alle Völker umfassenden Gottesreiches Wurzel fassen. Die Universalkirche — eine dem alten Griechen und Römer geradezu unfaßbare Idee —

konnte nun unmittelbar in den Rahmen des Universalreiches eintreten. Das ist für die Folge unendlich wichtig geworden."

„Auf der andern Seite hatte sich des Menschengeschlechts eine Art Verzweiflung bemächtigt an seinen alten Göttern. Griechische Bildung und griechischer Unglaube hatte den Römern ihren Glauben an die Gottheiten ihres Staates genommen; ein Cicero konnte bereits 50 Jahre vor Christi Geburt in öffentlichen Gerichtsversammlungen von den Strafen der Unterwelt mit spöttischer Redewendung sprechen, als woran Niemand mehr glaube! Zweifel an aller Wahrheit trat an die Stelle, wie Pilatus sprach: „Was ist Wahrheit?!" Aber doch, wie es Röm. 2, 14 heißt, ist auch in den Heiden unvertilgbar die Stimme des Gewissens, das sie nach Gott und der Heiligkeit vor ihm sich sehnen läßt. Ein Angstruf der ratlosen Menschennatur drang aus Tausenden empor, ob verstanden, oder ihnen selbst unverständlich! Es war das Erlösungsbedürfnis, welches die Menschen zu den orientalischen Kulten trieb, zu den Mysterien der ägyptischen Isis, des persischen Mithras und der kleinasiatischen Kybele, deren Bildnisse auf Amuletten die römischen Legionen bis in das ferne Germanien, Britannien und Gallien trugen. Auch die jüdischen Synagogen, welche an keinem bedeutenderen Orte fehlten —, wie denn die Juden bereits seit der babylonischen Gefangenschaft unter die Völker des Morgen- und Abendlandes sich verbreitet hatten, — zogen Viele an sich, die als sog. „Proselyten des Thores", ohne die Beschneidung anzunehmen und damit zu dem ganzen Ceremonialdienst sich zu verpflichten, doch an den Segnungen des Judentums Teil hatten, — meist heilsbegierige Seelen, die in den Synagogen suchten, was sie in den berauschenden Kulten des Orients, oder in den Systemen der Philosophie nicht gefunden hatten, den Frieden ihres Herzens. Aber auch noch viele andere hielten sich, ohne Proselyten zu werden, doch zur Synagoge. So hatte sich in den größeren Städten vornehmlich Asien's, Griechenland's und Nordafrika's ein Kreis um die Synagogen gebildet, der nicht heidnisch war und auch nicht jüdisch —, und gerade in diesem fand die Botschaft von Christo zuerst freudige Bekenner, wie in Philippi (Apostelg. 16, 14) und Thessalonich (17, 4), u. a. O. Ihnen mangelte der Stolz auf die jüdische Abkunft und die pharisäische Gesetzesgerechtigkeit, und gerade das war es ja, was den eigentlichen Juden den Glauben an das Wort vom Kreuze so schwer machte!"

Der Masse des heidnischen Volkes freilich waren die Christen mit ihrem Glauben ein Ärgernis als vermeintliche Gottesleugner (Atheisten); den gebildeten Römern und Griechen erschienen die Bekenner des Kreuzes Christi als Thoren und als ein „lichtscheues Geschlecht von Finsterlingen" (1 Cor. 1); den Machthabern war die christliche Gemeinde mit ihrem innigen und festen Zusammenhalten verdächtig als eine staatsgefährliche Verbindung, als eine reichsfeindliche Partei (Luc. 23, 1—2; Apostelg. 17, 7). „Ihr habt kein Recht zu bestehen!" rief man den Christen zu, und beim geringsten Anlaß, bei irgend einem öffentlichen Unglücksfalle hieß es: „Die Christen zu den Löwen!" So mußte denn die Christengemeinde in der Blut- und Feuertaufe einer langen Verfolgungszeit sich bewähren (Luk. 12, 49—50).

Das blutige Vorspiel war die Verfolgung durch den Kaiser Nero (s. S. 11 ff.), und schon dieses war so schrecklich, daß der Kaiser Nero in den Augen der geängsteten Christen schon als der „Antichrist" (Offb. Joh.) erschien. Auch der finstre blutdurstige Tyrann Domitian, des edlern Titus Bruder und Nachfolger (81—96), ließ einzelne Christen, selbst aus den Hofkreisen, hinrichten; Anverwandte Christi aber, die er hatte vorfordern lassen, entließ er ungekränkt, als er die Schwielen der Arbeit an ihren Händen sah. Nach diesem Vorspiele, noch in der Apostel Tagen, begann die eigentliche Verfolgungszeit. Bisher hatten die Christen den Römern als zu den Juden gehörig gegolten; von der Zerstörung Jerusalems und der Zerstreuung der Juden an, da das Christentum als besondere Religion erkannt worden war, war es eine nicht anerkannte Religion geworden und wurde von den strengen römischen Gesetzen über unerlaubte Verbindungen getroffen. Dazu mehrte sich die Anzahl der Christen in auffallender Weise; bereits war in manchen Gegenden das Christentum so verbreitet, daß die Götzentempel verödeten und das Opferfleisch keine Käufer mehr fand. Veranlaßt durch eine Anfrage des als Statthalter nach Bithynien gekommenen Plinius d. J., was er mit den gerade dort sehr zahlreichen Christen anfangen solle, traf Trajan (98—117 n. Chr.), ein Herrscher von altrömischer Gesinnung und Kraft, die Anordnung, die Christen sollten zwar nicht aufgespürt, es sollten auch nicht heimliche Angebereien gegen sie beachtet werden, aber wenn sie öffentlich angeklagt würden und überführt seien, sollten sie bestraft werden; die Reumütigen sollten Verzeihung erlangen. Schon war der hochbetagte Symeon gekreuzigt worden (vgl. S. 16). Auf Befehl des Kaisers selbst wurde Ignatius, Bischof von Antiochia, einer der „apostolischen Väter", in Rom den wilden Thieren vorgeworfen (um 116 n. Chr.)

Sein Nachfolger, der griechisch gebildete Hadrian, suchte die Christen mehr durch Spott zu verletzen; aufs schmerzlichste mußten diese durch die Aufstellung heidnischer Götzenbilder an der Stätte, da Christus gekreuzigt und begraben worden, berührt werden. Aber bald fingen die blutigen Verfolgungen wieder an, und zwar gingen sie diesmal von einem Fürsten aus, welcher als der „Weltweise auf dem Throne" gerühmt wurde, von dem Kaiser Mark Aurel (161—180). In früher Jugend schon der strengen Schule der Stoiker ergeben, faßte er die Pflicht des Herrschers mit großem Ernste auf. Der Staat war ihm alles. Und die Christen, die er von der stolzen Höhe seines philosophischen Standpunktes mit Verachtung ansah, erschienen ihm schon deswegen der Verfolgung wert, weil durch sie die religiöse Einheit des Staates bedroht war. Von nun an wurde auch die Folter gegen die Christen angewendet. In jener Zeit endete der letzte Apostelschüler Polykarp, Bischof von Smyrna, sein Leben auf dem Scheiterhaufen, den auch Juden eifrig mitbereiten halfen (um 167 n. Chr.). Auch Justinus der Märtyrer starb damals. Eine andere Verfolgung wüthete ein Jahrzehent später in Südfrankreich, nachdem M. Aurel angeordnet, daß die Ankläger in den Besitz der hingerichteten Christen eintreten sollten. Viele Opfer starben daselbst nach vielen Qualen, vor allen ausgezeichnet nebst dem neunzigjährigen Bischof Pothinus, der Arzt Alexander, der 15jährige Knabe Pontikus und die junge Sklavin Blandina. Die Leichen der Märtyrer wurden verbrannt und die Asche in den Rhonefluß gestreut unter dem Spott der Heiden: „Nun wollen wir doch sehen, ob sie auferstehen werden!" Daß der Kaiser durch eine Errettung auf das Gebet der „Donnerlegion" hin umgestimmt worden, ist geschichtlich nicht zu erweisen. Bald hernach wurden unter dem Kaiser Severus (193—211) die Gemeinden in Nordafrika heimgesucht,

Bischof Polykarpus.
(Die Palme ist das Zeichen des Marthyriums.)

wo Potamiäna, die mit ihrer Mutter zusammen in siedendes Pech eingesenkt wurde, durch ihre Todesfreudigkeit den Kriegsknecht Basilides zum Glauben erweckte; er folgte ihr bald im Märtyrertode nach. Auch Perpetua, eine reiche und vornehme junge Frau in Carthago bestand damals in hoher Selbst- und Weltverleugnung die schwere Glaubensprobe des Martyriums; sie erlitt den Tod durch die Stöße einer wilden Kuh und schließlich durch den Dolch eines jungen Fechters, zugleich mit ihr, als ihre Leidensschwester, die Sklavin Felicitas.

Aber das Alles waren nur erste Vorboten der größern Stürme, die noch kommen sollten. Doch wurde den Christen vorher eine kurze, wenn auch nicht überall ungestörte Friedenszeit gewährt und zwar durch einen Zug zu einer allgemeinen Religionsmengerei, welcher damals auch auf dem Kaiserthrone zur Herrschaft gelangte. Alexander Severus und seine Mutter Julia Mammäa stellten das Bild Christi in ihren Haustempel unter die Büsten von großen und weisen Männern, darunter auch Abraham und Orpheus. Aber eine Reihe strenger Soldatenkaiser, die nun folgten, bekämpfte die Christen als die „innern Feinde" mit allen Mitteln der Gewalt. Decius (249—51) erließ den Befehl, daß alle Christen unter Androhung der Folter und des Todes aufgefordert werden sollten, die Gebräuche der Staatsreligion mitzumachen. Da erfüllte sich das Wort des HErrn von der Sichtung (Luc. 22, 31). „Es wurden Martern angewendet", so schildert Cyprian in einem seiner Briefe, „Martern ohne Ende der Qual, ohne den Ausgang einer Verurteilung, ohne den Trost des Todes; Martern, die nicht leicht die Gequälten zur Krone entsenden, sondern sie so lange quälen, bis sie schwach werden, wenn nicht vielleicht die göttliche Barmherzigkeit gibt, daß einer unter den Martern stirbt und die Glorie erlangt, nicht weil die Marter ihr Ende erreicht hatte, sondern weil der Tod schnell herbeigekommen". Die Christen waren jetzt vogelfrei. Gar manche fielen da ab und opferten den Göttern oder streuten dem Bilde des Kaisers Weihrauch; andere ließen sich für Geld von den Beamten Scheine ausstellen, als wenn sie das verrichtet hätten. Andererseits aber thaten sich auch jetzt wieder gar viele hervor durch standhaftes Bekenntnis und es bewiesen sich die Christen auch jetzt wieder nach Tertullian's Ausdruck als „ein allezeit zum Sterben bereites Volk". In Alexandria nöthigte ein fünfzehnjähriger Knabe, mit Namen Dioskuros, durch seine standhaften und mutigen Antworten mitten unter den Martern dem Statthalter solche Bewunderung ab, daß er ihn freiließ, auf daß er sich eines Besseren besinnen möge. Zehn Jahre dauerte mit geringen Unterbrechungen diese Verfolgung, der besonders viele Diener der Kirche erlagen, unter ihnen Bischof Cyprian von Karthago, der 258 mit dem Schwerte hingerichtet wurde. In Rom folgten drei Bischöfe einander im Märtyrertode nach. Den Bischof

Sixtus II. ergriffen die Häscher in den Katakomben beim Gottesdienst; er ward auf derselben Stelle gekreuzigt, mit ihm drei seiner Diakone; der vierte, Laurentius, wurde auf dem glühenden Roste zu Tode gemartert, als er es gewagt, dem habgierigen Statthalter die von der Kirche versorgten Armen als deren Schätze vorzustellen. Sorgsam wurden überall in den Gemeinden die Namen der Bekenner und der Geschichte ihres Martyriums zum Gedächtnis aufgezeichnet.

Darauf trat wieder eine Zeit der Ruhe ein und schon war es dahin gekommen, daß durch Kaiser Gallienus (260—268) der Kirche das Recht einer anerkannten Gesellschaft erteilt war, als nochmals eine Verfolgung ausbrach, die allgemeinste und heftigste von allen. Dies geschah unter dem Kaiser Diokletian (284—305). Diokletian machte noch einmal einen kräftigen Versuch, dem zerbröckelnden Reich neue Kraft zu geben. Überzeugt, daß nur die Religion das Band der Treue zwischen Herrscher und Unterthanen fest zu knüpfen vermag, nahm auch dieser Kaiser in sein System den Gedanken der einheitlichen Staatsreligion und damit die Wiederbelebung des alten Heidentums, an das er selbst fest glaubte, auf. Dennoch umgab er sich selbst mit Christen, die er auch im Heere duldete, und sein Weib, Prisca, sowie seine Tochter, Valeria, standen der Kirche bereits nahe. Lange auch widerstand er dem Drängen seiner Priester und der heidnischen Partei am Hofe, sowie seines fanatischen Mitregenten Galerius und zwar, weil er fürchtete, daß eine Verfolgung doch nicht die beabsichtigte Wirkung der Herstellung der heidnischen Staatsreligion haben, vielmehr an der Standhaftigkeit der christlichen Bekenner scheitern werde. Aber der Kaiser alterte bereits; sollte sein Gebäude unvollendet bleiben? und allerdings blieb es unvollendet, so lange die Macht des Christentums ungebrochen war. Schließlich entschloß sich der abergläubische Mann, an dessen Hof zu Salona an der Küste Dalmatiens (jetzt Spalatro) täglich in den Eingeweiden der Opfertiere geforscht wurde, die Götter zu befragen; das Orakel des milesischen Apoll entschied. An einem der Hauptfeste, den Terminalien, die auf den 23. Februar fielen, im J. 303, wurde dann die Losung zum Ausbruch der Verfolgung gegeben. Sie ward früh morgens mit der Zerstörung einer christlichen Kirche in der Residenzstadt Nikomedia eröffnet, indem zugleich ein kaiserlicher Erlaß angeschlagen wurde, der die christlichen Versammlungen verbot, die Zerstörung der Kirchen befahl und die Auslieferung der heiligen Schriften forderte; auch wurden die Christen aller bürgerlichen Rechte für verlustig erklärt. Ein Christ goß Öl ins Feuer, indem er unbesonnener Weise diesen kaiserlichen Erlaß herabriß. Die Christen wurden an allen Orten am bestimmten Tag vorgeladen und namentlich aufgefordert zu opfern. Die sich Weigernden wanderten in den Kerker und mit den ausgesuchtesten Martern trachtete man sie zur Abschwörung des Christennamens zu bringen, während den Nachgiebigen aufs zuvorkommendste die Wege gebahnt wurden. Die Verfolgung breitete sich über das ganze römische Reich aus mit Ausnahme der westlichen Länder und dauerte auch nach dem Rücktritt Diokletians noch fort. Sind auch einzelne Berichte übertrieben oder sagenhaft, wie die Niedermetzelung einer ganzen aus Christen bestehenden Legion, der sog. Thebaischen Legion, so ist es doch gewiß, daß die Verfolgung in der grausamsten Weise, mit den ausgesuchtesten Martern durchgeführt wurde. Männer, Frauen, Kinder wurden teils in die Bergwerke zu schwerer Arbeit verurteilt, teils ertränkt, teils ans Kreuz geschlagen; viele wurden verbrannt, da und dort ganze Versammlungen in ihren Bethäusern; oft wurden an einem Tage ihrer Hunderte hingerichtet; die Enthauptung durchs Schwert galt als Gnade. So mußte in Mailand, wenn die Überlieferung sicher ist, der kaiserliche Hauptmann Sebastian als Zielscheibe für Pfeilschüsse dienen. In Rom wurde ein 13jähriges Mädchen aus vornehmem Geschlecht, Agnes, die weder durch Lockungen, noch durch Drohungen, noch durch öffentliche Ausstellung am Pranger sich zum Abfall bewegen ließ, mit dem Schwerte hingerichtet. In Augsburg wurde Afra aus Cypern auf einer Lechinsel verbrannt. In Kappadocien starb auch der tapfere Ritter Georg, dessen Leben vor andern sagenhaft ausgeschmückt wurde. Selbst edlere Heiden hat es da und dort erbarmt, also daß sie verfolgten Christen Schutz in ihren Häusern gewährten. Wohl ließen sich auch jetzt wieder manche zum Abfall und zur Auslieferung der heiligen Schriften (Traditoren) bewegen; aber die Machthaber mußten doch bald die Unmöglichkeit erkennen, das Christentum zu überwinden. Es ging, wie schon früher den Heiden zugerufen wurde: „Kreuzigt, foltert, richtet, zertretet uns nur. Eure Ungerechtigkeit ist ja die Bewährung unsrer Unschuld. Deswegen läßt uns Gott das dulden. Und doch richtet all eure Grausamkeit, auch die ausgesuchteste, nichts aus, ist vielmehr ein Reizmittel herzu zu unsrer Sekte. Wir werden ihrer mehr, je mehr wir von euch hingemäht werden; eine Aussaat ist das Blut der Christen!" (Röm. 8, 35 ff.)

Nachdem aber die Not aufs höchste gestiegen, war die Hilfe am nächsten. Die Bewährung der Christen war das Gericht über das Heidentum. „Alles, was von Gott geboren ist, überwindet die Welt!" Und es konnte die Zeit nicht ausbleiben, wo auch äußerlich die weltüberwindende Kraft des christlichen Glaubens sich zeigte. Der letzte und grimmigste Verfolger, Galerius, rief selbst noch, von schrecklicher Krankheit heimgesucht, die Fürbitte der Christen für sein und des Reiches Wohl an und hob seinerseits die Verfolgung auf. Die eigentliche Hilfe und der große Umschwung kam aber vom Abendland her. Konstantin, der Beherrscher der westlichen Länder des Reiches, erklärte sich für das Christentum.

Schon sein Vater war, nach dem Bericht des Eusebius, des Verfassers der ersten Kirchengeschichte, wohl durch den Einfluß seiner Gemahlin Helene, dem Christentum nicht ungünstig gewesen. Noch mehr öffnete der Sohn der Rede von dem „einzigen Gerechten" sein Ohr. Er sagte sich, daß die Wahrheit nicht auf Seite derer sein könne, welche sie nicht suchen, sondern töten wollten, und daß doch die Sache der Gerechtigkeit den Sieg behalten werde. Ueberdies riet ihm sein staatskluger Sinn, sich auf diejenige Partei zu stützen, welcher offenbar die Zukunft gehörte. Auf dem Wege gen Rom wurde er in seiner Überzeugung noch bestärkt durch ein Gesicht, in dem er ein lichtes Kreuz über der Sonne schaute mit der Inschrift: „In diesem wirst du siegen!"

Nach einem Siege über seinen Mitregenten, den Christenfeind Maxentius, am rothen Stein bei Rom, den 27. Oktober 312, erließ er von Mailand aus ein Toleranzgesetz zu Gunsten des Christentums, „der frömmsten Religion", nach dem Grundsatze der von den Christen immer geforderten Glaubens- und Gewissensfreiheit. Am 13. Juni wurde das Mailänder Edikt in Nikomedien, der Stadt, von wo vor zehn Jahren die Verfolgung ausgegangen war, angeschlagen. Ein Jahrzehent später kam

Kirche des heiligen Grabes zu Jerusalem, begründet im J. 326 durch den Kaiser Constantin. Einer durch Hieronymus überlieferten Nachricht zufolge wurde unter Kaiser Hadrian (117—138 n. Chr.) über dem Grabe des Erlösers ein Venus- und Jupiter-Heiligtum errichtet, aus dessen Gestein die Grabeskirche erbaut ist. Die Kirche wurde im J. 1099 durch die Kreuzfahrer restaurirt.

es zu einem zweiten Entscheidungskampf mit der heidnischen Partei im Morgenland. Auch hier siegte Constantin unter der Kreuzesfahne (Labarum). Alleinherrscher des großen Reiches geworden, verlegte er seinen Sitz von dem noch mehr heidnischen Rom nach Byzanz, aus dem er sich die Hauptstadt des christlichen Kaisers bildete, die von nun an Konstantinopel genannt wurde. Da wurde er am Eingange seines Palastes dargestellt, die Kreuzesfahne in der Hand und unter seinen Füßen den Drachen des Heidentums, von Pfeilen durchbohrt. Nun wurde das Christentum zur Staatsreligion, die christliche Kirche zur Reichskirche erhoben (323).

Kaiser Konstantin (vom Konstantinbogen in Rom).

Indessen war das Christentum dieses ersten christlichen Kaisers, — der erst kurz vor seinem Tode (337) sich taufen ließ, — in mancher Hinsicht noch ein zweideutiges. Konstantin war persönlich noch nicht ein gläubiger und freudiger Bekenner des christlichen Namens, und auch er handelte wie Marc Aurel, Decius und Diokletian, welche das Christentum aus Staatsklugheit unterdrückten, ebenfalls zunächst aus staatsmännischen Erwägungen, wenn er das Christentum zur Reichsreligion emporhob. Das Christentum sollte das alt gewordene Reich verjüngen. Das hat es zwar nicht gethan; die Mission des Reiches, für Christum vorzubereiten, war erfüllt. Aber dennoch ist Konstantins That für die ganze spätere Geschichte von ungeheurer Bedeutung geworden: von ihm datirt die Verbindung von Staat und Kirche. Konstantins Nachfolger ist Karl der Große, und auf den Trümmern des Römerreichs erhob sich einige Jahrhunderte später das heilige römische Reich deutscher Nation!

Von den Nachteilen und Gefahren, welche der Kirche aus der Erhebung des Christentums zur offiziellen Religion drohten, hatte man damals noch keine Erfahrung. Plötzlich aus Elend und Schande zur Machtstellung berufen, war die Kirche getrieben, sich selbst nach dem Vorbild des weltlichen Regiments zu gestalten. Der Kaiser selbst ward zunächst das Haupt der Kirche, wie er in der heidnischen Zeit das Amt des Pontifex Maximus begleitet hatte; er führte u. A. den Vorsitz in den Synoden. Es gestaltete sich eine Hierarchie von Patriarchen, Metropolitanen und Bischöfen, deren Amtsgewalt durch die Staatsgesetze bestimmt und gestützt wurde, und deren Provinzen und Diöcesen den Provinzen und Verwaltungskreisen des Staates entsprachen. Der Nachtheil für das innere Leben der Kirche blieb nicht aus. Andererseits bejahigte freilich gerade die auch im Weltlichen starke Position allein die Kirche, den

Stürmen der kommenden Jahrhunderte, als die Barbaren das römische Reich überfluteten, zu widerstehen. Sie war es, welche in den Verheerungen der kommenden Zeit die Kultur überhaupt rettete.

3. Von dem Übertritt Konstantins bis zur völligen Besitznahme des römischen Reiches durch das Christentum.

Nach dem Übertritt Konstantins strömten die Heiden massenhaft der Kirche zu, die nun von der Gunst der Herrscher getragen war. Doch fand nach dem Tode Konstantins und seiner Söhne unter der Regierung Julians des Abtrünnigen (Apostaten) (361—63) noch ein Nachspiel der Verfolgungen statt.

Verstimmt durch die üble Behandlung, die er an dem verwandten kaiserlichen Hofe erfahren, abgestoßen durch die Unlauterkeit, die er in dem Herrscherhause wahrnahm, und beeinflußt von heidnischen, neuplatonischen Gelehrten, war Julian, ein Neffe des großen Kaisers, dem christlichen Glauben entfremdet worden. Auf den Thron erhoben, suchte er das Christentum auf alle Weise zu schwächen, wie durch Beförderung der Spaltungen unter ihnen, durch Verdrängung der Christen von den höhern Staatsämtern und durch ihre Ausschließung von den höhern Bildungsanstalten. Auf der andern Seite suchte er das sinkende Heidentum auf alle Weise zu heben, insbesondere durch Nachahmung christlicher Einrichtungen und Tugenden; die Predigt in den Gottesdiensten und die Werke der Barmherzigkeit sollten nachgeahmt werden und anderes. Aber seine Bemühungen waren nach beiden Seiten hin vergeblich. Aufs tiefste verstimmt soll Julian, als er im Kriege gegen die Perser überwunden und tötlich verwundet worden, sterbend ausgerufen haben: „Du hast gesiegt, Galiläer!" oder wie andere erzählen: „Sonne, du hast mich betrogen!" Die Verfolgung unter Julian war, wie Athanasius äußerte, in der That nur „ein Wölkchen", das denn auch bald vorüberging. („Nubicula est; transibit!")

Von nun an ging das Heidentum rasch seinem Untergange entgegen; am längsten hielt es sich auf dem Lande und in den Gelehrtenschulen. Kaum ein Jahrhundert weiter, so stand eine erneuerte Welt vor den erstaunten Augen, wie es in der Legende von den sieben Schläfern von Ephesus ausgedrückt ist (Ps. 126). Während Konstantin bei aller Begünstigung des Christentums doch duldsam gegen das Heidentum gewesen war, ja sogar noch den Titel Oberpriester (Pontifex maximus) beibehalten hatte, fühlte sich schon Theodosius der Große (379—95) gedrungen, den Übertritt zum Heidentum durch Entziehung von Rechten zu erschweren; bald auch verbot er wenigstens die Opfer, die mit Zauberei verbunden waren. Vergeblich richtete der heidnische Rhetor Libanius seine berühmt gewordene Schutzrede „für die Tempel" an den Kaiser; Theodosius und seine Nachfolger wollten nicht und konnten auch kaum dem Drange der Zeit widerstehen. Die Sterbestunde des Heidentums im römischen Reiche schlug indessen erst, als Kaiser Justinian (527—565) die Gelehrtenschule in Athen auflöste.

Mosaik aus der Vorhalle der Sophienkirche zu Constantinopel: der thronende Christus mit den Medaillonbildern der Maria und des Erzengels Michael, vor ihnen der hochbetagte Kaiser Justinian in knieend anbetender Haltung (aus dem 6. Jahrhundert.)

Betrübend ist, daß auch der Kampf gegen das bereits überwundene Heidentum nicht immer nur mit geistlichen Waffen geführt wurde. Selbst die würdigsten Bischöfe vergaßen häufig des Grundsatzes, den einer von ihnen bezeugte: „Es ist dem Christen nicht erlaubt, durch Gewalt und Zwang den Irrtum zu zerstören, sondern sie dürfen nur durch Überzeugung, durch vernünftige Belehrung, durch Erweisungen der Liebe das Heil der Menschen schaffen". Es kamen schlimme Ausbrüche des Fanatismus vor, wie in Alexandria, wo durch den christlichen Pöbel die edle und gebildete Philosophin Hypatia bei einem Tumulte den Tod erlitt.

4. Ausbreitung des Christentums über die Grenzen des römischen Reiches hinaus.

Während so im Laufe weniger Jahrhunderte das Christentum vom ganzen römischen Reiche, also von allen Ländern um das mittelländische Meer her in Europa, Asien und Afrika, Besitz nahm, drang es zugleich auch schon über die Grenzen desselben hinaus. Bereits im zweiten Jahrhundert findet sich in Edessa, dem Grenzgebiete gegen Armenien und Persien, ein christlicher König Abgarus, welcher der Sage nach in Briefwechsel mit Christo gestanden sein soll. Zu den Iberern am Kaukasus kam das Christentum durch den Einfluß, den eine fromme christliche Kriegsgefangene, Namens Nunia, gewann. In Armenien erwarb sich Gregor Illuminator große Verdienste um die Bekehrung seines Volkes. In Persien wurde eine bedeutende Anzahl von Christengemeinden gegründet, welche heftige Verfolgungen zu bestehen hatten. Auch in Arabien hatte das Christentum schon im zweiten Jahrhundert zahlreiche Bekenner. In Abessynien, dem Heimatlande des Kämmerers aus Mohrenland (Apostelg. 8), wurde das Christentum durch zwei junge Leute, Frumentius und Ädesius, eingeführt, welche bei einer Landung an der Küste gefangen genommen, am Hofe des Fürsten großen Einfluß gewannen. Auch das nördlich davon gelegene Nubien nahm noch in diesem Zeitraum das Christentum an. Ja selbst bis nach Ostindien ist das Evangelium in jenen Zeiten schon vorgedrungen, wenn es auch fraglich bleibt, ob die sog. „Thomaschristen" dort vom Apostel Thomas selbst bekehrt und gesammelt worden sind. Wichtiger aber als dies alles waren die Anfänge zur Bekehrung der germanischen Völker in Europa, welche nach Gottes Ratschluß die Erben des römischen Reiches und die Träger der Zukunft sein sollten.

B. Die innere Entwicklung der Christenheit in den ersten Jahrhunderten.

1. Sitte und Wandel.

Eine durchgreifende sittliche Umwandlung war überall die Frucht des Glaubens an Christum, wo immer derselbe eine Stätte fand in den Herzen (Ephes. 4, 17 ff.). Dies offenbarte sich vor allem in religiöser Hinsicht. Gegenüber dem Greuel des Götzendienstes erwies sich die christliche Frömmigkeit als die Anbetung Gottes im Geist und in der Wahrheit (Joh. 4). Es war ein Gebetsleben, das die Christen führten, d. h. das ganze Leben war durch das Gebet geweiht, das als „Opfer" betrachtet wurde; tägliche Hausandacht und dreimaliges Gebet im Tageslauf, wie auch das Tischgebet, wurden bald allgemeine Sitte. Die Feier des „Herrntages" unterschied die Christen in auffallender Weise von den Heiden, und die innige und ernste Feier dieses Tages verbreitete eine Weihe über ihr ganzes Leben.

„Wir sind die wahrhaftigen Anbeter", sagt Tertullian, „und die rechten Priester, welche, im Geiste anbetend, im Geiste opfern das Opfer, das Gott zukommt und ihm angenehm ist, nämlich, das er gefordert hat, das er erwartet. Wir müssen dasselbe, von ganzem Herzen gelobt, durch den Glauben genährt, durch die Wahrheit gepflegt, durch die Unschuld untadelhaft, durch die Keuschheit rein, durch die Liebe geschmückt, im Aufzug guter Werke unter Psalmen und Lobgesängen zum Altare Gottes bringen, gewiß daß wir dadurch alles von Gott erlangen werden."

Dabei sonderten sich die Christen mit aller Entschiedenheit nicht bloß vom heidnischen Götzendienste ab, sondern auch von allem, was mit demselben in Wort und Werk zusammenhieng (2 Cor. 6, 14 ff.). So waren unter ihnen alle Erwerbsarten verboten, welche dem Götzendienste Vorschub leisteten, und man war gegen solche Geschäfte bedenklich, welche besondere Versuchung zum feinen Götzendienste, zum Mammonsdienste mit sich brachten. Ebenso wandten sich die Christen ab von den Schauspielen, den Cirkusspielen und anderen öffentlichen Lustbarkeiten, an denen die Römer sich ergötzten. Die Gebilde der heidnischen Kunst und der Besuch der heidnischen Bildungsanstalten wurden für bedenklich gehalten, von einzelnen ganz verworfen. Und selbst gegen den Staatsdienst in Krieg und Frieden hegten sie eine große Scheu. Diese ablehnende Haltung nahmen die Christen aber nicht deshalb ein, weil sie dies alles an sich für verwerflich gehalten hätten, sondern weil es alles vom schlechten Sauerteige des Heidentums durchsäuert war (1 Cor. 5, 7).

„Wir sind des eingedenk, daß wir Gott dem Herrn unserm Schöpfer Dank schulden; wir verschmähen keine Frucht seiner Werke." — ‚Aber es ist ein großer Unterschied zwischen gutem und verderbtem Zustand, weil ein großer Unterschied zwischen dem Schöpfer und dem Verderber ist. Die Abgötterei aber ist die Grundsünde des menschlichen Geschlechts, die größte Schuld der Welt, die ganze Ursache des Gerichts, und sie ist über alles verbreitet. Wir müssen auch jene Zusammenkünfte und Gesellschaften der Heiden hassen, weil dort Gottes Name gelästert wird; und dort werden auch täglich gegen uns die Löwen gefordert, dort die Verfolgungen beschlossen, von dort gehen die Anfechtungen aus."

Was das staatliche Leben anlangt, so war auch hier die Vermengung des heidnischen Götzendienstes mit dem Staatswesen das Haupthindernis einer weitergehenden Beteiligung. Aber die Christen waren mit der größten Gewissenhaftigkeit bedacht, dem Kaiser zu geben, was des Kaisers war, in Leistung der Abgaben, wie im Gehorsam gegen des Kaisers Gebot. Sie thaten das unverrückt auch unter den heftigsten Verfolgungen, nur daß sie lieber sterben wollten, als den Menschen mehr gehorchen denn Gott (Apostelg. 5, 29).

„Von wem wird der Kaiser mehr geliebt als von den Christen?", antwortete ein Märtyrer, als der Statthalter von ihm forderte, den Herrscher zu lieben, wie es einem Menschen gezieme, der unter den Gesetzen des römischen Staates lebe. „Wir bitten für ihn um langes Leben, um gerechtes Regiment, um Frieden unter seiner Regierung, um das Glück der Heere und des ganzen Erdkreises". Als aber der Statthalter zum Beweise seines Gehorsames die Teilnahme am Opfer zu des Kaisers Ehre verlangte, erwiderte jener: „Ich bete zu Gott für meinen Kaiser; aber ein Opfer zu seiner Ehre darf weder gefordert, noch gebracht werden!" Vielen war übrigens der Kriegsdienst an sich selbst bedenklich, und schon die Gefahr, eine Todesstrafe vollstrecken zu müssen, hielt manche vom Staatsdienste zurück.

Waren die ersten Christen bei dieser Sachlage durch religiöse Scheu von der vollen Teilnahme an den allgemeinen Bestrebungen, wie insbesondere an den bürgerlichen und staatlichen Angelegenheiten zurückgehalten, so offenbarte sich der Geist, der in ihnen war, um so herrlicher in ihrem Familienleben, wie in dem Verkehre mit dem Nächsten überhaupt, also daß dadurch der Lästerung immer wieder der Mund gestopft wurde (1 Petri 2, 12).

Das christliche Haus.

Der Geist des christlichen Hauses zeigte sich von vornherein schon im Verhältnis zu den Kindern. Kein Vater durfte oder mochte sein Kind aussetzen. In Zucht und Vermahnung zum HErrn wurden die Kinder mit allem Fleiße erzogen zur Nachfolge Christi.

Von Leonides, dem Vater des Origenes, wird erzählt, daß er oft die Brust des hochbegabten Knaben geküßt habe als einen Tempel des heiligen Gottes, daß er seinen Sohn bei aller Liebe doch in ernster Zucht gehalten und daß er täglich mit ihm in den heiligen Schriften gelesen habe. Eine Reihe von christlichen Müttern, wie Nonna, Monika, Anthusa, haben der Welt leuchtende Beispiele christlicher Erziehung gegeben.

Ebenso wurde das neue Wesen, das mit dem Christentum in die Welt gekommen, offenbar an den Frauen. Denn auch die Frauen nahmen nun eine ganz andere Stellung ein als im Heidentum nach dem Grundsatze: hie ist nicht Mann noch Weib, sondern ihr seid alle zumal Einer in Christo Jesu (Gal. 3, 28).

Wie die Führung der Ehe in der Heiligung samt der Zucht geschah, so wurde bald auch die Eingehung der Ehe durch eine feste christliche Sitte geordnet. Es wurde ernstlichst vor Eingehung gemischter Ehen gewarnt. Bald wurde bestimmt, daß keine Ehe ohne Beirat des Bischofs geschlossen werden sollte, damit die Ehe geschlossen werde nach dem Sinne des HErrn und nicht nach der Lust. Die Neuvermählten weihten ihre Eheschließung durch Teilnahme an der Abendmahlsfeier, wobei sie ihre gemeinsame Opfergabe darbrachten und wobei von Seiten der Gemeinde Fürbitte über sie geschah; die Hochzeitsfeier sollte ohne alles Gepränge geschehen. Der Ehebund sollte unauflöslich sein nach dem Wort des HErrn: Was Gott zusammengefügt hat, das soll der Mensch nicht scheiden! (Matth. 19.) Doch traten damals nicht selten Fälle ein, wo das Wort des Apostels seine Anwendung fand 1. Cor. 7, 12–17. Die Führung der Ehe war ferne von aller heidnischen Zuchtlosigkeit, sondern geschah als unter den Augen Gottes in Keuschheit und Zucht. Wollten doch auch Frauen und Jungfrauen bei den Verfolgungen lieber die ärgsten Martern und den Tod erleiden, als eine Verletzung des sittlichen Zartgefühls. Den Frauen wurde ernstlich eingeschärft, daß sie auch in der Kleidung in aller Ehrbarkeit wandeln und ferne von heidnischer Modethorheit mit Scham und Zucht sich schmücken sollten (1. Petri 3). So hörten sie auch oft die Nachrede der Heiden: „Die geht auch viel ärmer einher, seit sie Christin geworden!" Leuchtende

3*

Beispiele christlicher Frauentugend sind uns aufbewahrt: Monica, die Mutter Augustins, gewann „durch ihren christlichen Wandel ohne Wort“ ihren heidnischen, ebenso jähzornigen als trunksüchtigen Mann Patricius für das Christentum; Nonna, die ihren Sohn Gregor aufs trefflichste erzog, brachte auch ihren Gatten zur völligen Erkenntnis; die Gesinnung und der Wandel der jung verwittweten Anthusa, der Mutter des Chrysostomus, zwang dem berühmtesten heidnischen Redner der Zeit den bewundernden Ausruf ab: „Was für Frauen haben doch die Christen!“

Die Stellung der Dienstboten war eine ganz andere geworden, wenn auch das Christentum die Sklaverei nicht sofort äußerlich aufhob und aufheben konnte. Die Diener wurden nicht mehr als rechtlose Sklaven angesehen und behandelt, sondern als Brüder, ob auch in dienender Stellung (Philem.). „Die christliche Gerechtigkeit macht in unsern Augen alle gleich, die den Namen Mensch tragen.“

Die Nächstenliebe.

Nicht minder herrlich bewährte sich der neue Geist und Sinn im Verkehr der Christen mit ihren Nächsten überhaupt. Ihre brüderliche Liebe, insbesondere was sie als Glaubensgenossen untereinander sich Gutes thaten in Werken der Barmherzigkeit und Wohlthätigkeit, gewann den Heiden den Ausruf ab: „Seht wie sie sich unter einander lieb haben!“ Aber nicht minder als in der brüderlichen Liebe erprobten sich die Christen auch in der allgemeinen Liebe und bestanden auch jene schwerste Probe der Feindesliebe (Matth. 5, 43—48).

Ihr brüderlicher Verkehr war geweiht durch die Sitte des Brudergrußes mit dem Bruderkusse. Eine weitgehende Gastfreundschaft wurde gegen alle geübt, welche sich als Glieder der Gemeinde ausweisen konnten. Im größten Glanze aber steht die alte Christenheit da in ihren Werken der Barmherzigkeit und Wohlthätigkeit. Kein Bettler sollte in der Gemeinde sein; die Armen, vor allem Witwen und Waisen, wurden von der Gemeinde versorgt und zwar gemeiniglich durch die Gaben, welche beim Gottesdienst in voller Freiwilligkeit geopfert und durch die kirchlichen Almosenpfleger (Diakone) dem Bedürfnis und Zwecke gemäß verteilt wurden (Apostelg. 6). Die Krankenpflege wurde ganz besonders von den Frauen geübt, wie denn auch zu einer festgeordneten Krankenpflege Frauen und Jungfrauen von der Gemeinde angestellt wurden (Röm. 16, 1.). Eine der ausgezeichnetsten dieser „Diakonissen“ war Olympias, die Freundin des Chrysostomus, im Dienste an der Gemeinde zu Konstantinopel, welche fast ihr ganzes großes Vermögen für die Armen und zum Bau von Kirchen aufwendete. Welch ein Geist der erbarmenden Liebe in der alten Christenheit lebte, zeigt Martinus, später Bischof von Tours, der als junger kaiserlicher Reiter einst im Winter beim Eintritt in eine Stadt die Hälfte seines Mantels mit einem armen, dürftig gekleideten Bettler teilte; später ward an jener Stelle ein Spital errichtet. Schon in den ersten Jahrhunderten kam es zur Errichtung großer Anstalten der Barmherzigkeit und Wohlthätigkeit, wie Kranken- und Siechenhäuser, Kinderasyle, nicht am letzten für ausgesetzte heidnische Kinder, Zufluchtsstätten für Witwen und Jungfrauen und für Alte. Eine Frau, Namens Fabiola, stiftete in Rom ein großes Krankenhaus, in welchem sie selbst die Kranken und Sterbenden verpflegte. Basilius der Große gründete an seinem Bischofssitze Cäsarea in Kleinasien „eine Stadt im Kleinen“ von solchen Anstalten. Auch für weit entfernte Gemeinden wurde gesorgt und die Kollecten, zuweilen als Ersparnis aus allgemeinen Fasten, trugen reichlich ein (2. Kor. 8). Viel wurde auch, wie die damaligen Verhältnisse dazu aufforderten, zum Loskauf kriegsgefangener Christen aus ihrer traurigen Lage geopfert. Paulinus von Nola gab, als er schon alle seine Habe auf die Gefangenen und Armen verwendet hatte, sich selbst für den Sohn einer armen Witwe den Feinden dar; als er erkannt worden, wurde er frei gegeben und alle seine Landsleute durften mit ihm gehen. Aber die Christen thaten auch Gutes an Jedermann, selbst wenn er ein Heide war. Kaiser Julian mußte ihnen, ob auch mit Verdruß das Zeugnis geben: „Diese gottlosen Galiläer ernähren nicht blos ihre Armen, sondern auch die unsern“. Auch sonst sammelten sie feurige Kohlen auf das Haupt ihrer Feinde. Bei einer furchtbaren Pest nahmen sich die Christen, wie uns insbesondere von den Gemeinden in Alexandria und Karthago erzählt wird, auch der kranken, sterbenden und toten Heiden an, welche von den Ihren in liebloser Weise verlassen worden waren. — Auch erprobten sie sich als Kinder des Friedens, neben denen jedermann ungefährdet leben konnte. Wohl wurde ihnen vorgeworfen, daß sie mit ihrem Glauben das Volk verwirrten und den Unfrieden in die Familien brächten. Aber sie konnten nicht anders als die Wahrheit bezeugen, welche die Menschen reinigen und heiligen sollte zu einer innigern und höhern Gemeinschaft. „Siehe, wir bieten euch alles, was Liebe zu den Seelen und heilsamer Rat nur zu schenken vermag. Wir mißgönnen euch eure äußern Vorteile nicht; wir verschweigen nur nicht die Fülle der göttlichen Erbarmungen gegen uns. Wir vergelten euren Haß mit ungeschminktem Wohlwollen, für die Peinigungen und Martern, die ihr über uns verhängt, zeigen wir euch den Weg des Heils. So glaubet denn und — lebet! ihr, die ihr eine kurze Zeit uns verfolgt, freuet euch ewiglich mit uns!“

So waren die Christen, im Ganzen wenigstens, ein Licht der Welt und ein Salz der Erde (Matth. 5) und fuhren fort mit der Heiligung in der Furcht Gottes in dem Gedanken: „Wenn wir erst von hinnen geschieden, so ist kein Raum für Buße mehr. Hier muß das Leben entweder gewonnen oder verloren werden; hier muß man sein ewiges Heil und die Frucht des Glaubens schaffen durch eine wahrhafte Verehrung Gottes!“

Nachdem das Christentum im römischen Reiche zur Herrschaft gekommen war, ließ freilich vielfach „die erste Liebe“ nach (Offb. 2, 4). Dafür machten sich nun die christlichen Grundsätze in der Gesetzgebung geltend und wurden zum öffentlichen Rechte. Es wurde die Kinderaussetzung verboten, das Los der Sklaven wesentlich erleichtert, eine menschlichere Behandlung der Gefangenen eingeführt, und die grausamen Fechterspiele wurden untersagt. Zur Heiligung des Volkslebens wurde die Feier des Sonntags gesetzlich geordnet; öffentliche Verhandlungen sollten an demselben unterbleiben, öffentliche Schauspiele durften an demselben nicht stattfinden, wie überhaupt unsittliche Schauspiele verboten wurden. In der Ehegesetzgebung wurde den Frauen grösseres Recht eingeräumt, der Ehebruch wurde strenge bestraft, die Ehescheidung erschwert. Auch nahm der Staat die christlichen Wohlthätigkeitsanstalten unter seinen Schutz und förderte sie auch von sich aus. Auf diese Weise wurde auch in der staatlichen Gesetzgebung „das königliche Gesetz der Liebe" (Jak. 2, 8) geltend gemacht. Aber das Geschlecht der alten Welt war doch schon zu sehr gesunken, als daß eine gänzliche Verneuerung desselben möglich gewesen wäre, und auch an die besten Werke, die durch den christlichen Geist hervorgebracht wurden, setzte sich bald eine Verderbnis an.

II. Glaube und Lehre.

Nicht minder großartig als das Leben der ersten Christen war auch die Entwicklung des Glaubens zur Lehre von dem verhältnismäßig geringen Stand der Erkenntnis an, wie er bei den sog. apostolischen Vätern, einigen unmittelbaren Schülern der Apostel, wie Ignatius, Polykarp, Clemens und andern sich zeigt. Sie vollzog sich nach der einen Seite im Kampfe gegen das Heidentum, nach der andern gegen die Irrlehren, welche innerhalb der Kirche selbst sich erhoben.

Die Apologeten.

Auch in Schriften waren die Christen von den Heiden angegriffen worden, in Spott- und Schmähschriften unter den ärgsten Verleumdungen. Der Spötter Lucian übte auch an den Christen seinen Witz. Ein Gelehrter, Namens Celsus, führte alle möglichen Einwürfe gegen das Christentum ins Feld. Ein gefährlicher, weil unter einem gleißenden Schilde kämpfender Feind erstand dem Christentum um die Mitte des dritten Jahrhunderts in dem sog. Neuplatonismus, einer philosophischen Richtung, welche den Versuch machte, das alte Heidentum zu vergeistigen. So kamen die Christen dazu, ihren Glauben auch in Schriften zu verteidigen: sie wehrten die falschen Beschuldigungen ab und stellten die Wahrheit und Herrlichkeit des neuen Glaubens ins Licht gegenüber dem thörichten und verderblichen Wahn des Heidentums. Darnach forderten sie laut Anerkennung des Christentums, zum mindesten Freiheit des

Glaubens und Gewissens. Und ob diese Apologeten in manchem irrten und fehlten, so hat doch die Geschichte ihr Zeugniß glänzend bestätigt.

Der erste unter diesen literarischen Verteidigern des Christentums ist Justin, mit dem Beinamen der Märtyrer, aus Palästina gebürtig. Nachdem er noch als Heide vergeblich bei den verschiedenen Philosophenschulen die Wahrheit gesucht, war er durch das Zeugnis eines ehrwürdigen christlichen Greises zur Erkenntnis gekommen. Er trug auch als Christ den Philosophenmantel. In einer an die Kaiser Antoninus Pius und Mark Aurel gerichteten Schrift hielt er diesen vor, wie unwürdig es eines Frommen und Weisen, wie sie sich nennen ließen, sei, die Christen zu verfolgen, welche doch nichts übles thäten, vielmehr durch ihre Tugenden sich auszeichneten. „Wir haben die wahre Gottesfurcht, die rechte Gottesverehrung, die wir jetzt den einigen, ewigen Gott durch seinen Sohn verehren; wir haben uns der Zucht ergeben, während wir früher in Unzucht lebten; die wir sonst zu Zauberkünsten unsre Zuflucht nahmen, haben uns jetzt dem gütigen Gott befohlen; früher liebten wir Geld und Gut über alles, jetzt legen wir zusammen was wir haben und teilen jedem Bedürftigen mit; zuvor waren wir voll Haß untereinander und von Mord befleckt und ohne Umgang mit solchen die nicht unsersgleichen, jetzt aber seit der Erscheinung Christi sind wir verträglich geworden und beten für unsre Feinde und sind eifrig darin, die, welche uns mit Unrecht hassen, zu überzeugen, auf daß auch sie, nach der Lehre Christi lebend, in der Hoffnung selig lebten, das gleiche Erbe mit uns von Gott, dem Herrn aller, zu erlangen." — In einer andern Schrift wendete er sich gegen die Juden. Von einem Gegner, der ihm nicht zu widerstehen vermochte, angegeben, erlitt er später für seinen Freimut den Märtyrertod (166).

Später trat, um die Zeit der Verfolgungen unter Mark Aurel, Tertullian, ein Rechtsgelehrter in Karthago († 220), selbst erst als Mann zum Christentum bekehrt, als Anwalt desselben auf. „Wenn es euch, ihr Lenker des römischen Reiches, nicht frei steht, öffentlich zu untersuchen und mündlich zu erforschen, was eigentlich die Sache des Christentums sei, so möge es doch der Wahrheit erlaubt sein, auf dem heimlichen Wege der schweigsamen Schrift zu euren Ohren zu gelangen. Sie fleht nicht um Gnade in ihrer Sache; sie wundert sich ja nicht über ihr Geschick. Sie weiß es, daß sie als Fremde auf Erden lebt, daß sie unter Fremden leicht Feinde findet, daß sie aber ihr Geschlecht, ihre Heimat, ihre Hoffnung, ihr Glück und ihre Würde im Himmel habe. Nur das Eine wünscht sie zuweilen, daß man sie nicht ungehört verdamme!" So beginnt Tertullian seine Schutzschrift und hält dann den römischen Richtern ihre Ungerechtigkeit vor, daß sie die verfolgten, welche weder Gotteslästerer, noch Aufrührer gegen die Obrigkeit, noch Feinde des menschlichen Geschlechtes seien. Sie seien vielmehr von allem das Gegenteil und ihre innige Verbindung und Verbrüderung ziele nur auf gemeinsame Heiligung hin: „Wir sind ein Ganzes durch das Bewußtsein des Glaubens, durch die Göttlichkeit der Zucht, durch den Bund der Hoffnung. Wenn aber Rechtschaffene, wenn Gute zusammenkommen, wenn Fromme und Keusche sich versammeln, so ist das keine Zusammenrottung, sondern eine Versammlung so ehrwürdig, wie ein Senat! Auch sehe ich nicht ein, wie wir unbrauchbar sein sollen zu den Geschäften des Lebens. Wir verschmähen ja keine Frucht der Werke Gottes, nur hüten wir uns, daß wir derselben nicht übermäßig und umsonst genießen. Wenn ich aber eure Gebräuche nicht mitmache, so bin ich doch an demselben Tage — Mensch! Was kann es aber euch beleidigen, wenn wir andere Vergnügungen erwählen?

Wenn wir nicht wissen wollen vergnügt zu sein, so ist das unsre Sache, wo nicht — eure Schuld! Und mit Zuversicht ruft Tertullian die Seele als Zeugin des Christentums auf, nicht die verbildete, sondern die Seele in ihrer Einfalt und Natürlichkeit als die „von Natur eine Christin".

Der Schmähschrift des Celsus ließ der gelehrte Origenes von Alexandria, nicht bloß Apologet, sondern auch ein standhafter Bekenner in der Verfolgung, eine eingehende Widerlegung zu Teil werden. Dem Bildungsstolz und Wissensdünkel eines Celsus war es besonders anstößig, daß „den Armen das Evangelium gepredigt werde und daß in der Kirche die gesucht würden, die verloren waren (Luc. 15!): Wenn es alle so machten, sagte er, wie die Christen, dann würde das Reich den Barbaren preisgegeben werden und alle Bildung würde untergehen! „Wenn es alle so machten, wie ich", bezeugte Origenes, „so werden dann auch die Barbaren das göttliche Wort annehmen und zu rechter Gesittung und Milde kommen. Alle andern Religionen werden dann untergehen, und nur die christliche wird herrschen, und — sie wird auch einst allein herrschen, da die göttliche Wahrheit immer mehr Seelen gewinnt!" (Joh. 7, 17.)

In dieser Weise traten noch andere auf mit dem Beweise wider das Heidentum und für das Christentum. Nicht ohne Einseitigkeit griff unter denselben einer die griechische Bildung an und kritisirte ein anderer die heidnischen Philosophen wegen des allseitigen Widerstreits ihrer mancherlei Ansichten von der Welt und vom Leben. Doch meist sind diese Schriften in dem würdigsten Tone gehalten wie in dem Gespräche: Octavius zwischen einem Heiden und einem Christen, worin, nachdem das Für und Wider durchgesprochen ist, der Heide am Schlusse in die Worte ausbricht: „Wir haben beide gesiegt; er hat mich und ich den Irrtum überwunden!"

Die innern Lehrstreitigkeiten.

Zugleich mit dem Kampfe gegen die äußern Feinde hatte die Christenheit nicht minder ernste Kämpfe gegen innere Feinde zu kämpfen. Es erhoben sich nämlich Irrlehren, welche selbst den Grund des Glaubens umzustürzen drohten. Der ganze große Kampf drehte sich um die Hauptfragen des Glaubens und Lebens: was glaubst du von der Schöpfung, von der Erlösung, von der Heiligung?

1. Der Kampf gegen die Gnostiker.

Zuerst erhob sich ein heftiger Streit über die Frage nach der Entstehung der Welt und nach dem Wesen Gottes, nach dem Ursprung des Bösen in der Welt und nach der göttlichen Weltregierung zum Heile der Welt. Da traten Sekten auf, Gnostiker genannt, welche allerlei verführerische Lehren als besondere Geheimwissenschaft der Eingeweihten (1 Tim. 6, 20) vorbrachten. Diese Lehren waren aber zum großen Teil nichts weiter als wunderliche Einbildungen aufgeregter Geister und eine seltsame Vermengung heidnischer Anschauungen mit dem christlichen Bekenntnisse (Col. 1 2).

Etliche dieser Gnostiker aus dem judenchristlichen Kreise (Ebioniten) gaben vor, das Christentum sei nichts weiter als ein geläutertes Judentum. Ihre Anschauung ist in den Clementinen", einer Art religiösen Romans über die Schicksale eines der „apostolischen Väter", des Clemens Romanus, zum Ausdruck gekommen.

Die andern Gnostiker, aus dem Kreise der Heidenchristen stammend, entwarfen mit kühnem Schwunge der Gedanken eine Art Weltroman. Den Grund alles Übels suchten sie in der Natur, die Gott gleich ewig sei; die ganze Weltgeschichte ist ihnen ein Versuch des Göttlichen, sich der Natur, die es gefangen hält, zu entwinden (Platonismus), oder aber das Ringen eines guten Gottes gegen einen bösen Gott (Dualismus). Dabei tritt Christus zur Herstellung der rechten Weltordnung als Helfer ein. Der Mensch aber müsse ihm nachringen in „Gnosis" (Wissen) und „Askese" (Übung), was nur den Auserwählten gelinge. Viele von diesen fielen aber aus der vermeintlichen Höhe ihres Wissens und ihrer Tugend (Col. 2, 18) in die Tiefen der Sünde; ja manche stürzten sich vermessen in die ärgsten Sünden, um wie sie sagten „die Tiefen des Satans zu ergründen". Noch im dritten Jahrhundert trat eine solche Sekte auf, die Manichäer, von dem Perser Mani gestiftet, mit der Lehre von zwei entgegengesetzten göttlichen Mächten, und mit dem Bestreben, eine Gegenkirche zu gründen.

Diesen Irrlehrern gegenüber wurde der wesentliche Inhalt des christlichen Glaubens in feste Glaubensregeln gefaßt, für welche bald das sog. apostolische Symbol eintrat. Darin wurde einmüthig vor allem das Bekenntnis festgehalten: Ich glaube an Gott den Vater, allmächtigen Schöpfer Himmels und der Erden. Um aber den Beweis des Glaubens sicher führen zu können, erforschte man bei den Gemeinden, welche im Besitze apostolischer Schriften waren, was urkundlich christliche Lehre sei, und bald fieng man an, die apostolischen Schriften als Kanon des Neuen Testamentes zu sammeln, eine Arbeit, die erst um 397 n. Chr. auf der Synode zu Karthago zum Abschluß kam. Dabei legte man von Anfang an der — damals noch unverfälschten — mündlichen Überlieferung (Tradition) der Apostel wie der Apostelschüler und der Lehrer, die von diesen gelernt, einen großen Wert bei. In dieser Einmütigkeit des Glaubens auf Grund der apostolischen Überlieferung fühlte man sich gegenüber den Sekten (Häretikern) als die „katholische" d. h. eine und allgemeine Kirche, in welcher allein die Wahrheit und das Heil zu finden sei. Und dieses Gefühl überwog so sehr, daß der Name „katholisch" bald den Namen „christlich" zurückdrängte.

Unter diesen und den weiteren Kämpfen entwickelte sich die christliche Wissenschaft (Theologie) zu einer hohen Blüte. Unter den Vorkämpfern im Streit gegen die Gnostiker that sich außer Tertullian von Karthago besonders Irenäus, Bischof von Lyon († 202), ein Schüler Polykarps, hervor; er war „ein Mann der Treue als Haushalter über Gottes Geheimnisse", „friedsam" in der Wahrheit, die er auch als Märtyrer bezeugte. Die erwählteste Stätte zur Pflege der christlichen Wissenschaft wurde die Katechetenschule zu

Alexandria, deren hervorragendste Vertreter Clemens, von 191—202 Lehrer in Alexandria, und sein noch größerer Schüler Origenes (s. S. 40) wurden. Dieser letztere, wegen seines eisernen Fleißes mit dem Beinamen Adamantinos beehrt, hat sich ebensowohl als Apologet wie als Dogmatiker hervorgethan, sich ebensowohl durch seine Bibelerklärung (Exegese) als durch die Kritik des biblischen Textes große und bleibende Verdienste erworben. Er starb 254 zu Tyrus in Palästina an den Folgen der Mißhandlungen, die er als standhafter Bekenner während der decischen Verfolgung erduldet.

Ein Stück von dem vermutlichen Sarkophag des Origenes, von Dr. Sepp in der Kathedrale zu Tyrus, wo Origines der Tradition zufolge a. 254 begraben wurde, unter 12' hohem Schutt hervorgegraben.

2. Die arianischen und die daran sich schließenden Lehrstreitigkeiten.

Aus dem Streit gegen die Gnostiker erhob sich mehr und mehr der Streit um die Frage von der Erlösung, genauer um die Frage von der Person Christi (Matth. 22, 42). Lange schon war der Kampf über diese Frage, über das „Wort“ (Joh. 1, 1) geführt worden, es waren schon verschiedene Synoden gehalten worden, in denen ebensowohl solche Lehren zurückgewiesen wurden, welche die menschliche Seite im Wesen und Leben Christi unterschätzten, als auch solche, welche die göttliche Seite desselben verkannten. Da griff um die Wende des 3. und 4. Jahrhunderts ein gewisser Arius, Presbyter in Alexandria, in den Streit ein, indem er mit der Lehre auftrat, Christus sei das erste Geschöpf des Vaters und ihm untergeordnet. Er wurde von seinem Bischof abgesetzt; aber der Streit gieng weiter, da Arius viele Anhänger fand. Um ihn zu schlichten, berief Konstantin eine große Reichssynode, das erste allgemeine Concil, nach Nicäa, 325 n. Chr. Über 300 Bischöfe fanden sich da zusammen; der Kaiser selbst, auf goldenem Throne, eröffnete die Synode. Die Verhandlungen wurden bald schwierig. Indessen stimmten nur wenige Bischöfe dem Arius völlig bei; eine größere Anzahl suchte zu vermitteln. Den Ausschlag gab ein junger Diakon, gleichfalls aus Alexandria, Athanasius, unansehnlich von Gestalt, doch großen Geistes. Seiner Beredsamkeit gelang es, daß über Christus das Bekenntnis: „dem Vater wesensgleich" in besonderm Zusatz in das apostolische Glaubensbekenntnis aufgenommen wurde. Das „Wort" vom „Vater" trennen hieße die Menschheit der Gnade berauben, der Gnade der vollkommenen Offenbarung, der vollkommenen Erlösung und Heiligung. Arius wurde verdammt und verbannt. Doch war der Gegensatz damit noch nicht beseitigt; er dauerte bis zum Koncil von Konstantinopel (381), auf welchem auch die Lehre über den Ausgang des heiligen Geistes vom Vater und vom Sohne (filioque) festgestellt wurde. Nicht am wenigsten durch die Einmischung der Staatsgewalt artete der Streit immer mehr aus. Athanasius selbst, nachmals Bischof von Alexandria, „der Vater der Orthodoxie", wurde auch Märtyrer der Orthodoxie und er mußte nicht weniger als fünfmal in die Verbannung gehen; doch durfte er nach 45jähriger Verwaltung seines Amtes friedlich in seiner Gemeinde zu Alexandria sterben (373). Die Sache, der er sein Leben geweiht, siegte und das ganze „orthodoxe" Bekenntnis fand schließlich in dem sog. athanasianischen Symbol seine umfassende Ausprägung.

In der weitern Entwicklung kam es noch zu mannigfaltigen und heftigen Kämpfen über das Verhältnis der göttlichen und menschlichen Natur in Christo. Nestorius, früher Mönch, dann Patriarch von Konstantinopel, suchte mit dem Widerspruch gegen den Ausdruck „Mutter Gottes" vor allem die menschliche Natur in Christo zu wahren. Er starb, auf dem Koncil von Ephesus 431 verdammt und verbannt, auf einer Oase der großen afrikanischen Wüste. — Der Mönch Eutyches gerieth, im Bestreben, die göttliche Natur zu wahren, auf eine Vermischung beider. Auf dem Koncil zu Chalcedon 451 wurde darauf, vornämlich auf einen Brief des römischen Bischofs Leo des Großen hin, festgesetzt: zwei Naturen in einer Person, unvermischt und ungeändert, aber auch ungeteilt und ungetrennt. Die nestorianische Lehre fand Eingang in Persien; die andere, die monophysitische, in Syrien, Mesopotamien, insbesondere bei den koptischen Christen Ägyptens und in Abessynien; verwandt sind auch die Maroniten im Libanon.

So heilsam und wichtig für die Ausbildung des Christentums im Ganzen diese dogmatischen Kämpfe waren, so läßt sich doch nicht übersehen, daß die orientalische Kirche schließlich unter dem weitern Verlauf dieser Streitigkeiten schweren Schaden erlitt. Auch das Volk wurde in dieselben hineingezogen und zumal in der Hauptstadt beteiligte sich die Menge in einer Weise, daß es ernsten und würdigen Kirchenvätern, wie einem Gregor von Nyssa, zum Anstoß gereichte. Das Leben wurde über dem Lehrstreit außer Acht gelassen, und es trat eine Erstarrung ein, welche die byzantinische Kirche an einer fruchtbaren Fortbildung der christlichen Lehre gehindert hat. Im 8. Jahrhundert erschütterte ein Streit um die Bilder das byzantinische Reich in seinen Grundvesten. Gegen die Anbetung der Bilder (Ikonolatrie) trat der Kaiser (Leo III. der Isaurier) auf, gegen den Bildersturm (Ikonoklasmus) das Volk und die Mönche. So standen sich Kaiser und Volk, Staatsgewalt und Kirche feindselig gegenüber, bis endlich die Kaiserin Irene auf der 2. ökumen. Synode zu Nicäa im J. 787 die Verehrung, wenn auch nicht Anbetung, der Bilder zur Anerkennung brachte. Karl d. Gr. ließ gegen diesen Beschluß auf der Synode zu Frankfurt (794) protestiren, so wenig er selbst einen Bildersturm wollte.

Konzil des 11. Jahrhunderts, abgehalten zur Gedächtnisfeier des zweiten ökumenischen Concils von Nicäa (im J. 787). Nach der Miniature eines Menologiums (Heiligenkalenders) aus dem 10. Jahrhundert (Vatikanische Bibliothek zu Rom).

3. Der pelagianische Streit.

Vornämlich in der abendländischen Kirche, welche die oben geschilderten Kämpfe weniger unmittelbar berührt hatten, erhoben sich im 5. Jahrhundert heftige Lehrstreitigkeiten über die Frage von der Heiligung, von der persönlichen Aneignung des Heils. Es bewegte sich dabei alles um die Frage, ob wir aus eigener Vernunft und Kraft an Jesum Christum glauben, überhaupt die Heiligung erlangen könnten. **Pelagius**, ein Mönch aus Britannien, durch die Einfälle der Barbaren 409 nach Rom, 411 nach Afrika verschlagen, durch ein streng sittliches Leben ausgezeichnet, stellte Lehren auf, in welchen das sittliche Vermögen des Menschen überschätzt, dagegen die Gnade Gottes und das Verdienst Christi unterschätzt wurde. Ihm trat der Kirchenlehrer **Augustinus** entgegen.

Augustinus, Bischof von Hippo (nach einem alten Missale).

Dieser hatte, wie er selbst in seinen „Bekenntnissen" (Confessiones) als in einer Beichte darlegt, in einem an schmerzlichen Erfahrungen reichen Leben eine tiefere Erkenntnis von der Sünde erlangt (Röm. 7, 7 ff.). Geboren zu Tagaste, unweit Karthagos, im Jahre 354 n. Chr., ward er durch seine fromme Mutter Monika in Zucht und Vermahnung zum HErrn erzogen. Aber frühe schon gerieth der hochbegabte Jüngling auf Abwege. Es wurde nicht besser, als er den Irrungen der Sekte der Manichäer (s. S. 41) verfiel, die seinem hochmütigen Sinne zusagte, und in deren Bann er zum größten Kummer seiner Mutter Jahre lang blieb. Doch sollte das Trostwort eines Bischofs an sie: „Sei getrost, ein Sohn so vieler Thränen kann nicht verloren gehen!" nicht unerfüllt bleiben. In Italien, wohin er sich seiner Mutter entzogen, bereitete sich nach und nach eine Umwandlung vor, besonders durch den Einfluß des Bischofs Ambrosius in Mailand. Sie kam endlich zum Durchbruch bei Gelegenheit eines Besuches, der ihn auf das ernste und hohe Streben der Einsiedler hinwies. Als er, tief bewegt, im Garten den entscheidenden Kampf mit sich kämpfte, hörte er die Stimme eines Kindes: „Nimm und lies!“ Er gieng hin, wo er die Briefe des Apostels Paulus hatte liegen lassen, schlug auf und traf mit dem ersten Blick die Stelle Röm. 13, 11—14. Nun war der Kampf entschieden, dessen Ausgang seine Mutter mit der höchsten Freude erfüllte: „O HErr, ich bin dein Knecht und der Sohn deiner Magd, du hast meine Bande zerrissen; ich will dir bringen das Opfer des Dankes. Was war nicht böse an mir? warens nicht meine Thaten, so warens meine Worte; warens nicht meine Worte, so wars mein Wille. Du aber, o Gott, bist gütig und barmherzig, du hast den Abgrund meines Todes gesehen und hast aus dem Grunde meines Herzens den Abgrund meines Verderbens ausgeschöpft!“ Durch Ambrosius getauft, kehrte er nach Afrika zurück, auf welchem Wege ihm Monika durch den Tod entrissen wurde. Nicht lange hernach wurde er, als Bischof von Hippo in Afrika, in die Kämpfe seiner Zeit verwickelt.

Nachdem Augustin gegen die Manichäer, die Genossen seines frühern Irrtums, die Willensfreiheit gewahrt und mit hohem Ernste den Ursprung des Bösen in dem Willen des Menschen nachgewiesen hatte, trat er nun ebenso entschieden gegen die Lehre des Pelagius auf. Er bezeugte: der ursprüngliche Zustand des Menschen sei keineswegs der einer sittlichen Gleichgiltigkeit (Indifferenz) gegenüber dem Guten wie dem Bösen gewesen, sondern der Mensch sei zu Gott geschaffen worden, mit der Richtung seines Willens zu Gott, wenn auch mit der Möglichkeit, davon abzuweichen. Seit dem Sündenfall werde der Mensch nicht mehr im ursprünglichen Stande geboren, sondern jeder trage von Adam her die Erbsünde in sich, und nicht blos als Übel, sondern auch als Schuld; denn in Adam hätten alle gesündigt, da zwischen dem Stammvater und dem von ihm stammenden Geschlecht der innigste Zusammenhang bestünde. Obwohl der Mensch auch als Sünder nicht aufhöre, Gottes Geschöpf zu sein, so werde er doch von der Sünde in dem Maße beherrscht, daß er untüchtig sei zum wahrhaft Guten; denn was ihm von Freiheit geblieben, das sei eben nur die Fähigkeit zu einer blos äußerlichen „bürgerlichen Gerechtigkeit“, aber nicht die wahre Freiheit, die eins sei mit der willigen und völligen Hingabe des Herzens an Gott. Die Gnade Gottes sei in dem Werke der Bekehrung und Heiligung nicht etwa nur eine Erleichterung, eine Beihilfe, sondern sie sei es, die alles thun, ebenso das Wollen als das Vollbringen schaffen müsse. — Dabei gieng Augustin so weit, zu behaupten, daß dem, welchem Gott nicht gnädig sein wolle, auch nicht zu helfen sei, und daß Gott nach einem unbedingten, verborgenen Ratschluß aus der Masse der verderbten Welt heraus eine Anzahl zu Gefäßen seiner Gnade erwählt habe, an denen dieselbe unwiderstehlich wirke, während er andere nach ihrer Sünde ihrem Schicksale, d. h. dem ewigen Tode, überlasse (Prädestination). Aber obwohl die Lehre des Pelagius auf einem Koncil zu Ephesus im J. 431 verdammt wurde, scheute man doch auch Augustins Lehre von der Gnadenwahl und suchte einen Mittelweg, indem man die Sünde nur für eine schwere Erkrankung des Menschen erklärte.

Augustin erlebte das Ende des Streites nicht; er starb 430, während sein Bischofssitz von den Vandalen belagert wurde. Unter Thränen und Gebet erwartete er sein Ende, immer wieder seine Augen auf die Bußpsalmen richtend, die er sich an die Wand bei seinem Bette hatte anhängen lassen. Augustin war der größte Kirchenlehrer der abendländischen Kirche; die Maler haben ihm im Bilde ein flammendes Herz beigegeben.

III. Dichten und Trachten.

Auch in dem Dichten und Trachten, welches die Christen der alten Zeit beseelte, wurde offenbar, welch eine Umwandlung im Geiste des Gemüts durch die Annahme des christlichen Glaubens in den Bekennern Jesu Christi vorgegangen war. Der neue Glaube erweckte auch ein neues Gebet in ihren Herzen (Luc. 11, 1); die neue Hoffnung, die sie erhob, gab ihnen auch andere Wünsche und andere Sorgen ein (Matth. 6, 31—33). Es waren hohe Gedanken, von denen sie getragen, ernste Erwägungen, von denen sie geleitet wurden, und dieselben nahmen nach den Zeitumständen eine besondere Gestalt an. Martyrium und Askese waren recht eigentlich die Ideale jener Zeit.

Wie sehr diesen ersten Christen das Gemüt erhöht war zu Gott und gegenüber der Welt, davon ist uns ein köstliches Denkmal aufbewahrt in dem im 2. Jahrhundert geschriebenen Briefe eines Ungenannten an einen gewissen Diognet: „Wenn du nach unserm Glauben Verlangen trägst, so wirst du vor allem die Erkenntnis Gottes als Vaters erlangen. Mit welcher Freude wird dich diese Erkenntnis erfüllen? oder wie wirst du Ihn lieben, der dich also zuvor geliebt hat!" — „Erwarte übrigens nicht, daß Menschen dir des christlichen Glaubens Geheimnis vollständig lehren können. Siehe, was in dem Körper die Seele ist, das sind die Christen in der Welt. Wie die Seele durch alle Glieder des Körpers verbreitet ist, so sind die Christen über alle Städte der Welt verbreitet. Die Seele wohnt zwar im Körper, aber sie ist nicht vom Körper; so wohnen die Christen in der Welt, aber sie sind nicht von der Welt. Die unsichtbare Seele ist in einem sichtbaren Körper eingeschlossen; so kennt man die Christen als Bewohner der Welt, aber ihre Gottesverehrung bleibt eine unsichtbare. Das Fleisch haßt die Seele und streitet wider sie, obgleich die Seele dem Fleische nichts zu Leide thut, aber es hindert dieselbe, seinen Lüsten sich hinzugeben. So haßt auch die Welt die Christen, obgleich sie derselben nichts zu Leide thun, weil sie den Lüsten derselben sich entgegenstellen. Die Seele liebt das Fleisch, das sie haßt, und die Christen lieben diejenigen, von denen sie gehaßt werden. Die Seele ist in dem Körper eingeschlossen, und sie ist es doch, die den Körper zusammenhält. So werden die Christen in der Welt wie auf einem Posten zurückgehalten, und sie sind es doch, welche die Welt zusammenhalten. Die unsterbliche Seele wohnt in dem sterblichen Körper und die Christen wohnen als Fremdlinge in dem Vergänglichen und erwarten das Unvergängliche im Himmel. An einen so wichtigen Posten hat sie Gott gestellt, den sie nimmer sich verbitten dürfen!“ Und sie haben sich denselben auch nicht verbeten.

Das Martyrium.

Unter den Wünschen, welche die Christen jener Zeit hegten, war der erste und sehnlichste, daß Gottes Name durch sie verherrlicht werde im todesmutigen Bekenntnis der Wahrheit, in der Aufopferung zu Ehre Gottes bis in den Tod (Phil. 2, 17).

Die Christen waren, wie Tertullian sagte, ein um des Glaubens willen „zum Sterben bereites Volk“. „So wollt ihr keine Gnade?“ fragte ein Richter zu Decius Zeit angeklagte Christen. „In einem ehrlichen Kampfe giebt es keine Gnade“, war die Antwort, „wir sterben mit Freuden für unsern Herrn Christus“. „Ich danke dir, HErr“, sprach Bischof Ignatius von Antiochia, als er sein Todesurteil vernommen, „ich danke dir, daß es dir gefallen hat, mich dieses Zeugnisses einer vollkommenen Liebe zu dir zu würdigen!“ und sehnlich begehrte er auf der Reise, bald nach Rom zu kommen und als ein rechtes Opferbrot von den Zähnen der wilden Thiere zermahlen zu werden. Als Polycarp vor den Statthalter gebracht war und dieser in ihn drang: „Schwöre, und ich lasse dich frei, fluche Christo!“, da antwortete er: „Sechsundachtzig Jahre habe ich ihm gedient und er hat mir kein Leides gethan; wie könnte ich fluchen meinem König und Heiland?“ Und auf dem Scheiterhaufen betete er: „O Vater deines geliebten und hochgelobten Sohnes Jesu Christi, durch den wir deine Erkenntnis erlangt haben, ich danke dir, daß du mich dieses Tages und dieser Stunde gewürdiget hast, teilzunehmen an der Zahl der Märtyrer und an dem Kelche Christi zur Auferstehung der Seele und des Leibes, zum ewigen Leben in der Unverweslichkeit des heiligen Geistes, unter welche ich heute von dir aufgenommen zu werden wünsche zu einem dir angenehmen Opfer!“ Cyprian hatte sich zuerst der Verfolgung durch die Flucht entzogen; er glaubte sich seiner bedrohten Gemeinde noch erhalten zu sollen, und stärkte sie durch seine Sendschreiben. Als aber nochmals nach ihm gefahndet wurde, ließ er sich finden und empfing das Todesurteil mit den Worten: „Gott sei gedankt!“ Auch sonst erfüllte der Opfergedanke (Röm. 12, 1; 1. Petri 2, 5) die Christen jener Zeit; das Gebet selbst, wie die Gaben der Liebe bezeichneten sie ja mit Vorliebe als Opfer (Hebr. 13, 15, 16).

Zum andern waren sie von dem Gedanken beseelt, daß das christliche Leben ein Kampf sei, eine geistliche Ritterschaft im Dienste und in der Nachfolge Christi, um die Macht der Finsternis zu überwinden und den Sieg des Reiches Gottes und Christi herbeiführen zu helfen, den sie sehnlichst herbeiwünschten, wie sie desselben auch mitten in der heftigsten Verfolgung gewiß waren (Eph. 6).

Ihr Taufgelübde nannten sie ihren Kriegereid, ihr Glaubensbekenntnis ihre Parole, das Kreuzeszeichen sahen sie an als das Feldzeichen ihres himmlischen Anführers. Der siegreiche Kampf des Reiches Gottes gegen das Reich der Finsternis war ihr Schauspiel; ihr Verlangen und ihr Ergötzen war, zu sehen „die Unzucht niedergeworfen von der Keuschheit, den Unglauben erlegt vom Glauben, die Grausamkeit vernichtet durch die Barmherzigkeit, die Frechheit überwunden von der Bescheidenheit; solcher Art sind die Kämpfe bei uns, in welchen wir auch gekrönt werden!" (2. Kor. 6.) In diesem Sinne sprach Martinus, als er von dem abtrünnigen Kaiser Julian den Abschied aus dem Heere verlangte: „Bisher war ich dein Soldat; gestatte, daß ich nun ein Soldat Gottes werde; dein Soldatengeschenk gieb dem, der es verdienen will; ich bin ein Streiter Christi, es will mir nicht länger ziemen, in deinen Schlachten zu kämpfen!" Ein christlicher Soldat, Marius, in Palästina, sollte Hauptmann werden. Gerade als ihm der Hauptmannsstab überreicht werden sollte, trat ein Nebenbuhler hervor mit der Erklärung: Marius könne nicht Hauptmann werden, weil er als Christ den Göttern und dem Kaiser nicht opfere. Es wurde dem Marius eine Bedenkzeit von drei Stunden gewährt. Der Bischof führte ihn in die Kirche, er wies nach der einen Seite auf ein Schwert, nach der andern Seite auf das Evangelienbuch: er solle wählen zwischen dem Rang eines Kriegsobersten und dem Evangelium. Marius ergriff sofort das Evangelienbuch. Nun sprach der Bischof: „Halte fest an Gott, und mögest du erlangen, was du dir gewählt hast!" Er wurde sofort enthauptet.

In diesem Dienste Gottes und in diesem Kampfe gegen die Welt die Krone des Martyriums zu gewinnen, war der Eifrigsten glühender Wunsch, und als die vornehmste Tugend erschien ihnen die unerschütterliche Standhaftigkeit des Willens im Bekenntnis zu Gott auch unter den größten Anfechtungen und Martern (1 Tim. 6, 12).

Als der Almosenpfleger Laurentius, zum Martertod auf dem glühenden Roste verurteilt, auf der einen Seite ganz geröstet war, bat er, man möge ihn nun auch auf die andere Seite legen, damit man sehe, wie des HErrn Kraft in den Schwachen mächtig sei. Blandina, die Sklavin, beharrte bei allen Qualen einer dreitägigen Peinigung durch Folter, dann Geißelung, wilde Thiere, durch den glühenden Rost bis zur Erdrosselung bei dem Bekenntnis: „Ich bin eine Christin, und bei uns geschieht nichts Unrechtes!" Der junge sechzehnjährige Origenes brannte während der Verfolgung vor Begierde, seinen Erlöser vor den Heiden zu bekennen. Die Mutter mußte ihm die Kleider verstecken, um ihn zu Hause behalten zu können. Nun schrieb er an den gefangenen Vater einen Brief, worin er ihn zur Standhaftigkeit ermahnte: „Hüte dich, aus Rücksicht auf uns (Mutter und sechs Kinder!) von deinem Sinne zu weichen!" Victoria, eine junge Christin in Karthago, deren Vater und Bruder noch Heiden waren, ließ sich durch kein Zureden ihrer Verwandten zur Verleugnung bringen. Die Entschuldigung ihres Bruders, sie sei nicht recht bei Sinnen, wies sie bestimmt zurück. Als der Richter sie fragte: „Willst du mit deinem Bruder gehen?" antwortete sie: „Nein, denn ich bin eine Christin, und die sind meine Brüder, die den Willen Gottes thun (Matth. 12, 49)!" Bei der Verfolgung in Südfrankreich wurde ein junger Christ Symphorian, aus angesehener Familie stammend, ergriffen, weil er bei einem Götzenfeste dem umhergetragenen Götterbilde nicht die übliche Verehrung erweisen wollte. Vor dem Richter erklärte er: „Ich bin ein Christ, ich bete den wahren Gott an, der im Himmel herrscht; das Götzenbild aber kann ich nicht anbeten, ja, ich will es auch, wenn ihr es erlaubt, auf meine Gefahr hin zerschmettern." Als er zum Tode geführt wurde, rief seine Mutter ihm zu: „Mein Sohn, habe den lebendigen Gott im Herzen; sei standhaft, wir können den Tod nicht fürchten, der so sicher zum Leben führt. Droben sei dein Herz, mein Sohn; sieh auf den, der im Himmel herrscht; heute wird dir das Leben nicht genommen, sondern zu einem bessern verklärt; durch einen seligen Tausch gehst du, mein Sohn, heute zum Leben des Himmels ein!" Die schwerste Probe ihrer Bekenntnistreue bestand wohl Perpetua (vgl. S. 26), Mutter eines kleinen Kindes. Ihr Vater, der noch Heide war, drang bald flehend, bald zürnend in sie, stellte ihr die Schmach seines Hauses vor, die grauen Haare seines Hauptes, die Trauer der Ihrigen, die Verwaisung ihres Kindes; ja, er küßte ihre Hände, warf sich ihr zu Füßen und nannte sie mit Thränen nicht Tochter, sondern Herrin. Obwohl von tiefem Schmerz darüber erfüllt, blieb Perpetua doch standhaft: „Wenn ich vor dem Richterstuhl stehe, so wird geschehen was Gott will; denn wisse, daß wir nicht in unserer, sondern in Gottes Gewalt stehen!" So gieng sie mit dem Bekenntnis: „Ich bin eine Christin!" zum Tode (Matth. 10, 37).

Das waren aber nicht blos Einzelne, die so dachten und fühlten, sondern so war Geist und Sinn der Gemeinde überhaupt. Die Krone des Martyriums galt als die höchste Ehre. Mit tröstlichem Zuspruch und mit brüderlichem Dienste, so weit es irgend erlaubt war, stand man den Bekennern bei; man küßte voll Verehrung ihre Ketten; mit Bewunderung sah die Gemeinde ihre Glaubenshelden zum Märtyrertode ziehen; unter Lebensgefahr sorgte man für die Bestattung ihrer irdischen Ueberreste; die Gräber der Märtyrer wurden mit Palmen geschmückt, die Todestage derselben als ihre Geburtstage zum höhern Leben der Unsterblichkeit alljährlich festlich begangen. Man genoß im Gefühle ungetrennter Gemeinschaft mit ihnen an ihren Gräbern das heilige Abendmahl und gedachte ihrer in gemeinsamem Gebete. Dabei wurden Erzählungen von ihrem Martyrium vorgelesen (Legenden), und in schwungvollen Hymnen wurde ihr Kampf und Sieg besungen.

Die Christen der ersten Zeit waren herzlich dankbar auch für das irdische Glück und vergaßen des Dankgebets einzeln und gemeinsam für dasselbe nicht. Aber wie sehr sie auf die Verleugnung des Irdischen um des Himmlischen willen gerichtet waren, zeigte sich auch darin, daß ihrer manche kaum mehr wagten, die Bitte ums „tägliche Brot" anders zu beten als unter Umdeutung ins Geistliche. Überhaupt blieb ihr hohes Streben nicht ohne Überschwang. Besonders die Sekte der Montanisten, deren Stifter Montanus aus Phrygien zusammen mit zwei „Prophetinnen", deren beredtester Wortführer Tertullian war, geriet in schwärmerische Übertreibung. Sie wollten mit aller Macht die geistliche Vollendung der Gemeinde erringen und erzwingen, denn: „die Zeit dränge!" Aus ihrem Kreise zumeist drängten sich wider die Mahnungen besonnener Lehrer viele in Ehrsucht zum Martyrium, schwelgten in sinnlichen Vorstellungen von dem nahen tausendjährigen Reiche, oder übten fleischlichen Trotz unter den Martern (1 Kor. 13, 3). Auch wurde durch sie die falsche Verehrung der Märtyrer, welche schon begonnen hatte, nicht wenig befördert; selbst die Heiden spotteten schon, daß die Christen ihre Märtyrer mehr verehrten als ihren Christus.

Die Askese.

So hochgehend die Wünsche waren, so tiefgehend waren auch die Sorgen um das Heil der Seele. Wurde auch die Schwärmerei des Montanismus mit seiner übertriebenen Sittenstrenge verworfen, so brauchte man doch durchweg großen Ernstes, um den Anforderungen des „neuen Gesetzes“ zu genügen und sich von der Welt unbefleckt zu erhalten.

Durch Fasten, Beten, Almosengeben übten sie sich in der Selbstverleugnung und Weltentsagung und waren damit zugleich bedacht, durch Reinigung von Sünde und Schuld sich für den Hingang zu Gott würdig zu bereiten.

„Abthun muß man alle Genüsse, deren Weichlichkeit die Tapferkeit des Glaubens verweichlichen könnte; die Tage der Christen sind allezeit, zumal gegenwärtig, nicht goldene, sondern eiserne!“ ruft Tertullian selbst den Frauen zu. Und Cyprian schreibt: „Wie es an täglichen Sünden vor dem Angesicht Gottes nicht fehlt, so dürfen auch die täglichen Opfer nicht fehlen, um die Sünden damit abzuwaschen. Solche Werke sind ein Geschenk, vermittelst dessen der Christ die geistliche Gnade erhält, Christum als Richter sich gewogen und Gott gleichsam zu seinem Schuldner macht.“ (!)

Um den Versuchungen der Welt möglichst zu entgehen, kam die Sitte auf, sich aus dem Verkehr mit derselben gänzlich zurückzuziehen. Man hielt es für das Beste, in der Einsamkeit ein Leben des Gebets und der Entsagung zu führen. Bald bildete sich nach dem Vorgang des ägyptischen Einsiedlers Antonius (um 270 n. Chr.) ein eigener Stand solcher Asketen. Und diese Askese wurde, nachdem die Märtyrerzeit vorüber war, das sittliche Ideal der Zeit.

Da konnte man etwa eine ganze Familie solche Zurückgezogenheit erwählen sehen, wie die, aus welcher Basilius der Große stammte: Makrina die Großmutter, welche schon in der diokletianischen Verfolgungszeit 7 Jahre mit ihrem Manne in den Wäldern des Pontus gelebt, Emmelia, die Mutter, ausgezeichnet durch ihre Schönheit, Makrina, die ebenso schöne als fromme und hochgesinnte Tochter, welche auch die Brüder Basilius und Gregor (später Bischöfe in Cäsarea und Nyssa) dorthin nachzog samt Gregor von Nazianz, dem Freund des Basilius; ein anderer Bruder, ein Sachwalter, war schon vorher als Einsiedler gestorben; der jüngste, Petrus (später auch Bischof) wurde von der Schwester dort erzogen. Die Dienerinnen waren Genossinnen des „neuen Lebens“, als Gleiche gehalten. Als Gregor später die todkranke Schwester wieder sah, sprach sie „wie vom göttlichen Geiste angeweht“, und er fühlte sich da „wie außer sich versetzt in die himmlischen Wohnungen“. — Antonius wurde als Jüngling in der Kirche durch das Evangelium vom reichen Jüngling (Matth. 19, 21) so ergriffen, daß er sein Vermögen den Armen gab und zunächst vor seinem Hause als „Askete“ lebte. Um heftigere Versuchungen und Anfechtungen zu überwinden, legte er sich noch größere

4*

Kasteiungen auf und zog sich tief in die Wüste zurück. Bald bevölkerte sich um ihn die Einöde mit Einsiedlern (Anachoreten, Eremiten), welche durch das Beispiel seines Lebens angezogen wurden. Von nah und fern suchte man seinen geistlichen Rath. Zweimal erschien er überraschend in Alexandria, einmal um die Christen in der Verfolgung zu stärken, das andre Mal, um gegen die Arianer zu zeugen. Er starb (356), nachdem er es „in der herrlichen Armseligkeit dieses Lebens" auf ein Alter von 105 Jahren gebracht, „selbst kinderlos, der Vater eines unermeßlichen Geschlechts", denn er wurde der Vater des Mönchtums.

Je mehr später in die Kirche, als sie Staats- und Reichskirche geworden, weltliches Wesen eindrang, zerfielen viele und gerade unter den ernsteren Gemütern mit ihrer Zeit und mit der Welt überhaupt und es bildeten sich ganze Gemeinschaften von solchen Asketen. Noch in dieser Welt lebend und doch von ihr abgeschieden, wollten sie sich in abgeschlossenen Wohnungen (Klöstern) eine neue, bessere und höhere Welt bauen, frei von allen Übeln des gewöhnlichen Weltlebens.

Der Andrang steigerte sich fortwährend, von Männern und von Frauen, und besonders war das heilige Land für sie eine auserwählte Stätte, wie z. B. um den Gelehrten Hieronymus, der die Bibel ins Lateinische übersetzt hat (Vulgata), in Bethlehem sich eine ganze Ansiedlung bildete. Es zeigten sich freilich frühe schon viele Ausartungen; denn die Einsiedler konnten wohl der Welt, aber nicht sich selbst entfliehen. Auch gar wunderliche Heilige traten hervor, wie jener Symeon in Antiochia, der 30 Jahre lang auf einer hohen Säule zubrachte.

Hieronymus in der Wüste. Der Sage zufolge beschützte ihn ein Löwe. Der Heilige hat in der Hand einen Stein, mit dem er sich die Brust schlägt.

Es erschien notwendig, das mönchische Leben in feste Ordnung und Regel zu fassen. Im Abendlande, wo das Mönchswesen schwerer Eingang fand, geschah dies durch Benedictus von Nursia in Umbrien. Die Regel Benedikts forderte ein dreifaches Gelübde: der Armut, der Keuschheit und des Gehorsams; die benediktinische Regel teilt die Zeit der Mönche zwischen gottesdienstlichen Übungen (siebenmal des Tages), Studien und Handarbeiten. Der Ernst ihres Strebens sollte auch in der Tracht, der schwarzen Kutte, zur Erscheinung kommen. Im Benediktinerorden hat das Mönchswesen zu seiner Zeit der Welt großen Segen gebracht.

Als 14jähriger Knabe nach Rom gekommen, um seinen Studien obzuliegen, entwich der junge Benedictus im Drange, sich beschaulich in sein Inneres zu versenken, in eine felsige Wildnis in den Bergen in der Nähe jenes Sees, an dessen Ufern Nero seine prunkvollen Bäder gebaut: sub lacum (Subiaco). Hier lebte er, in Thierfelle gekleidet, in einer Höhle, die man jetzt noch zeigt. Nach und nach entstanden hier im Ganzen 12 andere kleine Einsiedeleien. Aber Benedictus verharrte nur drei Jahre hier. Dann trieb es ihn weiter und er schritt im Jahre 529 auf dem damals noch dem Apollo geweihten Berg des Castrum Casenum (Monte Cassino) zu einer neuen Klostergründung, deren Regel sich schnell über das ganze Abendland verbreitete.

In den nun folgenden Zeiten der Verwüstung und des Verfalls waren die Benediktinerklöster ein Zufluchtsort für die Kultur überhaupt. Den Benediktinern vor allem verdanken wir die Erhaltung der alten Handschriften und der geistigen Schätze der heidnischen wie der christlichen Vergangenheit durch Abschreiben und Bibliothekgründungen, und sie erwarben sich unermeßliche Verdienste um die Verbreitung des Christentums vornämlich auch in den deutschen Landen. Nachmals gehörten dem Orden, welchen Benedictus gründete, u. A. 24 Päpste an.

Eine gesetzliche Auffassung des Christentums drängte sich aber im Lauf der Zeit mehr und mehr hervor, und in dieser Richtung wirkten die Klöster mit ihrer Unterscheidung der angeblich höhern Tugend der „Vollkommenen" verderblich auf die Pflichterfüllung der Einzelnen im irdischen Berufe und im täglichen Leben. Wie bei den Märtyrern, artete die Bewunderung der Asketen mit ihrem selbstgeschaffenen Martyrium schnell zur Heiligenverehrung aus.

Schon frühzeitig wurden die Gräber der Märtyrer und Asketen zu Stätten, an welchen die Überlebenden beteten, und wo sie im Andenken an die glaubenstreuen Vorbilder auch ihren Glauben stärkten. In jeder Weise suchte man die Zeugen, die ihren Glauben mit dem Tode besiegelt hatten, zu ehren, und eine Ehre, welche die Lebenden nicht entgegennehmen konnten, erzeigte man an ihren Überresten. Bald erhoben sich über den Gräbern Kirchen und es war ein Vorzug und ein Ruhm der letzteren, sichtbare Erinnerungszeichen an die Hingegangenen, an ihre Patrone, zu besitzen. Es wird erklärlich, wie das fromme Andenken mit der Zeit eine abergläubische Färbung annahm. Besonders durch des Kaiser Konstantinus Mutter, die Kaiserin Helena, die Erbauerin der Kirche des heiligen Grabes, wurde die Verehrung der Heiligen, der Stätten, wo sie gewandelt, sowie ihrer sterblichen Überreste (Reliquien) gepflegt. Warnungen, wie sie unter andern der römische Mönch Jovinian erhob, blieben unbeachtet; der Zug der Zeit war zu mächtig.

Aufschrift des Kreuzes Christi. Fragment der Tafel aus Cedernholz, welche von der Kaiserin Helene der Kirche des Heiligen Grabes zu Jerusalem geschenkt wurde, jetzt in Rom. Die Inschrift Jesus Nazarenus Rex Judaeorum. Von den drei Kreuzesinschriften (hebräisch, griechisch und lateinisch) blieb der Tradition zufolge nur die letztere übrig.

IV. Erziehung und Unterricht.

Die Aufnahme in die christliche Gemeinde und die Mitgliedschaft in derselben gewährte schon in der ältesten Zeit nur die Taufe. Vollzogen wurde diese unter dreimaligem Untertauchen der Täuflinge; bei Kranken begnügte man sich mit der Besprengung. Für die Aufnahme gab es bestimmte Zeiten, die Osterfestzeit war die auserwählte Taufzeit, insbesondere der Ostersamstag. Die Taufe erkannten auch die alten Christen als eine Versiegelung der Vergebung der Sünden und als das Bad der Wiedergeburt im heiligen Geist, wodurch eine neue Lebenskraft eingepflanzt werde zu einem Leben der Unsterblichkeit.

Cyprian von Karthago schreibt über seine Taufe an einen Freund, der mit ihm getauft worden war: „Nachdem die tiefe Befleckung des frühern Lebens durch die Hilfe der wiedergebärenden Welle verwischt war, ergoß sich ein himmlisches Licht in die entsündigte, nunmehr reine Brust; ich schöpfte gleichsam Atem wie vom Himmel; die zweite Geburt machte mich zu einem neuen Menschen. Auf wunderbare Weise ward nun alles Zweifelvolle in mir gestärkt, alles Verschlossene ward offen, das Finstere ward hellscheinend. Was früher mir schwierig schien, dazu ward mir nun das Vermögen geschenkt; was mir unmöglich dünkte, konnte ich jetzt zu Stande bringen. Es wurde mir klar, daß das Irdische, welches früher nach der Geburt aus dem Fleische unter der Herrschaft der Sünde lebte, jetzt anfing Gottes zu sein, ein solches, das der heilige Geist beseelte." — Die Kindertaufe kam in immer allgemeinern Gebrauch trotz des Widerspruchs, der insbesondere von Tertullian gegen sie erhoben wurde, und obwohl sie nicht gesetzlich geboten war.

Der Taufe ging eine Unterweisung voraus, in welcher die „Katechumenen" zum Verständnis gebracht werden sollten, was sie durch ihre Aufnahme in die christliche Gemeinde erlangten und wozu sie dadurch verpflichtet wurden. Diese Unterweisung dehnte sich auf zwei Jahre aus. Die Katechumenen der zweiten Stufe durften dem Gemeindegottesdienst mit Ausnahme der Abendmahlsfeier beiwohnen. Das Letzte im Unterricht war die mündliche, vertrauliche Mitteilung des Glaubensbekenntnisses und des Vaterunsers.

Wie Klemens von Alexandria es ausführt, mußten die Katechumenen zuerst vom Götzendienst und all seinem Unwesen abwendig gemacht und der Glaube in ihnen geweckt werden. Dann sollte auf sie eingewirkt werden zur Erneuerung ihres Sinnes und ihrer Sitten, bis sie endlich in die Geheimnisse des christlichen Glaubens weiter eingeführt werden konnten. So war ja auch der Gang seines eigenen Lebens gewesen, so war es der seiner Schriften und seiner Lehre an der Katechetenschule.

Um die erziehliche Kraft und Wirkung der Taufe zu verstärken, suchte man die heilige Handlung in ihrer Form zu bereichern und auszuschmücken. Nach dem Untertauchen erhielten die Täuflinge eine Mischung von Milch und Honig (1 Petri 2, 2); darauf geschah die Salbung mit dem geweihten Salböl (chrisma, 1 Joh. 2, 27); an diese schloß sich die Handauflegung mit dem Gebet um die Gabe des heiligen Geistes.

Aus den letzteren Gebräuchen, die man später, im Abendland sehr bald, dem Bischof vorbehielt, entstand die Firmelung. Bei der Kindertaufe wurde auch der sog. Exorcismus (Teufelsbeschwörung) angewendet: „Fahre aus, du unreiner Geist, und gieb Raum dem heiligen Geiste!"

Mit großem Ernst wurde die sittliche Verpflichtung des Christen erfaßt und bezeugt. Die Täuflinge mußten bei der Taufe das (apostolische) Glaubensbekenntnis in Frage und Antwort ablegen, und dazu mußten sie durch Handschlag das Gelübde thun „zu entsagen dem Teufel und seinen Werken." Dies war der christliche Kriegereid (sacramentum militiae christianae). Nach dem Emportauchen wurde das Vaterunser als das Gebet der christlichen Gemeinde gebetet. Auch empfingen sie ein weißes Taufkleid (Matth. 22, 11—12), welches sie bis zum nächsten Sonntag („weiße Sonntag") trugen.

Um bei den Kindern ihre christliche Erziehung zu sichern, wie ihre Zugehörigkeit zur Kirche zu bestätigen, wurden Taufzeugen (sponsores) bestellt. Viele schoben die Taufe ihrer Kinder, wie auch Monika bei Augustin, nur deswegen hinaus, weil man der Ansicht war, daß die nach der Taufe begangenen Sünden nur durch schwere Buße wieder abgebüßt werden könnten.

Aber gerade Augustinus war es, der sich nachher entschieden gegen diesen Brauch erklärte. In seinen „Bekenntnissen" bekennt er: „Du hast es gesehen, o HErr, da ich noch ein Knabe war und eines Tages, plötzlich von heftigem Krampfe befallen, dem Tode nahe war; gesehen, mit welcher Bewegung des Gemüts und mit welchem Glauben ich die Taufe verlangte. Und schon eilte meine bestürzte Mutter, Anstalten zu treffen, damit ich mit dem heilsamen Sakramente geweihet und gewaschen würde, dich, o HErr Jesu bekennend zur Vergebung der Sünden, — wenn ich nicht schnell wieder genesen wäre. So ist also meine Reinigung verschoben worden, als wäre es nötig, daß ich weiter noch in Befleckung wandelte, wenn ich am Leben bliebe, weil nämlich nach jenem Bade die Schuld in der sündlichen Befleckung größer und gefährlicher wäre." Wie viele und große Versuchungen schienen noch seiner Jugend zu drohen, und seine Mutter wollte ihnen lieber das irdische Teil überlassen, aus dem er nachher umgewandelt werden sollte, als Gottes Bild selbst in ihm. Aber Augustin hält später mit seiner Mißbilligung nicht zurück. Er weist darauf hin, daß man dadurch der Jugend den Zügel schießen lasse zum Sündigen. „Wäre es nicht viel besser gewesen, ich wäre schnell geheilt worden und man hätte mit mir so verfahren, daß das Heil meiner Seele, durch die Taufe gesichert, fortan unter deinem Schutze geborgen gewesen wäre?" Auch mußte er als Kirchenlehrer auf Grund seiner Lehre von der Erbsünde die Kindertaufe fordern.

Um den Gefahren auszuweichen, welche der Besuch heidnischer Schulanstalten für die Christenkinder mit sich brachte, fieng man schon im 2. Jahrhundert an, **christliche Schulen** zu errichten. Weiterhin wurden auch die Klöster als Erziehungs- und Unterrichtsanstalten benützt. Die Hauptbeschäftigung in diesen Schulen war Lesen, Schreiben, Rechnen, sowie das Lernen und Singen von Psalmen und andern geistlichen Liedern. Späterhin beschäftigten sich schon die hervorragendsten Kirchenlehrer, wie ein Augustin, in Schriften mit dieser Aufgabe der Jugendunterweisung. In den Klöstern freilich, zumal des Morgenlandes, sank der Unterricht bald so, daß die Mönche die Bilder für die einzigen Bücher der Unmündigen hielten.

V. Der altchristliche Kultus.

Gottesdienst.

In der ersten Zeit war der Gottesdienst noch ganz einfach; aber bald wurde er weiter ausgestaltet, unter Wegfall des urchristlichen Brudermahls (Apostelg. 2). Immer war der Hauptgottesdienst auch Abendmahlsgottesdienst. Dem ersten Teil des Gottesdienstes durften auch solche anwohnen, welche noch nicht, oder noch nicht ganz, oder nicht mehr ganz der christlichen Gemeinde angehörten.

Dieser erste Teil bestand aus Gesang, dem Gruße: der HErr sei mit euch! biblischen Lectionen aus dem alten und neuen Testamente fortlaufend oder in ausgewählten Abschnitten (Perikopen), und aus der Predigt (Homilie). Nach einem allgemeinen Bitt-Gebete wurden alle entlassen, welche nicht zur Teilnahme an der geschlossenen Gemeindefeier berechtigt waren.

Der zweite Teil, der Abendmahlsgottesdienst, hieß missa fidelium; er fand als die eigentliche Gemeindefeier, an der nur vollberechtigte Glieder der Gemeinde teilnehmen durften, bei geschlossenen Thüren statt.

Hier fand zunächst die Darbringung der Gaben zum Altare statt (oblationes). Darauf folgte die Mahnung zu herzlicher Brüderlichkeit und Versöhnlichkeit mit dem Bruderkuß. Auf den Zuruf: die Herzen in die Höhe! (sursum corda!) wurde dann das Lob- und Dankgebet: „Wahrhaft würdig und recht u. s. w. gesprochen. Dann wurde die „Konsecration" der für die Abendmahlsfeier bestimmten irdischen Gaben vorgenommen unter einem Weihegebet mit dem Vaterunser und unter Lobgesängen: „Heilig, heilig u. s. w." Die Austeilung geschah unter den Worten: Der Leib Christi! das Blut Christi, der Kelch des Lebens!, worauf die Empfänger mit Amen antworteten. Der Schluß geschah mit Gebet und Segen. Nach dem Gottesdienst wurde den Kranken das Abendmahl durch die Diakone ins Haus gebracht. — „Eine Arzenei der Unsterblichkeit, ein Gegengift gegen den Tod, ein Unterpfand des unvergänglichen Lebens in Christo" wurde es dankbar gepriesen. Aber es bildete sich bald die Vorstellung aus, daß die Abendmahlsfeier eine Opferfeier sei; man verwechselte die Feier mit dem, was man feierte. Dazu trug auch die Sitte bei, daß die Gemeinden bei dieser Gelegenheit ihre Gaben (Opfer) darbrachten, aus welchen die Abendmahlsgaben genommen wurden, während das Übrige für die Armen verwendet wurde. So entstand die Messe der katholischen Kirche.

Die heiligen Zeiten und Feste.

Die ersten Christen wußten wohl, welch großen Gewinn sie von dem Gottesdienste hatten; darum nützten sie eifrig die Zeit, die ihnen dazu gegeben war. Der Hauptttag für den Gottesdienst war der Sonntag, (Offb. 1, 10), als Freudentag gefeiert mit aufrechter Haltung beim Gebet. Außer den täglichen Gebetsstunden wurden auch Mittwoch und Freitag als Bet-, Buß- und Fasttage, als „die Wachttage der Streiter Christi", gefeiert.

„Am Tage der Sonne" schreibt Justin, „halten wir unsre allgemeine Versammlung, weil er der erste Tag ist, an welchem Gott die Finsternis und den Urstoff wandelnd, die Ordnung der Dinge (Kosmos) geschaffen hat, und Jesus Christus, unser Heiland, ist an diesem Tage von den Toten auferstanden."

Mit der Zeit empfing der ganze Jahreslauf seine gottesdienstliche Weihe durch die allmähliche Ausbildung des Kirchenjahrs.

Das erste und größte Fest, aus der Sonntagsfeier sich erhebend, war das Osterfest mit vorausgehendem 40tägigem Fasten, abschließend mit der Charwoche. Diese schloß mit dem Nachtgottesdienst am Ostersonnabend (Ostervigilie) der „großen Woche". Am Ostermorgen begrüßte man sich mit dem Zuruf: Der HErr ist auferstanden! und dem Gegengruß: Er ist wahrhaftig auferstanden! Nicht ohne längern Zwiespalt einigte man sich für die Zeit desselben auf den ersten Sonntag nach dem Frühlingsvollmonde. Dann trat das Pfingstfest als das Fest der Gründung der Gemeinde ein, voraus zwischen Ostern und Pfingsten die Freudenzeit mit dem Himmelfahrtsfeste als Höhepunkt. In der Mitte des 4. Jahrhunderts kam in der abendländischen Kirche das

Weihnachtfest auf, durch welches das im Morgenland gefeierte Epiphaniasfest (Matth. 2; 3, 17), etwas zurückgedrängt wurde. Es wurde am 25. Dezember gefeiert als dem „Tage der unbesiegten Sonne". Gegen das Ende des Zeitraums wurden die vorausgehenden Wochen als Vorbereitungszeit gefeiert und zugleich als Eingang in das Kirchenjahr. Auch die Gedächtnistage der Märtyrer und „Heiligen" wurden gottesdienstlich begangen, und vielfach in nicht unbedenklicher Weise. In der zweiten Hälfte des Zeitraums kam schon die Verehrung Marias als der Mutter Gottes auf; sie stand an der Spitze des „Chores der Heiligen".

Die heiligen Stätten und die bildende Kunst.

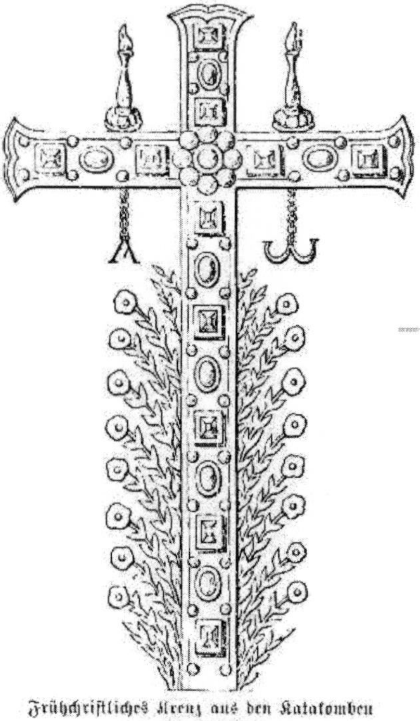

Frühchristliches Kreuz aus den Katakomben von St. Ponziano.

Im Laufe der Zeit wurden auch die gottesdienstlichen Stätten durch die bildende Kunst immer bedeutender ausgeführt und ausgeschmückt. Zu gottesdienstlichen Räumen wurden anfangs größere Wohnungen einzelner Gemeindeglieder benützt; dann baute man größere Versammlungssäle, Bethäuser; in den Verfolgungen mußten die Christen sich mit ihrem Gottesdienst oft sehr notdürftig behelfen und ihn in ganz abgelegenen Orten, sogar in unterirdischen Grabkammern, Katakomben genannt, halten.

Über die Entstehung der Katakomben, dieser merkwürdigen unterirdischen Gänge und Hallen, wissen wir nichts Sicheres. Sie stammen ohne Zweifel schon aus früher Zeit und sind, wie vermutet wird, dadurch entstanden, daß die Römer ihr Baumaterial an Gestein nicht aus der Ferne beischleppen mochten, sondern es aus der Tiefe nahmen. Auf diese Weise ward Rom, ohne daß man es recht gewußt, größtenteils unterminiert. Es war natürlich, daß die verfolgten Christen in diesen Labyrinthen, wo keines Spähers Auge sie suchte, noch sie wohl finden konnte, sich verbargen; insbesondere aber boten diese Gänge eine schickliche Gelegenheit zu den Begräbnissen ihrer Toten. Vergl. weiter S. 68. Unsere Abbildung stellt eine Krypta in den Katakomben des Calixtus (an der Via Appia zu Rom) dar mit Papstgräbern aus dem 2. Jahrhundert, die durch eine in der Decke angebrachte Lichtöffnung erleuchtet und zu gottesdienstlichen Versammlungen benutzt wurde.

Das Innere der Basilika St. Apollinare in Classe (Vorstadt von Ravenna).
Erbaut unter Justinian (6. Jahrh.).

Indessen noch während der Verfolgungszeit wagte man Kirchen („kyriakon") zu bauen. Seit Konstantin erhob sich dann eine prachtvolle Kirche um die andere, allen voran war seine Mutter Helene, die Erbauerin der Kirche des heiligen Grabes, für den Kirchenbau thätig. Man baute die Kirchen nach dem Vorbilde der römischen Basiliken, welche große Hallen zu öffentlichen Zwecken, Gerichtsverhandlungen und dergl. waren, unter entsprechender Umgestaltung.

Demnach bildeten die christlichen Kirchen ein längliches Viereck in östlicher Richtung. Vorgelegt wurde demselben eine Vorhalle, als Aufenthalt für die Büßenden und für die untere Klasse der Katechumenen, umgeben von einem Vorhofe, in welchem ein Wasserbecken mit dem Weihwasser und die Taufkapelle (Baptisterium) standen. Der Hauptraum, in welchem sich die Gemeinde befand, bestand gewöhnlich aus drei Hallen (Schiffen), einem Hauptschiff und zwei Nebenschiffen; in dem Hauptschiff stand das Pult zu den Bibellektionen. Einige Stufen aufwärts trat man in ein Querschiff (Kreuzschiff), welches nach Osten zu mit einer halbkreisförmigen Nische den Bau abschloß (Chor, Apsis). Dort stand auch der Altar, dort befanden sich auch die Sitze der Geistlichkeit, unter ihnen hervorragend der des Bischofs. Von den Schranken (cancelli) zwischen dem Chor und dem Hauptraume, wenn nicht im Hauptschiff selbst, pflegte der Bischof dem Volke zu predigen. Gegen das Ende dieses Zeitraums entwickelte sich aus der vieleckigen Taufkapelle der „byzantinische Stil" mit der großen Kuppel über der Mitte des Gebäudes, dessen Vorbild die Sophienkirche in Constantinopel, erbaut von Kaiser Justinian, wurde.

Dem Schmucke der **Bilder** waren die ersten Christen abhold. Schon das Geheimnis in der Verfolgung, dann der Ursprung des Christentums aus dem jüdischen Volke, vollends die heidnische Verderbnis der Kunst hielten zurück. Erst allmählich begann der Gebrauch, die Gräber der Verstorbenen zu schmücken, vornämlich in den Katakomben, wobei man sich zuerst bloß der Zeichen und Sinnbilder bediente, ehe man zu eigentlichen Bildern überging. Ein **Bildnis Christi** kommt in den Katakomben noch nicht vor, sondern erst vom 5. Jahrhundert an finden wir den Erlöser in seiner irdisch-menschlichen Gestalt dargestellt. Die meisten der älteren Kirchenlehrer sind Gegner der bildenden Kunst.

Symbolisches Gemälde aus den Katakomben der Domitilla (1. oder 2. Jahrh.): Christus unter dem Bilde des Orpheus dargestellt, ähnlich wie ihn auch Klemens von Alexandria schildert als den göttlichen Sänger, der, größer als Orpheus, die wildesten Tiere, die Menschen gezähmt.

Klemens von Alexandrien sagte: „Wir müssen nicht an dem Sinnlichen kleben, sondern uns zum Geistigen erheben; die Gewohnheit des täglichen Anblicks entweiht die Würde des Göttlichen." Noch strenger spricht sich Tertullian gegen die Bilder aus. Es leitet ihn hiebei die Besorgnis einer verderblichen Vermischung christlicher und heidnischer Gebräuche, wie denn wirklich der Kaiser Alexander Severus (s. S. 26) das Bild Christi in seinem Lararium hielt neben heidnischen Göttern und Heroenbildern, u. a. des Wunderthäters Apollonia von Tyana, oder wie es Heiden gab, welche Christus und die himmlische Venus zugleich anbeteten u. dgl. mehr. Aber auf einer so übersinnlichen Höhe, wie Clemens es wollte, konnte die menschliche Natur sich nicht erhalten. An Stelle der Bilder machten sich die Christen nun Sinnbilder. Sehr früh schon kam als solches das Zeichen des Kreuzes auf; man schlug es nicht allein über Stirn und Brust, beim Kommen und Gehen, bei Tische ꝛc., sondern man bildete es auch an Thüren und Fenster, auf Bücher und Waffen ꝛc. Später schloß sich daran der verschlungene Namenszug (Monogramm) Christi, der Fisch (die Buchstaben des griech. Wortes Ichthys = Fisch geben die Formel: Jesus Christus, Gottes Sohn Heiland Ἰησοῦς Χριστός Θεοῦ υἱὸς σωτήρ); oder auch Christus der Menschenfischer; weiter Bilder des Lammus, des Weinstocks; vor allem häufig tritt uns Christus in den Katakomben unter dem Bilde des guten Hirten entgegen. Die Taube (heiliger Geist), der Phönix (Auferstehung), der Hirsch (christliche Sehnsucht), der Pfau (Unsterblichkeit), der Anker (christliche Zuversicht) und noch viele andere derartige Symbole begegnen uns in den Katakomben; die ganze Natur ist den Christen ein Sinnbild der Heilslehre und des Erlösers, jegliches Ding gewinnt irgend eine Beziehung zu ihm. Die S. 2 bereits erwähnten Sinnbilder für die vier Evangelisten lebten sich frühzeitig ein. Doch gehen die Deutungen dieser Symbole auseinander: Engel, Löwe, Stier und Adler bilden in den Propheten zusammen die Gestalt des Cherub. Hingegen deutet Hieronymus: Christus ist Mensch von Geburt, sterbend ein Opferstier, Löwe in der Auferstehung, Adler in seiner Himmelfahrt. — Auch durch Wasserquellen, welche aus einem Hügel fließen, auf dem Christus steht, werden die vier Evangelisten angedeutet.

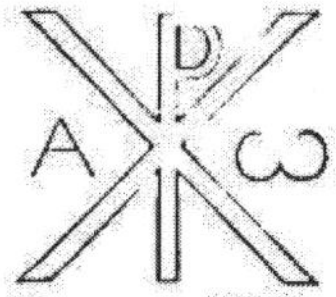

Monogramm Christi: Die Anfangsbuchstaben des griech. Wortes: Christus, mit dem Alpha und Omega (Offb. Joh. 1, 11).

Einen größern Aufschwung nahm die christliche Kunst in Byzanz und unter byzantinischem Einfluß. Fromme Gemüter, denen Christus nicht nur ein Symbol war, sondern eine geschichtliche Wirklichkeit, sehnten sich nach einem Bildnis von ihm. In einem

Christus unter dem Bilde des guten Hirten mit dem verlorenen und wiedergefundenen Lamm auf dem Rücken, der Hirtenflöte und dem Hirtenstabe. Aus den Katakomben (Cömeterium der h. Agnes) bei Rom.

(wohl zu Anfang des 5. Jahrhunderts entstandenen, unechten) Schreiben eines gewissen Lentulus, den man zum Vorgänger des Pilatus in der Statthalterschaft von Palästina machte, an den römischen Senat wird Christus als ein Mann von stattlichem Wuchs geschildert, mit dunkelen, gescheitelten Haaren, heiterer Stirne, fleckenlosem Gesicht, Nase und Mund ohne Tadel, der Bart stark rötlich, nicht lang, sondern geschnitten, die Augen leuchtend, — eine Schilderung, welcher die Christusbilder sehr früh entsprechen, besonders auf den Mosaiks, mit welchen in Byzanz die Basiliken innen ausgeschmückt wurden (vgl. die Abbildung von S. Paolo fuori le mura S. 12). Es ist nicht unmöglich, daß diesem Typus wirklich eine Überlieferung der Züge des Heilands zum Grunde lag; Eusebius, der Bischof von Cäsarea, welchen die Schwester des Kaisers Konstantin, Konstantia, um ein Christusbild anging, wußte von einem solchen freilich nichts; er verweist die Bittstellerin vielmehr auf die Worte der Schrift, diese allein gewährten sein Bildnis. — Neben Christus erscheint seit der Mitte des 5. Jahrhunderts in Folge der Erörterungen über die ihr beizulegende Eigenschaft der „Gottesgebärerin" auch das Bildnis der Jungfrau Maria, dann Bilder der Apostel, hauptsächlich Petrus und Paulus u. s. f.

Bildnis Christi von einem Altarkelch (aus dem 4. Jahrhundert). Auf der andern Seite des Kelchs befindet sich das S. 5 abgebildete Bildnis des Petrus.

Die Wirkung der **Mosaikdarstellungen**, welche die Basiliken, besonders die Länge der Apsis und des Triumphbogens vor derselben schmücken, ist eine höchst bedeutende. Die Gestalten sind meistens überlebensgroß, und in ruhiger, majestätischer Haltung erfaßt; eine ernste Glorie geistigen und natürlichen Lichts umflutet sie, der Hintergrund ist tief blau oder, wie gewöhnlicher, Gold.

Auch die heilige Handlung selbst wurde auf mannigfache Weise ausgeschmückt; zumal seit den Tagen Konstantins wurde der Gottesdienst mit immer größerem Pomp gefeiert, wie in den heiligen Gefäßen, so in den Gewändern der Priesterschaft.

Die kirchliche Sitte und der Kirchengesang.

Von Anfang an wurde mit großem Ernste gemahnt an rechte Bereitung zum Gottesdienst und zum würdigen Mitgenuß des heiligen Abendmahls. Später bildete sich eine feste Sitte für den Kirchgang.

Waren die Gläubigen durch Anschlagen an Platten von Eisenblech — die Glocken kamen erst zu Ende dieses Zeitraums auf — zum Gotteshause gerufen worden, so wuschen sie beim Eintritt an dem Waschbecken auf dem Vorhofe die Hände. Beim Eintritt in das Gotteshaus selbst machten sie sich das Zeichen des Kreuzes an der Stirne und thaten ein stilles Gebet. Das Gebet geschah bald knieend, bald stehend, je nach der Art der Feier und der Stimmung der Gemeinde, wobei die Hände oft in Kreuzesform ausgebreitet wurden.

In Gebet und Gesang beteiligte sich die Gemeinde mitthätig an dem Gottesdienste, der meist in Wechselrede und Wechselgesang (Antiphonie) sich bewegte. Am Gebete beteiligte sie sich in feststehenden, feierlichen Formeln, die zumeist noch jetzt im Gebrauch sind, insbesondere im Amen, dem Kyrieleison, dem Halleluja, dem Hosianna und den sogenannten Doxologien (Lobpreisungen). Bald fing man auch an, in „Hymnen“ anzubeten (Offb. 4; 5). Das „Ehre sei Gott in der Höhe!“ mit dem: „Wir loben dich, wir benedeien dich“ u. s. w. wurde der Morgengesang, der Lobgesang (Magnificat) Marias der Abendgesang. Der Schöpfer des volkstümlichen, rhythmischen, melodischen Kirchengesangs wurde der Bischof **Ambrosius** (um 386) von Mailand; er übersetzte aus dem Griechischen ins Lateinische den großen Lobgesang: Te Deum laudamus („Herr Gott, dich loben wir“) und dichtete viele andere geistliche Lieder, wie: „O seliges Licht, Dreifaltigkeit“ und: „Christe, du bist der helle Tag“. Der Spanier **Prudentius** (um 400) dichtete viele Lieder voll feuriger Glut zum Preise des Martyriums. Da sich aber im Laufe der Zeit die würdige Einfalt dieses Gesanges verlor, so verdrängte später Papst **Gregor der Große** († 604) den Volksgesang aus der Kirche und ersetzte ihn durch den einförmigen, vom Chore ausgeführten Mönchsgesang (cantus firmus, choralis), der seitdem in der römischen Kirche sich erhalten hat.

Als Augustin zuerst als Neubekehrter den „ambrosianischen“ Gesang in der Mailänder Kirche hörte, ward er tiefbewegt: „Wie weinte ich über die Lobgesänge und Lieder, o Gott, als ich durch die Stimmen deiner lieblich singenden Gemeinde kräftig gerührt wurde. Diese Stimmen flossen an meine Ohren, und deine Wahrheit wurde mir ins Herz gegossen. Da entbrannte inwendig das Gefühl der Andacht und die Thränen ergossen sich, und mir ward so wohl dabei!“

Während des Gottesdienstes wurde die Ruhe und Stille in der Gemeinde durch Diakone gewahrt, etwa unter dem Rufe: Laßt uns aufmerken! Der Feier des Abendmahls wohnte man bei mit Scheu und Furcht als einem Königsmahle mit „schauervollem Geheimnis“; die Frauen erschienen dabei mit verhülltem Haupte. Es war Gebrauch, daß die Gemeindeglieder dabei ihre Opfergaben zum Altare brachten, und daß sie auf die Mahnung zur Brüderlichkeit und Versöhnlichkeit sich den Bruderkuß gaben. Nach der Feier nahmen sie von dem gesegneten Brote mit nach Hause, und sie genossen es mit ihren Hausgenossen nach dem Morgengebet als solche, die der himmlischen Speise nicht satt werden, der geistlichen Nahrung nicht genug haben konnten.

Auch in dieser Hinsicht trat später ein Nachlaß und eine Verderbnis ein. Es ließ der Kirchenbesuch nach, während der Cirkus sich füllte; es ließ das Forschen in der heiligen Schrift nach, während man sich mit den gelehrten Streitigkeiten beschäftigte. Und Chrysostomus („Goldmund", † 407), der berühmteste Prediger der alten Kirche, mußte seine Zuhörer darüber zurechtweisen, daß sie ihn während der Predigt mit lauten Zeichen des Beifalls beehrten. Und so fand ebenderselbe auch Anlaß zu der Klage: „Wenn man unsern jetzigen Zustand genau prüft, so wird man sehen, wie wohlthätig die Verfolgungen sind. Im Genusse des Friedens sind wir gesunken und haben die Kirche mit unzähligen Übeln angefüllt. Als wir verfolgt wurden, waren wir weiser, gerechter, eifriger. Denn was das Feuer für das Gold, das ist die Anfechtung für die Seelen!"

VI. Verfassung der alten Kirche.

Die Verfassung.

Bischofsstab aus älterer Zeit.

In der ersten Zeit konnten auch einfache Glieder der Gemeinde (paroikia, 1 Petri 2, 11) beim Gottesdienste das Wort ergreifen in Rede und Gebet nach dem Grundsatze des allgemeinen Priestertums (1 Kor. 12; 14). Aber bald trat die selbständige Beteiligung der Gemeindeglieder zurück gegen die Thätigkeit der berufenen Diener der Kirche. Dem geistlichen Stand wurde eine gesonderte Stellung zugeschrieben, wie es im Alten Testament vom Stamm Levi und dem aaronitischen Priestertum galt, wie man denn gerne das Neue Testament auch als ein „Gesetz", ein „neues Gesetz" betrachtete. So wurde auch dem geistlichen Stande, abgesehen von den niedern Kirchendienern, der Name Klerus (Erbteil Gottes) ausschließlich beigelegt im Gegensatze zu den Laien oder dem Volke. Und weiterhin wurden die durch Berufung und Ordination dem Dienste des HErrn Geweihten auch in der Tracht von den Laien unterschieden, nicht blos in der Kleidung, sondern auch durch die sogenannte Tonsur des Hauptes.

Bald tauchte auch schon die Frage von der Ehelosigkeit (Cölibat) der Priester auf. Obwohl auf der Synode zu Nicäa ein alter, selbst eheloser Bekenner ernstlich dagegen auftrat, daß man den Cölibat als allgemeines Gesetz für die Priester aufstelle, drang die Forderung, wenn auch in beschränktem Maße, immer mehr durch.

Aber auch im geistlichen Stande selbst wurde bald ein scharfer Unterschied gemacht zwischen den Diakonen und Presbytern einerseits und den Bischöfen andrerseits, während ursprünglich „Bischof" und „Presbyter" gleichbedeutend waren (Apostelg. 20, 17. 28). Aber sehr bald wurde der

Name Bischof nur einem unter den Presbytern gegeben, der als der eigentliche Vorsteher der Gemeinde galt: schon Ignatius ermahnt die Gemeinden: „Unterwerft euch dem Bischof gleich als Christo, dem Presbyterium gleich als den Aposteln.“ Unter den Anfechtungen von außen und innen bildete sich der Episkopat und damit die Hierarchie immer mehr aus, indem er sich aus einem Gemeindeamt zum Kirchenamt erhob, dessen Wirkungskreis eine größere Anzahl von Gemeinden umfaßte. Die Bischöfe erschienen als die Stützen der Gemeinden, als die Bewahrer der apostolischen Überlieferung, als die Bürgen der Einheit der Kirche, als die „Erben und Träger der apostolischen Schlüsselgewalt“. Daß sie die Verwalter des Kirchenvermögens und die Schiedsrichter in den Rechtshändeln der Gemeinde wurden (1 Kor. 6, 1), konnte ihre Macht nur heben. Auch auf den Synoden, wo allerdings Presbyter und Diakone nicht ausgeschlossen waren, hatten sie das entscheidende Übergewicht.

Die Tonsur der Kleriker. Miniature aus dem „Rationale divinorum officiorum“ von Guilelmus Durandus (Manuskript).

Auch bei der Wahl der Bischöfe, wie der übrigen Geistlichen, trat die Gemeinde immer mehr zurück, doch sollte dieselbe nicht ohne ihre Zustimmung geschehen; späterhin nahmen die Kaiser das Recht der Bestätigung in Anspruch, welches dann in das Recht der Einsetzung überging. Doch griff in einzelnen Fällen der Wunsch und Wille der Gemeinde durch. So wurde Cyprian gegen den Willen einiger Presbyter durch das Vertrauen der Gemeinde zum Bischof erwählt. Ambrosius war kaiserlicher Statthalter in Mailand, als er zum Bischof erwählt wurde. Eben hatte er, als bei der Bischofswahl die Katholiken und Arianer nicht einig werden konnten, die Versammlung eindringlich zur Ruhe und Eintracht ermahnt, als die Stimme eines Kindes erscholl: „Ambrosius Bischof!“ Die Versammlung sah das bei der hohen Achtung, in der er bei der Gemeinde stand, als eine Gottesstimme an und wählte ihn. Vergeblich war seine Weigerung, vergeblich auch sein Versuch, durch Flucht sich dem hohen Amte zu entziehen. Da er erst Katechumen war, empfing er sogleich die Taufe und suchte nun durch anhaltendsten Fleiß die ihm fehlenden Kenntnisse zu ersetzen.

Der Primat des Bischofs von Rom.

Unter den Bischöfen erhielten wiederum bald die der hauptstädtischen Gemeinden ein besonderes Übergewicht. Über diese „Metropoliten“ erhoben sich dann bald die Metropoliten der großen Hauptstädte wie Alexandria, Rom, Antiochia, dazu Jerusalem und Constantinopel (Neu-Rom) als „Patriarchen“. Rom säumte nicht lange, den „Primat“ über sie alle und damit über die ganze Kirche in Anspruch zu nehmen.

Selbst Männer, wie Cyprian von Karthago, dessen leitender Gedanke die Einheit der Kirche im Episkopate war, traten den Ansprüchen Roms entgegen. Aber gerade dieser Gedanke der „katholischen“ Kirche mit ihrer Hierarchie drängte zu diesem Ziele hin; denn die Synoden der Bischöfe erschienen doch oft als eine zu lose Verbindung der Gesamtkirche. Und Rom hatte schon in seiner weltlichen Stellung ein mächtiges Übergewicht; dieses wurde noch in hohem Grade verstärkt dadurch, daß es unter den „Apostolischen Sitzen“ bald als der bevorzugteste erschien, da hier die beiden großen Apostel, Petrus und Paulus, den Märtyrertod erlitten hatten. Auch die Überlieferung von der Begründung des römischen Bistums durch Petrus selbst wurde gerne geglaubt und so eine Grundlage für den Anspruch der römischen Bischöfe, die Nachfolger und Erben Petri zu sein (Matth. 16, 18—19!). Dazu verschaffte eine Reihe trefflicher Bischöfe, über alle hervorragend Leo der Große (440—61) und Gregor der Große (590—604), diesen Ansprüchen Nachdruck und Geltung. Seit dem 6. Jahrhundert wurde der Name papa, der sonst allen Bischöfen zukam, ein ausschließliches Vorrecht des römischen Bischofs.

Die byzantinische Kirche.

Sowohl der Widerstreit gegen die Ansprüche Roms, als tiefergehende Unterschiede in der Lehre, wie in der über den Ausgang des heiligen Geistes vom Vater und vom Sohne (s. S. 44), führten allmählich gegen das Ende dieses Zeitraums eine Spaltung zwischen der morgenländischen als der griechisch-katholischen und der abendländischen als der römisch-katholischen Kirche herbei. Sie vollendete sich nach verschiedenen, vergeblichen Vermittlungsversuchen im Jahre 1054 n. Chr.

In der byzantinischen Kirche verschaffte sich immer mehr das orientalische Element ein Übergewicht. Der Hof maßte sich auch in kirchlichen Dingen eine entscheidende Stimme an, und während sich im Abendlande jene Trennung des weltlichen und geistlichen Gebiets herausbildete, welche jedem für sich eine freie Ausbildung gestattete, wurde in der byzantinischen Kirche der Kaiser auch das kirchliche Oberhaupt (Cäsaropapismus, Byzantinismus).

Einen ungewöhnlichen Glanz hatte die Regierung Kaiser Justinian's. Hingegen verwüstete unter seinen Nachfolgern der Bilderstreit Kirche und Reich (vgl. S. 44) und vollendete die Trennung der morgenländischen Kirche von der abendländischen. Das Ende dieses Streits zu Gunsten der Bilderverehrung im J. 842 feiert die griechische Kirche noch heute als Fest der Orthodoxie.

Der byzantinische Kaiser Justinian mit Gefolge, dem h. Vitalis Weihegeschenke darbringend. (Nach einem Mosaik aus St. Vitale in Ravenna.)

Die Kirchenzucht.

Mit großem Ernste wurde in der alten Zeit Kirchenzucht geübt, sowohl um die Reinheit als die Einheit der Kirche zu wahren. Ausgeschlossen wurden Abtrünnige, Irrlehrer und öffentliche Sünder. Nur durch öffentliche Buße konnte die Wiederaufnahme in die Gemeinde erlangt werden.

Bald wurden vier Bußstufen festgesetzt: zuerst mußten die Büßenden in Trauerkleidern an der Kirchenthüre stehen; dann — oft erst nach einem Jahre und drüber — durften sie im Hintergrunde der Kirche die Predigt hören; weiterhin konnten sie auch dem gemeinschaftlichen Gebete nach derselben beiwohnen, aber nur knieend, wobei über sie gebetet wurde; endlich wurde den bewährt Erfundenen nach Zustimmung der Gemeinde unter Handauflegung durch den Geistlichen und mit dem Bruderkusse die Wiederannahme und somit die Teilnahme am ganzen Gottesdienst gewährt. Nur in Todesgefahr trat bei Bußfertigen eine Abkürzung des Verfahrens ein.

Auch an den einflußreichsten Gliedern der Gemeinde wurde Zucht geübt; so verweigerte der Bischof Ambrosius von Mailand im J. 394 dem Kaiser Theodosius dem Großen, als er durch einen Blutbefehl gegen die Gemeinde zu Thessalonich schwere Schuld auf sich geladen hatte, die Teilnahme an der Abendmahlsfeier, bis er Kirchenbuße that, und Chrysostomus starb in der Verbannung, weil er eine Störung des Gottesdienstes gegenüber der Kaiserin Eudoxia öffentlich gerügt hatte.

5*

Vielen war diese Zucht noch nicht streng genug, wie den Montanisten, welche besonders gegen die Sünden der Unsittlichkeit eine unerbittlich strenge Zucht geübt wissen wollten. Später trennten sich die Novatianer von der Kirche, weil eine Kirche, welche in Todsünden Gefallene wieder aufnehme, nicht die wahre Kirche sein könne; sie nannten sich Katharoi, d. h. die Reinen (davon „Ketzer"). Noch heftiger wurde der Streit, den Augustin gegen die Sekte der Donatisten zu kämpfen hatte, welche gegenüber der einbrechenden Verweltlichung der Kirche mit Wissen keine unordentlichen Glieder unter sich dulden und auch von einer Verbindung mit dem Staate nichts wissen wollten und darüber bis zur Trennung (Schisma, Separation) von der katholischen Kirche fortschritten. Sie unterwarfen jedes Kirchenglied beim Übertritt zu ihnen einer „Wiedertaufe".

Seit Leo dem Großen kam die Einzelbeichte vor dem Priester auf.

Wer im Frieden der Kirche verstorben war, dem wurde von der Kirche die Ehre des christlichen Begräbnisses zu Teil, welche den Unbußfertigen versagt blieb. Die Christen wollten nichts wissen und hören von der heidnischen und auch jüdischen Totenklage (1 Thess. 4, 13). Auch trat überall das Begräbnis an die Stelle der Feuerbestattung.

Märtyrergrab in den Katakomben.

Ein ganzer Zug von Gemeindegliedern, die Geistlichen voran, mit brennenden Kerzen gab das Ehrengeleite; Frauen und Jungfrauen waren davon ausgeschlossen. Der Tote wurde so gelegt, daß sein Angesicht im Grabe gen Morgen gerichtet war. Der Leiche wurden drei Hände voll Erde in das Grab nachgegeben. Auch legte man geweihtes Brot mit in den Sarg. Unter Gebet, bald auch Gesang von Auferstehungsliedern geschah die Bestattung. Ihre Liebesgemeinschaft, die ja über das Erdenleben hinausreicht, gestattete den Christen nicht, wie es die Römer pflegten, ihre Leichen in einzelnen Familiengräbern zu bestatten; die Gemeinde mußte vielmehr auch nach dem Tode zusammenbleiben. So boten sich die Katakomben als passendste Begräbnisstätte. Es erschien zugleich erhebend, da zu ruhen, wo man in der Gefahr des Lebens Schutz gesucht hatte, und wo die Märtyrer begraben lagen. „Wir gesellen", sagt der Bischof Maximus von Turin im 4. Jahrhundert, „unsre Körper den Gebeinen der Heiligen, damit, weil die Hölle sie fürchtet, auch uns die Strafe nicht erreiche."

Die Grabsteine der Katakomben sind durch kurze, vielfach sehr innige Inschriften geschmückt. Das Lebensalter ist gewöhnlich hinzugefügt. So heißt es wohl ganz kurz: sie schläft (Victoria dormit), manchmal eine Hindeutung auf die Zukunft: die mich lieben wird (quae amabit me). Das gewöhnliche Beiwort des Verstorbenen ist: dem wohlverdienten (bene merenti), oder der süßesten (dulcissimae). Märtyrer werden durch die Palme bezeichnet, oder es steht dabei: dem durch das Martyrium Gekrönten (Martyrio coronato), oder: Primitius, der nach vielen Qualen so standhafte Märtyrer (Primitius, qui post multas angustias fortissimus martyr). Ein Wort der Segnung fehlt selten (quiescat in pace er ruhe in Frieden! oder χαῖρε freue dich!).

Grabstein aus den Katakomben des Kallist an der Via Appia zu Rom. Die Inschrift lautet: Valerius Pardus. Felicissima conjugi optimo fecit (Felicissima ihrem besten Gatten). Daneben das Bild des Verstorbenen, eines Gärtners, welcher in der Rechten das Winzermesser, in der Linken eine Pflanze hält. Der Palmzweig ist das Zeichen des Martyriums. (Vgl. Alex, die Katakomben.)

Das war die äußere und innere Entwicklung des Christentums in dieser ersten Kirchenzeit innerhalb des römischen Reiches und in den Formen der griechisch-römischen Bildung. Doch die Zeit der alten Welt neigte sich zum Ende. Die Zeichen des drohenden Untergangs mehrten sich schließlich von Jahr zu Jahr. Unter dem Eindruck derselben schrieb Augustinus seine Schrift über das Reich Gottes („De civitate Dei“) im Gegensatze zu dem Reiche der Welt: Dieses trägt die Macht der Zerstörung in sich selbst durch die Sünde der Gottlosigkeit, der Zuchtlosigkeit und Ungerechtigkeit; jenes aber hat ein unvergängliches Leben aus Gott in sich und geht durch den Lauf der Zeiten und aller ihrer Stürme der Verherrlichung entgegen. Es war das wie eine Grabrede auf die alte Welt, gehalten in der Hoffnung einer größeren Zukunft für die Kirche Christi, und diese Hoffnung sollte nicht zu Schanden werden.

Von einem Taufbecken der Kathedrale zu Lüttich aus dem 12. Jahrhundert.

Zweites Buch.

Die mittlere Zeit.

Von der Völkerwanderung bis zur Reformation (von 500—1517 n. Chr.).

A. Die äußere Verbreitung des Christentums.

Als das Christentum im römischen Reiche zur Herrschaft gelangt war, erhoben sich bereits an dessen nördlichen Grenzen die Stürme der Völkerwanderung, die Vorboten einer neuen Zeit. Schon lange vorher hatten sich germanische Stämme gegen das römische Reich herangedrängt und teilweise sich an den Nordgrenzen desselben drohend gelagert, als durch den Einbruch der Hunnen von Asien her (375 n. Chr.) die Völker in ganz Europa in heftige Bewegung gerieten. In Folge derselben wurde das weströmische Reich zerstört (476 n. Chr.) und sein Gebiet von den hereinflutenden Völkermassen besetzt (Jes. 41, 6—7).

Mit diesem Hereinstürmen roher Völker über den Rhein und die Donau her brach für die Bewohner des römischen Reiches eine Zeit großer Drangsal an, und um Trost war den Leuten sehr bange (Matth. 24). Hohe Verehrung erwarben sich in jenen Tagen Leo der Große und Severin. Als im Jahre 451 die wilden Hunnen, nach ihrem Sturm die Donau aufwärts und über den Rhein, auch in Italien einbrachen, wagte es Leo, bekleidet mit den Zeichen seiner Würde, gestützt auf zwei Priester, ihrem furchtbaren Könige Attila, der Gottesgeißel, entgegenzutreten und flößte demselben solche Ehrfurcht ein, daß er Rom mit seinen Horden verschonte.

Am schrecklichsten machte sich die Not in den Grenzgebieten, besonders an der Donau fühlbar. Wie ein Gottgesandter wurde darum auch in Noricum, zwischen Passau und Wien, der Einsiedler Severinus angesehen; denn er stand wie ein Fels im brandenden Meere, ein Hort den Bedrängten, weil den rohen Völkern und ihren Fürsten eine ehrfurchtgebietende Erscheinung. Er hat auch dem deutschen Helden, dem Herulerfürsten Odoaker, weissagende Segensworte mit auf den Weg gegeben, auf dem dieser n. 476 dem römischen Reiche im Abendlande ein Ende zu machen bestimmt war.

Aber obwohl unter den Trümmern der Römerherrschaft auch viele edle kirchliche Pflanzungen zu Grunde gingen, hatte doch die ganze Bewegung eine weitere Ausbreitung der christlichen Kirche zur Folge (Apostelg. 17, 26 f.). Eine zweite große Missionszeit brach an. Im Verlaufe von etwa 5 Jahrhunderten (bis um das Jahr 1000 n. Chr.) wurden alle Völker Europas zum Christentum bekehrt, sowohl die germanischen auf der westlichen als die slavischen, welche hinter ihnen herandrängten, auf der östlichen Hälfte.

Zu diesen neuen Völkern ging das Christentum über in der Form, welche es im römischen Reiche angenommen hatte, mit all ihren Vorzügen und ihren Mängeln. Insbesondere machte sich in der westlichen Hälfte, bei den germanischen Völkern, bald der Einfluß Roms und seines Bischofs überwiegend geltend. Meist drang das Christentum von dem Throne des Fürsten zu seinem Gefolge, und von den Herrenhöfen des Adels aus in die Volksgemeinde.

I. Die Bekehrung der germanischen Völker.

In der Bekehrung der germanischen Völker zeigt sich ein merkwürdig regelmäßiger Fortschritt von den Stämmen an, welche in die Grenzen des römischen Reiches eindrangen, zu denen, welche hinter dem Rhein und der Donau verblieben, bis zu den skandinavischen Völkern im Norden.

Die Bekehrung der in das römische Gebiet eingedrungenen Völker.

Schon vor dem Anfang des großen Völkersturmes wurden die Goten, an der untern Donau wohnend, als die Erstlinge zum Christentum bekehrt, vornämlich durch den Einfluß christlicher Gefangenen. In der Kirchenversammlung zu Nicäa saß ein gotischer Bischof und drei Jahrzehnte nachher erhielten sie durch Bischof Ulfilas († 388 in Konstantinopel) mit der Buchstabenschrift auch die heilige Schrift in gotischer Sprache, das erste Schriftdenkmal deutscher Zunge.

Das Vater Unser lautet in Ulfila's Bibelübersetzung, von welcher der sog. Codex Argenteus (silberne Coder) jetzt in der Univ.-Bibl. zu Upsala bedeutende Bruchstücke aufbewahrt, wie folgt:

Atta unsar in himinam, veihnai namo thein. quimai thiudinassus
Vater unser im Himmel, geweihet sei Name dein. komme Königreich

theins. vairthai vilja theins, sve in himina jah ana airthai. hlait
dein. es werde Wille dein wie im Himmel auch auf Erden. Brot

unsarana thana sinteinan gif uns himma daga. jah aflet uns thatei
unser das fortwährend gib uns diesen Tag. Und erlaß' uns was

skulans sijaima, svasve jah veis afletam thaim skulam unsaraim.
schuldig wir sind sowie auch wir erlassen den Schuldigern unseren.

jah ni briggais uns in fraistubnjai. ak lausei uns af thamma ubilin.
Und nicht bringe uns in Versuchung. Sondern erlöse uns von diesem Übel.

unte theina ist thiudangardi jah mahts jah vulthus in aivins. Amen.
Denn dein ist Herrschaft und Macht und Herrlichkeit in Ewigkeit. Amen.

Die Ostgoten, welche unter ihrem Heldenkönige Theodorich (493—526) Italien eroberten, gingen bald zu Grunde, eine im Sturm der Zeit früh geknickte Blüte. Ihr Los teilten die Vandalen, welche unter ihrem Könige Geiserich bis nach Afrika vorgestürmt waren (429). Die Westgoten, welche Spanien besetzt, die Burgunder, welche sich am Jura niedergelassen hatten, die Longobarden, welche an die Stelle der Ostgoten in Italien eingerückt waren, vermischten sich bald wie in der Sprache, so in Glauben und Sitten mit den alten Einwohnern, insbesondere der römischen Bevölkerung: so entstanden die romanischen Völker.

Diese Völker hatten das Christentum nach dem arianischen Bekenntnisse überkommen. Es schärfte das auch ihren Gegensatz gegen die Römer; besonders die Vandalen verübten blutige Verfolgungen gegen die Katholiken, und selbst die Bitten Leo des Großen vermochten ihnen gegenüber nicht so viel, Rom vor einer schrecklichen Plünderung (Vandalismus) zu schützen. Aber es konnte doch das arianische Bekenntnis sich gegen das katholische nicht lange halten; sie legten es ab, wie ihre Sprache und ihre Sitten. Bei den Longobarden war dafür am meisten die Königin Theodolinde, eine bajuarische Prinzessin thätig, welche deshalb aus der Hand Gregors des Großen die sog. eiserne Krone erhielt.

Von größter Wichtigkeit für die Verbreitung des Christentums wurde die Bekehrung der Franken und der Angelsachsen; jene bahnten dem Evangelium vorwiegend mit dem Schwerte Bahn, diese streuten den Samen des Wortes unter den stammverwandten Völkern aus.

Die Franken waren gegen das Ende des 5. Jahrhunderts in Gallien eingedrungen und hatten dem Rest der Römerherrschaft dort ein Ende gemacht. Bald fand das Christentum unter ihnen teilweisen Eingang. Die Entscheidung geschah aber erst, als ihr König Chlodwig während der Schlacht bei Zülpich, im heißen Kampfe gegen die heidnischen Alemannen, sich bekehrte (496). Vergeblich hatte seine fromme Gemahlin Clothilde, aus dem burgundischen Königshause, ihn zu gewinnen gesucht. Erst die Stunde äußerster Bedrängnis brachte ihn dazu, unter Thränen seine Hilfe bei dem zu suchen, den Clothilde den Sohn des lebendigen Gottes nenne. Was er gelobt, kam am Weihnachtsfeste desselben Jahres in Rheims zur Ausführung: der stolze Frankenfürst beugte sein Haupt vor dem Namen Christi und empfing die Taufe; 3000 seiner Krieger wurden mit ihm getauft, die andern folgten allmählich nach. Doch war das Christentum Chlodwigs, „dieses zweiten Konstantin", ebenfalls kein lauteres, und auch bei seinem Volke dauerte es lange, bis es vom Sauerteig des Evangeliums durchsäuert war. Es wurde erst besser, als das Geschlecht der Pipine zur Herrschaft kam, deren Werk durch Karl den Großen gekrönt wurde.

Doch waren die Franken von allem Anfang an Glieder der katholischen Kirche und in enger Verbindung mit dem päpstlichen Stuhl — ein Umstand, der für die Zukunft der Kirche sowohl als auch des fränkischen Reichs von der allergrößten Wichtigkeit wurde. — Nachstehend folge noch in abgekürzter Gestalt das fränkische Taufgelöbnis, wie es uns in einer Handschrift im Merseburger Dom überliefert wird:

Frage des Priesters:

Forsahhistu unholdun? Entsagst du den Unholden?	Ih fursahu. Ich entsage.
Gilaubistu in got fater almahtigan? Glaubst du an Gott Vater allmächtigen? Gilaubistu in christ. gotes sun nerienton:, Glaubst du an Christus, Gottes Sohn den Heiland?	Ih gilaubu. Ich glaube.
Gilaubistu in heilagan geist Glaubst du an den hl. Geist?	Ih gilaubu Ich glaube.

In Britannien befand sich die altchristliche Kirche in großem Gedränge, auf der einen Seite durch die Picten und Scoten, auf der andern durch die eingewanderten Angelsachsen. Die Scoten wurden vorwiegend von Irland aus bekehrt, wohin vorher ein Schotte, Patrik, das Christentum gebracht hatte. Die Angeln und Sachsen aber wurden von Rom aus gewonnen (596). Um die Bekehrung der Angelsachsen erwarb sich Gregor der Große wesentliche Verdienste. Schon als Abt war er, von der ganzen Erscheinung junger Angelsachsen, die er auf dem Sklavenmarkte sah, angezogen, ja ergriffen worden. Er fragte, wie das Volk heiße, und erhielt die Antwort „Angeln". — „Sie sollen Miterben der Engel (Angeli) im Himmel werden", erwiderte Gregor. Und ferner frug er nach dem Namen der Provinz. „Deiri", war die Antwort. „Gut", rief Gregor, „De ira (d. h. vom Zorne) errettet." „Und wie heißt Euer König?" „Aella." Nun versetzte der Abt: Alleluja! lobet den Herrn muß dort gesungen werden!" An dem Vorhaben, den Angelsachsen persönlich das Evangelium zu bringen, wurde er nur durch das Volk in Rom gehindert, auf dessen Verlangen er wieder zurückgeholt werden mußte. Nachdem er Papst geworden, sandte er 596 n. Chr. den Abt Augustinus mit einer Anzahl Mönche dorthin. Sie fanden bei dem Könige Ethelbert bessere Aufnahme, als sie erwartet, Dank der Fürsprache seiner Gemahlin Bertha, einer fränkischen Prinzessin, die sich bei ihrer Verheiratung freie Ausübung ihres christlichen Glaubens ausbedungen hatte. Nach zwei Jahren wurde an Weihnachten ein großes Tauffest gehalten, an welchem 10000 Angeln getauft wurden; der König folgte bald nach und in nicht langer Zeit das übrige Volk. Bald darauf zählte die englische Kirche den gelehrtesten Mann seiner Zeit, den Abt Beda Venerabilis zu den Ihren. Der Gegensatz zwischen der römischen und irischen Kirche und Mission verursachte leidige Streitigkeiten, welche mit dem Unterliegen der irischen Kirche endigten.

So waren alle Völker, welche in die Grenzen des römischen Reiches eingedrungen, im Laufe von etwas über 2 Jahrhunderten vom Christentum ergriffen worden. Von da drang es über den Rhein in das eigentliche Deutschland vor.

Die Bekehrung Deutschlands.

Zunächst wurde das heilige Werk von Irland aus, damals die „Insel der Heiligen, der Seligen" genannt, in Angriff genommen. Irische Missionare verbreiteten das Evangelium in Südwestdeutschland.

Schon am Anfang des 6. Jahrhunderts gründete Fridolin, der Apostel des Schwarzwaldes, auf einer Rheininsel das Kloster Säckingen. Im Jahre 590 erschien Kolumban mit zwölf Gefährten aus Irland und ließ sich in der Wildnis der Vogesen nieder. Das Leben, das er führte, war ein Leben voll Entbehrungen und voll Arbeit, um das Land urbar zu machen, ein Leben voller Gefahren durch wilde Tiere und durch rohe Menschen, aber auch ein Leben voll sieghaften Einflusses auf das umwohnende Volk. Nach zwölf Jahren zog Kolumban, angefochten von der verwilderten fränkischen Geistlichkeit und verfolgt von der rachgierigen Königin Brunhilde, deren wüstem Treiben er mit hohem Ernste entgegengetreten war, an das südliche Ufer des Bodensees. Nachdem er sich nach Italien begeben, stiftete sein Schüler Gall († um 646) unfern des Sees das Kloster St. Gallen. Dieses wurde eine Leuchte des Evangeliums für ganz Süddeutschland. In den fränkischen Maingegenden verkündete um 689 Kilian das Evangelium, bis er auf Anstiften Gailanas, der Gemahlin des Herzogs Gosbert, in Würzburg mit zwei Gefährten das Schicksal Johannes des Täufers erlitt, wie er dessen Vorbild gefolgt (Marc. 6, 18).

Der hl. Gallus (aus einem alten Missale).

Der irischen Mission trat die fränkische zur Seite. Sie wirkte vornämlich in den Donaugegenden unter den Bayern, die damals unter der fränkischen Herrschaft standen.

Der Bischof Emmeran, auf seinem Wege zu den Avaren durch die Bitten des Herzogs Theodo aufgehalten, war drei Jahre von der Hauptstadt Regensburg aus im Lande thätig (um 650). Von der bayerischen Königstochter Uta schwer verleumdet, wurde er von deren Bruder am Altare grausam ermordet. Der Herzog aber ließ ihm zu Ehren die Emmeranskirche bauen. Nach ihm gründete Bischof Rupert von Worms einen Bischofssitz in Salzburg, neben ihm seine Schwester Erendrud ein Frauenkloster auf dem Nonnberge. Etwas später wurde der Einsiedler Korbinian der Begründer des Bistums Freising und legte den Grund zu Weihenstephan. — Pirminius, der Stifter der Klöster Reichenau am Bodensee und Weißenburg im Elsaß, arbeitete an der Vollendung des Werkes unter den Alemannen.

Deckel vom Einband des „Evangelium Longum" in St. Gallen, geschnitzt von dem St. Galler Abt Tuotilo um 900. Das untere Feld enthält zwei Darstellungen aus dem Leben des h. Gallus: wie der Bär im Walde ihm Holz zuträgt und wie der Heilige den dienstfertigen Gehilfen dafür mit einem Brote belohnt. Das mittlere Feld stellt die Himmelfahrt Mariä dar, das obere besteht aus antiken Akanthusranken, das offene Feld wird durch einen Löwen ausgefüllt, welcher sich auf ein Rind stürzt. Das Ganze ist charakteristisch für die Bildnerei, wie sie in den Klöstern geübt wurde, auch für das germanische Naturleben, wie es das Christentum in diesen Gegenden vorfand.

Was durch die irischen und fränkischen Missionare in selbständiger, von dem römischen Bischof unbeeinflußter Weise begonnen worden, das wurde durch die englische Mission vollendet. Diese, unter der Führung des Bonifazius, des Apostels der Deutschen (718 bis 55), brachte das Christentum nach Mitteldeutschland. Daß die deutsche Kirche von den römischen Päpsten abhängig wurde, ist „das Verdienst oder die Schuld des Bonifazius“.

Bonifazius-Denkmal in Fulda.

Bonifacius, ursprünglich *Winfried* genannt, stammte aus einem edlen angelsächsischen Geschlechte. Er verließ alles, um dem Zuge seines Herzens zu folgen, in der Fremde das Evangelium zu verkünden. Ein vergeblicher Versuch in Friesland schreckte ihn nicht ab. Er wendete nun seine Blicke nach dem innern Deutschland (718). Aber zuerst ging er nach Rom, um sich von dort zum Missionar Deutschlands abordnen und empfehlen zu lassen. Mit Kraft und Ernst legte er dann zuerst in Hessen „dem alten Baum des heidnischen Aberglaubens die Axt an die Wurzel“. Der entscheidende Schlag fiel, als er die Wodanseiche bei Geismar vor einer großen Menge von Heiden umhauen ließ. Bald wallfahrteten die Hessen in großen Scharen zu der Kapelle, welche er aus dem Holze der Götzeneiche zu Ehren des Apostels Petrus hatte erbauen lassen. Dann wandte er sich nach Thüringen, welches damals auch die fränkischen Maingegenden umschloß. Auf die Kunde von seinen Erfolgen und auf seinen Aufruf hin kam nun (725) eine Menge von Gehilfen aus England nach. Etliche von ihnen wurden zu Bischöfen gesetzt, wie *Burckhard* in Würzburg, *Willibald* in Eichstädt; andere gründeten Klöster, wie *Wunebald* in Heidenheim am Hahnenkamm. Insbesondere lag Bonifacius daran, auch Frauen zum Missionsdienst zu gewinnen, vor allem zur Erziehung der heranwachsenden weiblichen Jugend. Es kamen ihnen auch nicht wenige, darunter vor allen ausgezeichnet, *Lioba*, welche Vorsteherin des Klosters Tauberbischofsheim wurde. Vom Papste zum Erzbischof von Mainz und zum Primas von Deutschland erhoben (745), nahm Bonifacius eine durchgreifende und umfassende Ordnung der deutschen Kirche im Anschluß an Rom vor. Um diese Zeit gründete er auch durch den Bayern Sturm das Kloster *Fulda* im Rhöngebirge, welches für Mitteldeutschland eine ähnliche Bedeutung erlangte, wie St. Gallen für

Süddeutschland. Schon 75 Jahre alt, zog er noch einmal als Missionar nach Friesland, um zu enden, wo er begonnen. Als er eben, am 5. Juni 755, im Begriffe stand, die Konfirmation der Neugetauften vorzunehmen, wurde er mit 52 Genossen von den Heiden erschlagen.

Nachdem Süd- und Mitteldeutschland dem Christentum gewonnen waren, drang es nun auch in Norddeutschland unter den Friesen und den Sachsen vor.

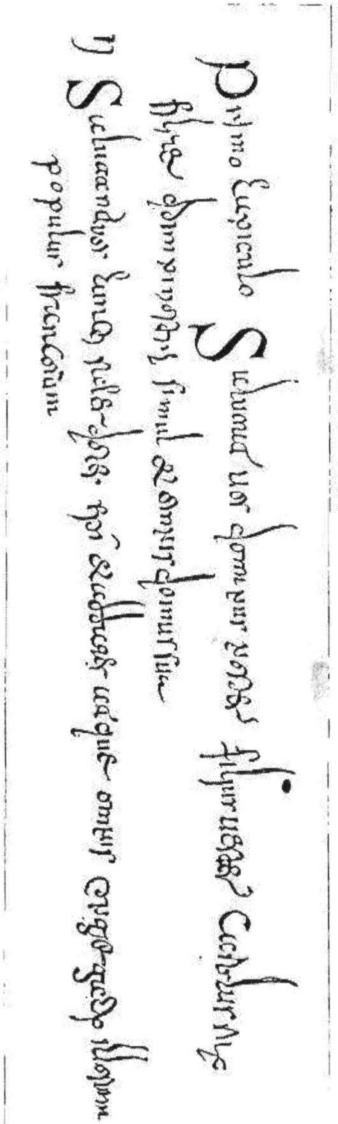

Primo Capitulo. Salutant vos dominus noster, filius vester, Carolus rex et filia vestra domna nostra Fastrada, filii at filia domini nostri simul, et omnis domus sua.

II. Salutant vos sancti sacerdotes, episcopi et abbates, atque omnis congregatio illorum in Dei servicio constituta etiam, et universus populus Francorum.

Anfang eines Kapitulare Karls des Großen an Papst Hadrian I., datirt vom J. 781, die Begrüßung enthaltend. Kapitularien wurden die Erlasse und Dekrete genannt, welche aus den Reichsversammlungen oder aber aus Karls persönlichen Entschließungen hervorgingen. Mit den römischen Bischöfen bestand schon, seitdem Papst Gregor II. dem Großvater Karls d. Gr., dem fränkischen Hausmeier Karl Martell, das Amt eines römischen Konsul und Patriziers angeboten hatte, ein reger schriftlicher Verkehr.

Unter den Friesen konnte das Evangelium, das durch Willibrord dahin gebracht worden, erst Eingang finden, nachdem sie von den Franken bezwungen waren. Ebenso mißlang ein Versuch Suidberts, der nachmals Stifter des Klosters Kaiserswerth wurde, bei den Sachsen. Auch die Sachsen mußten erst durch die Gewalt der fränkischen Waffen überwunden werden. Und erst nach dreißigjährigem, immer wieder erneuertem Kampfe (772—803) gelang dies dem großen fränkischen König Karl. Aber schon während des Krieges machte die Verbreitung des Christentums allmähliche Fortschritte, von den Klöstern, wie Fulda, und von den neugegründeten Bischofssitzen, wie Münster, Osnabrück, Bremen,

Halberstadt u. a. aus. Unter den Bischöfen erwarb sich besonders Luidger, Bischof von Münster, große Verdienste um die Bekehrung der Sachsen. Ein von ihm bekehrter fahrender Sänger, namens Bernlef, sang seinen Volksgenossen statt der alten Heldenlieder das Evangelium von Christo. Bald nach dem Ende der furchtbaren und zum Teil auch von Karl dem Großen mit blutiger Strenge geführten Kämpfe nahm alles Volk den Glauben der Sieger an, zu dem ihre Herzöge Alboin und Wittukind schon früher übergetreten waren. Welch innern Anklang trotz des heftigen, äußern Widerstreites das Evangelium bei ihnen fand, wurde darin offenbar, daß schon wenige Jahrzehnte später die herrliche Evangeliendichtung „Heliand", voll Freude an dem Heiland (Luc. 1, 46—47), unter ihnen entstand.

So waren nun alle deutschen Stämme mit ihrer Unterwerfung unter die fränkische Herrschaft zugleich der christlichen Kirche einverleibt unter der geistlichen Oberherrschaft des römischen Bischofs. Es war ein bedeutsames Zeichen der Zeit, als Papst Leo III. am Weihnachtsfeste des Jahres 800 in der auf dem Grabe des Apostelfürsten Petrus erbauten Kirche zu Rom die römische Kaiserkrone, die Krone Konstantins, Karl dem Großen unter dem Zujauchzen des Volkes aufs Haupt setzte. Denn ein christlich-deutsches Reich war nun begründet im Anschluß an das untergegangene römische Reich.

Das Ansgarius-Denkmal in Bremen.

Die Bekehrung der skandinavischen Völker.

Kaum war die Bekehrung der Deutschen vollendet, als von da aus das Evangelium zu den nordischen, in Skandinavien wohnenden Stammverwandten gebracht wurde. Der Mönch Ansgar († 865) wurde der Apostel Skandinaviens.

Mit dem vertriebenen Dänenkönige Harald kam Ansgar im Alter von 25 Jahren an die Grenze Dänemarks. Dort gründete er an der Elbe eine Missionsschule aus leibeigenen Knaben, die Grundlage zu dem nachmaligen Hamburg. Unterbrochen wurde seine Thätigkeit daselbst durch eine Fahrt nach Schweden, auf der er mit genauer Not sein Leben vor Seeräubern retten konnte. Nach seiner Rückkehr vom Papste zum Erzbischof von Hamburg ernannt, mußte er 845 erleben, daß sein ganzes Werk mit Einem Schlage durch einen Einfall der Normannen zerstört wurde. Aber er ermüdete nicht; von Bremen aus setzte er sein Missionswerk fort. Es gelang ihm, in Schleswig eine Kirche anzulegen. Auch ging er noch einmal nach Schweden. Bis zum letzten Atemzuge lebte und webte er in dem Gedanken der Mission, der er alles opferte. Seiner Natur nach dem beschaulichen Leben zugewandt, hat ihn die Liebe Christi gedrungen (2 Kor. 5, 14), sich der mühevollen und gefährlichen Arbeit unter so wilden Völkern zu widmen und darin bis ans Ende auszuharren.

So fest auch der Grund war, den Ansgar gelegt hatte, so dauerte es immerhin noch bis gegen a. 1000, daß sein Werk vollendet wurde. In Dänemark führte es Kanut der Große, mit einer englischen Fürstin vermählt, durch. Der erste christliche König Schwedens war Olaf Schoßkönig, getauft 1038. Doch durfte er es noch nicht wagen, das Landesheiligtum, den Opfertempel zu Upsala, niederreißen zu lassen. In Norwegen gab es harte Kämpfe, bis zuletzt durch die Bemühungen Olaf des Heiligen († 1033) „Thors Hammer vor dem Kreuze weichen mußte“. Durch normännische Seefahrer wurde das Evangelium auch nach Island gebracht, wo die nordischen Götter bald nur mehr eine Fortdauer in der Sammlung von Göttersagen (Edda) hatten, welche von einem Priester veranstaltet wurde. Von Island kam es sogar auch nach Grönland.

II. Die Bekehrung der slavischen Völker.

Während so die germanischen Völker in das Reich Christi eingingen, blieb es auch den **slavischen** nicht ferne, die vornämlich in dem großen russischen Reiche, sowie im jetzigen Österreich, aber auch im jetzigen Preußen und Mecklenburg lebten. Diese wurden in das Christentum einerseits durch die Deutschen eingeführt, andererseits von der griechischen Kirche her. Von der deutschen Seite her geschah es zum Teil mit der Gewalt des Schwertes, doch auch durch einzelne Missionare und durch die Begründung von Bistümern in den eroberten Gebieten. Von der griechischen Kirche aus geschah es meist auf dem Wege des friedlichen Verkehrs, sowie durch Sendboten. Vollendet wurde das Werk durch die Einführung des Christentums in Rußland (980).

Schon seit den Tagen Karl des Großen strebten die Deutschen darnach, sich an ihren östlichen Grenzen wieder auszudehnen und die ihnen nachgerückten Slaven wie dem Reiche, so der Kirche zu unterwerfen. Besonders thätig war in dieser Hinsicht das sächsische Kaiserhaus; auch die Frauen, voran die Königin Mathilde, Gemahlin König Heinrichs I. (919—936), nahmen an diesem Bestreben auf ihre Art warmen Anteil. Insbesondere war Kaiser Otto der Große (936—973) bedacht auf Gründung von Herzogtümern, wie Bistümern zwischen Elbe und Oder, worunter Magdeburg (968) am bedeutendsten wurde. Aber auch einzelne Missionsboten zogen aus; so der Bischof Adalbert von Prag, der 997 bei den wilden Preußen den Tod fand. Von Bamberg, dem Bistum zur Bekehrung des „Nordwalds, von Kaiser Heinrich II. (1002—1024) und seiner Gemahlin Kunigunde gegründet, zog Bischof Otto zweimal (1124 u. 28) zu den Pommern. Nach den östlichen Uferländern der Ostsee kam das Christentum vornämlich durch den Handelsverkehr, teilweise auch durch den Orden der Schwertbrüder. In Preußen wurde es später durch den Deutschherrnorden unter langen und blutigen Kämpfen (1226—1283) zugleich mit der Verdeutschung des Landes durchgeführt.

Auf der andern Seite wurde das Werk von der griechischen Kirche aus in Angriff genommen. Zwei Mönche, Kyrillus und Methodius aus Thessalonich, brachten den Mähren das Evangelium; doch wurden diese schnell, unter Abschaffung des slavischen Gottesdienstes, unter die Herrschaft Roms gebracht, ebenso Böhmen und Polen, wohin es sich von dort verbreitet. In Ungarn zog, nachdem sowohl von Konstantinopel aus als durch die Deutschen, insbesondere auch durch den Bischof Piligrin von Passau, der Anfang gemacht worden, der König Stephan der Heilige († 1038) selbst predigend durch das Land; durch seinen Einfluß wurden auch Siebenbürgen und die Wallachei gewonnen. Bulgarien wurde von Konstantinopel aus dem Christentum zugeführt. Zur Entscheidung kam es, als die Schwester des Bulgarenkönigs Bogoris aus der Kriegsgefangenschaft in Konstantinopel heimkehrte. Zuerst wollte ihr Bruder nichts vom Christentum hören; erst eine große Hungersnot erweichte sein Herz. Als dann der kunstfertige Mönch Methodius, bei dem er ein recht wildes Jagdstück bestellt hatte, ihm das jüngste Gericht malte, ward er von dem Anblick so erschüttert, daß er sich taufen ließ. Er schloß sich aber nach längerem Schwanken an Rom an. Auch Rußland erhielt das Christentum von Konstantinopel aus. Die Großfürstin Olga empfing dort 955 mit ihrem Gefolge die Taufe. Ihre Lehren und ihr Beispiel blieben nicht ohne Wirkung auf ihr Volk; auch der Verkehr der russischen Kaufleute mit den Griechen vermittelte die Aufnahme des Christentums. Zur Durchführung kam es aber erst unter ihrem Enkel Wladimir, der Große genannt. Bei seiner Vermählung mit einer griechischen Kaisertochter empfing er die Taufe (980). Dann ließ er in seiner Hauptstadt Kiew das Bild seines Götzen an den Schweif eines Pferdes binden, mit Keulen schlagen und in den Dnieprstrom stürzen. Und nicht bloß verhinderte er durch Wachen, daß das Volk ihn wieder herauszöge, sondern er befahl auch alles Volk für den nächsten Tag bei strengster Strafe in den Fluß zur Taufe. Ähnliches geschah dann im ganzen Reiche. Zu Kiew wurde alsbald auf der Götzenstätte ein christlicher Tempel errichtet. Noch heute feiert das russische Volk das Gedächtnis Wladimirs, wie das deutsche das Karl des Großen.

III. Der Kampf des Christentums mit dem Islam.

So war bis um das Jahr 1000 n. Chr. das Christentum in ganz Europa verbreitet.

Aber dafür erlitt es auf der andern Seite, in Asien und Afrika, zu einem Teile selbst in Europa, große Einschränkung durch den Islam, eine neue Religion, durch Abul Kasem Muhammed unter dem semitischen,

Israel stammverwandten Volke der Araber gegründet (Hedschra, Beginn der muhammedanischen Zeitrechnung: 15. Juli 622).

„Allah ist einer, Allah ist groß und Muhammed ist sein Prophet!" mit dieser Losung stürmte diese neue Religion in die Welt. Unaufhaltsam war der Andrang der leidenschaftlich erregten Scharen. Ihr Mut war gestählt durch die stumpfe Ergebung des Glaubens in den unabänderlichen Willen der Gottheit (fatum, Fatalismus), und ihr Eifer belebt durch die Hoffnung auf die Herrlichkeit eines Paradieses voll sinnlicher Genüsse und Freuden. Viele Übungen nach äußerlichen gesetzlichen Vorschriften gewöhnten sie an Gehorsam und Entbehrung, und so stürzten sie sich blindlings in Kampf und Tod, um ihre Religion mit Feuer und Schwert in der Welt auszubreiten (Fanatismus). Und es gelang ihnen auch im ersten Ansturm weithin die Welt zu erobern und vor allem alle Völker ihrer semitischen Verwandtschaft in Asien unter den Halbmond, die Fahne des Propheten, und unter die Lehre des Koran, ihres heiligen Buches, zu vereinigen (Islam-Ergebung; Moslim).

Das Vordringen des Islam nach Westeuropa.

Der Kampf des Christentums mit dem Islam erfüllt mehr oder minder den ganzen Zeitraum des Mittelalters. Und vorerst erwehrten die christlichen Völker desselben sich mit geringem Erfolg und unter großen Verlusten; er drang bis nach Westeuropa, ja die Pyrenäen vor.

Zuerst wurde der Christenheit Syrien verloren, und hunderte von christlichen Städten gingen dabei in Flammen auf. Daran knüpfte sich 640 der Verlust von Palästina, wo in Jerusalem an der Stätte des salomonischen Tempels eine Moschee von dem Khalifen Omar erbaut wurde. Von da aus drangen die Araber über Persien bis an den Indus vor. In Afrika eroberten sie Ägypten und die ganze ehedem einen Teil des Römerreichs bildende, von Christen bewohnte Nordküste bis an den atlantischen Ozean. Von hier setzten sie bei Gibraltar nach Spanien herüber, zerstörten in der Schlacht bei Xeres de la Frontera (711) das Westgotenreich und drangen bis nach Frankreich vor. Hier aber wurde ihrem wilden Ansturm Halt geboten (Hiob 38, 11). Der Frankenfürst Karl verdiente sich in der siebentägigen Schlacht bei Tours und Poitiers (732) den Ehrennamen Martell; er war der Streithammer, mit dem durch Gottes Hilfe die abendländische christliche Welt die größte Gefahr niederschmetterte, welche ihrem Christentum und ihrer Freiheit drohte. In Spanien dauerten die Kämpfe noch Jahrhunderte fort, bis es gelang, die Araber (Mauren, Mohren) hinauszudrängen. Der sagenberühmte Held Karl's des Großen, Roland, fand darüber in den Pyrenäen im Thal von Roncesvalles seinen Tod; später erwarb sich der vielbesungene spanische Held Cid Campeador in diesen Kämpfen bei seinem Volk den höchsten Heldenruhm.

Die Kreuzzüge (1096—1270).

Zu einem Versuche, wenigstens das heilige Land wieder zu gewinnen, kam es erst, als die rohen seldschukischen Türken dort den gebildeten Arabern die Herrschaft abgewonnen hatten. Vorher hatten die christlichen

Pilger trotz aller gelegentlichen Bedrückungen doch die heiligen Stätten besuchen durften. Jetzt aber wurden die heiligen Stätten entweiht, die Gottesdienste gestört und den Patriarchen schleppte man an den Haaren über die Straße in den Kerker, um ein hohes Lösegeld zu erpressen. Auf die Kunde davon durch den Einsiedler Peter von Amiens entstand eine mächtige Bewegung zunächst in der romanischen Christenheit. Als der Papst Urban II. 1095 zu Clermont in Frankreich eine große Kirchenversammlung hielt und mit feurigen Worten das christliche Abendland gegen das muhammedanische Morgenland zu den Waffen rief und mit der Ermahnung schloß: „ein jeder solle sich selbst verleugnen und das Kreuz auf sich nehmen, damit er Christum gewinne“, da ertönte ein allgemeiner Ruf: „Gott will es, Gott will es!“ Tausende ließen sich sofort das rote Kreuz auf die rechte Schulter heften. „Hinüber, hinüber!“ ging es durch das ganze Volk. Das war der Anstoß zu einer Reihe kriegerischer Züge ins heilige Land, Kreuzzüge genannt, die einen Zeitraum von 200 Jahren mit Kampf und Blut erfüllten.

Peter von Amiens.

Der erste Kreuzzug 1096—1099. Eine große Anzahl Ungeduldiger konnte die bestimmte Zeit nicht abwarten, sondern sie zogen, schlecht bewehrt und versorgt, voraus. Sie konnten aber ihren Mut nur an den Juden kühlen, die sie verfolgten, wo sie hinkamen; die meisten von ihnen kamen unterwegs elendiglich um. Der Hauptzug, 70000 zu Roß und zu Fuß, unter dem frommen und ritterlichen Herzog Gottfried von Bouillon, brach im Sommer 1096 auf. Bis er unter unsäglichen Leiden und schweren Kämpfen durch Ungarn, das griechische Kaiserreich, Kleinasien und Syrien gezogen, war die Anzahl auf 40000 Mann zusammengeschmolzen. Unter großen Opfern wurde Antiochia erobert, und nach Pfingsten 1099 endlich Jerusalem erreicht. Als das Kreuzfahrerheer von Emmaus her Jerusalems ansichtig wurde, fiel es voll Andacht auf die Knie; alle vergossen Freudenthränen und priesen Gott mit Lobgesängen. Unter fürchterlichen Kämpfen, nach feierlichem Umzuge und allgemeiner Feier des Abendmahls, wurde Jerusalem am 15. Juli, einem

Abteikirche zu Vézelay in Burgund, wo Bernhard von Clairvaux am 31. März 1146 in Gegenwart Ludwigs VII. von Frankreich den 2. Kreuzzug predigte. Nach dem Ende der Predigt erhob sich der brausende Ruf: „Kreuze! Kreuze!“, und Bernhard mußte sein eigenes Gewand zerschneiden, um daraus weitere Kreuze zu schneiden. Mehrere Tausende von Rittern und eine ungeheure Menge Volkes nahm mit dem König und seiner Gemahlin Eleonore das Kreuz. Bernhard predigte alsdann mit ähnlichem Erfolg in Deutschland.

6*

Freitag, erstürmt. Gottfried weigerte sich, die ihm angebotene Krone eines Königreichs Jerusalem anzunehmen: „er wolle da keine Königskrone tragen, wo sein Heiland eine Dornenkrone getragen“. Er begnügte sich mit dem Titel „Beschützer des heiligen Grabes“, und erst sein Bruder Balduin, der nach seinem bereits im nächsten Jahre infolge der Anstrengungen und des Klimas erfolgten Tode (er wurde in der Kirche des heiligen Grabes bestattet), ihm nachfolgte, nahm den Königstitel an. Das neu begründete Königreich Jerusalem vermochte aber nur mit Mühe und Not gegen seine Feinde sich zu behaupten, trotzdem fort und fort Scharen von Kreuzfahrern zu seinem Schutze nach Palästina zogen.

Erst vom zweiten Kreuzzug (1147—49) an, zu dem Bernhard von Clairvaux in feurigen Predigten aufrief, beteiligten sich unter dem ersten Kaiser aus dem hohenstaufischen Geschlecht, Konrad III., im Verein mit Ludwig VII. von Frankreich, auch die Deutschen. Die glühende Beredsamkeit Bernhard's, welcher am Weihnachtsfest 1146 vor dem Kaiser im Dom zu Speier predigte, riß den anfangs Widerstrebenden fort, aber der Kreuzzug nahm einen kläglichen Verlauf. Unordnungen und Ausschweifungen, sowie Uneinigkeit und die Verräterei des griechischen Kaisers Manuel hatten die Kreuzfahrerheere, noch ehe sie das heilige Land betraten, nahezu aufgerieben. Die schlimme Lage des Königreichs Jerusalem steigerte sich je mehr und mehr. Vierzig Jahre später, nach einer furchtbaren Schlacht am lieblichen See von Genezareth bei der Stadt Tiberias (3. Juli 1187), in welcher der letzte König von Jerusalem Gui von Lusignan in Gefangenschaft fiel, bemächtigte sich Sultan Saladin der heiligen Stadt, und das ganze Land bis auf Tyrus fiel in die Hände der Seldschuken. Die Nachricht von dem Verlust der Stadt Jerusalem erregte das gesamte Abendland. Der große Hohenstaufe Kaiser Friedrich der Rotbart (1152—1190) glaubte seine Tage nicht besser beschließen zu können als mit einem Zug zur Befreiung Jerusalems. So wurde denn der dritte viel versprechende Kreuzzug (1189—93) von ihm im Verein mit den Königen Philipp August von Frankreich und Richard Löwenherz von England unternommen. Aber auch dieser vermochte Jerusalem nicht zurückzubringen. Friedrich, der greise Held, als er mit jugendlicher Kühnheit zu Pferde über den reißenden Bergstrom Seleph (Kalykadnus) in Cilicien setzte, ward von den Wellen fortgerissen und ertrank, während die andern nun unter sich uneins wurden. Der Erfolg dieses Kreuzzugs war die Erstürmung Akkons. Die Uneinigkeit zwischen König Richard und Philipp August hinderte jedoch eine weitere Ausnützung des erzielten Erfolges. Schließlich war man zufrieden mit dem Abschluß eines Vertrags, wodurch der ungestörte Besuch der heiligen Orte den Christen zugesichert wurde. Wären die geistlichen Ritterorden nicht gewesen, die Johanniter, Templer und der Deutschherrenorden, welche sich aus den Kreuzfahrern gebildet, so hätten die Dinge in Palästina noch früher ihr Ende genommen. Einerseits war in Sultan Saladin ein sehr bedeutender Feind erwachsen, andererseits aber ließ die Bewegung im Abendlande allmählich nach, und die Kreuzzüge entarteten immer mehr. Verlief doch der vierte (1202—1204) auf die Kreuzpredigt Fulcos von Neuilly hin unter der Anführung der Grafen Balduin von Flandern und Bonifazius von Montferrat unternommene Zug gar bloß in der Begründung eines lateinischen Kaisertums in Konstantinopel, dessen Glanz freilich nicht lange dauern sollte. Auch der fünfte Zug (1228—1229), den Kaiser Friedrich II. nur notgedrungen unternahm, brachte wohl die Königskrone von Jerusalem auf sein Haupt, aber sonst keinen Erfolg, nicht einmal ihm selbst die Gunst des

Meerbusen von Seleficu an der Mündung des Selef, wo Kaiser Friedrich Barbarossa 1190 ertrank.

Papstes. Die letzten Versuche im sechsten (1248–54) und siebenten (1270) Kreuzzuge machte der französische König Ludwig IX., der Heilige. Aber er mußte schon einen eigentümlichen Weg einschlagen, um seine Dienstmannen zu der von ihm geplanten Kreuzfahrt zu gewinnen. Am Weihnachtsfeste pflegte der König von Frankreich seine Diener mit neuen Gewändern zu beschenken.

Diesesmal empfingen die Ritter am Christabend schönere als je vorher. Als sie aber am Festmorgen in den neuen Kleidern zum Kirchgang sich anschickten, gewahrten sie, daß dieselben sämtlich das Zeichen des Kreuzes trugen. Nun durften sie um ihrer Ehre willen nicht vom Zuge zurückbleiben, waren aber über den König, „den Pilgerjäger", nicht wenig ungehalten. Der Kreuzzug lief auch traurig genug ab; denn der König geriet mit seinem Heere in Ägypten in Gefangenschaft. Auf dem letzten, nach der Nordküste Afrikas, erlag er dem Fieber. Bald darauf (1291) ging auch die letzte Besitzung im Heiligen Land, Akko, den Christen verloren.

Das Eindringen des Islam im südöstlichen Europa.

So konnte in diesem langen, blutigen Ringen dem Islam nur vorübergehend das heilige Land, die Heimatstätte des Christentums, entrissen werden. Ja, nicht einmal von Europa konnte der Islam ganz fern gehalten werden. Wohl wurden gegen das Ende des Mittelalters die Mauren von Ferdinand dem Katholischen und seiner Gemahlin Isabella aus Spanien vertrieben (1492). Kurz vorher aber waren die Türken auf der Ostseite in Europa eingedrungen und hatten mit der Eroberung Konstantinopels (1453) das griechische Kaisertum gestürzt. Von da aus machten sie sich lange zum Schrecken Europas, insonderheit Deutschlands, und noch erinnert das Mittagläuten an jene freilich längst geschwundene Türkennot. Einzelne Missionsversuche an den Muhammedanern, wie sie auch von *Franziskus von Assisi* unternommen wurden, scheiterten gänzlich.

Der Einbruch der Mongolen im östlichen Europa.

Unterdessen hatte auch die östliche Hälfte der europäischen Christenheit, die *slavische*, einen heftigen Ansturm zu bestehen. In der Mitte des 13. Jahrhunderts brachen nämlich die heidnischen Mongolen aus dem Innern Asiens hervor, wie einst die Hunnen, und warfen alles vor sich nieder, bis an die Ostgrenze Deutschlands (1241), wo ihr Anlauf sich an der todesmutigen Tapferkeit der Deutschen unter Heinrich dem Frommen, Herzog von Liegnitz, brach. Zwei Jahrhunderte lang dauerte es, bis die christlichen Völkerstämme Rußlands von der Gewaltherrschaft dieser teils heidnischen, teils muhammedanischen Horden sich frei machen konnten. Seit jenen Zeiten und seit dem Untergang des griechischen Reiches wurde das „heilige" Rußland das Hauptland der griechischen Kirche und der Hort der von den Türken unterjochten christlichen Stämme.

Durch sagenhafte Nachrichten verleitet, machte man im 13. Jahrhundert von Rom aus den fast abenteuerlichen Versuch, das durch den Eroberer Tschingiskan neugegründete Mongolenreich dem Christentum zu gewinnen. Indessen blieb auch dieser romantische Versuch nach einem ersten glücklichen Anlaufe ebenso erfolglos als die Kreuzfahrten mit dem Schwerte.

B. Innere Entwicklung der Christenheit im Mittelalter.

I. Sitte und Wandel.

Die alten Deutschen hatten schon als Heiden sich ein gutes Lob erworben, und selbst aus dem Lager ihrer Gegner wurde ihnen durch den römischen Geschichtsschreiber Tacitus in seiner Schrift „Germania“ ein Ehrendenkmal gesetzt. So wenig er auch die starken Laster, die unter ihnen im Schwange gingen, insbesondere ihren Hang zu Trunk und Spiel, übersehen konnte, so fühlte er sich doch getrieben, die rauhe Tugend dieses Naturvolkes seinem in den Genüssen einer hochgesteigerten Kultur immer mehr entartenden Zeitalter zur Beschämung vorzuhalten. Durch den Einfluß des Christentums wurde nun, was Unart unter ihnen war, mit heiligem Ernste bekämpft, was gute Art, geläutert, erhöht, geheiligt. Indessen fehlte freilich noch viel, daß das ganze Volksleben von dem christlichen Geiste völlig durchdrungen worden wäre. Vielmehr erscheint das sittliche Leben der mittelalterlichen Christenheit als ein zwiespältiges, aus geistlichem und fleischlichem Wesen arg gemischtes, da die ungestüme Volkskraft oft nur eine äußerliche kirchliche Gewöhnung zuließ, und die Kirche selbst in ihrer damaligen Gestalt so manches an sich hatte, was ihr die Lösung ihrer Aufgabe erschwerte. Darum konnte es nicht ausbleiben, daß bald Stimmen sich hören ließen, die eine Besserung, eine Reformation des sittlichen Lebens mit Ernst forderten.

Altdeutsche christliche Sinnesart.

Wie das Evangelium durch den Dienst der Kirche den Sinn der alten Deutschen und jener Völker überhaupt, ohne ihre Eigenart zu verletzen, verändert und verneuert hat (Matth. 13, 33), bezeugen unter andern Zeugnissen besonders die Beichtbekenntnisse als die treusten Sittenspiegel.

Sie hatten nun entsagt der Abgötterei und dem Götzendienst (dem drugiding. den unholden). In Furcht und Liebe und Vertrauen hatten sie sich dem Herrn, ihrem Gott, den sie nun erkannt, zugewendet mit lauteren Gedanken und offnem Willen, mit treuem Sinn und festem Mut. Der Zweifel wird als eine Hauptsünde verdammt, dagegen die Einfalt hoch gerühmt. Vertrauensvoll nahten sie sich zu Gott und grüßten den Waltenden im Gebete; reumütig bekannten sie, wenn sie sündhafter, weltlicher Traurigkeit Raum gegeben. Mit Frohmut gezieme es sich, meinten sie, Gott an seinem Tage zu dienen. So wird auch gebeichtet, daß man die Eltern nicht so ehrte und liebte, daß man ihnen nicht so gut, so hold und treu war, als man sollte. Als arge Sünde wird auch bekannt der Zorn und der Grimm, der tobende Mut, die Unsinnigkeit und das Ungestüm, die Unsänfte und stolze Geberde und daß man Unfrohe nicht getröstet; dagegen wird die Milde und Gütigkeit gepriesen. Dann wird auch Reinigkeit des Gemüts und Keuschheit gefordert wider die fleischlichen „Gespenste", und gegen ungefüges Wesen und lose Übergierde wird rechte Geberde gestellt, auch wider allen unzeitigen Genuß, wie gegen üppiges Geplauder gekämpft. Als eine Grundsünde wird der schäbige Geiz bezeichnet, und die werden als Feinde gekennzeichnet, welche „rieten den unrechten Reichtum". Dagegen wird die Freigebigkeit und Gastlichkeit erhoben, wie es als Missethat gebeichtet wird, wenn man arme Leute so nicht ehrte und liebte, wie man sollte. Viel wurde gewarnt vor Unfleiß und schläfrigem Sinn. Im persönlichen wie im geschäftlichen Verkehre wurde biederes und ehrliches Verhalten gefordert und alle Meingedanken, Losheit und Falschheit, Mißtrauen und Argwohn wurden verwiesen; die Treue, die das gegebene Manneswort hält, wurde vor allem hochgehalten, hingegen der Neid und die Heimtücke, welche den Nächsten sein Haus und Erbe nicht ruhig genießen läßt und den Frieden der Hausgenossenschaft stört, als schimpflich und sündlich verworfen und verachtet.

Gebrechen mittelalterlicher Religiosität und Sittlichkeit.

Das wirkliche Leben entsprach freilich keineswegs immer und durchweg dieser Gesinnung. Vielmehr war das Leben der mittelalterlichen Christenheit mit nicht geringen Gebrechen behaftet. Hatte doch auch die Kirche bei den Massenbekehrungen, die stattfanden, fast immer sofort ein ganzes Volkstum vor sich mit aller Roheit einer noch ungebrochenen Natürlichkeit, an welcher der alte Sauerteig heidnischer Sinnesweise noch gar zähe anklebte. Die Kirche war sich wohl ihres Berufes bewußt, Erzieherin dieser Völker zu sein, und sie nahm dieselben als noch Unmündige in zum Teil strenge Zucht nach mancherlei Satzungen (Gal. 4, 1—3); aber sie war einer Mutter gleich, die selbst viele Mängel und Gebrechen an sich hat und sich dadurch bei der Erziehung ihrer Kinder im Wege steht.

So wurde die völlige Überwindung der Abgötterei erschwert durch die Verehrung der Heiligen, die immer zunahm, trotzdem deutsche Synoden Einhalt zu thun suchten. Und der Aberglaube, den das Volk mit der Gespensterwelt, zu welcher ihm die Götterwelt herabgesunken war, eifrig trieb, konnte trotz alles Redens und aller Strafen dagegen nicht unterdrückt werden, da auch die Kirche, selbst in ihren einsichtsvollsten Lehrern, an der Wundersucht krankte; ist doch fast jede Lebensbeschreibung eines „Heiligen" mit einem Buche der Wunder als Anhang versehen. In ihrem Kampf gegen den Gebrauch von Zaubersprüchen stand sie sich im Wege durch ihre ausgedehnten Weihungen von äußerlichen Dingen, durch ihr Messelesen für Versterbene und für mancherlei Fälle des Lebens, vollends durch ihr Reliquienwesen, das sich zu einem ausgebreiteten Reliquienhandel ausbildete. Nur mit Widerstreben duldete sie zuerst die Ordale d. h. den Zweikampf als Gottesurteil, als letztes Mittel der Rechtsentscheidung; aber bald brauchte sie ähnliche Mittel, um die Wahrheit herauszubringen, z. B. die Feuerprobe. So nahm denn auch das Zauberwesen immer mehr zu und wurde mit seinem Teufelsspuk und seinem Hexenwahn immer düsterer, und es wurde in der Sache nichts gebessert, als später eine regelrechte Hexeninquisition eingerichtet wurde. Es wurde strenge darauf gehalten, daß alle Hindernisse einer allgemeinen und gemeinsamen Sonntagsfeier wegfielen; aber es wurde auch durch den Zehnten und mancherlei andere Lasten der heilige Dienst zu einem Frondienst gemacht, und schon Alkuin fand Ursache zu erinnern: „Seid Glaubenslehrer und nicht Zehnteneintreiber!" Die Kirche lehrte den Gehorsam gegen Eltern und Vorgesetzte und drohte mit ihrem Banne, wenn der Sohn im Mannestrotz sich wider den Vater erhob, oder der ritterliche Unterthan dem Lehnsherrn die Treue brach, wie bei Herzog Ernst von Schwaben; aber es kam doch auch vor, daß Päpste den Sohn gegen den Vater aufriefen und sich anmaßten, die Unterthanen vom Eid der Treue zu entbinden, wie Heinrich V. gegen seinen Vater, den unglücklichen Kaiser Heinrich IV., der durch ein Menschenalter mit den Päpsten im Streit lag. Die Kirche hat den Wehrlosen unter ihren Schutz genommen und Freistatten für die Bedrängten eröffnet; aber es herrschte doch wieder in ihr ein Geist der Unduldsamkeit, welcher unter Umständen unbarmherzig verfolgte und rasch Scheiterhaufen für die Ketzer entzündete. Die Kirche kämpfte gegen das Fehdeunwesen und brachte es dahin, daß für die Zeit von Mittwoch bis Montag früh, die durch das Gedächtnis des Leidens und der Auferstehung Christi geweiht ist, der „Gottesfriede" (treuga dei) aufgerichtet wurde; aber es zogen doch auch Bischöfe und Äbte öfter im Harnisch aus, und es wurde gegen die Ungläubigen schnell das Schwert aufgeboten. Sie hat das Gefühl der Gleichheit und Brüderlichkeit gepflegt, wie der Mönch Otfried kündet: „Wir sind alle gleich geschätzt und gepriesen im Himmel, und die Liebe ist die Fürstin im Diensthause des HErrn"; aber es wurde durch die strenge Abscheidung des Klerus von den Laien die Standessonderung nicht gemindert und die Leibeigenschaft selbst auf kirchlichem Boden beibehalten, ob auch in milderer Weise. Sie hat die Ehe zu einem Sakrament gemacht und ihre Unauflöslichkeit zum unbeschränkten Gesetz erhoben; aber auf der andern Seite konnte die übertriebene Wertschätzung des ehelosen Lebens diese Gottesordnung nur herabsetzen. Sie ermahnte zum Fleiße im irdischen Berufe; aber die Scharen der Mönche, zumal der Bettelmönche, wie auch die vielen Feiertage und Wallfahrten, konnten dazu nicht fördern. Die Kirche war die Mutter der Armen; wohl in jeder Bischofsstadt zum mindesten fanden sich bedeutende Wohlthätigkeitsanstalten, darunter besonders Hospitäler, sowie auch Hospize für Reisende und Pilger, und die Klöster waren zugleich auch Wohlthätigkeitsanstalten; aber auf der andern Seite wurden von ihr auch oft Güter in nicht immer tadelfreier Weise an sich gezogen. Und auf den Wahrheitssinn des Volkes konnten die mancherlei Fündlein, die angewendet wurden, um die Herrschaft Roms zu stärken oder die Verehrung von Heiligen zu erwecken, nicht günstig einwirken. Die Kirche hat in ihren heiligen Handlungen das ganze Leben des Hauses und der Familie mit ihrer Weihe umgeben; aber es wurde auch durch den Mißbrauch des Beichtstuhls vielfach in das Recht und den Frieden des Hauses eingegriffen.

Kurz, es war das Leben der mittelalterlichen Christenheit ein durchaus zwiespältiges und das sittliche Bewußtsein wurde im Laufe der Zeit immer mehr verwirrt. Ein Hauptübel war dabei, daß die Kirchenordnung als Gottesgebot hingestellt, ja dieses hinter jener zurückgestellt wurde, während doch die Ordnung der Kirche keineswegs in allen Stücken mit der heiligen Schrift übereinstimmte (Matth. 15). Wohl wurde dabei dem Volke mit großem Ernst das Gewissen geschärft. Die Lehre vom Fegfeuer, wonach die Seelen nach dem Tode als in einem Mittelzustande ihre nach der Taufe begangenen Sünden in einer Art Läuterungsfeuer abbüßen müßten, wurde dabei kräftig ausgenützt. Auf der andern Seite aber sah die Kirche doch wieder zu viel nach. Das Äußerste in dieser Hinsicht geschah im Ablaßwesen, das im Laufe der Zeit entstand. Es war schon ein bedenklich Ding, daß man Almosen, Fasten, Wallfahrten, Gebete als Kirchenstrafen brauchte; noch bedenklicher wurde es, als man anfing, diese Kirchenstrafen mit Geld, welches als Almosen an die Kirche gegeben werden sollte, ablösen zu lassen; am bedenklichsten aber wurde es, als die Lehre aufkam, die Kirche könne auch die angeblichen Strafen des Fegfeuers, wenn auch nicht für die „Todsünden", doch für die „läßlichen Sünden" durch ihren Ablaß aufheben oder verkürzen; denn sie sei die Verwalterin eines unerschöpflichen Schatzes von überflüssigem Verdienste Christi, ja sogar der Heiligen. Und die Päpste, welche als Verwalter dieses Schatzes galten, machten davon den ausgiebigsten Gebrauch zur Stärkung ihrer Macht und zur Bereicherung ihres Schatzes, und die Zeiten der Ablaßjubelfeste, welche später aufkamen, wurden schnell von 100 Jahren auf 50, auf 35, zuletzt auf 25 Jahre verkürzt.

Besserungsversuche.

Die Waldenser.

Schon frühe erhoben sich Stimmen, auch aus dem Kreise der kirchlichen Würdenträger, welche eine Reformation in Gesetz und Sitte, in Leben und Wandel forderten. Aber diese Stimmen wurden nicht gehört und die sie hören ließen, wurden gewöhnlich verfolgt und in den Bann gethan. Das war auch das Schicksal der „Sekte" (Apostelg. 24, 14) der **Waldenser**, deren Stifter der Lyoner Kaufmann **Peter Waldus** war (1170).

Durch eigenes Lesen in der heiligen Schrift, die er sich zum Teil in die Landessprache hatte übersetzen lassen, zu besserer Erkenntnis gebracht und durch den jähen Tod eines Freundes tief erschüttert, verkaufte er seine Güter und schenkte den Erlös den Armen. Darauf zog er als Bußprediger umher und gründete einen Verein zu gemeinsamer Erbauung aus der heiligen Schrift und zur Predigt des Evangeliums in der Landessprache unter dem armen Volke (Pauperes de Lugduno). Erst als sie von Rom aus in den Bann gethan worden, nahmen sie eine feindliche Stellung gegen die damalige Kirche ein und traten immer kühner auf wider Menschensatzungen und äußerliches Wesen in der Kirche, wider Heiligenverehrung, Bilderdienst, Reliquienwesen, Fegfeuer und Ablaß und anderes. Sie ordneten ihre Gemeinschaft nach apostolischem Muster unter Aufhebung des Unterschieds zwischen Klerus und Laien. Für ihr Leben diente ihnen vor allem die Bergpredigt zur Richtschnur. Eine strenge Kirchenzucht hielt gute Sitte unter ihnen aufrecht. Selbst ihre Gegner mußten ihnen das beste Zeugnis für ihren Wandel ausstellen, und König Ludwig der Heilige bezeugte: „Wahrlich, sie sind bessere Menschen, als ich und mein Volk!" Trotzdem wurden sie aufs heftigste verfolgt. Doch konnten sie „nicht gar ertötet" werden, sondern sie erhielten sich in den unzugänglichen Thälern des Hochgebirgs von Savoyen und Piemont bis auf den heutigen Tag.

II. Glaube und Lehre.

Das Bekenntnis des christlichen Mittelalters war das apostolische, das kirchlich überlieferte. Dasselbe bezeichnete aufs einfachste, klarste und bestimmteste, was für eine Veränderung in den Gedanken der zum Christentum bekehrten germanischen Völker über Gott und die Welt und die Menschen darin vorgegangen war. Anfänglich unter dem Einfluß der Evangeliendichtung in volkstümlicher Weise ausgeprägt, wurde es weiterhin in der Wissenschaft der Schule (Scholastik), aber ohne genauere Prüfung seiner Grundlagen, in großen Lehrgebäuden ausgeführt. Neben ihr, zum Teil im Widerstreit mit ihr, machte sich die beschauliche Richtung (Mystik) geltend. Gegen das Ende des Zeitraumes erhob sich auch die erneuerte weltliche Wissenschaft (Humanismus) gegen diese Art der Glaubenslehre.

Die Evangeliendichtungen.

Die ursprüngliche und volkstümliche Auffassung des Evangeliums ist am vollständigsten durch die beiden großen Evangeliendichtungen zum Ausdruck gekommen, welche in der karolingischen Zeit verfaßt wurden. Die eine ist der Krist, von dem Mönche Otfried in Kloster Weißenburg im Elsaß, in oberdeutscher Mundart und in Reimen verfaßt; die andere der Heliand, in niedersächsischer Mundart, noch mit dem alten Stabreim. Sie sind die eigentlichen Bekenntnisschriften des altdeutschen Christentums.

Bei der Frage nach dem Ursprunge der Welt ist nun nicht mehr die Rede von dem Geschlechte der Urriesen, das aus dem wüsten Urgrund sich erhoben, und von dem Göttergeschlecht Odins, welches jenes Riesengeschlecht erschlagen und die Erde und die Menschen darin gebildet. Wohl blieben noch, wie in der Bezeichnung gewisser Wochentage, einige Namen zurück; aber die Gedanken waren andere geworden. „Das erfahre ich", heißt es in einem alten Gebete, aus dem Kloster Wessobrunn: „das erfahre ich unter den Menschen als der Weisheit höchste: „Als noch nichts war, da war der eine, allmächtige Gott, der Männer mildester, und mit ihm manch herrliche Geister."

Dat (Das) gafregin (erfragte) ih mit firahim
    firiwizzô (der Wunder) meistâ (größtes),
dat (da) ëro (Erde) ni (nicht) was (war)
    noh (noch) ûfhimil (oben der Himmel)
noh paum (Baum) noh pereg (Berg)
    ni was; ni nohheinig (irgend etwas)
    noh sunna (Sonne) ni scein (schien)

noh mâno (Mond) ni (nicht) liuhta
    noh der mâreosêo (Meersee).
dô (da) dâr (da) niwiht (nichts) ni (nicht) was
    entêô (Erden) ni wentêô (Wenden = Grenzen),
enti dô was der eino (eine)
    almahtico (allmächtige) cot (Gott),
mannô (Männer) miltisto (mildester);
    enti dâr wârun (waren) auh manakê (manche)
mit inan (ihm) cootlîhhê (göttliche) geistâ (Geister).

Enti (Und) cot heilac (heilig), cot almahtico,
dû himil enti erda gaworahtôs (gewirkt hast),

enti dâ mannun (den Menschen) sô manac (manch) coot (Gut) forgâpi (gabst)
forgip mir in dinô (deiner) ganâdâ (Gnade) rehta (rechten) galaupa (Glauben)
enti cötan (guten) willeon (Willen), wistôm (Weisheit) enti spâhida
enti craft (Kraft) tiuflun (Teufeln) za (zu) widarstantanne (widerstehen)
enti arc (Arges) za piwisanne (abweisen)
enti dinan willeon za gawurchanne (wirken).

Er hat die Welt erschaffen, darin dem Menschen zu Mute ist wie in einem herrlichen Traume, und der Mensch selbst ist geschaffen zum herrlichen Bilde Gottes. Nicht mehr die Wurd, das Schicksal, waltet ihnen darin, sondern die herrliche Macht Gottes mit ihren herrlichen Schöpferbestimmungen. Gott ist der Menschen Mundherr, ein milder und holder Herrscher (druhtin), dem man ganz vertrauen darf.

Die Frage nach der Erlösung der Welt war dem alten Deutschen nicht fremd. Entstand doch bei ihnen die tiefsinnige Sage von den Leiden des Weltbaumes (Yggdrasil), und von dem Gott Loki, dem Argen, der auf das Verderben der Götter und Menschen sinnt, und der mit arger List Balder, den herrlichen, reinen, milden Göttersohn, durch die Mistel in die Hölle bringt. Und nicht bloß davon ging die Sage, sondern sie kündete auch die Götterdämmerung am Ende der Tage, wo diese Welt mit ihren Göttern in Feuer aufgehen, aber dafür aus dem Meere eine neue Welt entstehen würde. Aber auch hier war eine tiefgehende Umwandlung eingetreten durch den Glauben an Jesum Christum, Gottes eingebornen Sohn, unsern Herrn. Er ist es, der als der Sohn Mariens, „der Edelfrau, der herrlichen Magd" in die Welt gekommen, sie zu erlösen, diese Welt, in der wir als Ausländische, durch die Sünde aus unserm Adelerbgut Vertriebene leben, dahin gebracht durch den ungeheuren Feind, der die ganze Welt zu einer Hölle machen möchte. Als der himmlische Volks- und Heerkönig ist das Friedekind Gottes umhergezogen, der Könige bester, Hilfe zu bringen, wider den argen Feind und das weite Wohl zu wirken. So wird er im „Heliand" geschildert bei der Bergpredigt:

„Und näher traten dem trauten Christ, die er sich zum Geleit erwählt,
Sie stunden weise um ihn her, von Wunsch nach seinem Wort erfüllt,
Löblich bereit zu tragen, zu thun, wie ihnen sein Befehl entbot.
Dann setzte sich des Landes Hirt von Angesicht zu Angesicht
Dem Volk, verkündet ihm sein Gebot, das sie leisten sollen zu Gottes Lob.
Und schweigend saß er, sah lang sie an, mit dem sanften Mut in holdem Herzen.
Und als er den heiligen Mund erschloß, floß herrlich seine Rede hin
Zu allen die er dazu erwählt, des Volkes Mannen, die Gottgeliebten.
Und also spricht der Wahrheit Mund: „Selig sind auf dem Erdenkreis,
Die arm sich fühlen in Demutssinn, sie haben das ewige Freudenreich.
Und selig sind die Sanftgemuten, sie haben auf Erden mein sanftes Reich".

Und so ist er auch in den Tod gegangen in demütiger Geduld und mit sanfter Freude; im Einzelkampfe bezwingt er in Gotteskraft den Feind und das Höllengezwinge. Im eigenen Reiche der Hölle hat er ihn bezwungen und hat die Höllenthore entriegelt und den Weg zum Himmel gewirkt. Dort thront er nun als der waltende Christ. Dereinst aber wird er unter dem Weltbrand mit der himmlischen Heere größtem zur Walstatt fahren, zum Gericht wider alles arge Wesen, zum großen Sühntag (Muspilli).

So ist es denn auch der Geist Christi, durch welchen die Menschen ihren Adel wiedererlangen. In Christi Nachfolge erfüllen sie ihre hohe Bestimmung. Die ganze Gemeinde ist sein Gefolge, sein Streitgefolge; die Jünger sind seine hochgemuten Recken, Petrus, zum Schwerte greifend, ist ihre Freude. In dieser Gemeinde hat der Einzelne den Trost, die Huld seines Königs zu genießen, ein gottlieber Mann zu sein, und nichts macht froher hinieden als seine Vergebung. Dazu hat er mit der Gemeinde der Getreuen die Aussicht auf das wonnige Heim des ewigen Lebens mit seinem Adelerbgut. Dahin bringen ihn freilich nicht mehr, wie man früher glaubte, die Walkuren, welche die Helden von der Walstatt nach Walhalla trugen; sondern die Engel Gottes tragen die Seele dorthin, und Petrus, der Himmelspförtner, öffnet ihr den Eingang zu ihres HErrn Freude.

So ward das Bekenntnis der deutschen Christenheit in der Einfalt des ersten, innigen Glaubens gethan.

Es ist hier noch besonders eine Bemerkung am Platz über die Einwirkung des Christentums auf die Volkssprache und deren Entwicklung. Die katholische Kirche huldigte der Ansicht von den drei heiligen Sprachen (hebräisch, griechisch und lateinisch), weil die Überschrift über Christi Kreuz in diesen drei Sprachen geschrieben wäre. Indes erklärte bereits eine deutsche Reichssynode vom J. 794 zu Frankfurt: „Daß nicht Jemand glaube, man könne Gott nur auf hebräisch, griechisch und lateinisch anbeten. Gott werde in allen Zungen angebetet und das Gebet finde Erhörung, wenn nur das Gebet selbst das rechte sei". Die deutsche Sprache erwies sich für das Evangelium und die neuen Begriffe, die es in das geistige Leben des Volkes einführte, als überaus empfänglich: urdeutsche Worte sind Urständ (Auferstehung), Beicht ahd. pigiht (von jehen = sagen, bekennen), Buße (von buozen, ausbessern, wieder gutmachen), Gnade (ahd. ginâda, von gotisch nithan sich niederlassen = Niederlassung, um zu helfen: Huld), Heiland (altsächs. hêljand, von heilen = retten); Schuld (ahd. sculaw = sollen); selig (ahd. sâlic = gut, sâlida = Glück, Heil) ꝛc. Wie ersichtlich, sind es die bedeutsameren, auf das innere Leben bezüglichen Begriffe des Christentums, welche die deutsche Sprache bereits kannte. Hingegen wurden aus dem Lateinischen und Griechischen lediglich die äußerlichen Benennungen hergenommen, die Namen für Kultus- und Verfassungsgegenstände, Feste ꝛc.: z. B. Dom (lat. domus = Haus), Bischof (lat. griech. episcopus = Aufseher); Erzbischof (erz von griech. archein = herrschen); Kirche (griech. kyriakê = dem Herrn gehörig), Laie (lat. laicus vom griech. laós = Volk, ein Mann vom Volke, gegenüber dem Geistlichen [clericus]); Messe (lat. missa, wo zu ergänzen ist: est concio = die Versammlung ist entlassen); Mette (lat. matutina, wo zu ergänzen hora = Morgengottesdienst); Oblate (lat. oblata = Opfergabe, Abendmahlsbrot); opfern (lat. offerre = darbringen); Pfingsten (griech. pentekostê = der 50. Tag, ergänze: nach Ostern); Priester (gr. Presbyter = der Älteste); Segen (lat. signum = Zeichen, ergänze: des Kreuzes) ꝛc. ꝛc.

Die Scholastik.

Eine biblisch erbauliche Richtung verfolgte auch die kirchliche Wissenschaft in jenen ersten Zeiten. So Rhabanus Maurus, ein Schüler Alkuins (822 Abt zu Fulda, † 856 als Erzbischof von Mainz). Als aber nach dem 10. Jahrhundert, dem „dunkeln" („saeculum obscurum"), die Wissenschaft sich wieder erhob, schlug sie eine andere Richtung ein. Wie der Name „Scholastik" sagt, entstand nun eine Wissenschaft der Schule, welche sich zur Aufgabe setzte, die überlieferte Lehre nach allen

Seiten hin verstandesmäßig auszubilden. Und mit erstaunlicher Kraft des Verstandes und nicht geringerer Ausdauer des Willens wurden nun Lehrgebäude, „Systeme“, ausgeführt — in ihrer Art nicht minder gewaltig als die großen Kirchengebäude der Zeit.

Einer der ersten und größten unter ihnen war der Erzbischof Anselm von Canterbury († 1109). Gott ist die Wahrheit, sagte er, und wenn der Mensch die Wahrheit erkennen will, muß er sich also zuvor Gott hingeben, an Gott glauben. Der Glaube geht dem Verständnis voraus (Fides praecedit intellectum). Also: ich glaube, damit ich erkenne (credo ut intelligam). Er versenkte sich dann weiter in die Frage: warum Gott Mensch geworden? und bildete die Lehre von der stellvertretenden Genugthuung für die unendliche Schuld der Welt durch die Menschwerdung und den Opfertod des Eingebornen vom Vater mit seinem unendlichen Verdienst zur Versöhnung Gottes aus.

Durch Scharfsinn und zugleich Freisinnigkeit ragte hervor Peter Abälard in Paris, der auch durch seine abenteuerlichen Lebensschicksale, seine Liebe zu Heloise, die Teilnahme seiner Zeitgenossen erregte († 1142). Der größte aller Scholastiker aber ist der Dominikaner Thomas von Aquin († 1274), der in Köln, Paris, Rom und anderen Städten Italiens lehrte, und dessen Summa theologiae noch jetzt zu den hervorragendsten Schriften der katholischen Kirche zählt, nicht minder groß durch seine christliche Gesinnung als durch seine Wissenschaft. Sein Gegner war der Franziskaner Duns Scotus, Lehrer in Oxford, Paris und Köln († 1308). Erklärte Thomas das Allgemeine als das Wesentliche, so Scotus das Einzelne; betonte jener die Gnade Gottes, so dieser die menschliche Freiheit; auch bekämpften in dem heftigen Streite die Dominikaner (Thomisten) die Lehre der Franziskaner von der unbefleckten Empfängnis Marias.

Bewundernd sahen die Studierenden, welche zu Tausenden nach Paris oder Köln wallfahrteten — die fahrenden Schüler traf man auf Wegen und Stegen — zu diesen Meistern der Lehre auf und ehrten sie mit schmückenden Beinamen: Thomas Aquinas als den doctor angelicus, Duns Scotus als den doctor subtilis. Vom Volke wurden solche wissenschaftliche Größen mit scheuem Staunen betrachtet; der aus Vollstädt oder Lauingen in Schwaben gebürtige Dominikaner Albertus Magnus, eine Zeit lang Bischof von Regensburg, dessen Gelehrsamkeit auch die Wissenschaft der Araber von der Natur umfaßte (doctor universalis), wurde in der Anschauung des Volkes zum Zauberer.

Wie sehr sich in die Scholastik die ganze Anschauung der Zeit einlebte, zeigt die größte geistliche Dichtung des Mittelalters: Dante Alighieri's göttliche „Komödie“ mit ihrem Gange durch Hölle, Fegfeuer und Himmel; wie die Scholastiker in ihrem Lehrgang dem griechischen Philosophen Aristoteles, den sie von den Arabern her kennen gelernt, als ihrem Führer folgten, so hat Dante sich den römischen Dichter Vergilius auf seiner Wanderung in die Hölle zum Führer erwählt. Aber so stolz auch diese Lehrgebäude waren, so unhaltbar waren sie doch; denn es fehlte ihnen der feste, sichere Schriftgrund (Matth. 7, 24 ff.). Ungeprüft nahmen die Gelehrten des Mittelalters die Überlieferung (Tradition) als echte christliche Lehre an, und alle ihre gewaltigen geistigen Anstrengungen brachten doch im Grunde wenig Frucht. Sie ließen auch bald sehr außer Acht, was in Wahrheit zu der Seelen Seligkeit dient, und verloren sich dafür in Spitzfindigkeiten (1. Tim. 6, 20—22), eitle Wortgefechte über das Heiligste, — ganz ebenso wie die Ritter mit Speer und Schwert in den Turnieren ihr Spiel trieben, zwecklos, nur eben als ein Spiel.

Im Zusammenhange mit diesen wissenschaftlichen Bestrebungen entstanden die Universitäten. Die größere Zahl der deutschen Universitäten verdankt ihre Entstehung der 2. Hälfte des 15. Jahrhunderts. Im J. 1348 entstand Prag; dann folgten Wien, Heidelberg, Köln, Erfurt, Leipzig und Rostock, hierauf im J. 1456 noch Greifswalde, 1460 Basel und Freiburg i. Br., 1472 Ingolstadt und Trier, 1477 Tübingen und Mainz, 1502 Wittenberg, endlich 1506 Frankfurt a. O. Diese Universitäten sollten eine lebendige Einheit und Allgemeinheit des Wissens (universitas) darstellen; die vier Hauptzweige des Wissens: Gottesgelehrtheit, Rechtswissenschaft, Heilkunde und Weltweisheit verglich man „den vier Strömen des Paradieses".

Siegel der theologischen Fakultäten der Universität Paris mit den 4 Evanglisten-Sinnbildern.

Die Mystik.

Neben der Scholastik, bald im Widerstreit, bald im Bunde mit ihr, trat die Mystik auf. Sie lehrte, daß man Gott mit dem frommen Gefühl des Herzens suchen und in der Beschaulichkeit stiller Andacht erkennen müsse, auf daß man, in Gott lebend und webend, mit seiner Seligkeit erfüllt werde.

In diesem Sinne trat der Abt Bernhard von Clairvaux († 1153), eine Persönlichkeit von außerordentlichem Einfluß auf seine Zeitgenossen (vgl. auch S. 84), gegen die Scholastik, insbesondere gegen den übermütigen Abälard auf. Das sprechendste Denkmal seines Geistes ist jenes herrliche Lied aus seinem glaubens- und liebesinnigen Passionsgruß an den Gekreuzigten:

Salve, caput cruentatum,
totum spinis coronatum
conquassatum, vulneratum
arundine verberatum,
facie sputis illita,

Salve, cujus dulcis vultus
immutatus et incultus
immutavit suum florem
totus versus in pallorem,
quem coeli tremuit curia;

woraus Paul Gerhard das deutsche: O, Haupt voll Blut und Wunden übertrug. Auch an seinem Loblied auf den Namen Jesus:

„Jesu, deiner zu gedenken
kann dem Herzen Freude schenken;
doch mit welchen Himmelstränken
labt uns deine Gegenwart!"

erbaut sich die Kirche heute noch. Von ihm bezeugt später Dr. Luther: „Ist jemals ein wahrer, gottesfürchtiger und frommer Mönch gewesen, so war es St. Bernhard, den ich allein viel höher halte als alle Mönche auf dem Erdboden und zwar habe ich seinesgleichen niemals weder gelesen noch gehört".

In der Mitte zwischen beiden Richtungen stand der Franziskaner Bonaventura (doctor seraphicus): „Zu der Erreichung der höchsten Güter und Freuden führen drei Stufen: das Anschauen der sichtbaren Welt als eines Spiegels der Gottheit; dann die Einkehr in das eigne Innere und endlich der Aufschwung im Geist zu Gott selbst („die Reise zu Gott, in Gott hinein"). Als er einst nach dem Ursprung seiner Weisheit gefragt wurde, deutete er auf das Kruzifix mit den Worten: „Diese heiligen Wunden sind es, aus denen mir alles Gute zufließt". Und damit stimmt auch der Preis des heiligen Kreuzes überein in seinem Liede: Woll' des heilgen Kreuzes denken! ff.

Im 14. Jahrhundert gewann die mystische Richtung besonders in Deutschland eine ziemliche Verbreitung und darf hier als ein Vorläufer der Reformation bezeichnet werden. Den höchsten und kühnsten Aufschwung nahm sie in Meister Eckart († 1328), Prior des Dominikanerklosters zu Erfurt. „Gott", sagt er, „stellt uns mit nichts so kräftig nach, als mit der Liebe. Wer von ihr gefangen wird, der trägt die allerstärkste Fessel und doch eine süße Bürde. Wer diesen Weg gefunden hat, der suche keinen anderen. Der Ruhm in der Liebe Gottes ist heilbringender als alles Thun der guten Werke und alle Übungen derer, die außerhalb der Liebe stehen." Das sind Gedanken, die gewiß echt evangelisch zu nennen sind, die aber freilich als ketzerisch in einer päpstlichen Bulle verurteilt wurden. Seine Richtung lebte fort in seinen Schülern, Joh. Tauler (geb. 1290 zu Straßburg, † 1361) und Heinrich vom Berg, genannt Suso († in Ulm 1365). Die Weisheit, bezeugte der Dominikaner Tauler, studiere man nicht auf der Hochschule in Paris, die rechte hohe Schule ist das Leiden unsres HErrn! In seinem Buche: „Von der Nachfolgung des armen Lebens Christi" (1. deutsche Druckausgabe: 1498) mahnt er, der Welt und dem eignen Ich abzusterben, um ganz in Gott zu leben und zu weben, ganz in ihm aufzugehen in „seliger Armut", oder, wie H. Suso es ausdrückte: in „seliger Gelassenheit, der Gelassenheit göttlicher Liebe".

Bereits einer etwas späteren Zeit gehören zwei Bücher an, deren Verfasser nicht mit Sicherheit festzustellen sind: erstlich das dem Franziskaner Thomas von Kempen († 1471) zugeschriebene Büchlein „von der Nachfolge Christi", das großen Segen gestiftet hat und das noch fort und fort in neuen Ausgaben in das christliche Volk gelangt, — und ferner die zuerst von Martin Luther 1516 im Druck herausgegebene, aus Tauler's Geist oder Schule entsprossene „Deutsche Theologie" — ein Büchlein, von welchem Luther bezeugt, daß ihm „nächst der Biblia und S. Augustin nicht vorgekommen sei ein Buch, daraus er mehr erlernt habe, was Gott, Christus, Mensch und alle Dinge seien." Vgl. das Vorwort in dem beigegebenen Facsimile.

Eine Pflanzschule der Mystik wurde im 15. Jahrh. in Niederdeutschland endlich der von Gerhard Groote zu Deventer gestiftete Bund der „Brüder des gemeinschaftlichen Lebens". Unter sich bei strenger Lebensweise in sog. Bruderhäusern zu gemeinsamer Erbauung und Belehrung verbunden, wirkten sie nach Außen hin in geräuschloser Thätigkeit durch Abschreiben der heiligen Schrift, durch erbauliche Schriften und durch Verbesserung der Jugendbildung, und erstrebten in Ertöten der Selbstsucht vor Allem eine innere Nachfolge Jesu. Die Schule zu Deventer ist besonders wichtig geworden für die Reformation.

Titel und Vorwort der Ersten Ausgabe der „Deutschen Theologie", herausgegeben von D. Martin Luther, gedruckt in Wittenberg bei Joh. Grunenberg. 1516. Bey den Augustinern.

(Es ist dies zugleich die erste Publikation Luthers. Er gab dem von ihm erst wieder entdeckten Werke den Titel und begleitete es mit einem Vorwort. Die zweite Ausgabe, die im J. 1518 erschien, führte zu dem Titel „Eyn geistlich edles Büchlein" rc. noch den Beisatz „Teutsch Theologia", und unter diesem letztern Titel wird das Werk von nun an gewöhnlich citirt.)

Eyn geystlich edles Buchleynn. von rechter vnderscheyd vnd vorstand. was der

alt vñ new mensche sey. Was Adams vñ was gottis kind sey. vñ wie Adã ynn vns sterben vnnd Christus ersteen sall.

Vor Rede.

¶ Zuuoran vormanet diß Buchleynn alle die das leßen vnd versteen wollen/sunderlich. die von heller vornünfft vnd sinnereych vorstandts seyn / das sie zum ersten mal nit sich selb mit schwindem vrteyl vber eylen/dan es ynn etlichen worten scheynet vntüchtig ader auß der weyße gewonlicher prediger vnnd lerer reden . ja es schwebt nit oben/wie schawm auff dem wasser / Sunder es ist auß dem grund des Jordans võ einem warhafftigen Jsraeliten erleßen / wilchs namen gott weyß vnnd wen er eß wissen wil. dan dißmall ist das buchleyn an titell vnnd namen fũden. Aber nach mũglichẽ gedencken zu schetzẽ ist die matery/ faßt nach der art / des erleuchten doctors Tauleri/prediger ordens. Nũ wie dem allen. das ist war gruntlich lere/der heilgen schrifft . muß narren machen/ adder narre werden Als der apostel Paulus berurt j. Co. ij. Wir predigen Christum eyne torheyt den heyden/ aber eyne weyßheit gottis den heylgen.

F. Martinus Luder
Subscripsit.

Die Humanisten.

Nicht allein aus der mystischen Richtung hervor erhob sich jedoch der Widerstreit gegen die Scholastik, sondern auch von Seite der aufstrebenden weltlichen Wissenschaft gingen gegen die scholastische Lehre heftige Angriffe aus. Jene hatte einen großen Aufschwung genommen, seit man nach dem Falle Konstantinopels, welcher eine große Anzahl christlicher Gelehrter aus Griechenland nach Italien trieb, wieder mit den Bildungsschätzen des alten, griechisch-römischen Heidentums näher bekannt geworden, wobei auch die (1440) erfundene Buchdruckerkunst wesentliche Dienste leistete. Sie nannte sich im Gegensatz zur kirchlichen Wissenschaft die humanistische.

Ihre Lehrer verfielen freilich zum Teil dem Unglauben; selbst am päpstlichen Hofe machte sich, kaum verhüllt unter kirchlichen Formen, ein neues Heidentum geltend, zumal unter dem Medizeer Leo X. Aber in Deutschland arbeitete die neue Wissenschaft, von ernsten, besonnenen Männern vertreten, wie Reuchlin, dem Kenner des Hebräischen, und Erasmus von Rotterdam, dem Meister im Griechischen, der Reformation und insbesondere der lutherischen Bibelübersetzung vor. Auch der deutsche Ritter, Ulrich von Hutten, wollte in seinen scharfen Streitschriften, in denen er unter dem Motto: „Ich hab's gewagt" dem Papste und der Scholastik den Fehdehandschuh hinwarf, nichts wider das Evangelium thun und bahnte auch auf seine Art Luther den Weg.

III. Dichten und Trachten.

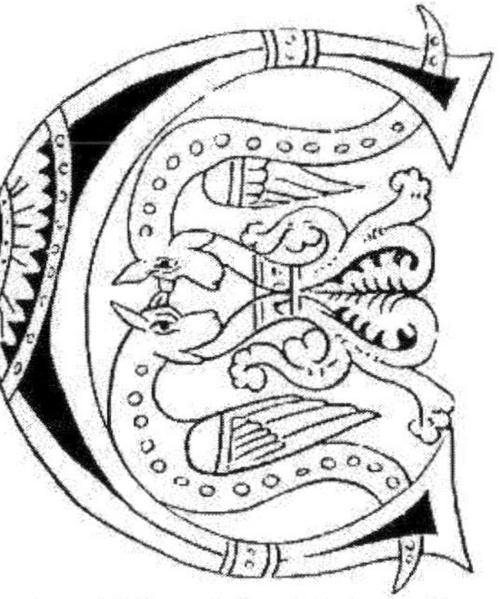

Gemalter Initial aus einer Mönchshandschrift des Klosters St. Gallen (um d. J. 1000).

Ein tiefes und inniges Gemüt war den alten Deutschen durch Gott schon von Natur zu Teil geworden, sie waren von Natur wie Menschen des „Vertrauens", so auch des „Wunsches". Durch ihre Bekehrung zum Christentum wurde auch diese ihre Gemütsstimmung noch geläutert, erhöht und geheiligt. Ihr Dichten und Trachten ging, ganz im Einklang mit ihrem Glauben wie er in der Evangeliendichtung ausgesprochen ist, im wesentlichen darauf hin, dem HErrn ein getreues Dienstvolk zu sein in seinem seligen Reiche. Von diesem Gedanken beseelt, mußten sie die Aufrichtung eines „christlichen deutschen (römischen) Reiches", wie sie durch Karl den Großen geschah, mit Freuden begrüßen. Als dann in diesem Reiche das Rittertum sich immer glänzender entwickelte, kleidete sich auch das Dichten und Trachten der mittelalterlichen Christenheit in diese Form; das geistliche Rittertum wurde ihr Ideal und es gewann seine vollendetste Ausprägung in der Zeit der Kreuzzüge, insbesondere in den geistlichen Ritterorden. Nach der andern Seite fand die überlieferte klösterliche Form des Lebens großen Anklang in der träumerischen und schwärmerischen Stimmung jenes Geschlechts, und auch dieses Ideal fand in der Zeit der Kreuzzüge, als schon das andere zu verblassen begann, seine höchste Ausbildung in der Stiftung der Bettelorden aus dem Gedanken der Nachfolge des armen Lebens Christi heraus. Aber auch hier trat nach beiden Seiten hin eine Entartung ein, welche ein Sehnen und Ringen nach Besserung hervorrief.

Das heilige römische Reich deutscher Nation.

Nicht durch äußere Umstände nur oder durch die Pläne der herrschenden Gewalten wurde dieses Reich aufgerichtet, sondern es hatte seine innere und tiefe Grundlage in der ganzen Richtung der Zeit.

Die alten Deutschen fanden so recht am Vaterunser, wie mehrfache Auslegungen desselben beweisen, die Himmelsleiter, auf deren Sprossen die Gedanken und Wünsche ihres Herzens im Gebete aufwärts stiegen. „Sehr herrlich ist es", heißt es in der Freisinger Auslegung des Vaterunsers, die aus dem 9. Jahrhundert stammt: „Sehr herrlich ist es, daß der Mensch den allmächtigen Herrn seinen Vater nennt." — Und so ist es denn ihr höchster Wunsch gewesen, zu Gottes Ehre als sein Dienstvolk zu leben, ihr Leben zu führen als ein „frones" Werk, das geschehen soll in gottminnendem Mute. Ist es doch auch ein seliger Dienstestausch, wer des HErrn Mann wird und empfängt so wonnige Dinge im Reiche Gottes, im weiten Himmelreiche, wo frohmütiger und freundlicher Sinn herrscht! Wie sollte man da nicht guten Willen haben gegen Gott und sich bestreben, „frommweise" zu sein, „im Gehorsam freudige Entäußerung zu üben und eben darin sich als ein wahrhaft Freier zu erweisen?" — Ohne des HErrn Gunst und Minne mundete den rechten deutschen Mannen auch das tägliche Brot nicht. Dabei waren sie beseelt von der Sorge, daß sie nicht geschieden würden von den Guten und Frohen und, bewahrt vor den Schmerzen der Reue, das Wehsal vermieden. Und ob sie untspähe Mannen waren zum Kampfe des Lebens, so bangten sie doch vor Schwachmut und Untreue gegenüber der Versuchung; denn leicht, meinten sie, schwindet wie bei Petrus dort Wahn und Wille. Und darüber und über dem, was sie sonst Schweres erfuhren, überkam sie oft eine tiefe Sehnsucht, aus diesem Elend zum wonnigen Heim mit seinem ungetrübt fröhlichen Leben zu gelangen.

Diesen Gedanken entsprach die Begründung des christlich-deutschen Reiches durch Karl den Großen (s. S. 78). Und er selber, der große Kaiser, wurde persönlich das Vorbild altdeutsch-christlichen Wesens. Er führte im Kreise seiner Freunde den Beinamen David, und wie ein David herrschte er auch über seine Völker als ein priesterlicher König. Seine Fürsorge teilte sich zwischen den weltlichen Geschäften und den geistlichen

Pflichten. Er führte den Vorsitz auf den Synoden seines Reiches, und verkehrte mit den Päpsten in ununterbrochenem Schriftenwechsel; auch Mahnungen erteilte er ihnen. Wahrhaft völkerhirtlich erscheint er uns in jenem Capitulare, das nach einer im Jahre 802 zu Aachen abgehaltenen großen Reichsversammlung von ihm ausging, in welchem er die Inwohner seines großen Reiches — Priester wie Laien — über die religiöse Bedeutung des ihm als Cäsar zu leistenden Lehnseides belehrt:

„Erstlich verpflichtet er die so ihm schwören, männiglich nach Können und Wissen im heiligen Dienst Gottes zu leben, sintemalen doch der kaiserliche Herr nicht auf alle seine Obhut und Zucht ausdehnen kann. Zweitens verpflichtet er sie weder mit List noch mit Gewalt das Eigentum oder die Diener seiner Krone anzutasten oder ihnen Schaden zu thun. Drittens keine Gewaltthat noch Verrat zu üben wider die heilige Kirche, oder Witwen oder Waisen oder Fremde, sintemalen die kaiserliche Majestät allen diesen nächst dem Herrn und seinen Heiligen zum Schutzherrn und Verteidiger bestimmt ist.“ Dann wird in ähnlicher Fassung den Mönchen Reinheit des Lebens eingeschärft; Neid, die Versäumnis der Gastfreundschaft und andere Vergehen unterliegen der Anklage, und überhaupt der ganze Umkreis der Sittlichkeit und Menschenpflicht findet sich in gleichsam alttestamentlicher Weise aus dem persönlichen Treueverhältnis gegen das Haupt der christlichen Obrigkeit abgeleitet.

Kapelle Karls des Großen zu Aachen, von Alkuin auf seinen Befehl a. 800 erbaut. Im 14. Jahrhundert wurde an dieselbe ein länglicher gotischer Chor angebaut. Die Inschrift „Carolo Magno“ ist noch jetzt auf der Steinplatte, welche Karls Grabesgruft bedeckt, zu lesen.

So lebte denn auch das Bild dieses gewaltigen und ehrwürdigen Völkerfürsten unsterblich im Andenken des Volkes fort, wie er zu Aachen in der von ihm nach dem Modell der h. Grabkirche zu Jerusalem erbauten Rund-Basilika beigesetzt worden in vollem Kaiserschmuck, das goldne Evangelienbuch offen auf den Knien, ein Stück des heiligen Kreuzes auf seinem Haupte und die goldne Pilgertasche um seine Hüfte. So hatte ihn Otto III. gesehen, als er im J. 1000 das Grab öffnen ließ, bevor er zum Krönungszug gen Italien sich aufmachte, und so malte ihn noch um 1500 der große Nürnberger Meister Albrecht Dürer. So wurde Karl auch zusammen mit seinen Paladinen, Roland voran, in der deutschen und französischen Romandichtung als der Gottesheld, der große Kämpfer im Kampfe gegen die Ungläubigen gefeiert: — wie es im Ruolandes-liet, des „Pfaffen Konrad“ (um 1130) heißt, das mit einer Anrufung Gottes um Hilfe beginnt, daß er „die Lüge vermeide, die Wahrheit schreibe:

7*

von einem teueren Mann
wie er das Gottes-Reich gewann:
Das ist Karl der Kaiser."

Das Rittertum.

Nach dem Zerfall des Reiches Karls des Großen und nach dem Übergang der Kaiserwürde von den Westfranken auf die Deutschen erhob sich auf dem Grunde des Lehnswesens — wonach die vom Kaiser mit Land belehnten Herren und Fürsten auch seine Kriege führten, und mehr und mehr an Stelle des alten Heerbanns der ganzen Nation eine berittene Kriegerschaft von Baronen und ihren Dienstleuten die Armee bildete — der Ritterstand zu immer größerer Bedeutung. Zur höchsten Blüte gelangte er, als ihm für das Ziel, das er schon vorher in sich trug, nämlich für Gottes Ehre zu kämpfen, nun ein weiter und großer Spielraum eröffnet ward, wo man in dem ungestümen Ausbruch der Kampfeslust zugleich die „Gottesminne" erweisen, mit der Gewinnung des heiligen Landes zugleich das Himmelreich erwerben und im Genuß des Abenteuers zugleich Gottes Wohlgefallen gewinnen zu können glaubte. Unter der Glut der heiligen Begeisterung der Kreuzzüge entfaltete das Rittertum seine volle Blüte, sowohl in der Wirklichkeit als auch in der Dichtung.

Schon von Anfang an suchte und erlangte das Rittertum nicht blos religiöse Weihe, sondern es trug auch bei aller Weltlichkeit seines Thuns und Treibens einen geistlichen Kern in sich. Beim Eintritt in den Ritterstand mußten nicht bloß religiöse Übungen im allgemeinen durchgemacht werden, sondern insbesondere war das Gelübde abzulegen: Gott zu fürchten und zu ehren, am Gottesdienste fleißig Teil zu nehmen, für den Glauben zu streiten, und wie die Unschuld zu beschirmen, so auch die Kirche zu schützen. Darauf wurde der Ritterschlag gegeben im Namen Gottes, des heiligen Michael und des heiligen Georg. Um so unmittelbarer mußten die Glieder dieses Standes von dem Gedanken der Kreuzzüge erfaßt werden. So zogen sie denn in immer neuen Schaaren aus unter dem Zeichen des Kreuzes und unter dem Panier des Ritters St. Georg, der zum Siegfried der Legende geworden.

„Sinn und Mannheit,
dazu Silber und Gold,
wer die beiden hat,
der bleibt mit Schanden daheim,
dem entgeht Gottes Lohn,
dem sind die Engel nicht hold, noch die Frauen,
der Ärmste vor der Welt und vor Gott,
wie er fürchten muß: ihr beider Spott!"

so singt der unter der Regierung Barbarossas lebende Minnesänger Walther von der Vogelweide.

Zur vollen Vergeistlichung gelangte das Ritterwesen in den geistlichen Ritterorden: dem Tempelorden, 1118 zum Schutze der Pilger gestiftet, dem Johanniterorden, der aus einer Brüderschaft zur Pflege armer und kranker Pilger sich bildete (1048), später dem Deutschorden (1190). Um ganz ungehindert dem Dienste leben zu können, dem sie sich geweiht, nahmen diese Ordensbrüder das mönchische Gelübde, insbesondere der Ehelosigkeit auf sich.

Ihre Minne wendete sich der Jungfrau Maria zu. Dem Templerorden insbesondere lag der Gedanke zu Grunde: „Zur Ehre der süßen Mutter Gottes Mönchtum und Rittertum mit einander zu verbinden und am Grabe des Heilandes sich zugleich dem keuschen und andächtigen Leben, sowie der tapfern Beschirmung des heiligen Landes und der Geleitung der Pilger durch die gefahrlichen und unsichern Gegenden zu widmen."

Auch eine dichterische Verklärung war dem geistlichen Rittertum beschieden in der größten Kunstdichtung des deutschen Mittelalters, in dem höchsten Erzeugnis des ritterlichen Minnegesangs, dem „Parzival" Wolframs von Eschenbach in Franken (um 1200). Im Parzival spiegelt sich das Zwiespältige einer Lebensperiode, die jeder sinnig angelegte Mensch einmal durchmacht, wenn der Jüngling mit einem Mal erwacht aus der thatenlustigen Knabenzeit zur Versenkung in die Stille und Tiefe seines Gemüts. Das war nun die Periode, in welcher die Christenheit im Mittelalter stand. Parzival, nach dem Tode seines Vaters, der auf einem Zuge nach dem Morgenland umgekommen, von seiner Mutter Herzeloide in aller Zurückgezogenheit und Einfalt erzogen, ergibt sich aus innerm Drang dem ritterlichen Streben. Er wirft sich in jugendlicher Unbeholfenheit in Abenteuer, aber die Wirklichkeit entspricht nicht der idealen Vorstellung, die er sich in seiner Einsamkeit gebildet hat. Nachdem er an den Hof des Königs Artus mit seiner Tafelrunde, dem Bilde des weltlichen Rittertums gekommen, gelangt er auch zufällig zur Burg des heiligen Gral, der auserwählten Stätte des geistlichen Rittertums, dessen Kleinod der geweihte Kelch mit dem Blute des Erlösers ist (Gral). Aber seine Unbesonnenheit und Gleichgültigkeit macht ihn unwürdig und ungeschickt, dieses Heil zu gewinnen. So muß er abermals hinaus ins feindliche Leben. Durch guten Rat zurechtgewiesen, faßt er wieder Hoffnung, gewinnt nun in verschiedenen Kämpfen den Preis der weltlichen Ritterschaft, bewährt sich auch im Kampf mit der Heidenschaft und gelangt schließlich in den Besitz des Grals und zum Königtum des Grals (Offb. 5, 10). — Noch am Ende des Mittelalters kam dieses Dichten und Trachten wie in einem Nachklang zum dichterischen Ausdruck in der Dichtung des Italieners Torquato Tasso: „Das befreite Jerusalem."

Aber das Rittertum trug diese Gedanken nicht ausschließlich in sich, noch kämpfte es diesen Kampf allein, sondern es war selbst dabei getragen von dem Geiste, der das ganze Volk beseelte.

Dasselbe schloß sich nicht bloß in hellen Haufen den feierlichen Aufzügen an, welche zu Ehren Gottes und des Heilandes, oder auch der Heiligen angestellt wurden, sondern es erhob sich ebenso bereitwillig zur bewaffneten Wallfahrt ins heilige Land, wohin schon vorher viele aus seiner Mitte ihre Pilgerfahrten unternommen hatten (1 Petri 2, 11). Der alte Wandertrieb der Deutschen trieb eine neue wundersame Blüte in diesen friedlichen, wie in diesen kriegerischen Pilgerfahrten. Und es bedurfte nicht erst der Zusicherung solcher Vorteile, wie des Ablasses für die Sünden oder der Aufhebung der Leibeigenschaft, um das Volk zur Teilname an der Bewegung zu entflammen, sie fand von selbst im Geist und Gemüt jenes Geschlechtes den tiefsten Anklang, und durch Städte und Flecken sah man in jenen Zeiten Schwärme von Kreuzfahrern und Pilgern ziehen und ihre Pilgerlieder singen. Wurde doch selbst die Kinderwelt davon so erregt, daß sich (1212) ein förmlicher Kinderkreuzzug, dessen Ausgang freilich übel genug ausfiel, unter der Losung bildete: „Wir gehen zu Gott und wollen das Kreuz jenseits des Meeres suchen!"

In Gottes Namen fahren wir,
seiner Gnade begehren wir.
Nun helfe uns die Gottes Kraft
und das heilige Grab,
wo Gott selbst innen lag.
Kyrieleis!

Sanctus Petrus steh uns bei,
wenn wir sollen sterben,
mach uns aller Sünden frei
und laß uns nicht verderben.
Sanctus Petrus der ist gut,
der uns viel an Gnaden thut,
das gebot ihm Gottes Stimme.

Fröhlich fahren wir,
nun hilf uns Maria zu dir.

Vor dem Teufel uns bewahr',
reine Maid, Maria,
und führ' uns in der Engel Schar,
so singen wir Alleluja.

Alleluja singen wir
dem lieben Gott vom Himmelreich,
daß er uns mit seinen Engeln kröne.
So helfe uns der heil'ge Christ,
der aller Welt ein Vater ist.

Aber auch nachdem diese Bewegung vorüber war und mit ihr die Blütezeit des Rittertums, offenbarte sich in dem aufstrebenden Bürgertum, was für ein hoher Geist im Volke lebte. Im friedlichen Wetteifer schmückte es die Städte mit den herrlichsten Gotteshäusern, den großartigsten Denkmälern der alles überwindenden und alles verklärenden Kraft des christlichen Glaubens. Und dort verkündete auch nach dem Niedergang des ritterlichen Minnesangs, der rasch entartete, der bürgerliche Meistersang Gottes Lob in den festlichen Versammlungen der Bürger und Zunftgenossen in den Städten, wie es auch im Volksliede aus dem Munde des Volkes erklang.

Das Klosterleben.

Schreibender Mönch aus einem alten Missale.

Ein Gegenbild gegen das Rittertum des Schwertes mit dem geistlichen Aufschwung oder doch Anflug tritt uns in dem stillen Rittertum der Selbstüberwindung hinter Klostermauern mit seinen Uebungen der Frömmigkeit und seinen Kämpfen der Weltentsagung entgegen. Die Gründung der Klöster brach zuerst Bahn in die deutsche Wildnis: wo die ersten Verkündiger des Evangeliums ihre Hütten und Kreuze aufrichteten, da erstanden in kurzer Zeit fast durchweg in romantischen Gegenden, jene stattlichen Klosteranlagen nach der Regel des h. Benediktus, dessen Wahlspruch war: „Müssiggang ist der Seele Feind." „Kreuz und Pflug, das sind die Sinnbilder des Klosterlebens in der ersten Zeit des Christentums

Klosterhof und Kreuzgang in der Abtei Moissac (Prov. Guyenne) in Fran
erbaut im 12. Jahrhundert.

in deutschen Landen. Denn nicht allein die Heilslehre bringen Klöster wie St. Gallen und Fulda den Gegenden, in denen sie entstehen, sondern auch die Kultur: sie machen das Land urbar und wohnsam, sie pflanzen die Rebe, sie pflegen die Künste, insbesondere Baukunst und Bildnerei, sie gründen Schulen und legen Bibliotheken an. Alles geistige Leben hat hier in der ersten Zeit seinen Mittelpunkt.

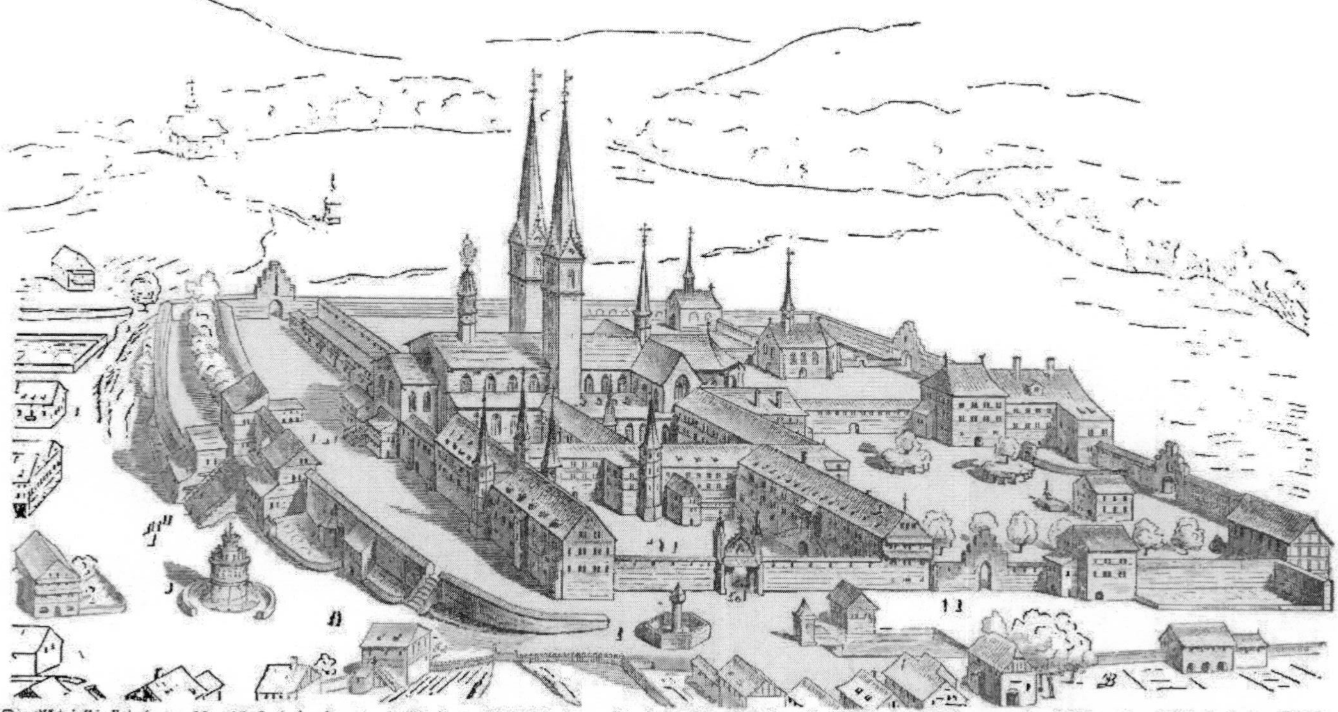

Die Abtei Einsiedeln im 13.—15. Jahrhundert (nach Merian). Beispiel einer mittelalterlichen Klosteranlage mit den Wohnungen der Brüder, der Bibliothek, der Schule, der Kirche. Außerhalb der Einfriedigung befinden sich die Werkstätten, die Wirtschaftsgebäude, das Krankenhaus, das Gasthaus für die Pilger und der Friedhof. Das Ganze ist eine Art Burg, auch geschützt durch Mauern. Sehr häufig wurde so das Kloster der Kern, um welchen sich im Lauf der Zeiten mehr und mehr eine städtische Ansiedelung anschloß.

über allem Reichtum, der den Klöstern zufloß, und aller Macht, die sie gewannen, artete freilich ihre Weltflucht und Weltentsagung mit der Zeit ins Gegenteil aus, in Üppigkeit und Wollust und Genußsucht. Bereits im 10. Jahrhundert, bis zu welchem der Benediktinerorden der einzige Mönchsorden des Abendlandes gewesen war, fühlte sich der burgundische Graf Berno gedrungen, ein neues Kloster zu Clugny mit strengerer Regel anzulegen und dasselbe unter die unmittelbare Aufsicht des Papstes zu stellen. Bald gehörten zu der Cluniacenser Congregation eine Anzahl von 2000 Klöstern. Damit war der Anstoß zur Begründung einer nicht geringen Anzahl neuer Orden gegeben, von denen jeder seine eigene Regel und seine eigene Tracht hatte.

In großem Ansehen und Einfluß wurde durch den Abt Bernhard von Clairvaux der Cistercienserorden erhoben, nach ihm Bernhardinerorden genannt. Ihm gehörte in Deutschland u. a. die berühmte Abtei Schulpforta (in Thüringen) zu. Der Karmeliterorden, von einem Kreuzfahrer in einer Höhle des Berges Karmel in Palästina, dahin er sich als Einsiedler zurückgezogen hatte, gestiftet, siedelte vor den Saracenen nach dem Abendlande über. Düsterer Ernst wohnte in der Totenstille der Karthäuserklöster, in denen jedes nicht unumgänglich nötige Wort verbannt und verboten war.

So groß war die Zahl der Orden schon geworden, daß der Papst Innocenz III. 1215 es für nötig fand, die Gründung neuer Orden zu verbieten. Aber das kaum gegebene Verbot durchbrachen zwei neue Orden, deren Zukunft eine besonders großartige sein sollte: die beiden Orden der Dominikaner und Franziskaner, welche in der Form von Bettelorden auftraten. Bald beherrschten die Bettelmönche alle Schichten der Gesellschaft und verdrängten die Weltgeistlichen von den Beichtstühlen und Kanzeln, ja von den Kathedern an den Universitäten. Den Päpsten aber wurden diese Orden kampfbereite Heere, deren Unterhalt sie nichts kostete, und welche die Grundsätze von der göttlichen Gewalt des Papsttums auf allerlei Art und in eindringlicher Weise dem Volke einprägten. Die Lehre von der vollkommenen Armut als der wahren Nachfolge Christi — eine Lehre, welche im Angesicht des Pomps und der unapostolischen Macht

Bettelmönche, den HErrn unter der Gestalt eines Pilgers aufnehmend. Nach einem Gemälde aus dem 15. Jahrh. von Bruder Angelico im Kloster S. Marco zu Florenz.

der Kirche notwendig erwachte, wie sie denn von den Armen von Lyon, den Waldensern (s. S. 90), bereits gepredigt worden —, war der Grundgedanke dieser neuen Orden, in welchen sich auch in Folge der Bestimmung ihrer Glieder, aus dem Kloster in die Welt unter das Volk zu Predigt und Seelsorge hineinzutreten, das Mönchtum zu seinem höchsten Einfluß entfaltete.

Der Dominikanerorden wurde von dem vornehmen, gelehrten und von Leidenschaft glühenden Spanier Dominikus Gusmann von Calarveja gestiftet und 1216 vom Papste bestätigt. Der Orden verdankt seine Entstehung dem Drange seines Stifters, die Waldenser und Albigenser in Südfrankreich zu bekehren oder auszurotten, und hatte demnach die Bestimmung, sich der Bekehrung der Ketzer zu widmen, überhaupt aber durch die Predigt sich des Volkes anzunehmen (Predigerorden, fratres praedicatores). Die Dominikaner glänzten als Prediger und Lehrer auf den Kanzeln und Universitäten, aber viele von ihnen haben sich durch ihre Ketzerjagd einen üblen Namen gemacht.

In der Mitte der Begründer des Dominikanerordens, der heilige Dominikus; zu seiner Linken Papst Innocenz V. († 1276), zu seiner Rechten Papst Benedikt XI. († 1304), welche beide dem Dominikanerorden angehörten. Nach einem Fresko des Fra Angelico im Dom.-Kloster S. Marco in Florenz.

Noch bedeutsamer war die Gründung des Franziskanerordens, von dem jener auch erst das Gelübde der heiligen Armut herübernahm. Der Stifter desselben war Franziskus, zu Assisi als der Sohn eines Kaufmanns 1182 geboren. Nach einer in weltlicher Lust zugebrachten Jugend entäußerte sich Franziskus, vom Gedanken der Nachfolge des armen Lebens Christi ergriffen, alles Besitzes und zog 1207 als Bettler und Bußprediger im Lande umher (Matth. 19, 21 und 10, 9—10). Bald sammelte sich eine Anzahl Schüler um ihn; aber erst nach mehreren Jahren (1223) gelang es ihm, die Bestätigung seines Ordens von Honorius III. zu erlangen, einem Papst, der von zu nüchternem Verstand war, um des Franziskus Liebeseligkeit und mystische Schwärmerei zu begreifen und die bedeutende Zukunft sofort zu ahnen, welche dieser Orden für die Kirche haben sollte. Franziskus war beseelt von teilnehmendster Liebe zu dem armen Volke, ja von innigstem Mitgefühl mit aller

Eine Beghine des 13. Jahrhdts.

Kreatur; über alles aber war er von solch schwärmerischer Liebe zum Heilande und mit so innigem Gedenken seines Leidens erfüllt, daß er die Wundenmale des HErrn leiblich an sich empfand oder doch zu empfinden glaubte. Schon bald nach seinem Tode (1226) wurde „der Arme Christi“, „der demütige Ritter und Fahnenträger des Gekreuzigten“ heilig gesprochen ganz nach dem Herzen des Volkes. Der nach ihm benannte Orden, an der braunen, durch einen Strick zusammengehaltenen Kutte erkennbar, wurde ungemein zahlreich; schon nach wenig Jahren konnte Franziskus Tausende von Ordensgliedern, „ein Lager Gottes, einen Sammelplatz seiner Ritter“ um sich sehen. Und noch zu seinen Lebzeiten bildete sich ein weiblicher Nebenzweig durch die damals achtzehnjährige Klara von Assisi, eine echte „Barfüßerin“. Dazu fügte Franziskus durch den Bund der Tertiarier, eine fromme Gemeinschaft von solchen, welche nicht völlig der Welt entsagen und doch auch nicht der Welt ganz ausgesetzt sein wollten, ein wichtiges Mittelglied ein zwischen dem Orden und der Welt. Dieser Bund umfaßte bald eine große Menge Leute aus allen Ständen. — Einer ähnlichen Richtung gehören auch die Vereine der sog. Begharden und Beghinen an (in Deutschland „Seelenweiber“ genannt), welche sich von den Niederlanden rasch in Deutschland verbreiteten. Sie lebten, ohne eigentliche Gelübde abzulegen, in weltlichen Vereinigungen zu frommen Zwecken. Einer der größten sog. Beghinenhöfe mit eigener Kirche, großem Krankenhause, Altenasyl und Herberge befindet sich noch heute zu Gent.

Die heilige Elisabeth nach einem Bilde von Holbein d. Älteren in Augsburg a. 1515 (Flügel des Sebastiansaltars zu München).

Welchen Einfluß diese Richtung auf das Volk, insbesondere auf die Frauen übte, zeigt außer der bereits genannten Klara von Assisi, dann der Dominikanerin Katharina von Siena († 1380), sowie auch der heil. Birgitta in Schweden, vor allen die Landgräfin Elisabeth, Gemahlin des Landgrafen Ludwig von Thüringen, eine der idealsten Gestalten jener frommen Romantik. Sie härmte sich, daß sie nicht in jugendlichem Alter hatte sterben dürfen, und scheute sich von etwas zu leben, das sie nicht mit ihrer Hände Arbeit erworben; sie gedachte die Wartburg, unlängst noch eine Sängerhalle, zum Spitale umzuwandeln, bereit, alles den Armen zu geben und in der Pflege der Kranken auch die natürlichsten Gefühle verleugnend. Auf den eigenen Willen verzichtend, ergab sie sich ganz in den Gehorsam ihres Beichtvaters, des düstern Konrad von Marburg, der ihr zum öftern strenge Selbstgeißelung als Buße auferlegte. So trug sie es auch mit stiller Ergebung, als sie nach dem auf einem Kreuzzuge eingetretenen Tod ihres Gemahls von der Wartburg vertrieben wurde. Sie starb in Marburg im Jahr 1239, im Alter von 24 Jahren, „die lieblichste Heilige des Mittelalters", von der Legende mit dem leuchtendsten Heiligenscheine umwoben. Über ihrem Sarkophage in Marburg erhob sich später die schöne gothische Elisabethkirche. — An dieser Stelle ist auch Klaus von der Flüe († 1487) zu nennen: als Krieger und Schiedsrichter um sein Vaterland Unterwalden und durch die Vermittlung des Vergleichs von Stanz im J. 1480 um die schweizerische Eidgenossenschaft verdient geworden, hielt ihn doch die Sehnsucht nach beschaulichem Leben 20 Jahre in der Einsamkeit, wo er keine andere Nahrung zu sich genommen haben will als das Brot des Sakraments.

Es waren aber nicht nur einzelne, die von dieser Stimmung beseelt waren, sondern in ihnen kam nur zum höchsten Ausdruck, was im Volke lebte. Ein tiefer Ernst voll heiliger Schauer erfüllte überhaupt das Gemüt jenes Geschlechts und gab sich nicht selten in ungestümen, schwärmerischen Ausbrüchen kund.

Durch ernste Büßungen und fromme Werke suchte man die Sühne für seine Sünden in Genugthuung vor Gott. Viele fromme Stiftungen, insbesondere klösterliche entstanden aus diesem Grunde. Auch die Wallfahrten wurden meist zum Zwecke der Büßung und Sühnung unternommen. Unter den unzähligen Scharen, die angethan mit dem Pilgerkleide, dem Muschelhute und dem Stabe, über die Alpen und zum hl. Grabe, z. T. auch anderswohin, nach Compostella in Spanien zum Grab des hl. Jakobus, oder (was bes. die vornehmere Welt seit Anfang des 15. Jahrhunderts vorzog) nach Südfrankreich, pilgerten, wo in den Thälern des Jura und der Rhone die Gebeine der Anverwandten und Freunde des Heilandes, darunter Lazarus und „die große Liebhaberin Gottes", die hl. Maria Magdalena ruhen sollten, waren nicht bloß edle Gestalten, sondern auch verdüsterte, ja verwilderte Menschen, mit Eisenringen um Hals und Arme, die schwere Verbrechen begangen hatten, und denen solche Buße von ihrem Beichtvater auferlegt war.

Zu gewissen Zeiten jedoch ging durch das ganze Volk eine tiefe Erschütterung. So um das Jahr 1000 n. Chr., wo alles Volk den Untergang der Welt erwartete; da lag auf allen Gemütern eine düstere Stimmung: Kaiser Otto III. legte den Kaisermantel ab und verschloß sich in härenem Gewande 14 Tage lang in einer Zelle des Klosters Subiako. Viele schenkten ihr Vermögen an Kirchen und Klöster und pilgerten in das heilige Land, um dort den letzten Tag zu erwarten. Und als im Jahre 1347 eine furchtbare Pest, genannt der schwarze Tod, vom Morgenlande ins Abendland gedrungen war, da erhob sich eine ergreifende Bewegung aus dem Volke, die Geißlerzüge (Flagellanten). Ganze Scharen sammelten sich zu Bußwallfahrten und stellten in den Ortschaften ihre Selbstgeißelungen an unter dem Gesang:

„Jesus ward gelabt mit Gallen,
des soll'n wir an ein Kreuze fallen.
Nun hebet auf eure Hände,
daß Gott dies große Sterben wende!"

Und wenn aus den Klöstern neben dem Liede des Leids, dem Stabat mater von Jacopone de Benedictis († 1304 zu Todi), das „Dies irae, dies illa, solvet saeclum in favilla" des Thomas von Celano wie die Posaune des jüngsten Gerichts ertönte, so erscholl draußen unterm Volk das tieferuste Lied des Mönchs Notker von St. Gallen († 1022): „Mitten wir im Leben sind von dem Tod umfangen" als Bitt-, Klag- und Schlachtgesang. Ein Lieblingsbuch des ganzen Mittelalters war die Legende des heiligen Josaphat, worin die Nichtigkeit aller irdischen Dinge im Vergleiche mit den himmlischen und ewigen eindringlich bezeugt wird. So hatte das Volk auch seine Lust mit Schauer wie an den bildlichen Darstellungen der Stationen des Leidens Christi (via dolorosa), so nicht minder an den „Totentänzen", in welchen mit düsterem Humor dargestellt wurde, wie der Tod lauert hinter allem Glück und aller Freude der Menschen, wes Berufs und Standes sie auch seien.

Aus dem Totentanz Hans Holbeins d. Jüngeren (1498–1554). Der Tod und der Krämer.

Reformatorische Bestrebungen.

Savonarola.

So hoch ging das Dichten und Trachten, so tief das Bangen und Sorgen der mittelalterlichen Christenheit; aber um so schroffer zeigt sich auch die Kehrseite dieses Bildes. Die schärfsten Gegensätze stehen unvermittelt neben einander: neben der strengsten Askese sehen wir die rauschendste Sinnlichkeit, neben der schwärmerisch-idealsten Auffassung die rohste Begehrlichkeit und Zügellosigkeit im weltlichen Genießen bei Laien und bei Geistlichen. Und je höher und edler die Bestrebungen sind, um so tiefgehender ist auch die Entartung, der sie verfallen: gerade hieraus drängten die Dinge zum Schluß des Zeitraums am mächtigsten mit zur Reformation.

Dasselbe Geschlecht, welches mit inniger Andacht die heiligen Stätten besuchte, übte den Unfug der Osterspäße an denselben aus; dasselbe Geschlecht, welches zu Zeiten so strenge das Fasten übte, gab sich mit um so tollerer Lust den oft recht ausschweifenden Lustbarkeiten des Karneval hin. Bußprediger durchzogen die Städte, Einsiedler flohen aus dem geräuschvollen Treiben in Berge und Einöden, zarte Frauen büßten in härtester Abtötung. Daneben aber schmückte sich das Leben auf Burgen und in den Städten mit der glänzendsten Farbenpracht; Turnierzüge und Minnedienste hielten die Ritter in beständiger Bewegung, Unternehmungsgeist, aufstrebendes Kraftgefühl und zunehmender Reichtum trieben die Städter an, mit jenen zu wetteifern und sie in üppigem Genuße zu überbieten. Das geistliche Rittertum, wie es uns im

Parcival in schwärmerischer Idealisirung entgegentritt, artete aus in ein Raubrittertum, und die hocherhabene geistliche Minne der Jungfrau, welcher sich die ehelosen Templer und Deutschherren widmeten, schlug um in um so gröbere Unsittlichkeit. Die Klöster aber, Brutstätten der Üppigkeit, Unwissenheit und Verfolgungssucht geworden, verfallen dem Spotte ihrer eigenen Zeit, und die Mönche werden die beliebte Zielscheibe der Volksschwänke, wie der gelehrten Satire schon vom 12. Jahrhundert an. Die „Dunkelmännerbriefe" (litterae virorum obscurorum), aus den Kreisen der jüngeren Humanisten Ende des 15. Jahrhunderts hervorgegangen und gerichtet gegen die sittliche Fäulnis des Klosterwesens, waren bereits ein Vorbote des Angriffs, welchen ihm die Reformation bereiten sollte.

Zu ernsteren Reformgedanken ging der Widerspruch gegen den fleischlichen Geist der Kirche und der Zeit in Südfrankreich über; aber die Sekten der Albigenser und Katharer, gegen welche Papst Innocenz III. schließlich einen Vernichtungskrieg unternehmen ließ, waren doch mit ihrer Verwerfung jedes sinnlichen Genusses und irdischen Besitzes, so sehr sie Geist, Geist! riefen, zu sehr noch in ungesunder Schwärmerei befangen; ebenso ging es bei der strengen Partei der Franziskaner, die sich schließlich vom Orden absonderte. Hingegen wird mit Recht als ein Vorläufer der Reformation gefeiert der Dominikanermönch Savonarola († 1498). Er erschütterte gegen Ende des 15. Jahrhunderts, als Alexander VI. die Tiara trug, Staat und Volk von

Girolamo Savonarola. Facsimile nach einer Kreidezeichnung des Lionardo da Vinci (in der Albertina zu Wien).

Florenz durch gewaltige Bußpredigten und verkündete zugleich als begeisterter Prophet das kommende Gottesreich, ein Reich der Freiheit, der Liebe und der Reinheit, als „den Triumph des Kreuzes". Aber auch er vermischte Geistliches und Weltliches. Er stürzte die Mediceerherrschaft in Florenz und verbrannte die „Vanitäten" des Luxus. Wie er selbst auf Antrieb des Papstes Alexander VI., der ihn durch das Angebot des Kardinalshutes vergeblich zu besänftigen gesucht, den Tod auf dem Scheiterhaufen erlitt, so mußten auch die Gedanken, die ihn bewegten, erst noch das Feuer der Läuterung erfahren, ehe der neue Tag anbrach.

IV. Erziehung und Unterricht.

Kinderlehre.

Bischofsmitra.

Da die Kirche ganz und gar Volkskirche geworden, so wurde jetzt die Kindertaufe zur Regel, die Taufe Erwachsener zur Ausnahme. Auch die großen Taufzeiten verloren sich in Folge davon gegen die Einzeltaufen. Die frühere Krankentaufe in der Form dreimaliger Besprengung wurde nun, dem rauheren Klima gemäß, zur regelmäßigen Form.

Das Maß der Anforderung an Kenntnisse und an Verständnis war im Mittelalter freilich nicht groß. Aber auch das Maß der Unterweisung war nicht groß, welche die Kirche den heranwachsenden Gliedern der Gemeinde angedeihen ließ. Die fruchtbaren Anregungen, welche Karl der Große zur Begründung von Schulen gegeben, waren leider nicht nachhaltig genug. In den späteren Jahrhunderten geriet die Jugendunterweisung wieder in Verfall, so daß das eigentliche Wissen mehr und mehr auf die in den Klosterschulen erzogene Geistlichkeit und die Vornehmeren beschränkt blieb, während das Volk erst vom 14. Jahrhundert an, als die Städte aufblühten, seiner großen Unwissenheit entrissen zu werden anfing.

Der Patriarch des Mittelalters, Gregor der Große, wurde auch der Schutzpatron der Schuljugend, dem zu Ehren sie an Ostern das Gregoriusfest mit Umzügen fröhlich feierte. Doch wichtiger noch als Gregor der Große ist in der Geschichte der christlichen Schule Kaiser Karl der Große geworden, der mit Hilfe seines Beraters Alkuin nicht bloß Palast- und Klosterschulen, sondern auch Volksschulen einrichten ließ. Aber Karl's Werk wurde von seinen Nachfolgern nicht mit gleichem Eifer betrieben und geriet in den Stürmen des folgenden Jahrhunderts wieder in Verfall. Die Einübung der Liturgie für die Messe und Mitteilungen aus der bunten Welt der Legenden, welche durch die Pilgerfahrten und die Kreuzzüge in vollste Blüte getreten, wurde die Hauptsache. Erst gegen Ende des Zeitraums hob sich auch der Schulunterricht wieder. Ein hervorragendes religiöses Unterrichtsbuch „der Seele Trost", ein Bilderbuch zur Veranschaulichung der 10 Gebote" erschien um 1470 im Buchdruck, und den ersten deutschen Katechismus gab der dem „Verein der Gottesfreunde" angehörige Minorit Dederich Coelde aus Münster in Westfalen heraus unter dem Titel „Christenspiegel" (ebenfalls zuerst um 1470 erschienen und dann oft neu aufgelegt). Da wird u. a. die häusliche Erziehung wie folgt umschrieben: „Die Eltern sollen die Kinder in deutscher Sprache lehren: Das Vater Unser, Ave Maria, das Glaubensbekenntnis und noch andere Punkte, die in diesem Handbuche stehen. Item, ferner soll man sie lehren, Maria die Mutter Gottes, ihren Schutzengel und alle Heiligen Gottes zu ehren. . . . Ferner sollen sie die Kinder lehren Benedicite und Gratias (das Gebet vor und nach dem Essen), und Gottes Lob sprechen, und mäßig sein im Essen und Trinken und sittsam auf der Straße gehen. Item man soll sie einfach kleiden und nicht hoffärtiglich, und man soll sie geleiten zur Kirche, um Messe, Vesper und Predigt zu hören und sie lehren bei der Messe zu dienen".

Die Predigt.

Die Predigt in der Landessprache auf dem Grund der heiligen Schrift und nach den Perikopen trat ungeachtet der auch auf diesem Gebiete kräftigen Anregungen Karls d. Gr. im Mittelalter bald sehr in den Hintergrund. Hingegen nahmen sich vom 13. Jahrhundert an der Franziskaner- und Dominikanerorden dieses vernachlässigten Unterweisungsmittels und des verwahrlosten Volkes an, und wenn auch die römische Kirche als solche sich darum wenig bekümmerte, so sprechen doch verschiedene Zeugnisse dafür, daß das Volk darauf einen um so höheren Wert legte.

Der Franziskanerbruder Berthold von Regensburg († 1272), aus dem Kreise der älteren deutschen Mystiker (s. S. 96) hervorgegangen, predigte oft vor Zehntausenden unter freiem Himmel: seine Rede war so gewaltig, daß nach dem Ausspruch eines Zeitgenossen, wenn er vom jüngsten Gerichte sprach, „die Hörer zitterten, wie das vom Winde bewegte Rohr". Nicht minder ergreifend war die Predigt des Dominikaners Tauler in Straßburg, der besonders in den Jahren des schwarzen Todes, um 1347, das Volk zur Buße rief. Und ebenfalls in Straßburg begegnet uns noch ganz kurz vor dem Beginn der Reformationszeit der gewaltige Geiler von Kaisersberg († 1508), der das Predigtamt an dem dortigen Münster über 30 Jahre verwaltete, und auf dessen Aussaat, wie wir annehmen dürfen, der in der Reformation zu Tage tretende Geist in der Straßburger Bürgerschaft großenteils zurückzuleiten ist. Die vielen an Kirchen und Kapellen vornehmlich von Laien gemachten Stiftungen von eigenen Predigerpfründen, die den Inhabern eine ganz uneingeschränkte Muße zur Predigtvorbereitung gewähren sollten, und welche sich zum Teil in den zur Reformation übergetretenen Städten auch nachmals erhalten haben („Hauptpredigerstellen"), ebenso wie die zahlreichen Predigtsammlungen, die im Druck erschienen, eine der berühmtesten die von dem Dominikaner Johann Herolt, von welcher allein bis zum Jahr 1500 nicht weniger als einunddreißig Ausgaben sich nachweisen lassen, bezeugen, daß das Volk im Großen und Ganzen begierig Predigten hörte und las, wenn es sie nur bekam, auch schon vor der Reformation. Gewiß waren es die durch die Predigt Erweckten, welche dieser letzteren sich zuerst zuwandten.

Das Sakrament der Taufe, der Handauflegung und des Abendmahls: linker Flügel des Altarbildes von Roger van der Weyden im Museum zu Antwerpen (15. Jahrh.).

Das Hören der Predigt machte gegen das Ende des Zeitraums auch das Verlangen nach der **Bibel** im Volke immer reger. Weil fast alle der römischen Kirchenlehre widersprechende Richtungen, die Waldenser wie die böhmischen Brüder, Wiclif wie Hus, die Heilige Schrift dazu benützten, um die Kirchenlehre zu widerlegen, so hatte Rom immer entschiedener die Lehre der heiligen Schrift in der Volkssprache zu hindern versucht. Im 15. Jahrhundert mit dem Aufkommen der Buchdruckerpresse änderte sich jedoch auch dies, und die neue Erfindung wandte sich vor allem der Bibel zu.

Obwohl seit dem 13. Jahrhundert der Besitz der Bibel in der Volkssprache der Ketzerei verdächtig machte, und besonders die Dominikaner auf die heilige Schrift geradezu fahndeten — in Deutschland war es vornehmlich Konrad von Marburg, der Beichtvater der heiligen Elisabeth, der sich hiedurch ein übles Andenken geschaffen hat, — so verbreiteten sich deutsche Bibelhandschriften doch schon vor der Zeit des Buchdrucks mehr und mehr im Volke. Die „Brüder vom gemeinsamen Leben" (vgl. S. 96), wie sie sich überhaupt ein großes Verdienst gerade um das Volk und seine religiöse Erziehung und Erbauung erwarben, entfalteten eine lebendige, wenn auch geräuschlose Thätigkeit im Abschreiben der Bibel. Nach Erfindung des Buchdrucks entstanden nun rasch neben den lateinischen auch deutsche Bibelausgaben, große und kostbare Unternehmungen frommer Buchdrucker, wie Gutenberg in Mainz, Eggestein in Straßburg, Koberger in Nürnberg, Frobenius in Basel u. a. mehr. Von den Psalmen sind bis zum Jahre 1513 elf, von den Evangelien und Episteln bis 1518 25 **deutsche** Ausgaben im Buchdruck erschienen, daneben 15 vollständige Bibeln in hochdeutscher und 5 in niederdeutscher Mundart. Davon waren die meisten mit Holzschnitten verziert, zum Teil sehr reich, wie die im J. 1483 von Koberger in Nürnberg gedruckte herrliche deutsche Bibel, die Michael Wohlgemut mit über 100 Holzschnitten schmückte. Aber alle diese Übersetzungen waren nicht aus dem Urtext geflossen, sondern aus der lateinischen Vulgata (s. S. 52), auch waren sie z. T. in einem Deutsch abgefaßt, welches nicht einmal von den Zeitgenossen verstanden werden konnte. Es war erst Luther vorbehalten, dem deutschen Volke die Bibel auf deutsch wahrhaft zu erschließen.

Die Seelsorge.

Wie für die Taufhandlung, so wurde auch für die gesammte Erziehung großes Gewicht auf heilige Gebräuche gelegt, in denen man ein fortgehendes Wunder von Gnadenwirkung zu haben glaubte. So gelangte die Kirche dahin, alle heiligen Handlungen zu **Sakramenten** zu erheben, mit deren heiliger Siebenzahl das ganze Leben der Christengemeinde umfaßt wurde.

Eine Art Wunder-Wirkung wurde nun der **Firmung**, dem Sakrament des Wachstums zugeschrieben; sie konnte nur vom Bischof vollzogen werden, und zwar unter Handauflegung und der Bezeichnung mit dem Kreuzeszeichen auf der Stirne, sowie unter Anwendung des geweihten Salböls. Auch die Eheschließung wurde zum Sakrament, das nicht durch Auflösung verletzt werden konnte, es sei denn mit „Dispens" des Papstes.

Psalm 1 in Facsimile-Nachbildung aus der Ersten deutschen Bibel in Buchdruck, gedruckt von Eggestein in Mainz im J. 1462.

SElig ist d' man d' nich-
ten gieng in dē rat der
vnmilten vnd nichten
stůnd in dē weg d' sünd'
vnd nichten saß auf dē
stůle der verwůstung.
Wañ sein will ist in d'
ee des herren: vñ in sei-
ner ee betracht er tage
vñ nacht. Vnd er wirt
als das holtz das dō ist gephlantzet bey dē ablauff
der wasser: das sein wůcher gibt in seim zeyt. Vñ
sein laub zerfleüst nit: vnd alle ding die er tůt die
werdent gelücksam. O ir vnmiltē nit also tůt also:
wañ als das gestüpp das der wind verwürfft vō
dē antlütz der erd. Dorumb die vnmiltē die erstend
nit in dē vrteyle: noch die sünder in dē rat der gerechtē. Wañ der herr erkant dē weg d' gerechtē: vñ
der steyg d' vnmiltē verdirbt.

Zur Vergleichung folge nachstehend Luthers Uebersetzung des 1. Psalms:

Wohl dem, der nicht wandelt im Rat der Gottlosen, noch tritt auf den Weg der Sünder, noch sitzet, da die Spötter sitzen: Sondern hat Lust zum Gesetz des Herrn, und redet von seinem Gesetz Tag und Nacht. Der ist wie ein Baum, gepflanzet an den Wasserbächen, der seine Frucht bringet zu seiner Zeit, und seine Blätter verwelken nicht, und was er macht, das gerät wohl. Aber so sind die Gottlosen nicht; sondern wie Spreu, die der Wind verstreuet. Darum bleiben die Gottlosen nicht im Gericht, noch die Sünder in der Gemeine der Gerechten. Denn der Herr kennet den Weg der Gerechten, aber der Gottlosen Weg vergehet.

Baum, Kirchengeschichte. C. H. Beck'sche Buchhandlung in Nördlingen.

1 Sam. 19, 1—4 in Facsimile-Nachbildung aus der Ersten lateinischen Bibel in Buchdruck, begonnen von Gutenberg (1450—55), beendigt von Fust und Schöffer zu Mainz 1456.

C. XIX.

Locut⁹ ē autē saul ad yonathan
filium suum et ad om̄es servos
suos: ut occideret dauid. Porro yonathas fili⁹ saul. diligebat dauid valde.
Et indicauit yonathas dauid dicen .
Querit saul pr̄ meus occidere te. Qua-
propt̄ observa te q̄so mane: et manebis
clam et abscōderis Ego autē egrediēs
stabo iuxta patrē meū in agro ubicūq;
fuerit: et ego loquar de te ad patrē meū:
et quodcūq; videro nūciabo tibi. Locut⁹
est ergo yonathas de dauid bona: ad
saul patrem suum. Dixitq; ad eū. Ne

Die Stelle in Luthers Uebertragung:

Saul aber redete mit seinem Sohne Jonathan und mit allen seinen Knechten, daß sie David sollten tödten. Aber Jonathan, Sauls Sohn hatte David sehr lieb. Und verkündigte es ihm und sprach: Mein Vater Saul trachtet darnach, daß er dich tödte. Nun, so bewahre dich morgen, und bleib verborgen und verstecke dich. Ich aber will heraus gehen, und neben meinem Vater stehen auf dem Felde, da du bist, und von dir mit meinem Vater reden; und was ich sehe, will ich dir kund thun. Und Jonathan redete das Beste von David mit seinem Vater Saul und sprach zu ihm: Es versündige sich der König nicht an seinem Knechte David; denn er hat keine Sünde wider dich gethan, und sein Thun ist dir sehr nütze.

In der Taufe wurde verpflichtet, dem Fleische, der Welt und allen Unholden abzusagen und sich in den Dienst Christi zu treuer Nachfolge zu bekennen, wie es in jenem bekannt gewordenen fränkischen Taufgelöbnis zu lesen steht (s. S. 73). Zur Erfüllung dieses Gelübdes kamen jedoch außer den geistlichen Mitteln mehr und mehr äußerliche Hilfsmittel und auch jene in äußerlicher Weise in Anwendung, wie auch die Verletzung derselben durch besondere Genugthuungen gesühnt werden sollte, die vom Priester in der Beichte auferlegt wurden.

„In Buße muß der Christ leben und in freudigem Glauben Gottes Werke wirken und so lautere Treue halten.“ Die „Stete des Geistes“ wird als die Mutter aller Tugenden gepriesen, die „Unstete“ verdammt als aller Laster Grund. „Freidanks Bescheidenheit“, eine Sammlung von Sprichwörtern und Sprüchen, darin über die verschiedensten Verhältnisse des Lebens „Bescheid“ gegeben wurde (die sog. „weltliche Bibel“), beginnt mit dem Zeugnisse:

Góte dienen âne wanc,
dâ ist aller wîsheit anevanc.
Swer umbe dise kurze zît
die êwigen vröude gît,
der hât sich selber gar betrogen
unt zimbert ûf den regenbogen!

Dazu sollte nun jeder fleißig sein im Gebete, wie für sich, so im Gottesdienst, und insbesondere sollte er das Vater unser (Pater noster) häufig gebrauchen. Auch heiliger Gesang wird empfohlen und als Hilfsmittel zum vielfaltigen Gebet kam der Rosenkranz auf. Auch wurde mit dem zunehmenden Mariendienst der engelische Gruß (Ave Maria!) eine bevorzugte Gebetsweise. Mit dem Gebete sollte Fasten verbunden werden, und die Fastengesetzgebung der Kirche wurde immer eingehender. Gegen Säumnis und Übertretung suchte man bei dem Priester im Beichtstuhle, der auch schon für die Kinder verordnet war, Lösung von der Schuld nach. Darnach mußten die Genugthuungen (Satisfactiones) geleistet werden, welche der Priester auferlegte. Nicht bloß Fasten wurde als Strafmittel gebraucht, sondern auch das Gebet und das Almosengeben, Wallfahrten und fromme Stiftungen. Die Geißel und der härene Bußgürtel waren vielgebrauchte Sühnmittel. Manche glaubten ihr Taufgelübde nicht erfüllen oder den Bruch desselben nicht sühnen zu können, wenn sie nicht, den sog. „evangelischen Ratschlägen“ (1. Kor. 7!) folgend, sich dem Klosterleben weihten. Ja, manche Eltern bestimmten nicht selten schon von der Geburt an ihre Kinder, besonders Mädchen („Himmelsbräute“), dem Kloster, aus dem es keinen Ausweg gab.

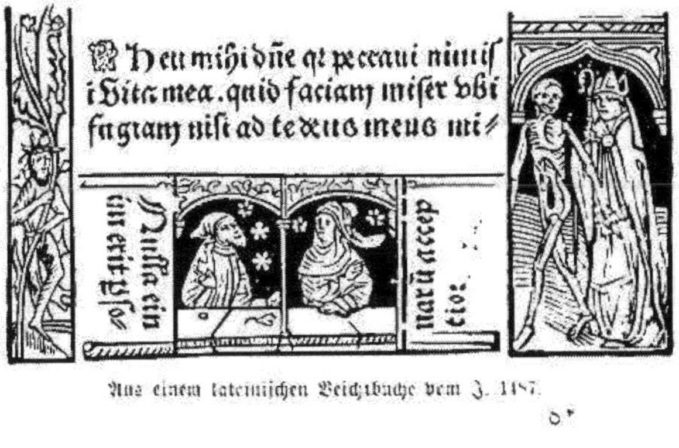
Heu mihi dñe qt peccaui nimis
i vita mea. quid faciam miser vbi
fugiam nisi ad te deus meus mi-

Aus einem lateinischen Beichtbuche vom J. 1487.

Reformatorische Bestrebungen.

Wiclif.

John Wiclif (nach einem alten Holzschnitt).

Unter allen Vorreformatoren, welche die Gebrechen der mittelalterlichen Kirche vorwiegend nach dieser Seite bekämpften, ragt der englische Geistliche John Wiclif († 1384 zu Lutterworth) hervor. Indem er die Werkheiligkeit wie das Ceremonienwesen bekämpfte und die Ohrenbeichte verwarf, drang er mit Nachdruck auf Erziehung und Unterweisung durch das Wort. Er selbst machte sich an die Übersetzung der Bibel, schrieb religiöse Volksschriften und stiftete auch einen Verein zur Aussendung von „armen Priestern" unter das Volk, um ihnen das „Gesetz" Gottes zu predigen.

Bei seinen Lebzeiten konnte man ihm nichts anhaben, da König und Parlament ihn schützten; nach seinem Tode aber wurden seine Gebeine als eines Ketzers aus der geweihten Erde ausgegraben, und viele seiner Anhänger (Lollarden), die allerdings nicht frei von Schwärmerei blieben, wurden dem Feuertode überliefert.

V. Der Kultus in der mittelalterlichen Kirche.

Die Ordnung und Form des Hauptgottesdienstes blieb im wesentlichen dieselbe wie in der alten Kirche. Auch die lateinische Sprache blieb, obwohl man sie selbst in den romanischen Ländern bald nicht mehr verstand, die Sprache des Gottesdienstes als Einheitsband der abendländischen, römischen Christenheit. Aber in Folge der allgemeinen Einführung der Kindertaufe verlor sich die Scheidung zwischen öffentlichem und geschlossenem Gottesdienste, während andererseits die Messe immer mehr in die Mitte trat, die übrigens durch alle Mittel, welche die Kunst bot, bereichert wurde. Für die Messe selbst kam die Auffassung des Abendmahlsgottesdienstes als eines stets erneuerten Opfers (vgl. S. 57) zur allgemeinen Herrschaft, zumal als nach wiederholtem Lehrstreit die Brotverwandlungslehre (Transsubstantiationslehre) durchgedrungen war.

Schon im 9. Jahrhundert wurde von Paschasius Radbertus die Lehre von der geheimnisvollen, wunderbaren Verwandlung der Substanz (Wesen) des geweihten Brotes und Weines in die Substanz des verklärten Leibes Christi aufgestellt. Obwohl diese Transsubstantiationslehre der herrschenden volkstümlichen Anschauung zusagte, wurde sie doch zunächst von Gelehrten, so von dem Fuldaer Abt Rabanus Maurus (s. S. 93) heftig bestritten. Aber schon im 11. Jahrhundert war die Transsubstantiationslehre zur Kirchenlehre geworden. Berengar, Vorstand der Schule von Tours († 1088), wurde verfolgt, weil er sich dagegen erklärte; vergebens war es, daß er sich für seine Anschauung auf Papst Gregor VII. berief; dieser selbst gab ihn preis, um Rom nicht in den Augen des Volkes bloßzustellen, und befahl ihm, niederzufallen und augenblicklich abzuschwören. Auf dem 4. Laterankonzil 1215 wurde die Transsubstantiationslehre alsdann zum „Dogma" erhoben. — Es war nun folgerichtig, daß bald auch den Laien der Kelch entzogen wurde, um eine Entweihung des heiligen Blutes durch Verschüttung zu verhüten, während an Stelle des zu brechenden Brotes die Oblate trat.

Die heiligen Zeiten und Feste.

Der Gottesdienst beherrschte das ganze Leben des Volkes; nicht nur standen die Kirchen der Andacht des Volkes offen, sondern es erhoben sich allenthalben Kapellen oder auch nur Bildstöcke, welche zur Andacht einluden. Zu den Festen der alten Kirche trat eine nicht geringe Anzahl neuer, welche mit Ausnahme des Trinitatisfestes, das im 12. Jahrhundert aufkam, lediglich den Heiligen und der Maria gewidmet waren. Das 13. Jahrhundert fügte das im Zusammenhang mit der Verwandlungslehre aufgenommene Fronleichnamsfest hinzu, das mit dem größten Gepränge gefeiert ward.

Die Veranlassung zur Einführung des Fronleichnamsfestes gab eine Nonne Juliana in Lüttich, welche behauptete, im Gebete den vollen Mond mit einer kleinen Lücke gesehen zu haben; das deute darauf, daß im Kreise der kirchlichen Feste noch eines fehle und zwar zur Verherrlichung des Meßopfers mit seiner wunderbaren „Wandlung". — Eine besondere Ausbreitung fanden die Heiligenfeste, wie denn auch den Heiligen in den Kirchen besondere Altäre errichtet wurden. Auf den 1. November wurde das Fest aller Heiligen angesetzt. An ihm sollte die Verehrung der Heiligen als „der Regenten des Jahres" sich zu einer Gesamtfeier erheben; am Tage darauf wendete sich dann der Blick von der Gemeinde der Auserwählten im Himmel der Unterwelt zu unter Fürbitte für die Erlösung „aller Seelen" aus dem Fegfeuer. Über alles aber erhob sich die Verehrung Marias als „der Himmelskönigin", vor der in den Gedanken des Volkes Christus der HErr selbst zurücktrat. Wurde doch auch in der Lehre und in dem Feste von der unbefleckten Empfängnis Marias bekannt, daß seine Sündlosigkeit von ihrer Reinheit sich herleite. So wurde ihrem Dienste auch ein besonderer Tag der Woche, und zwar der Sonnabend geweiht.

Die heiligen Stätten und die kirchliche Kunst.

Der Dom zu Worms. Romanisches Bauwerk aus dem 12. Jahrhundert.

Straßburger Münster. Das Schiff vollendet 1275, die Façade begonnen 1277 von Erwin von Steinbach. Beispiel einer deutschen gotischen Kirche.

Die gottesdienstliche Feier wurde in jeder Hinsicht aufs reichste ausgeschmückt. Der unvergängliche Ruhm dieser Zeit ist der Kirchenbau. Aus dem altkirchlichen Baustil entwickelte sich zunächst der romanische, dessen ansehnlichste Denkmäler dem 11. und 12. Jahrhundert angehören; sein Gesetz ist der Rundbogen. Zur mächtigsten Entfaltung aber gelangte der Kirchenbau vom 13. Jahrhundert an mit dem gotischen Stile. Der Rundbogen gestaltet sich nun weiter aus und als das Endergebnis der Entwicklung, welcher er unterliegt — vermutlich auch unter dem Einflusse der Kunst des Islams — tritt der Spitzbogen auf. Am Schlusse des Zeitraums im 15. und gegen das 16. Jahrhundert hin wandte sich die Baukunst mehr weltlichen Bauten zu; doch entstand noch zuletzt zu Rom nach den Vorbildern des römischen Altertums die im sog. Renaissancestile erbaute große Peterskirche mit ihrer gewaltigen

Kuppel, der Tempel des Papsttums.

Der romanische Stil ist der Stil der früheren Jahrhunderte, da das Christentum bei den germanischen Völkern Eingang gefunden hatte, und dauert bis gegen die Mitte des 13. Jahrhunderts. Er liebte ernste, ruhige Massen, die, in festem Gewölbebau aneinander geschlossen, vorne ihren Abschluß in mächtigen Turmanlagen fanden, von denen nun allenthalben Glocken erklangen. Bezeichnend für die romanischen Bauten ist der Rundbogen an Fenstern, Thüren, Gesimsverzierungen. Sie erhoben sich zumeist an den unter den sächsischen und fränkischen Kaisern gegründeten Bischofssitzen, wie in Hildesheim, Braunschweig, Mainz, Worms, Speier, Bamberg.

Turmspitze des Doms zu Speier (romanisch).

Inneres einer romanischen Kirche (St. Michael zu Hildesheim. 10. Jahrhundert).

Im gotischen Stil, der gegen Ende des 12. Jahrhunderts zuerst in Nordfrankreich aufkam, aber zur höchsten Blüte in Deutschland entwickelt wurde, sind die Massen der Mauern aufgelöst und in starke Pfeiler zusammengefaßt, die mit freier Kraft das hohe Kreuzgewölbe und das mächtige Dach tragen. Alles schließt sich in ihm mit kühnem, freiem Aufschwung nach oben zusammen. Das innige und mächtige Streben vollendet sich in den Türmen, welche in drei Stockwerken, sich immer verjüngend, gen Himmel anstreben. Der ganze Bau erscheint wie „ein steinerner Hochwald", belebt durch einen reichen Schmuck

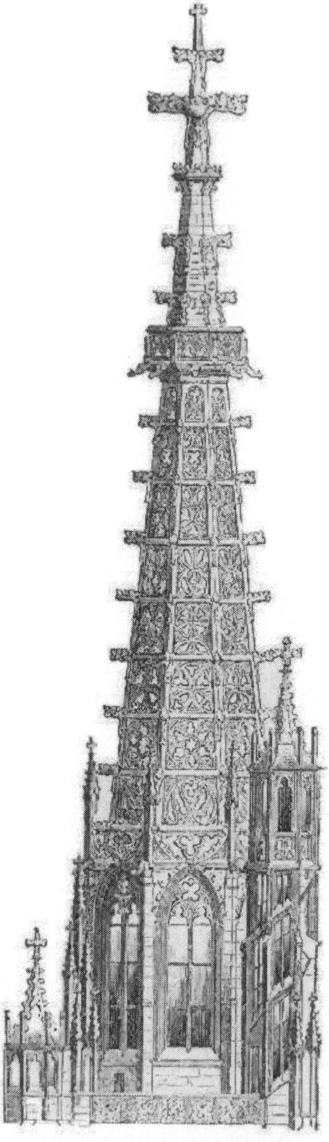

Turmspitze der gotischen Frauenkirche zu Eßlingen (15. Jahrhundert).

voll Sinnbildlichkeit. Nach außen spiegelt sich in den vielen z. T. unheimlichen Gestalten, Sinnbildern aus dem Thier- und Pflanzenreich, die ganze Welt, wie sie von der Kirche umfaßt, ja überwunden ist; über das Innere ist durch die gemalten Fenster ein ahnungsvolles Helldunkel verbreitet; die Rose über dem kunstvoll gearbeiteten Portal deutet auf die Sammlung im Heiligtum, und die Türme, durch deren durchbrochene Dacher der Himmel schaut, schließen ab mit der Kreuzesblume, dem Sinnbild hoher Andacht.

Man hat den gotischen Baustil treffend die architektonische Verkörperung des Christentums genannt: alle Linien laufen nach Oben, gen Himmel; alle Details in all ihrem Reichtum stehen doch im Einklang mit dem Grundgedanken des Werkes. Vornehmlich in deutschen Landen und den Grenzgebieten kam die „Gotik" zur Macht, und das aufstrebende Bürgertum in großen und kleinen städtischen Gemeinden wetteiferte, seine Städte mit gewaltigen Kirchen im gotischen Stile zu zieren, die bis in die späten Jahrhunderte von der Macht des religiösen Lebens im Mittelalter lautes Zeugnis ablegen. Die herrlichsten Denkmäler dieses Stils sind der Kölner Dom, 1248 durch Heinrich Sunnere, und der Straßburger Münster, 1275 durch Erwin von Steinbach begonnen.

Von dem Umfang der kirchlichen Bauthätigkeit des Mittelalters in Deutschland kann man, da unzählige Gotteshäuser im Lauf der Jahrhunderte verschwunden sind, sich heute freilich kaum eine Vorstellung mehr machen, aber gewiß war er noch gewaltiger, als wir heutigen Tags glauben können. Große wie kleine Stadte wetteiferten im Bau der Kirchen, an welchen das Volk ein gut Teil seines höheren Strebens anknüpfte. Aus den erhaltenen Baurechnungen ersieht man, daß auch im 13., 14 u. 15. Jahrhundert ein großer Bau kostspielig genug war. Aber das Volk beteiligte sich reichlich an den Kosten,

Inneres einer gotischen Kirche (St. Stephansdom in Wien. 14. Jahrh.).

eiſtete Spenden und Arbeit, jeder nach ſeinem Vermögen. Wie es in einer dſchriftlichen Chronik über den Bau des Ulmer Münſter heißt: „Kein ſleck (Schürze), Miederlein, Gürtel oder Halsband ward verſchmäht . . he Burger hatten ein ganzes, etliche ein halbes Jahr, ein, zwei, drei nate mit Pferd und Leuten dran gefrohnet. . . Anno 1452 ſolle Claus , den man den Kalchſchmied genannt, die Sacriſtei auf eigene Koſten haben ınen laſſen. . . Anno 1517 wurde der Ölberg auf (bei) dem Münſter aut. Es ſind 12 Bilder ſammt des Herrn Chriſti und drei Apoſtel auf zu ſehen geweſen. . . Die Stifterin, eine Süßbeckin in der Herbelgaſſe, d genannt Maria Tauſendſchönn, ſolle 7000 Gulden daran gewandt haben.“

Freilich hatte die kirchliche Lehre des Mittelalters von der Verdienſt- ſeit der guten Werke und im beſonderen der Ablaß, den weſentlichſten Anteil bei Entstehung der künstlerischen Werke, und in einem der verbreitetsten Gebetbücher des 15. Jahrh., dem „Seelenfürer", heißt es ausdrücklich von dem jenseitigen Glück, daß es wird „durch die in got und zu seiner ere gethanen guten leiblichen und geistigen werk der Barmherzigkeit, der almusen, kirchen bawen und schmücken durch gemeld und bilder und kunstige ornament, was zu andacht anreitzet und zu sinnigkeit der menschen, und dergleichen gutes, mag erlangt werden!" Sehr anschaulich für diesen Zusammenhang zwischen Religiosität und Kunst sind unter anderm die Berichte, die wir haben von den Stiftungen eines Frankfurter Bürgers, des Tuchhändlers und Schöffen Jakob Heller, auf dessen Bestellung A. Dürer im Jahre 1509 eines seiner größten und berühmtesten Tafelbilder, die Himmelfahrt und Krönung Maria's als Altarwerk für die Dominikaner in Frankfurt malte und dessen Anregung Frankfurt noch heute den schönen Kalvarienberg auf dem Domkirchhof zu danken hat. Heller beschäftigte Maler, Glaswirker, Bildhauer und Erzgießer, Goldschmiede und Paramentiker, um durch künstlerische Stiftungen in Klöstern und Kirchen für sein Seelenheil zu sorgen. Über den Ankauf einer Behausung, „darinen sich Winters das arme Volk wärmen soll", bestimmte er: „In der stube soll ein hölzern Crucifix gemacht werden, Johannes und Maria mit vier schilden, dabei geschrieben: bitt Gott für Jakob Heller, Katharin von Mollem stifter, irer beider eltern und guttheter ꝛc." Wie der eben genannte Stifter, so konnten sich die Kinder jener Zeit überhaupt nicht genug thun in frommen Werken: diesem Sinn, der freilich an einem bedenklichen Übel krankte, verdanken wir eine Kunstthätigkeit, wie sie seitdem nicht wieder in der Welt und besonders nicht in unserm Vaterland blühte! Auch recht eigentliche kleine Schwächen, persönliche Eitelkeit u. dgl. sind nicht aus dem Spiel geblieben; denn wer etwas gestiftet hatte, hängte seine Wappen- oder Bildnistafel in der Kirche auf, oder auf den Bildern fehlte nie der Stifter selbst („Donator"), gewöhnlich aber kniet er zu Füßen des HErrn oder Marias in anbetender Haltung.

Curbel an einem Bischofsstab (Arbeit Bernwards von Hildesheim um d. J. 1000 n. Chr., jetzt im dortigen Domschatz).

In diesen herrlichen Bauten fand auch die Bildnerei und Malerei reiche Beschäftigung. Die Bildnerei wurde zuerst in den Klöstern von Mönchen geübt; wie in St. Gallen von Tuotilo (siehe S. 75 die von ihm gefertigte Elfenbeinarbeit); in Hildesheim war im Anfang des 11. Jahrhunderts der dortige Bischof Bernward im Erzguß Meister. Später kam sie in die Hände freier Meister, welche eine erstaunliche Thätigkeit entfalteten. Die heiligen Bücher und Geräte wurden herrlich geziert; es entstanden Portalbauten, die Altäre mit Kruzifixen, Statuen und Reliefs, die Sakramentshäuschen und dergleichen; Orgelgehäuse,

Taufsteine und Brunnen; Grabdenkmäler, Kanzeln und Chorgestühle; Monstranzen, Ciborien, Kelche, Reliquienschreine, Bischofsstäbe rc.

Nürnberg stand im 15. Jahrhundert allen andern deutschen Städten in dieser Kunstübung voran. Schon das Handwerk der Goldschmiede zählte damals daselbst mehr als 50 Meister, welche „große Werkstätt hielten" und hauptsächlich für die Kirchen arbeiteten, wie denn die Schatzverzeichnisse alter Kirchen von einem in Deutschland damals vorhandenen unermeßlichen Reichtum an goldenen und silbernen Kunstwerken zeugen. In der Kunst des Broncegusses hielt hier eine weitberühmte Werkstatt Peter Vischer, dessen Hauptwerk das Sebaldusgrab in der Sebalduskirche in den Jahren 1508 bis 1519 entstand. Am Fuß des gewaltigen, einen Tempel, der den Silbersarg des Heiligen umschließt, darstellenden figurenreichen Werkes mit den berühmten Apostelstatuen, goß der Meister die Worte ein: „Ist allein Gott dem Allmächtigen zu Lob und St. Sebald dem Himmelsfürsten zu Ehre, mit Hilfe andächtiger Leute von dem Almosen bezahlt". Unser Bildnis vom Apostel Paulus (S. 10) stammt von diesem erhabenen Monumente. Der hervorragendste Steinmetz der Zeit war gleichfalls ein Nürnberger: Adam Kraft, von dessen Hand der Chor der Lorenzerkirche das 64' hohe Sakramentshäuschen besitzt. Sein berühmtestes Werk ist die Leidensgeschichte des Herrn in 7 Stationen auf dem Weg zum Johanniskirchhof in Nürnberg — auf Pfeilern großartige, ergreifende Gruppen in Relief, am ergreifendsten die letzte mit der Inschrift: „Hir leyt Cristus tot vor seiner gebenedeyten wirdigen mutter, die in mit großem herzenleyt und bitterlichen smertz clagt und bewennet." — Als Bildschnitzer in Holz endlich namhaft waren vor allen Veit Stoß, teils in Nürnberg, teils in Krakau thätig, und der Ulmer Meister Jürgen Syrlin, der von 1469—1474 die noch erhaltenen Chorgestühle des Ulmer Münster ausführte, — ein tiefsinniges und formvollendetes Werk, welches eine Art Philosophie der Geschichte der Menschheit in Holz darstellt. Das Heidentum ist vertreten durch berühmte Männer wie Pythagoras, Cicero, Seneca; das Judentum durch seine Patriarchen und Propheten; das Christentum durch die Apostel und Frauen des neuen Testaments.

Muttergottesbild vom Dom zu Augsburg aus dem 13. Jahrh.

Dem Kirchenbau des Mittelalters ebenbürtig trat im Beginn des 16. Jahrhunderts gegen den Schluß der mittleren Zeit die Malerei in den Vordergrund und schuf, obwohl in freierer Stellung zur Kirche, doch

Gotischer Altar aus Kloster St. Wolfgang (in Oberösterreich) mit Scenen aus dem Marienleben.

ihr Vollendetstes in religiösen Darstellungen. Von Lionardo da Vinci (1452—1519) besitzen wir das unübertroffene Abendmahl des Herrn, ein Bild, das in Kupferstich und Holzschnitt sich über die ganze christliche Welt verbreitete; Michael Angelo Buonarotti (1474—1564) schuf in der Sixtinischen Kapelle die großartigen Bilder von der Schöpfung, der Sintflut, der Weissagung und dem jüngsten Gericht, Raphael Santi (1483—1520) aus Urbino aber Madonnenbilder von unvergänglichem Reiz: seine „Sixtina", die sich jetzt in Dresden befindet, zwingt auch dem protestantischen Beschauer, der die katholische Marienverehrung nicht billigen kann, lautere Bewunderung ab, auf dem Angesicht der Mutter des Herrn liegt wirklich ein Abglanz der Tiefen der Gottheit. — In ebenbürtiger Weise strebten auch in deutschen Landen große Meister religiöser Malerei: Meister Stephan in Köln († 1451), der Schöpfer des berühmten Kölner „Dombildes"; die in Brügge und Gent thätigen Brüder Hubert († 1426) und Johann van Eyck († 1440), die ersten Verwender der Technik der Ölmalerei zu Schöpfungen höheren Stils und zugleich die ersten, welche die Natur studierten, schufen im Auftrag des Genter Bürgers Jodokus Vyts und seiner Ehefrau eines der umfangreichsten und tiefsinnigsten Werke der Malerei aller Zeiten, den Genter Altar, die „Anbetung des Lammes" darstellend; Hans Memling, ein Franke von Geburt († um 1495 in Brügge) und Martin Schongauer (aus Augsburg, † 1499 in Kolmar), brachten, besonders der letztere, die deutsche Kunst zu solchem Ansehen, daß Italiener, Spanier und Engländer seine Gemälde und Kupferstiche als kostbare Schätze aufkauften und wegführten. Die Gestalten in ihren religiösen Bildern gehören gleichsam einer andern Welt an und machen

Die Rast auf dem Zug nach Ägypten nach einem Kupferblatte Albrecht Altdorfers von Amberg († 1528 zu Regensburg, wo er der Reformation zur Einführung half).

gleichwohl den Eindruck der vollsten Wirklichkeit. Albrecht Dürer in Nürnberg (geb. 5. Mai 1471, † 6. April 1528) und Hans Holbein d. J. von Augsburg (1497—1543), später in Basel und London thätig, erhoben dann die deutsche Malkunst zur höchsten Stufe; Holbeins deutsche Madonna stellt sich nicht unwürdig der sixtinischen Raphael Santi's zur Seite.

Die Gebilde der älteren deutschen Malerei haben für uns noch einen besonderen Reiz, insofern sich das deutsche Gemüt und die deutsche Religiosität wohl in nichts so getreu spiegelt, wie in den unvergleichlich tief empfundenen religiösen Darstellungen der älteren deutschen Maler. Memling's Christuskopf, hat man treffend gesagt, sei das einzige Heilandsbild, vor dem man das Evangelium lesen und betrachten könne. Schongauer hat in seinem Bilde zu Kolmar, dem vom Kreuz genommenen Christus „Heiligkeit, Liebe, Trauer und Seligkeit in Einem Ausdruck verschmolzen. In dem Angesicht Maria's wird Heiligkeit zur Liebe, Liebe zur Trauer, und Trauer zur Seligkeit und Alles Eins." Dürer, Holbein, Aldegrever, Altdorfer u. a. wirkten hauptsächlich auch durch den Holzschnitt und Kupferstich in breitester Weise. Dürers 15 große Holzschnittblätter zur Apokalypse (1498), die 20 größtenteils um 1504—1505 entstandenen Holzschnitte „Unserer Frauen Leben" (Marienleben), ein liebliches Idyll voll echt deutscher Gemütlichkeit, endlich die „kleine" und die „große" Passion, jene in 37 Blättern (1509—1511), diese in 12 Blättern (1516) gingen in Tausenden von Abdrücken unter das Volk und arbeiteten dem Werke Luthers in die Hand, welchem sich Dürer wie auch Holbein und Altdorfer begeistert anschlossen. Es ist eine echte Religiosität, die aus allen Blättern dieser Künstler spricht. „Wie der Dichter des ‚Heliand' (s. S. 91) den ganzen lebendigen Strom des Evangeliums in sein sächsisches Heimatland leitet und Christus und seine Jünger ins deutsche Leben versetzt, gleich als hätte die heilige Geschichte auf deutschem Boden sich zugetragen, so gehen auch diesen Künstlern die kirchlichen Thatsachen und Legenden ganz in der Gegenwart vor, unter den Bedingungen ihrer Heimat, ihres Volkes. Hier verschwindet alle Ferne, alle Fremdheit, Alles wird nahegerückt, warm und seelenvoll."

Die kirchliche Sitte und das geistliche Lied.

Die mittelalterliche Welt konnte sich in äußerlicher kirchlicher Zucht nicht genug thun. Die Stimmung der Gemeinde gegenüber dem Heiligen, dem sie nahte, und gegenüber dem Heil, das ihr geschenkt war, gab sich mancherlei Ausdruck in Freude und Ernst. Zumal um die Feste des Kirchenjahrs bildete sich eine reiche, zum Teil sehr sinnige Sitte. Aber was ursprünglich, selbständig aus der Gemeinde heraus sich beim Gottesdienste wollte geltend machen, wurde durch starre Schranken ferne gehalten: so wurde der geistliche Volksgesang (die „Leise"), der sich zu schöner Blüte entfaltet hatte, möglichst vom Heiligtum selbst ausgeschlossen.

Die Andacht des Volkes und deren äußere Bezeugung war vor allem der Messe zugewendet. Mit heiliger Scheu warf sich alles Volk unter Bekreuzung auf die Kniee, wenn nach der Wandlung das „heilige Gut" in der Monstranz vom Priester erhoben und vom Altare her gezeigt wurde. Im

Glauben, daß das Meßopfer ein Heilmittel für alle möglichen geistlichen und leiblichen Gebrechen sei, ließ man sich gegen Bezahlung Privatmessen lesen, sogar „Totenmessen" zur Erlösung der Verstorbenen aus dem Fegfeuer. Kam es bei einem Gliede der Gemeinde zum Sterben, so ließ man ihn durch den Priester mit der „letzten Ölung" zum Heimgang weihen. Und wie man das Volk häufig vor den Altären mit Reliquienschreinen knieen sah, so schloß es sich mit Lust den Processionen an, welche immer wieder veranstaltet wurden. Je mehr die Glocken in Gebrauch kamen, ließ sich das Volk auch im täglichen Leben durch ihr Geläute in seiner Andacht bestimmen. Jede Zunft der Handwerker hatte einen der Heiligen zu ihrem Schutzpatron für ihr Geschäft erkoren. Auch bildeten sich besondere Bruderschaften zu andächtigen Zwecken.

Die überlieferte Festsitte wurde in vielen Stücken weiter gebildet. So gewann die Weihnachtsfeier den sinnigen Schmuck des Christbaums. Wenn am Karfreitag sogar das Glockengeläute unterblieb, so ging unter dem Volke die Rede, die Glocken seien zur Weihe nach Rom gewandert, um erst am Ostermorgen wiederzukommen. Wie man vor dem Aschermittwoch noch der Ausgelassenheit des Karneval sich hingab, so artete auch die Osterfreude in wilde Späße und groben Unfug selbst an heiliger Stätte aus. In der Woche des Himmelfahrtsfestes (Betwoche) wurde in feierlichen Prozessionen mit Kreuzen und Fahnen und unter Anwendung des Weihwassers Feldweihe vorgenommen. Diese und viele andere Sitten und Gebräuche waren in Fleisch und Blut des Volkes übergegangen und es ging in der Beobachtung derselben zum großen Teil sein gottesdienstliches Leben auf.

Auch das geistliche Volkslied erblühte aus dem Herzen des Volkes, während vornehmlich in den Klöstern das lateinische Lied (Sequenz) mit dem Endreim (vgl. eine Probe S. 95) gepflegt wurde. Man nannte jenes nach dem Kyrie eleison am Schlusse „Leise". Besonders reich war die Zeit, wie naheliegend, an Heiligen- und Marienliedern. Nachstehend eine Probe:

Ave Maria, du Rose ohne Dorn!
Mit Missethat hab' ich verlorn
dein Kind, das von dir ist geborn.
Maria, versöhne mich mit seinem Zorn!

Ave Maria! Durch deines Kindes Tod,
das vor dir hieng im Blute rot,
hilf, daß ich der Engel Brot
mit Reuen empfang' in Sterbens Not.

Es erhob sich die Leise aber auch zu solch geistlicher Höhe wie in dem Weihnachtslied: „Gelobet seist du Jesu Christ!" in dem Osterlied: „Christ ist erstanden von der Marter alle ff.", oder in den Pfingstliedern: „Komm, heiliger Geist, Herre Gott" und „Nun bitten wir den heiligen Geist". Für gewöhnlich war die Gemeinde beim Gottesdienst auf die liturgischen Antworten, vornehmlich auf das „Kyrie eleison" beschränkt, welch letzteres bei einem Gottesdienst oft 100 Mal wiederholt wurde. Indessen scheint doch in der deutschen Kirche an den hohen Festtagen, an Weihnachten, Ostern und Pfingsten, eine Ausnahme gemacht worden zu sein. In einer Liturgie vom J. 1519 heißt es z. B. von dem Weihnachtsgottesdienst: „Der Chor beginnt die Weihnachtssequenz: Grates nunc omnes („Danken wir Alle"), welche drei Mal, während das Sakrament zu Stande kommt, unter Kniebeugung gesungen wird. Darauf wird das Allerheiligste dem Volk gezeigt. Dieses aber antwortet zur Anbetung der Hostie ebenfalls dreimal mit dem Canticus vulgaris: Ghelauet systu Jesu christ!" Es ist nachmals Luther's Verdienst gewesen, daß er die schönen geistlichen Lieder, welche uns das Mittelalter überliefert hat, aufbewahrte und der evangelischen Kirche in gereinigtem Texte übermittelte. Manche von den tiefempfundenen Liedern aber sind verschwunden, oder doch ganz zurückgetreten, wie das folgende, in dem eine rührende Glaubenszuversicht in innigsten Tönen sich ausspricht:

Gäb ich mein junges leben
umb got, den schöpfer mein,
sein reich wolt er mir geben
wie möcht mir paß gesein!

Er hat um uns erlitten
ain scharpfen pittern tot,
und ritterlich gestritten
sein reich hat er vermitten,
daß er uns prächt aus not.

Sol ich die welt verlaßen
des acht ich sicher klain,
ich will mich fürpaß keren
zu Jesu Crist allain."

Wenn auch die Orgel noch unvollkommen war, so fand doch die **Instrumental-Musik** im Kultus schon frühe Verwendung, vor allem aber ward sie in den Klöstern gepflegt, und besonders das Kloster St. Gallen hat auch in dieser Richtung sich verdient gemacht. Mehr noch aber als auf die Musik wurde Gewicht gelegt auf **dramatische Veranschaulichung**. Die an den hohen Festen zur Aufführung gelangenden geistlichen Schauspiele (**Mysterien**) dienten zur Versinnbildlichung der Heilsgeschichte, vornehmlich der Geschichte der Geburt Christi und der Passion, an Weihnachten und an Ostern, wo die Priester, angethan mit ihren Ornaten, und das Volk wechselseitig die Worte der Evangelien sprachen oder sangen, etwa in der Weise, wie es in unseren Oratorien geschieht. In diesen **Mysterien**, an welche sich eine Erinnerung erhalten hat in den in einzelnen Alpenorten, z. B. in Oberammergau, noch heute in gewissen Zeiträumen zur Aufführung gelangenden **Passionsspielen**, wurde die heilige Geschichte dem Volke lebendige Gegenwart und Wirklichkeit.

Maria mit dem Kinde (nach einem Kupferstiche Heinrich Aldegrevers von Soest 1502—1562).

Versuche zur Besserung des Kultus.

Hus.

So zog der Kultus der mittelalterlichen Kirche alles in seinen Dienst, was zur Erhöhung der Feierlichkeit und der übersinnlichen, gleichsam magischen Wirkung auf die Gemüter des Volkes beitragen konnte. Die von vielfarbigem, durch gemalte Fenster eindringendem Lichte durchflossenen Kirchenhallen mit ihrem heiligen Schauer, der Duft des Weihrauchs, der Gesang und Wechselgesang der Priester, die Pracht der Meßgewänder, alles dies erzeugte eine Stimmung in den Andächtigen, welche ihrer Ahnung des Höchsten und Erhabensten zu Hilfe kommen sollte. Das Bildliche und Symbolische tritt durchaus in den Vordergrund. Die begriffliche Sprache genügt nicht, um alles zu sagen, wie denn ja wirklich gerade die erhabensten Geheimnisse des Glaubens außerhalb des Begriffs liegen. Aber die mittelalterliche Kirche that auch hierin zu viel und entging nicht der Mißdeutung, daß das Bild für die Sache selbst genommen wurde. Der Hauptfehler aber lag in der Art und Weise, wie die Messe gefeiert und als eine Opferfeier in den Mittelpunkt des Gottesdienstes gestellt wurde. Gegen diese Gebrechen des mittelalterlichen Gottesdienstes vor allem war die husitische Bewegung in Böhmen am Anfange des 15. Jahrhunderts gerichtet.

Joh. Hus († 1415), nach einem alten Stiche.

Angeregt durch die Waldenser und durch die Schriften Wiclifs trat im 15. Jahrhundert Hus, Professor an der Universität zu Prag, gegen die Mißbräuche in der Kirche öffentlich auf und forderte unter anderm auch den Gottesdienst in der Landessprache und das Abendmahl in beiderlei Gestalt. Auf dem Konstanzer Konzil sollte er sich verantworten (1414). Dort verteidigte er mutvoll seine Überzeugung von der „unsichtbaren" Kirche gegenüber der Veräußerlichung der damaligen Kirche, von der unsichtbaren Kirche, deren Oberhaupt Christus und nicht der Papst sei. Trotz des Geleitsbriefes, den ihm der Kaiser Sigismund ausgestellt, wurde er gefangen gesetzt, und da er nicht widerrufen wollte, im Jahre 1415 verbrannt. Unter schrecklichen Verwünschungen, welche Hus jedesmal glaubensmutig mit heiligen Worten und Bekenntnissen erwiderte, wurde er nach seiner Verurteilung Stück für Stück seines priesterlichen Schmuckes entkleidet. Dann wurde ihm eine hohe, mit höllischen Figuren bemalte Papiermütze mit der Inschrift: „Erzketzer" aufgesetzt. Darauf wurde er von der kirchlichen in die staatliche Gewalt übergeben. Ehe er zur Richtstätte geführt wurde, mußte er noch die Verbrennung seiner Bücher mitansehen, was er unter Lächeln that. Unter Fürbitte für seine Feinde bestieg er den Scheiterhaufen. Mitten im Feuer sang er noch mit lauter Stimme: „Herr Jesu Christe, du Sohn Gottes, erbarme dich meiner!" Seine Asche ward in den Rhein gestreut. Als ihm das Jahr darauf auch sein Freund und Mitstreiter Hieronymus von Prag im gleichen Tode nachfolgte, erhoben sich empört seine Anhänger in Böhmen zur „Blutrache" für ihre Märtyrer. Mit den Waffen in der Hand, unter Anführung des blinden Ziska, forderten sie mit dem Abendmahlskelch, den sie als Bundeszeichen angenommen, das Recht der christlichen Gemeinde zurück. Aber nach sechzehnjährigem, blutigem Kampfe (1419—35) wurden sie zersprengt. Nur kümmerliche Reste dauerten noch fort unter dem Namen der böhmischen und mährischen Brüder, die in großer Geduld unter viel Trübsalen in stiller Verborgenheit („Grubenheimer") aushielten, sich stärkend mit „lieblichen geistlichen Liedern".

VI. Kirchenverfassung.

Das Papsttum.

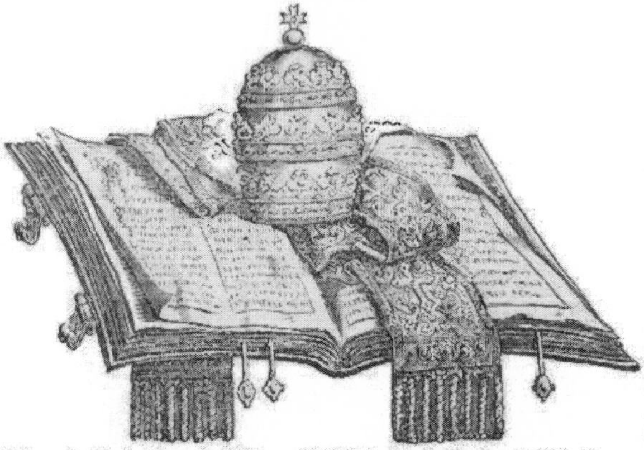

Tiara (dreifache Krone), Stola und Missale, die Insignien des Papsttums.

In der neuen abendländischen Kirche wurde der römische Bischof fast ohne Widerstreit das Oberhaupt der Kirche, der „Papst" derselben. Und ein Gregor der Große, der am Eingang dieser Zeit steht, erwies sich auch als ein echter Patriarch gegenüber den neuen Völkern; überhaupt wurde das Papsttum zunächst ein Segen für dieselben, weil sie dadurch unter eine feste kirchliche Ordnung und heilsame Zucht kamen. Darum wuchs auch seine Macht rasch heran, getragen von der gläubigen Verehrung der Völker, befördert durch die Gunst der Fürsten. Der Bund mit dem neuen Frankenkönige Pipin, der mit Zustimmung des Papstes Zacharias 752 die Krone der Merovinger sich aufs Haupt gesetzt, brachte dem Papsttum großen Gewinn; denn Pipin legte bald eine Schenkungsurkunde auf dem Grabe des heiligen Petrus nieder, durch welche der Grund zum Kirchenstaate und damit zur weltlichen Unabhängigkeit des Papstes gelegt wurde. Und sein Sohn, Karl der Große, ließ sich von Leo III. am Weihnachtstage 800 die römische Kaiserkrone aufs Haupt setzen (vgl. S. 78). Bald versuchten die Päpste, ebensowohl die unbeschränkte Herrschaft in der Kirche über die Bischöfe zu gewinnen, als sich von der weltlichen Herrschaft ganz unabhängig zu machen. Dies letztere gelang ihnen freilich nicht sofort. So lange im deutschen Reiche so kräftige und mächtige Herrscher regierten, wie Otto der Große (936—979) und Heinrich III. (1033—1056), sahen sich diese durch die Unordnung und Verderbnis, welche im 10. und 11. Jahrhundert in Rom herrschte, veranlaßt, entscheidend dort einzugreifen.

Mosaik im Triklinum (Speisesaal) des Lateran; gestiftet im J. 800 durch Papst Leo III. zur Erinnerung an die Kaiserkrönung Karls d. Großen. Der Heiland reicht die Schlüssel des Himmels und der Hölle dem Papst Sylvester mit der Rechten, mit der Linken gibt er das Kreuzesbanner dem Kaiser Konstantin. (Das hier abgebildete ist nur das Bruchstück eines größeren Ganzen und zwar dessen eine Seite; auf der andern Seite gibt Petrus in der gleichen Weise dem Papst Leo III. die Stola und dem Kaiser Karl die Kreuzesfahne, während er die Himmelsschlüssel selbst behält. In Mitten über diesen beiden Bildern aber thront der Heiland mit den Aposteln, die er aussendet, das Evangelium zu verkündigen.) — Der Sinn dieser berühmten Darstellung ist folgender: zuerst kommt die Offenbarung des Evangeliums, hernach mit Konstantin die Einsetzung der beiden Gewalten, einer geistlichen und einer weltlichen, zum dritten zu Leos und Karls des Großen Zeit die Wiederherstellung jener Gewalten auf einem neuen und festeren Grund: die Kirchengewalt erhält der Papst, als das geistliche Haupt der Gläubigen auf Erden, das Banner der streitenden Kirche der Kaiser, welcher deren Sache wider Ketzer und Ungläubige verteidigt.

Um die Macht der Päpste zu heben, wurden allerlei Mittel unbedenklich benützt, auch angebliche Schenkungen und Erlasse. So wurde eine „Konstantinische Schenkung" geltend gemacht, wornach schon Konstantin, geheilt von einem Aussatze, das gesamte abendländische Reich an den Bischof Sylvester von Rom abgetreten haben sollte. Am meisten und ausgiebigsten wurden aber die sog. Pseudoisidorischen Dekretalien benützt, eine unechte Samlung früherer päpstlicher Erlasse, denen zufolge dem Papste allein die oberste Leitung aller kirchlichen Angelegenheiten kraft göttlichen Befehls zukomme.

9*

Aber im 11. Jahrhundert, kurz vor Beginn der Kreuzzüge, trat ein entscheidender Wendepunkt ein, von dem aus das Papsttum auf den Höhepunkt der Macht und des Ansehens erhoben wurde. Papst Gregor VII. war es, welcher den Grund dazu legte (1073—85). Hervorgegangen aus dem ernsten Kluniacenserorden, in welchem die Verneuerung des Klosterlebens sich vollzogen (s. S. 101), erstrebte er auch mit gleichem Ernste eine Neugestaltung des Kirchenwesens. Schon vor seiner Erhebung auf den päpstlichen Thron hatte er die Papstwahl aufs neue dahin geregelt, daß allein dem Kollegium der 28 Kardinäle (ursprünglich die Presbyter der 28 römischen Titularkirchen, d. i. solcher Kirchen, welche von Heiligen oder Märtyrern errichtet oder nach solchen bezeichnet waren, deren Geistliche schon im 5. Jahrhundert den Namen Kardinalpresbyter erhalten hatten) die Wahl des Papstes (später im „Konklave") ohne Einmischung des Kaisers und der Fürsten zustehen sollte. Zum Papst gewählt suchte er vor allem den niedern Klerus wieder zu heben und durch das Gebot der Ehelosigkeit (Cölibat) ganz in den Gehorsam des Kirchenregiments zu bringen. Weiter griff er den Verkauf der geistlichen Ämter, die Simonie (Apostelg. 8, 18 ff.) an, welche eingerissen war. Auch bekämpfte er das sog. Investiturrecht des Kaisers, wornach die Bischöfe, welche durch kaiserliche Belehnung mit weltlichen Gütern Reichsfürsten geworden waren, auch in ihr geistliches Amt durch den Kaiser unter Bekleidung (Investitur) mit Ring und Stab eingesetzt wurden. Es kam zu einem heftigen Streit mit dem Kaiser Heinrich IV. (1056—1106), in welchem der Papst nicht verschmähte, des Kaisers durch den Treueid gebundene Lehensfürsten von ihrem Eid zu entbinden und gegen ihren Herrn aufzuwiegeln. Schließlich mußte der deutsche Kaiser, der „Herr der Welt", auf der Burg Kanossa in Italien sich vor dem Papste demütigen und im Burghofe 3 Tage als Büßer um die Verzeihung des Apostelnachfolgers flehen (1076).

Die Gedanken, von denen Gregor geleitet wurde, waren nach seinen eigenen Briefen und „Diktaten" diese: der Papst als der Nachfolger Petri vereinigt in sich alle geistliche Macht über die ganze Kirche. Wenn aber der apostolische Stuhl vermöge göttlicher Vollmacht das Geistliche richtet, warum nicht auch das Zeitliche und Weltliche? Gott hat der Welt zwei über alle andern hervorragende Würden gegeben, die apostolische und die königliche, gleichwie er zur Ausschmückung der Welt zwei alles überstrahlende Lichter, die Sonne und den Mond, geschaffen hat. Demnach sei aber die weltliche Macht abhängig von der geistlichen Gewalt, die, wie sie im Himmel binden und lösen könne, auch die Unterthanen von dem Eid der Treue gegen ihre Obrigkeit entbinden dürfe.

Gregors Gedanken und Pläne starben nicht mit ihm. Die Kreuzzüge kamen der Ausführung derselben zu Hilfe; denn sie ließen den Papst

als den Leiter der ganzen Bewegung über alle hervortreten. Nicht bloß mußte der Kaiser Heinrich V. im Wormser Konkordat 1122 auf die Belehnung mit Ring und Stab verzichten, sondern selbst ein so gewaltiger Herrscher wie Kaiser Friedrich Rothbart (1152—1190) mußte sich, nachdem er durch die lombardischen Städte in bedrängte Lage gekommen, dazu herablassen, dem Papste die Füße zu küssen. Im Jahre 1215 konnte der Papst Innocenz III. auf der glänzenden Lateransynode den Sieg des Papsttums über die weltliche Macht feiern. Er beherrschte durch seine „Legaten" selbst die weltlichen Angelegenheiten der meisten abendländischen Völker, wie denn König Johann von England die Krone als Lehen aus des Papstes Händen nahm. Von dieser Zeit an kam der Titel: Statthalter, nicht bloß Petri, sondern Gottes und Christi, in Geltung. Mit dieser weltlichen Stellung, sowie mit der Verwaltung des Ablasses, wie auch mit der Vollmacht der „Heiligsprechung" schien er ebenso Himmel und Hölle zu beherrschen wie die Erde. Dem entsprechend gestaltete sich auch die Pracht der äußern Erscheinung, vor allem bezeichnend die dreifache Krone (Tiara).

Nach dem Glauben, welcher die gesamte mittelalterliche Welt durchdrang, hat Gott das Regiment über den Erdkreis den beiden Gewalten, der kaiserlichen und der päpstlichen, gemeinsam anvertraut als seinen Statthaltern. Auf diesen Glauben stützten sich gleichermaßen die Verfechter und Anhänger des Kaisertums wie die des Papsttums. — Die Theorie von der päpstlichen Suprematie, das sogenannte „guelfische" Prinzip, wurde durch Thomas von Aquino weiter ausgebaut: der Papst, so entwickelt er, als Gottes Stellvertreter in geistlichen Dingen führt den Menschen zum ewigen Leben, der Kaiser, als Statthalter in zeitlichen Dingen, wacht darüber, daß die Menschen ungestört dieses ihr geistliches Heil verfolgen können. Er hat den Beruf eines Anwalts (advocatus) der Kirche, und als solcher die doppelte Pflicht, daheim die Christenheit im Gehorsam gegen die Priesterschaft zu erhalten, nach außen aber den Glauben mit dem Schwert zu verbreiten. — Diese Theorie vertrat vor allem der Dominikanerorden in Wort und Schrift, sogar bildlich.* Ihr gegenüber stand das „ghibellinische" Prinzip, daß der Kaiser

---

* Vergleiche hiezu die Abbildung: „die streitende Kirche auf Erden" nach dem berühmten Fresko Simone Memmi's (um 1340) in der Capellone degli Spagnuoli bei Sta Maria novella zu Florenz. (Das hier Wiedergegebene ist nur ein Teil des das ganze Menschenleben im Diesseits und Jenseits, die Kirche auf Erden und die Kirche im Himmel, die Ecclesia militans und die Ecclesia triumphans umfassenden Gemäldes, welches eine ganze Wand bedeckt. Wir sehen Papst und Kaiser, letzteren an Stelle des Reichsapfels mit einem Totenkopf in der Hand, Seite an Seite; zu ihrer Rechten in absteigender Linie einen Kardinal, Bischöfe, Doktoren, zu ihrer Linken den König von Frankreich, Edle und Ritter. Hinter ihnen taucht der Dom von Florenz auf als Zeichen der sichtbaren Kirche, während zu ihren Füßen eine Herde Schafe (die Gläubigen) bedroht ist von reißenden Wölfen, den Ketzern und Schismatikern, die aber von weiß gesprenkelten Hunden, den Dominikanern (domini canes) abgewehrt werden. Das ist der mittlere Vordergrund des Gesamtbildes. Von hier aus windet sich ein Pfad die Höhe hinan zu einem Thore, an welchem der

nur Gott verantwortlich sei. Dafür schrieb und litt der große Florentiner Dante. Von der guelfischen Partei aus seiner Vaterstadt vertrieben, verfaßte er eine Schrift „über die Monarchie“ und widmete sie dem Kaiser Heinrich VII. gelegentlich dessen Römerzugs im J. 1307. Da begrüßt er diesen als „Friedensrichter und Vater der Weltrepublik“. — Vertraten die Dominikaner die päpstlichen Ansprüche, so stellten sich die Franziskaner im Kampf Ludwigs des Bayern (1314—47) mit Papst Johannes XXII. offen auf die kaiserliche Seite unter ihrem Wortführer Wilhelm Occam († 1347 in München). — Auf dem Gleichgewicht der beiden Gewalten, jener beiden „Pole der mittelalterlichen Welt“, beruhte der Friede der Welt und die Wohlfahrt der Völker; aber die Theorie war zu erhaben, als daß sie sich je in einem Augenblick im vollen Sinn hätte verwirklichen können. Thatsächlich standen die beiden Gewalten in fast ununterbrochenem Kampfe mit einander und das Ende dieses Kampfes war, daß beide sich aufrieben.

So begann denn auch unmittelbar, nachdem das Papsttum unter Innocenz III. den Gipfel seiner Macht erstiegen hatte, sein Verfall. Im Kampf gegen die Letzten des Hohenstaufengeschlechts, Kaiser Friedrich II. (1218—1250) und seine Söhne Konrad III. und Manfred, die „Natternbrut“ (propago viperina), wie Innocenz IV. (1243—56) sich ausdrückt, — einem Kampf, der mit dem tragischen Untergang des Hohenstaufengeschlechts und mit der Entkräftung der Kaisergewalt endigte, waren die Päpste genötigt gewesen, sich auf Frankreich und das Haus Anjou zu stützen. Als aber Bonifazius VIII. (1294—1303) seine Herrschergewalt auch an Frankreich ausüben wollte, ließ König Philipp August die päpstliche Bulle Unam Sanctam (worin der Papst alle Grundsätze seiner Vorgänger in dem Satz überbot: „Wir erklären, daß dem römischen Papst alle menschliche Kreatur unterthan ist“) in der Kirche Notre Dame verbrennen und den Papst in seiner Vaterstadt Anagni überfallen und gefangen nehmen, — eine Schmach, die dem stolzen Kirchenfürsten das Herz brach. Ja im Jahre 1309 verlegte der französisch gesinnte Klemens V. den Sitz des Papstes von Rom nach Avignon und dadurch geriet das Papsttum Jahrzehnte lang völlig unter den Einfluß der französischen Könige („babylonisches Exil“ 1309—77). Zu Folge davon entstand eine Spaltung (Schisma), unter welcher, bei zwei oder gar drei Päpsten, die sich untereinander verfluchten, das Ansehen des Papsttums tief erschüttert wurde, während zugleich die päpstlichen Anmaßungen und die Ausbeutung der Kirche sich bis zum allgemeinen Ärgernis steigerten.

Apostel Wache hält, um die wahrhaft Gläubigen einzulassen; sie werden empfangen von Seraphimchören, die sie durch die Auen des Paradieses geleiten. Über allem, ganz oben am Bilde und genau über der Stelle wo hienieden seine beiden Statthalter sitzen, thront der Heiland unter Heiligen und Engeln.

Papstsiegel Bonifazius VIII. (1294—1303). Die Reversseite enthält die allen Papstsiegeln eigentümlichen Kopfbilder der Apostel Paulus und Petrus, auf welche sich auch die Inschrift bezieht: S. PA. (St. Paulus) — S. PE. (St. Petrus).

Es war vergeblich gewesen, daß sich warnende Stimmen gegen das Bestreben der Päpste erhoben. Arnold von Brescia, ein Schüler Abalards, hatte durch seine feurigen Reden gegen die Verweltlichung der Kirche und des Klerus eine heftige Bewegung erweckt, welche die Päpste auf einige Jahre aus Rom vertrieb; er wurde durch Friedrich Barbarossa dem Papste ausgeliefert und von diesem zum Galgen verurteilt, sein Leichnam den Flammen übergeben († 1155). Auch Bernhard von Clairvaux (s. S. 95), der erhabene Gedanken vom Papsttum in sich trug, schrieb an Eugenius, einen seiner Schüler: „Versuche es einmal, beides miteinander zu verbinden, als Herrscher Nachfolger des Apostels zu sein, oder als Nachfolger des Apostels Herrscher sein zu wollen. Das eine oder das andere mußt du fahren lassen. Wenn du beides zugleich haben willst, wirst du beides verlieren!" Eindringlich warnte er vor Herrschsucht, Habsucht und Hoffart und ruft schon diesem Papste zu: „Wie lange verkennst du den Unwillen der ganzen Erde?" Diesem Unwillen verlieh später der deutsche Minnesänger Walter von der Vogelweide bezüglich der Rede von der sog. konstantinischen Schenkung tiefernsten Ausdruck in den Worten: „Zehant der engel lûte schrê: owê, owê, zem dritten wê!" Und er bezeugt: Wessen Herz in diesen Zeiten sich nicht zur Ketzerei verkehrt, dem wohnt fürwahr ein seliger Geist und Gottes Minne bei!" Und gegenüber der Ausbeutung der christlichen Völker, um Rom die andere Weltmacht, „das Geld", zur Verfügung zu stellen, rügt Freidank:

„Das netze kam ze Rome nie,
mit dem Sant Peter vische sie,
das netze is nu versmahet:
römisch netze vähet silver, golt, bürge und lant,
das war Sant Peter unbekannt."

Und Dante, der in seinem großen Gedichte mit dem herrschsüchtigen Bonifazius ernst ins Gericht gegangen, klagt:

„Gestehe nun, ob nicht die Kirche Roms,
Da zwei Gewalten sie in sich vereinigt,
Im Schlamm versinkt, sich und die Welt besudelnd."

Und im Himmel angelangt, sieht er Petrus erzürnt und alle Heiligen erröten und hört ihn schelten über die Verderbnis der Kirche unter dem Papsttum. Was den Völkern eine Wohlthat gewesen, lag nun wie ein schwerer Bann auf ihnen.

Krönung Maximilian I. (nach einem Bilde des 16. Jahrh.). Maximilian war der Letzte, der die Krone aus den Händen eines Papstes zu Rom empfing.

Kirchenzucht.

Derselbe Geist, der in der Verfassung der Kirche herrschte, war auch leitend in der Kirchenzucht. Im 13. Jahrhundert wurde von Innocenz III. bei Strafe des Bannes die Ohrenbeichte mit eingehender Ausforschung des Beichtenden allgemein eingeführt. Jeder Gläubige sollte bei Verlust der Seligkeit wenigstens einmal des Jahres seine Sünden aufrichtig seinem eigenen Priester im geheimen entdecken, die auferlegte Buße nach Vermögen erfüllen, auch um Ostern das Abendmahl empfangen. Durch diese Ohrenbeichte wurde die Kirche die Herrin der Gewissen.

Facsimile-Nachbildung einer Ablassbulle Papst Leo's X. aus dem Jahre 1517.

Der Ablassbrief wurde zum Besten des Heiligen-Geist-Hospitals zu Nürnberg erlassen für ewige Zeiten und unter Ausschliessung aller Concurrenz, auch von Seiten des römischen Stuhls selbst.

Leo Babst der X.

Heyl vnd Babstlichen segen allen Christglawbigen: so disen brieff sehen werdenn/ Wiewol sich auß verpflichtung Babstliches Ampten/ so vns auffgelegt ist/ gezimpt/ das wir fleiß fürwenden/ damit die Stett vnd ört/ so vmb guter werck willen gestifft seind/ zu auffnemen komen/ So gebüret sich doch/ das wir mit so vil embsigerm fleiß/ das auffnemen der Spital. Auch der armē personn/ so in dieselben zuzeiten komen/ oder darinnē wonen/ fürderen/ als vil wir mercken mögē/ das in ansehen der selben armē harttseligen wesens/ solichs auch zu dem heyl irer Seel/ in dem herren fruchtparlich dienen mag/ Dieweil wir nun verstanden haben/ das der new Spital des heyligen Geystes in der Keyserlichen Statt Nürmberg/ Bamberger bistumbs/ so an dem wasser fluß daselbst gelegen ist/ vnd offt durch anlauffung solichs fluß ser schadhafft worden/ vor ettlichen Jaren/ mit pawung auff beyden seytten deß fluss vnd vber den selben/ zu bequemer einnemung der armen krancken vnd dürfftigen personen erweyttert/ oder zuerweitteren angefangē ist/ das auch in dem selben Spital die armen krancken/ vnd andere dergleichen dürfftig person/ vmb sunst/ vnd gottes willē/ on gab oder gelt/ ettwan biß in dritthalbhūdert eingenomē/ vnd gütlich gehalten/ vnd daselbst ein Spitalmeyster/ Amptleut/ knecht/ vnd magt/ mit lon/ essen/ vñ trincken/ von dem Jarlichen einkomē solichs Spitals vnderhalten werdē/ Das auch in desselben Spitals kirchen/ so beyzeiten des Babstumbs seliger gedechtnuß Benedicti des Zwelfften vnsers vorfaren/ vñ hoher gedechtnuß Ludouici des vierdten Romischen Keysers fundirt/ vñ gepawen ist gepürlicher weis/ vñ mit prinnendē liechtē tag vñ nacht behaltē vñ geeret werdē/ Nemlich/ ein groß stück von dem lebenmachenden Creütz/ daran der seligmacher vnser herr Jesus christus/ vmb heyl willen mēschlichs geschlechts hat wöllen hahē/ dargu das Sper/ damit sein seittē durch den Soldner geöffendt ist/ Auch der Negel einer damit sein heylige handt an das gemelt Creütz gehefft/ Ein stückh vonn der Krippen/ darein vnser heylmacher gelegt worden ist/ Der arm/ der heyligē frawen sandt Anna. Ettlich stückh von den ketten damit sant Peter/ Paulus vñ Johans die Appostern gepunden seinde gewest/ der Rockh sant Johansen des Ewangelisten/ Ein zan von sant Johansen baptista/ das schwert sande Mauricien/ deßgleichen Keyser Karels schwert/ so jme von dem Engel (als man sagt) ist gebē/ Die Kron/ Scepter/ Apffel/ vñ Keyserliche kleyd/ desselbē keyser Karels/ so man des reichs kleinat nēnet/ die ettwā durch herrn Sigmundē hochloblicher gedechtnus Romischē vñ Hūgerischē künig/ auß dē Beheymischē künigreich in gemelte stat/ sampt ander vil heiligtūbs gebracht seind wordē/ vñ dē christglawbigē mēschē/ so in einer grossen anzal/ vñ vō vil anderen weyteren örtē dahin komen/ Jarlich mit grosser zyrlichait d priester/ vñ des volcks auch sondlichē cerimonie gezeigt werdē. Zu welicher weysung/ auch allē denē/ so dz heyligtūb sehē/ vñ sunst die kirchē besuchē/ etlich Ablas durch güttige gedechtnus Babst Innocentij/ vñ Clementē den sechstē/ Deßgleich Martini/ vñ Nicolaū den funfftē/ vñ Pium den andern/ vnser vorfordern gegeben seindt/ In welicher kirchen auch das Ampt der Sperfeyer des herren/ auß Babstlicher ordnūg gehaltē/ vñ gesungē wirdet/ In d auch ein Custor oder ewiger Vicari ist/ dem zustet die selsorg der person/ gemelts Spitals. Deßgleich funff Monendler/ den gleicher weiß vō dem selben auffheben/ etlich teyl zu yrer vnderhaltung jarlich gereycht werden/ auch vil ander priester/ etlich mit ewigen/ etlich mit beweglichen Beneficien/ so durch die Christglawbigē menschē gestifft vñ begabt seind/ versehen. Auch ein Rector vnd zwelff Chorschuler/ so die teglichen vñ nechtlichen Siben zeyt/ alle tag mit hoher stym singen/ vñ dartzu auff das mynst drey Ampt. Auch ein prediger der all Sontag/ vnd heylig tag prediget/ Deßgleich in der Fasten/ vñ Aduent alle tag/ Das auch in gemelter Statt von vil jarē her/ vnd noch/ in der grossern wochen/ dye heylig wochen genant/ die armen sundersiechen/ Frawen vnd mann/ vnd zu zeytten priester Edel/ vnd ander/ zu Roß vnd fuß in grosser anzal/ ettwan biß in sibenhundert von manicherley vnd weytten orten/ als zehen/ Zweintzigkh/ vnd dreyssig meylen verner vnd neheter zukummē pflegen/ daselbst mit jren pferden beherberigt/ vñ drey tag/ als Mitwoch/ Donerstag/ vñ Freytag/ mit speyß vñ tranck vnderhalten/ Auch an gemeltē donerstag/ so sie auff dem kirchhoff der pfarrkirchen Sandt Sebalds/ in welicher dann gemelts hawß gelegen ist/ Jren zugeordneten priestern gepeicht habē/ mit dem hochwirdigen Sacramēt versehē werdē/ Dartzu an dem Carfreytag mit einem Wüllen tuch zu einem Rockh vnd leynwat zu einem hembd begabt/ jnen auch an gemelten tagen das gottes wort auff dem kirchhoff/ vnd in yrem hawß durch priester vnd geystlich Brüder geprediget/ vñ vil andere gute vñ milte werck/ durch die andacht d Christglawbigē menschē erzeigt werdē. Das auch zu volpringūg vñ auffrichtūg gemelter gepew/ vñ vnderhaltūg d pürd des Spitals/ dz einkomen desselbē sich nit erstreckt/ vñ die zinß so zu dem Almusen der sundersiechen/ wie gemelt gehören/ gering vñ gantz nit gnugsam seind. Darumb von nöten/ das die Christglawbigen menschen zu solichen guten wercken yr hilff reychen/ Vnd wir aber gantz geneyge seind/ das in dem Spital/ auch desselben kirchē/ die guten vñ seligē werck/ zu den/ dann vnser lieb Sün Burgermeyster/ Rat/ vñ Gemeinde ermelter Statt/ deßgleich die verweser vñ Regirer des Spitals/ vñ des gemelten Sundersiechen hawß/ sonder begirlich andacht haben/ Deßgleich der gottes dienst erhalten/ Vnd in wesenlicher merung bleibē/ Auch den armen krancken vñ harttseligen personen/ so yn den Spital/ vñ den Sundersiechen/ die in gemelter Carwochen in vorgenante Statt komen/ deßleichter geholffen werd/ das auch die christglawbigen menschē zu der pürd des Spitals/ vñ vnderhaltūg der armē sundersiechē/ dester andechtiger vñ bereytter werdē/ Vnd deßt lieber jr hilfflich handtreychung erzeigen/ damit sie darauß ein grössere andacht d hymelischen gnadē empfahen mogen. So verleyhen wir auß barmhertzigkeit des almechtigen gottes vñ in vertrawung des gewaltes der Appostelen sancti Petri vñ Pauli/ allē vñ yegklichē beyderley geschlechts christglawbigē mēschē geystlichē vñ weltlichē/ die warlich gepeicht/ od fursatz habē zupeichtē die von dem Sontag des meß eingang ansehend Letare/ von der ersten Vesper einschließlich/ biß auff den heyligen Ostertag auch einschließlich/ sandt Sebalds vnnd des Spitals vorgemelte kirchen zum heyligenn Geyst/ oder der eyne/ durch sich selbs/ oder wo sie auß kranckheit oder andern vrsachē verhyndert würdē/ durch andere vō yren wegē/ andechtigklich heymsuchē/ Vnd zu handthabūg/ erhaltūg/ merūg/ hinbringūg/ vñ auffenthaltūg vorgemelter Almusen/ jr hilfflich handreych thun. Nemlich sovil ein yegklichs fur sich vmb speiß vñ tranckh/ einen tag gemeincklich außgibt/ In der selben kirchen eine/ In welcher sie am liebsten wöllen/ geben/ vñ einlegen/ in den stockh/ so dartzu verordnet wirdet oder die so bequemlich/ nit sovil geben mügen/ oder das vermügē/ nach jr andacht oder beschedenheit/ oder aber auß Ratt yrer peichtuäter einlegen/ Deßgleichen derselbigen einlegenden vñ handtreichenden hawßfrawen vñ kinden/ die nit eygene güter haben/ vñ durch der selbē Speiß vnderhalten werden/ Deßgleichen denen/ die an vorgenanten tagen der Carwochen/ den gemelten Sundersiechen die werck der güttigkeit vnd lieb geystlich oder leyplich erzeigen/ Inen dienen/ vnd handtreychung thund/ volkumene nachlassung vñ genad aller yrer sund vbertrettung laster vnnd verhandlung barmhertzigklich in dem herren/ auß vorgemeltem gewalt in krafft diser brieff. Wir geben auch mit disem brieff/ auß Babstlichem gewalt/ den Regirern vnnd Brobsten sande Sebald/ vnd sandt Laurentzen Pfarkirchen/ Brobsten genant/ So zu der zeyt sein werden/ oder so yr einer nit vorhandē/ oder verhyndert were/ dem andern Brobst/ doch das der selb einen andern Prelatē/ Rector/ oder Clericen auß einer yegklichen kirchen/ oder Closter/ derselben Statt/ auch von pettel orden zu sich nem/ macht/ ettlich peichtväter weltlich priester/ oder Ordenßlewt/ welicherley pettel ordens die seind/ zu setzen/ vñ verordnen/ die dy Christglawbigen/ so die genanten kirchen/ wie vor gemelt ist/ heymsuchen/ einlegen/ geben oder hilfflich seind/ vñ peychten wöllen/ fleissigklich peicht hören/ Vnd die von allen vñ yegklichen iren sunden/ vbertrettungē/ verschuldūg/ vñ pannen/ absoluiren/ vñ fur yr verhandlūg ein heylwertige puß auff setzen mogen/ yn allen fellen/ die auch dem Stull zu Rom vorbehalten seind/ außgenomen die so begriffen werden/ in der Bulla/ so man am Grünen dornstag zulesen pfligt/ das sie auch allerley gelübt in die gemelten guten werckh verwandeln mügen/ außgenomen Meer/ Rom/ vnd Jacob fart/ auch gelübt der kewschheit vnd geystlicheit. Wir wöllen auch/ das dise genad nit begriffen sey in eynicherley widerrüffung/ vnderlassung oder außnemūg/ dergleichen oder anderer genad vnd macht/ durch vns/ oder den stul zu Rom gegeben/ in was lawt vnd form/ clausulen vnd decreten das sey/ auch ob die genad des pawes der kirchen/ sandt Peters zu Rom wer/ oder Türcken zug der gewesen were/ oder sein solt. Sonder das sie alwegen von den selben außgenomen sey/ vñ so offt die außgend/ das sie in jren vorigen Stand wider eingesatzt sey. Vnd dieweil die werck/ all ander genad/ auch die Fabrica der gemelten/ vnd anderer kirchen durch vns verlihen/ oder so noch gegeben möchten werden/ in gemelte Statt nit mogē verkündet werden/ Erclerem auch auß vorgemelter macht/ vnd lawt/ das dise genad zu ewigen künfftigen zeyten/ weren soll. Datum zu Viterb vnder des Vischers Pawmerring/ den ersten tag des Monats Octobris. M.D.xvij. Im funfften jar vnnsers Babstumbs.

Phi. de Senis.

...um, Kirchengeschichte,

C. H. Beck'sche Buchhandlung in Nördlingen.

Der Bann, den die Bischöfe und der Papst verhängten, war mit der weltlichen Strafe, mit der „Reichsacht" verbunden, so daß, wer von der kirchlichen Gemeinschaft ausgeschlossen wurde, auch alles bürgerlichen Rechtes verlustig ging.

Trotz des Wortes: „Die Kirche trinkt kein Blut", floß doch viel Ketzerblut; der weltliche Arm führte das von dem geistlichen Gericht gefällte Urteil willig aus. Ja es geschah, daß das Volk, „die weiche Gemütsart der Geistlichkeit fürchtend", selbst daran gieng, Ketzer zu verbrennen. Wohl erhoben sich Stimmen, wie die Bernhards gegen das Töten der Ketzer und Juden; sie konnten aber nicht durchdringen. Wurde doch zuletzt in Rom Gebrauch, an jedem Gründonnerstag eine allgemeine Verwünschung der Ketzer vorzunehmen.

Und wollte der gewöhnliche Bann nicht wirken, so war gegen Fürsten und Gemeinwesen noch das „Interdikt" zur Hand: d. h. die Versagung aller gottesdienstlichen Feier, bis Unterwerfung versprochen wurde.

Da schwiegen alle Glocken, der Gottesdienst wurde hinter verschlossenen Thüren gefeiert, da wurde kein Sakrament, kein Segen des Priesters an den Gräbern gespendet; nur Geistliche, Bettler und Kinder bis zu zwei Jahren durften kirchlich beerdigt werden. Selten wurde dieser Druck lange ertragen.

Dazu wurden noch in der Mitte der Zeit die Inquisitionsgerichte erfunden, besorgt von den Dominikanern. Zunächst gegen die Ketzer gerichtet, waren sie ein furchtbares Schreckmittel, das sich leicht auch nach andern Seiten hin gebrauchen ließ.

Ihre höchste Ausbildung und Anwendung fanden sie in Spanien, wo allein unter dem Großinquisitor Torquemada Tausende in den schrecklichen „Autodafés" den Feuertod erduldeten.

Aber so bedenklich, ja verwerflich diese Strafmittel auch wirkten, so wurden sie doch an unheilvoller Wirkung noch überboten durch das Gnadenmittel des Ablasses, das man kraft derselben Amtsgewalt spenden zu können glaubte oder vorgab, kraft deren man jene Strafmittel anwendete.

Seit den Tagen, daß Peter Waldus (s. S. 89—90) seine Stimme gegen diesen Mißbrauch erhoben hatte, war statt der Besserung vielmehr eine Verschlimmerung in diesem Punkte eingetreten. Für alles mögliche wurde Ablaß ausgeboten, und nicht bloß der Papst bot ihn aus, sondern es wurde von ihm auch verschiedenen kirchlichen Verbindungen wie den Bettelorden das Recht dazu erteilt. So wurde ein förmlicher Ablaßkram eingerichtet; dabei gingen die päpstlichen Ablaßprediger oft genug über ihre Vollmachten hinaus, um ihre Ware möglichst gut abzusetzen. Auch wurde dafür gesorgt, daß der Ablaßkram mit möglichstem Pompe eröffnet wurde: „Wann man den Commissarium in eine Stadt einführt, so trug man die Bulla auf einem sammet oder gülden Tuch daher, und giengen alle Priester, Mönch, der Rath, Schulmeister, Schüler, Mann, Weib, Jungfrauen und Kinder mit Fahnen und Kertzen, mit Gesang und Procession entgegen. Da läutet man alle Glocken, schlug alle Orgel, begleitet ihn in die Kirchen, richtet ein roth Creutz mitten in der Kirchen auf, do hengt man des Papsts Panier an ꝛc. und in Summa: man hätte nicht wohl Gott selber schöner empfahen und halten können." Wenn aber jemand etwas wider die Anpreisungen der Ablaßkrämer zu reden wagte, wurde er mit dem Bann bedroht. So wurde der Ablaßkram das hervortretendste Gebrechen in dem Leben und der Einrichtung der mittelalterlichen Kirche.

Das Verlangen nach einer Reformation an Haupt und Gliedern.

Die Konzile von Konstanz und Basel.

Der Erhebung des Papsttums zu seiner universellen Machtstellung im 13. Jahrhundert war der Verfall des kirchlichen Lebens fast unmittelbar auf dem Fuße gefolgt. Ueberall klagten die Völker über die Unsittlichkeit, die Verweltlichung und Geldgier des Klerus. „Die römische Kirche — so schreibt der Rat der Stadt Köln im Jahr 1372 — schickt heutzutage keine Prediger und Seelsorger mehr zu uns, sondern üppige und eigennützige Geldeintreiber.“ Die Simonie stand wieder in voller Blüte; wo eine gute Pfründe erledigt war, wurde förmlich Jagd darauf gemacht; auch die Vereinigung mehrerer Pfründen in einer Hand trug zur Unzufriedenheit im Volke bei. Das Treiben der Ablaßprediger rief eine steigende Aufregung in den Völkern hervor. Dazu kam das Schisma. Die Kirche hatte zwei Häupter, eines in Avignon, das andere in Rom, die sich gegenseitig mit Bann und Interdikt bekämpften. Da erhob sich immer lauter, auch seitens der Universitäten, zumal der Pariser, wo Gerson den Grundsatz verfocht, daß ein allgemeines ökumenisches Konzil über dem Papste stehe, der Ruf nach einem Konzile und nach einer Reformation der Kirche an Haupt und Gliedern. Der von 1414—1418 tagenden Konstanzer Kirchenversammlung gelang es nun zwar, das Schisma zu heilen; aber sie erwies sich völlig unfähig, die verlangte Reformation der Kirche zu schaffen, indem sie vielmehr einen Hus zum Tode verurteilte. Nicht glücklicher verlief ein zweites Konzil, welches Papst Eugen IV., dem immer mächtiger werdenden Verlangen Folge gebend, im J. 1431 nach Basel berief, und welches dort bis zum J. 1443 versammelt war. Der alte Zustand der vollständigen Uebermächtigkeit des Papsttums in der Kirche stellte sich darnach unverändert wieder her, nur daß des letzteren Verweltlichung erst vollständig offenkundig wurde, seitdem die Päpste im 15. Jahrhundert ihre Aufgabe mehr und mehr im Ausbau ihrer weltlichen Herrschaft, des Kirchenstaates, suchten und gleich den anderen italienischen Fürsten einen glänzenden Hof einrichteten. Zu Ende des 15. Jahrhunderts war der Sitz des römischen Bischofs, des geistlichen Vaters der Christenheit, durch Alexander VI. aus dem Hause der Borgia zu einem Pfuhl von Unsittlichkeit geworden, während Papst Leo X. aus dem Hause der Medizeer, an dessen Hof Künstler wie Raphael und Michel Angelo wirkten, den Geist eines heidnischen Humanismus nährte und seinen Ruhm ausschließlich auf dem Gebiet der Künste und Wissenschaften suchte. Die Christenheit und die kirchlichen Einrichtungen kamen für diese Päpste nur als eine Quelle der Einkünfte und als ein Mittel zur Ausführung ihrer politischen, künstlerischen und wissenschaftlichen Zwecke in Betracht.

Obwohl die Päpste äußerlich wieder ihre alte Machtstellung eingenommen hatten, so war sie im Grunde doch bereits tief erschüttert. Dies zeigte sich auch darin, daß nicht wenige unter den Gelehrten es wagten solche Ansichten öffentlich zu vertreten: daß die höchste und gesetzgebende Gewalt in der Kirche allein den allgemeinen Konzilien zukomme und daß vom Papste an ein allgemeines Konzil appelliert werden könne, daß die bischöfliche Gewalt nicht auf der päpstlichen ruhe, sondern mit derselben gleiche Grundlage habe (Episkopalsystem gegen Papal- oder Kurialsystem). Ja, die neuen Studien hatten den geschichtlichen Blick schon soweit geschärft, daß von mehreren Gelehrten die Unechtheit der Isidorischen Dekretalien und der Konstantinischen Schenkung (s. S. 131) erkannt wurde; bezüglich der letzteren wurde die Unechtheit von dem Italiener *Laurentius Valla* offen nachgewiesen. Aber freilich mit den Waffen der Gelehrsamkeit konnte die ebenso zähe als gewaltige Macht des Papsttums nicht überwunden werden; dazu mußte der Mann des Glaubens kommen. Und die Zeit für sein Auftreten war nun erfüllt, der Boden für die Aussaat der reformatorischen Gedanken allenthalben zubereitet.

Der gute und der schlechte Hirte (Ev. Joh. 10, 12). Holzschnitt von H. Holbein auf einem (in England erschienenen) Reformations-Flugblatt. Von seinen Jüngern umgeben, weist der Herr auf einen ungetreuen Hirten hin, der seinen Hirtenstab weggeworfen hat und davonläuft, da der Wolf in die Herde bricht.

Drittes Buch.

Die neue Zeit.

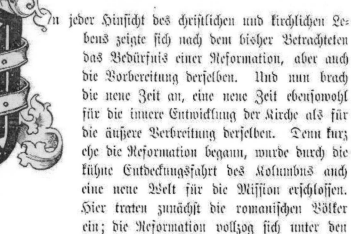

In jeder Hinsicht des christlichen und kirchlichen Lebens zeigte sich nach dem bisher Betrachteten das Bedürfnis einer Reformation, aber auch die Vorbereitung derselben. Und nun brach die neue Zeit an, eine neue Zeit ebensowohl für die innere Entwicklung der Kirche als für die äußere Verbreitung derselben. Denn kurz ehe die Reformation begann, wurde durch die kühne Entdeckungsfahrt des Kolumbus auch eine neue Welt für die Mission erschlossen. Hier traten zunächst die romanischen Völker ein; die Reformation vollzog sich unter den germanischen und allen voran war die deutsche Nation für dieses Werk durch Gottes Gnade erwählt.

I. Das Zeitalter der Reformation (1517–1648).

A. Aeußerer Gang der Reformation.

1) In Deutschland.

a) Bis zum Reichstage von Worms (1517–21).

Es geschah am 31. Oktober 1517, am Tage vor Allerheiligen, daß der Augustinermönch Dr. Martin Luther mit dem Anschlagen von 95 Sätzen

(Thesen) an die Schloßkirche zu Wittenberg die neue Zeit eröffnete. Diese Sätze waren freilich zunächst nur gegen das Unwesen des Ablaßkrames gerichtet, welches gerade damals angeblich zum Bau der Peterskirche in Rom durch den Dominikaner Tezel in der Umgegend sich breit machte. Aber sie trafen ins Herz der vorhandenen Irrtümer und Mißbräuche. Ihre rasche Verbreitung durch Deutschland, ja über einen großen Teil Europas, „als wären die Engel selbst Botenläufer", war wie eine Weissagung von ihrer weltbewegenden Bedeutung.

Sie waren aber auch aus der innersten Überzeugung eines Mannes gekommen, den Gott ersichtlich, innerlich wie äußerlich, zum auserwählten Rüstzeug der Reformation bereitet hatte. Als der Sohn des Bergmanns Hans Luther und seiner Ehefrau Margaretha, geb. Lindemann zu Eisleben am 10. November 1483 geboren, war Luther von Haus aus ein Kind des Volkes. Die Luther — den Namen leitete Martin Luther wohl ab von „lauter", richtiger von Lothar, ursprünglich Chlotachar d. i. wer unter dem Heer (chari = Heer) lauten Klang oder Ruhm hat (hlut = laut, berühmt) — stammten ursprünglich aus Möhra, einem Dorf bei Salzungen, am südwestlichen Abhang des Thüringerwaldes, wo den Namen Luther noch heute 5 Familien führen; die Vorfahren waren Bauern. Im Hause seiner Eltern erhielt Martin eine fromme Erziehung und war von Kindheit auf mit strenger Zucht „unter das Gesetz" gethan. In seiner nicht minder harten Schulzeit in Mansfeld, Magdeburg und Eisenach mußte er zugleich durch die Schule der Armut mit ihren Entbehrungen gehen; sie wurden ihm in Eisenach erleichtert durch die Wohlthätigkeit der Frau Cotta, welche von dem eifrigen Singen und Beten des Knaben gerührt worden war. Auf der hohen Schule zu Erfurt (1501) machte er den köstlichen Fund einer lateinischen Bibel, die er zuvor nie gesehen; dies erweckte in ihm den sehnlichen Wunsch: „Der getreue Gott wolle ihm dermaleins auch ein solch eigen Buch bescheren!" Auch schwerer Krankheit Prüfung blieb ihm nicht erspart nach dem Spruche eines alten Priesters gegen ihn: „Aus wem Gott will etwas Seliges ziehen, dem legt er bei Zeiten das heilige Kreuz auf." Nach dem Wunsche seines Vaters widmete er sich auf jener Hochschule der Rechtsgelehrsamkeit; 1505 wurde er Magister der Philosophie. Aber plötzlich trat er, erschüttert von dem jähen Tode eines Freundes, auch erschreckt in seinem Gewissen durch einen neben ihm einschlagenden Blitz „mit Schrecken und Angst des Todes eilend umgeben" in das dortige Augustinerkloster (1505) zum nicht geringen Verdruß seines Vaters. Unter eifrigstem Forschen in der Bibel, so lange man es ihm erlaubte, und unter anhaltenden und erschöpfenden klösterlichen Übungen rang er da nach dem Frieden des Gewissens und nach der Freudigkeit des Geistes. „Ein frommer Mönch bin ich gewesen", durfte er von sich sagen, „und so strenge habe ich meinen Orden gehalten, daß ich sagen darf: „Ist je ein Mönch gen Himmel gekommen durch Möncherei, so wollte ich auch hineingekommen sein; denn ich hätte mich, wo es länger gewährt, zu Tode gemartert mit Wachen, Beten, Lesen und andern Arbeiten". Die einzige Ermunterung bot ihm der tröstliche Zuspruch seines Vorgesetzten, des Generalvikars des Augustinerordens Dr. Staupitz, und eines alten Klosterbruders, die ihn auf den Weg der Gnade und auf die Vergebung der Sünden in Christo hinwiesen; dasselbe fand er auch bezeugt in Augustinus Schriften, mit denen, wie auch mit den Schriften der Mystiker, er sich fleißig beschäftigte. Über diesen inneren Kämpfen, die er selber in den ersten Versen des Liedes: „Nun freut euch, liebe Christen gemein" schildert, wurde er 1508 als Lehrer der Philosophie an die Universität Wittenberg berufen, welche der Kurfürst Friedrich der Weise von Sachsen sechs Jahre vorher neu gegründet hatte. Aber bald vertauschte er die Philosophie mit der Theologie. Und hier wies er alsbald der Scholastik gegenüber mit allem Nachdruck auf die heilige Schrift hin, so daß einer seiner Amtsgenossen oftmals sagte: „Dieser Mönch wird alle Doktores irre machen und eine neue Lehre aufbringen und die ganze römische Kirche reformieren." Auch fing er, von Staupitz gedrängt, zu predigen an; bald mußte man ihm wegen großen Zulaufs statt der ärmlichen Klosterkapelle die Kanzel der Pfarrkirche zuweisen. Eben in der Erklärung des Briefes an die Römer begriffen, wurde er 1510 in Sachen des Klosters nach Rom gesendet. Als er zuerst der Stadt ansichtig wurde, fiel er auf die Erde nieder und sprach: „Sei mir gegrüßt, du heiliges Rom!" Aber er fand es gar anders als er sich's gedacht hatte, und später bekennt er: „Ich wollte nicht hunderttausend Gulden nehmen, daß ich Rom nicht gesehen hätte." Trotz des unverhüllten Unglaubens, der ihm da unter den Geistlichen entgegentrat, blieb sein Vertrauen zur Kirche indes zunächst doch unerschüttert, wie er denn selbst bekennt (in der Auslegung des 117. Psalms): „Ich war zu Rom auch so ein toller Heiliger, lief durch alle Kirchen und Klöster, und habe auch wohl eine Messe oder zehn zu Rom gehalten und war mir dazumal sehr leid, daß mein Vater und Mutter noch lebten. Denn ich hätte sie gern aus dem Fegfeuer erlöset mit meinen Messen und andern trefflichen Werken und Gebeten." Unter den Bußübungen aber war es ihm mehr und mehr zu Mute, als wenn ihm eine Donnerstimme zuriefe: „Der Gerechte lebt seines Glaubens!" (Röm. 1, 17). Zurückgekehrt wurde er 1512 als Doktor der heiligen Schrift vereidigt. Als solcher fuhr er um so eifriger fort, dieselbe auszulegen, vor allem die Briefe an die Römer und an die Galater. Auch ließ er eine Auslegung der sieben Bußpsalmen im Druck erscheinen, wie er überhaupt den Psalter als „aller Heiligen Büchlein" zeitlebens hochhielt und fleißig brauchte. Wie er sich zugleich in die Schriften der deutschen Mystiker versenkte, davon liefert einen Beweis die von ihm im Jahr 1516 veranstaltete erste Ausgabe der deutschen Theologie (s. S. 96). Gerade um diese Zeit trat ihm nun der Auswuchs des ganzen gesetzlichen Wesens der damaligen Kirche in dem Ablaßkram des Dominikanermönchs Tezel entgegen. Im Beichtstuhl gewahrte Luther mit Schrecken die heillosen Folgen dieses Treibens; denn da hieß es: „Buße haben wir nicht nötig, wir haben Ablaß gekauft!" Da konnte Luther um des Gewissens willen nicht schweigen, zumal er sah, daß die Kirchenobern nichts dagegen thaten. So schlug er in Gottes Namen seine 95 Sätze an, deren erster lautet: „Da unser Herr Christus spricht: Thut Buße! so wollte er, daß das ganze Leben seiner Gläubigen eine (stete) Buße sei!" und ein anderer: „Der rechte wahre Schatz der Kirche ist das allerheiligste Evangelium der Herrlichkeit und Gnade Gottes!" Die Thesen erschienen sofort in einer lateinischen Ausgabe, später auch in einer deutschen im Druck. Ohne es zu ahnen, ward Luther mit diesem Hammerschlag zum Reformator der Kirche. Der Papst Leo X. sollte bald inne werden, was diese vermeintliche Mönchszänkerei zu bedeuten habe.

Trotz verschiedener Versuche, den Streit zu beschwichtigen, griff die Bewegung rasch um sich. Vergeblich war die Verhandlung des Kardinallegaten Kajetan (Thomas de Vio von Gaeta) mit Luther auf dem Reichstage zu Augsburg (1518). Luther entzog sich der über ihm schwebenden Gefahr, nach Rom gebracht zu werden, indem er heimlich am 20. Oktober den Reichstag verließ unter Berufung von dem übel berichteten an den besser zu berichtenden Papst.

Papst Leo X. (1513–1521) mit zwei Kardinälen. Nach dem Ölgemälde von Raphael Sanzio.

Es war, wie sich herausstellte, eine welsche List, welche Luther nach Augsburg gelockt hatte. Seine Freunde warnten ihn unterwegs, den Reichstag zu betreten; doch er sagte: „auch in Augsburg, auch inmitten seiner Feinde herrsche Jesus Christus; Christus lebe, Martinus sterbe." Zu Augsburg kamen ihm die Empfehlungen seines Kurfürsten zu Statten und führten ihn u. a. auch bei dem berühmten Humanisten Konrad Peutinger, städtischem und kaiserlichem Rate ein. Aber der Legat verlangte kurz den Widerruf und lehnte eine Disputation ab. Er besitze bereits ein Mandat von dem päpstlichen Stuhl, über Luther den Bannfluch und über Alle, zu welchen er sich etwa hinwenden möchte, das Interdikt zu verhängen. Luther legte nun eine Berufung nieder, welche er in Gegenwart seines väterlichen Freundes Staupitz notariell beurkunden und dem Papst zustellen ließ, von dem nicht gut unterrichteten Papst an den besser zu unterrichtenden, indem er sich vorbehielt, falls der Papst diese abweise, sich an ein Konzil zu wenden, und beschloß, von Augsburg zu fliehen. In der Nacht vom 20. zum 21. Oktober ließ ihm denn sein Freund, der Augsburger Patrizier Kanonikus Dr. Langenmantel, ein Pförtlein der Stadtmauer öffnen, während der Rat einen Ausreiter mitgab, der die Wege kannte. So kam Luther, ohne Stiefeln und Sporen, zu Pferd am ersten Tag bis Monheim; als er abends vom Pferde stieg, fiel er vor Müdigkeit stracks auf die Spreu. Zu Nürnberg traf er eine Sendung Spalatins, welche ihm ein päpstliches Breve an Kajetan, vom 23. August datiert, mitteilte, das ihn bereits als erklärten Ketzer behandelte und mit List oder Gewalt nach Rom zu schaffen hieß. Doch sein Kurfürst hielt auch ferner die Hand über Luther, der seine Sache dem anheimstellte, „der im Himmel thront und der diesen ganzen Handel, seinen Verlauf und sein Ziel von Ewigkeit her zuvor versehen habe."

Churfürst Friedrich der Weise von Sachsen, Luthers Beschützer († 4. Mai 1525 im Bekenntnis der evangelischen Lehre). (Kupferstich von Albrecht Dürer.)

Auch die Bemühungen des päpstlichen Kammerherrn v. Miltitz, der eben Luthers Landes- und Schirmherrn, dem Kurfürsten Friedrich dem Weisen von Sachsen, welchen der Papst für die bevorstehende Kaiserwahl zu gewinnen dachte, die geweihte Rose überbringen sollte, hatten keinen Erfolg. Nicht daß Luther nicht

Der Ablaßkram. Alter Holzschnitt von Hans Holbein von einem fliegenden Blatte (um 1523).

„Am Ende einer Kirchenhalle, welche überall an Chorstühlen und Teppichen das Wappen der Medici zeigt, thront Leo X., einem knieenden Dominikaner die Ablaßbulle reichend. Vorne sitzen Geistliche, hören Beichte ꝛc. Inmitten steht ein Tisch, an welchem drei Dominikaner mit dem Anfertigen und Verkaufen der Ablaßzettel beschäftigt sind: der eine hält noch den Brief zurück und überrechnet erst das Geld, ein anderer weist den Bettler zurück, der sich auf den Krücken herbeischleppt, aber kein Geld zum Bezahlen hat. — Zur Linken aber im Freien, als wären sie herausgetreten aus der Kirche, in welcher man mit der göttlichen Gnade Handel treibt, beugen sich die wahrhaft Bußfertigen vor Gott wie König David und König Manasse [2 Chron. 33, 12]. Gegen sie breitet aus den Wolken der allmächtige Vater liebreich seine Arme aus."

zum Frieden geneigt gewesen wäre; vielmehr versprach er in einem demütigen Schreiben an den Papst, zu schweigen, wenn seine Gegner auch schwiegen. Aber die vorlaute, eitle Dienstbeflissenheit des Ingolstädter Professors Dr. Joh. Maier von Eck, eines scholastischen Klopffechters, der seinen Ruhm im Disputieren bei dieser Gelegenheit fester zu begründen meinte, hinderte eine solche Entwicklung der Dinge. Er forderte Luther zu einer Disputation nach Leipzig (1519). Luther that was er thun mußte; von der Bestreitung des Ablasses und des Th. v. Aquino wurde er in der Hitze des Wortkampfes weitergeführt zur Bestreitung der Dekrete der Päpste und der Konzilien und auf die letzte Autorität gewiesen: nämlich die heilige Schrift. Und diese führte ihn notwendig weiter und weiter hinweg von der römischen Kirche. Je weiter er forschte, um so tiefer öffnete sich der Gegensatz gegen diese. Die Schriften von Hus, die ihm jetzt aus dem nahen Böhmen zugesandt wurden, führten ihn zu denselben Lehren des Paulus und Augustinus, die er sich unter so großen Kämpfen angeeignet hatte, und aus einer Abhandlung des italienischen Humanisten Laurentius Valla über die „Konstantinische Schenkung" (vgl. S. 139) gewann er einen Einblick in ein Gewebe von Unwahrheit, das er sich nur durch die Vorstellung vom „Endchrist" erklären konnte.

Von jetzt an griff der Streit immer weiter und heftiger um sich und Luthers gewaltige Schrift „an den christlichen Adel deutscher Nation von des christlichen Standes Besserung", welche im Sommer 1520 erschien, machte die Sache zu einer nationalen Angelegenheit.

Luther beginnt: „Gnad und Stärke von Gott zuvor: Allerdurchleuchtigste, gnädigste liebe Herren: Es ist nicht aus lauter Fürwitz noch Frevel geschehen, daß ich einiger, armer Mensch mich unterstanden, für Euere hohen Würden zu reden: die Not und Beschwerung, die alle Stände der Christenheit, zuvor Deutschland, druckt und nicht allein mich, sondern Jedermann bewegt hat, vielmal zu schreien und Hülfe begehren, hat mich auch itzt gezwungen zu schreien und zu rufen, ob Gott jemand den Geist geben wollt, seine Hand zu reichen der elenden Nation. Es ist oft durch Concilia etwas fürgewandt: aber durch etlicher Menschen List behendiglich verhindert und immer ärger worden, welcher Tück und Bosheit ich itzt, Gott helfe mir, durchleuchten gedenk, auf daß sie erkannt, hinfurt nicht mehr so hinderlich und schädlich seyn möchten. Gott hat uns ein junges, edles Blut zum Haupt gegeben, damit viel Herzen zu großer, guter Hoffnung erwecket. Daneben will sichs ziemen, das unsere da zu thun, und der Zeit und Gnade nützlich brauchen." Dann nach der Ermahnung, nicht im Vertrauen auf eigne Macht oder Vernunft, sondern allein in demütigem Vertrauen auf Gott das Werk anzufangen, fährt er fort: „Die Romanisten haben drei Mauern mit großer Behendigkeit um sich gezogen, damit sie sich bisher beschützt, daß sie niemand hat mügen reformieren, dadurch die ganze Christenheit greulich gefallen sind. Zum ersten, wenn man hat auf sie gedrungen mit weltlicher Gewalt, haben sie gesetzt und gesagt, weltliche Gewalt habe nicht Recht über sie, sondern wiederum, Geistlich sei über die Weltliche. Zum andern, hat man sie mit der heiligen Schrift wollt strafen, setzen sie dagegen, es gebühre die Schrift niemand auszulegen, denn dem Pabst. Zum dritten, dränet man ihnen mit einem Concilio, so ertichten sie, es möge niemand ein Concilium berufen, denn der Pabst. Gegen diese Mauern der „Romanisten“ führt Luther nun seine Stöße: erstlich gegen den Satz, als ob geistliche Gewalt über weltliche Gewalt gehe, und verkündet, daß alle Christen wahrhaft geistlichen Standes seien; dann stellt er die Schrift über den Papst und bestreitet, daß ihm die Auslegung der Schrift gebühre; endlich verwirft er den Satz, als wenn dem Pabste allein die Berufung eines Konzils zustehe. Er fordert hierauf die Stände des Reiches auf, dieses Joch abzuschütteln, und zählt endlich eine große Reihe von Mißbräuchen auf, welche in einem freien Konzil abzustellen seien: „Zum ersten, daß ein jeglicher Fürst, Adel, Stadt ihren Unterthanen frisch an verbiete, die Annaten gen Rom zu geben, und sie gar abthue. — Zum andern, dieweil der Pabst mit seinen römischen Praktiken, Commenden, Adjutorien, Reservation, Gratiis expectativis, Pabsts Monat, Incorporation, Union, Pension, Palliis, Canzleiregeln, und dergleichen Büberey alle deutsche Stift ohn Gewalt und Recht zu sich reißt, und dieselben zu Rom Fremden, die nichts in deutschen Landen dafür thun, giebt und verkäuft, damit er die Ordinarien beraubt ihres Rechten, macht aus den Bischöfen nur Ziffern und Ölgötzen; — so soll hie der christlich Adel sich gegen ihn setzen, als wider einen gemeinen Feind und Zerstörer der Christenheit, — und den Bischöfen ihr Recht und Amt wiederstatten. — Zum dritten, daß ein kaiserlich Gesetz ausgehe, keinen Bischofmantel, auch keine Bestätigung irgend einer Dignitäten für an aus Rom zu holen; sondern daß man die Ordnung des allerheiligsten und berühmtesten Concilii Nicäni wieder aufricht, darinnen gesetzt ist, daß ein Bischof soll bestätigt werden von den andern zween nähesten oder vom Erzbischof. 4. Daß verordnet werde, daß kein weltlich Sach gen Rom gezogen werde, sondern dieselben alle der weltlichen Gewalt lassen. 9. Daß der Pabst über den Kaiser kein Gewalt habe, ohn daß er ihn auf dem Altar salbe und kröne, wie ein Bischof einen König krönt; und je nicht der teuflischen Hoffart hinfurt zugelassen werde, daß der Kaiser des Pabsts Füße küsse, oder zu seinen Füßen sitze, oder, wie man sagt, ihm den Stegreif halte, und den Zaum seines Maulpferds, wenn er aufsitzt zu reiten: noch viel weniger dem Pabst Hulde und treue Unterthänigkeit schwöre, wie die Päbste unverschemt fürnehmen zu fordern, als hätten sie Recht dazu. 14. Im 14. Artikel kommt er auch auf den Cölibat der Priester zu sprechen und auf die darauf erfolgte Gewissensbeschwerung, da doch Niemand zuthut ihnen zu helfen, ob ihnen fast wohl zu helfen wäre. Läßt Pabst und Bischofe hie gehen, was da gehet, verderben was verdirbt, so will ich erretten mein Gewissen, und das Maul frei aufthun, es verdrieß Pabst, Bischöfe, oder wen es will. Ich laß hie anstehen Pabst, Bischöfe, Stift, Pfaffen und Münche, die Gott nicht eingesetzt hat. Haben sie ihnen selbs Bürden aufgelegt, so tragen sie sie auch. Ich will reden von dem Pfarrstand, den Gott eingesetzt hat, der ein Gemein mit Predigen und Sakramenten regieren muß: denselben sollt durch ein christlich Concilium nachgelassen werden Freiheit, ehelich zu werden. Denn dieweil sie Gott selbs nicht verbunden hat, so soll und mag sie Niemand verbinden mit tyrannischen, eigengewaltigen Gesetzen. 16. Es wäre auch noth, daß die Jahrtag Begängniß, Seelmessen gar abgethan, oder je gar geringer würden, darum daß wir offentlich sehen für Augen, daß nicht mehr denn ein Spott draus worden ist, und nur auf Geld, Fressen und Saufen gericht sind. 17. Man müßt auch abthun etlich Pöne oder Strafe des geistlichen Rechts, sonderlich das Interdikt, welchs ohn allen Zweifel der böse Geist erdacht hat. — Den Bann müßt man nicht ehe brauchen, denn wo die Schrift weiset zu brauchen, das ist, wider die so nicht recht gläuben, oder in offentlichen Sünden leben, nicht ums zeitlich Gut. 23. Die Brüderschaften, item Ablaß, Ablaßbrief, Butterbrief, Meßbrief, Dispensation und was des Dings gleich ist, nur alles ersäuft und umbracht. Lieber, du hast in der Taufe ein Bruderschaft mit Christo, allen Engeln, Heiligen und Christen auf Erden angefangen: halt dieselben und thue ihr gnug, so hastu gnug Bruderschaften. 26. Der Pabst hat mit Unrecht den griechischen Kaiser des römischen Reichs beraubt, und dasselbe den Deutschen zugewendet, aber nur um dieselben zu unterjochen. „So geb der Pabst her Rom und alles was er hat vom Kaiserthum, laß unser Land frei von seinem unerträglichen Schätzen und Schinden, geb wieder unser Freiheit, Gewalt, Gut, Ehre, Leib und Seele und las ein Kaisertum sein, wie einem Kaisertum gebühret, auf daß seinen Worten und Fürgebung gnug geschehe."

Die Schrift fand überall im Volke lebhaften Widerhall, der sich in einer Menge von Flugschriften hin und wider, für und gegen die Sache Luthers äußerte. Indessen giengen die Friedensverhandlungen, hauptsächlich durch Miltitz betrieben, fort, und die kleine Schrift „Von der Freiheit eines Christenmenschen" (wie der Christ im Glauben ein freier Herr über alle Dinge und niemand unterthan, und doch wieder um der Liebe willen ein dienstbarer Knecht aller Dinge und Jedermann unterthan sei), sandte Luther zum Ausdruck seiner Friedensliebe mit einem Briefe dem Papste zu. Aber mit diesem Zeugnis von der rechten geistlichen christlichen Freiheit und von dem königlichen Priestertum aller Gläubigen (2 Petri 2, 9) ward für Luther kein Raum mehr erfunden in der römischen Kirche. Bereits war Eck mit der päpstlichen Verdammungsbulle von Rom her unterwegs gen Wittenberg. Und noch ehe diese angekommen war, hatte Luther im Herbst 1520 gleichsam eine Fortsetzung der Schrift an den christlichen Adel herausgegeben unter dem Titel: „von der babylonischen Gefangenschaft der Kirche."

Die schwerste, ja die recht eigentliche Verderbnis der Kirche sah Luther nämlich noch nicht in jenen äußeren Mißbräuchen, gegen welche er seine Schrift an den christlichen Adel gerichtet hatte, sondern in der Tyrannei, welche die Hierarchie über die Seelen und Gewissen übte, und gegen diese schrieb er nun die neue Schrift. Darin verglich er die durch das Zusammenwirken von päpstlicher Hierarchie und scholastischer Wissenschaft allmählich geschehene Festsetzung der lateinischen Dogmen und Gebräuche mit der babylonischen Gefangenschaft, — einer Vergewaltigung der Kirche klagte er das Papsttum an, verwarf unter Hinweisung auf die Schrift die Entziehung des Laienkelchs und die Lehre von der Transsubstantiation und verurteilte die der Messe zu Grunde liegende Vorstellung, daß Christus und die römische Kirche eines und dasselbe, und daher die priesterliche Celebration des Sakra-

*der Ersten Ausgabe von Luther's Schrift über die baby-
onische Gefangenschaft der Kirche. Wittenberg 1520.*

**on der Babylonischen gefengk
nuß der Kirchen/Doctor Martin Luthers.**

Der Leipziger Professor Mosellanus, welcher der Disputation mit Eck beiwohnte, beschrieb damals Luthers Gestalt als schmächtig, durch Sorgen und Studien abgemagert, „so daß man fast alle Knochen an ihm zählen kann“.

Schlußvignette.

Über den beiden Hunden findet sich die Überschrift:

R. S. M.
Mit gwalt man gwalt vertreiben sol
Das schint an dißen Hunden wol.
Bei Gwalt vernunfft hat keinen platz.
Christus macht Frid, der teufel hatz.

ments ein Opfer, ein verdienstliches Werk sei, als einen nicht nur schriftwidrigen, sondern gefährlichen Irrtum. Ebenso durchbrach er darin die Lehre von den sieben Sakramenten und stellte den Unterschied klar zwischen einer Anordnung Christi und einer Einrichtung durch die Kirche.

Als jetzt Dr. Eck mit der Bulle in Wittenberg erschien, deren Vollzug Kurfürst Friedrich mit dem Hinweis ablehnte, daß Luther von gleichen gelehrten frommen Richtern an einem dritten Ort verhört werden müsse, und Luther hörte, daß Eck da und dort bereits die Verbrennung seiner Schriften ins Werk setze, da fühlte er sich zu einem entscheidenden Schritt gedrungen. Am 10. Dezember 1520 warf er vor dem Elsterthor zu Wittenberg vor einer großen Versammlung die päpstliche Bannbulle nebst dem „kanonischen Rechte" ins Feuer mit den Worten: „Weil du den Heiligen des HErrn betrübet hast, so betrübe und verzehre dich das ewige Feuer!" Mit diesem Feuerzeichen hatte Luther die Brücke hinter sich verbrannt.

Auf Betrieb des päpstlichen Nuntius Aleander kam nun die Angelegenheit vor Kaiser und Reich. Kurfürst Friedrich und die Reichsstände, welche auch 101 Beschwerden gegen den römischen Stuhl aufstellten, verlangten, daß Luther sich persönlich auf dem Reichstage in Worms verantworten dürfe. Voll heldenmütigen Gottvertrauens zog Luther unter kaiserlichem Geleite dahin, unterwegs allenthalben von dem Zulauf des Volkes begrüßt, welches seine gegen die damalige Gewohnheit in deutscher Sprache geschriebenen Schriften, welche durch die noch nicht lange erfundene Buchdruckerkunst rasch allenthalben verbreitet wurden, begierig kaufte und las. Als noch in letzter Stunde Freunde ihn warnten, nach Worms hineinzukommen, sprach er unverzagt und ohne Grauen: „Und wenn so viel Teufel in Worms wären, als Ziegel auf den Dächern, wollte ich doch hinein!"

In der Karwoche, am 26. März 1521, war Luther die feierliche Vorladung nach Worms — das Schriftstück war unterzeichnet vom Kaiser und trug die Anrede „Ehrsamer, Geliebter, Andächtiger" — durch den Reichsherold Kaspar Sturm zugestellt worden und bereits am 16. April, einem Dienstag, Vormittags 10 Uhr, traf er in Worms ein. Er hatte sich keinen Augenblick besonnen, die trotz des freien Geleites, das ihm für die Hin- und Rückfahrt zugesagt worden, gefährliche Reise anzutreten. Schon das Jahr zuvor unterm 21. Dezember hatte er an Spalatin geschrieben: „Ich werde, wenn man mich ruft, kommen, soweit an mir liegt, denn man darf nicht zweifeln, daß ich vom Herrn gerufen werde, wenn der Kaiser mich ruft; greifen sie zur Gewalt, so muß man dem Herrn die Sache befehlen; denn noch lebt und regiert derselbige, der die drei Knaben im Feuerofen des Königs von Babylon erhalten hat." Die Reise nahm, ganz gegen den Willen derer, die sie veranlaßt hatten, einen öffentlichen Charakter an, die Hoffnungen und Befürchtungen der deutschen Nation begleiteten den Augustinermönch. Zu Erfurt war er an der Grenze des Stadtgebiets vom Rektor der Universität zu Pferd an der Spitze eines Zugs von 40 Berittenen eingeholt worden. Hier, sowie in Gotha und Eisenach mußte er predigen. In Frankfurt wird noch heute das Haus gezeigt, von welchem herab Luther zum Volke gesprochen haben soll. Auch in Worms war sein Einzug feierlich: im offenen Wagen, vor ihm zu Pferd, wie auf der ganzen Reise, der kaiserliche Herold, hinter ihm sein Freund und künftiger wittenbergischer Kollege D. Justus Jonas und das berittene Geleite; die Stadt war in nicht geringerer Erregung als der Reichstag, das Volk drängte sich auf die Dächer, um den kühnen Mönch zu sehen, als er gegen Abend in den Reichstag eintrat, und der Reichserbmarschall von Pappenheim mußte ihn durch ein Hinterpförtchen des Klostergartens der Johanniter, bei denen er sein Quartier hatte, und auf Seitenwegen geleiten. Beim Eintritt in die Versammlung, welche in einem Saale der (jetzt längst verschwundenen und von einem in Privathand befindlichen Garten ersetzten) bischöflichen Pfalz stattfand, that ihm der tapfere Landsknechtoberst Georg v. Frundsberg den Zuspruch: „Mönchlein, Mönchlein, du gehest jetzt einen Gang, einen solchen Stand zu thun, desgleichen ich und mancher Oberst auch in unsrer allerernstesten Schlachtordnung nicht gethan haben. Bist du auf rechter Meinung und deiner Sache gewiß, so fahre in Gottes Namen fort und sei getrost, Gott wird dich nicht verlassen!"

Kaiser Karl V.
nach einem Kupferstich von Bartholomäus Beham.

Gleich am Tage nach seiner Ankunft wurde er vor Karl V. (1519 bis 1556) geführt. Erbe des spanisch-habsburgischen Weltreichs, von den deutschen Kurfürsten auch zum Nachfolger seines Großvaters, des Kaisers Maximilian I. (1483—1519), in der deutschen Kaiserwürde berufen, war dieser zum ersten Mal in deutschen Landen erschienen. Er war erzogen in der spanisch-katholischen Frömmigkeit und, wie bald an den Tag trat, der Kirchenreformation Luthers nicht günstig gesinnt.

Auf die Frage, welche der Offizial des Erzbischofs von Trier im Auftrag des Kaisers an diesen richtete, ob er seine Schriften — es waren die Streitschriften ebensowohl wie die streng theologischen gemeint — widerrufen wolle, erbat Luther sich zunächst Bedenkzeit, „damit er ohne Nachteil für das göttliche Wort und ohne Gefahr für die eigene Seele dieser Frage genugthun könne“. Am andern Tage aber, am 18. April 1521 abends 6 Uhr aufs neue vorgeladen, hielt er eine gewaltige Rede voll milden Ernstes, aber unerschütterlichen Wahrheitssinnes, und gab, als der Kaiser, damit nicht zufrieden, die Forderung einer schlichten, runden Antwort stellte, die Erklärung ab: „Weil denn Eur Kais. Majestät und Eur Gnaden eine schlichte Antwort begehren, so will ich eine Antwort ohne Hörner und Zähne geben dieser Maßen: es sei denn daß ich durch Zeugnis der heiligen Schrift oder mit klaren und hellen Gründen überwunden werde, — denn ich glaube weder dem Papste noch den Konzilien alleine nicht, dieweil es am Tag und offenbar ist, daß sie oft geirret und sich selbst widersprochen haben, — so bin ich überwunden durch die Sprüche, die ich angezogen habe, und gefangen in meinem Gewissen in Gottes Wort und kann und mag darum nicht widerrufen, weil weder sicher noch geraten ist, etwas wider das Gewissen zu thun. Ich kann nicht anders, hier steh' ich, Gott helf' mir! Amen.“

b) Vom Tage zu Worms bis zum ersten Tage von Augsburg (1521—30).

Luthers Amen in Worms war das große Amen der Reformation. Es sollte also geschehen! Obwohl Luther zum Bann des Papstes hinzu auch noch vom Kaiser in die Reichsacht gethan wurde, dessen Wirksamkeit sofort nach Ablauf des ihm für die Rückreise bewilligten freien Geleites begann, nahm sein Werk doch unaufhaltsamen Fortgang. Die Fürsorge seines Kurfürsten entzog ihn der Verfolgung, indem er unterwegs heimlich auf die Wartburg bei Eisenach gebracht wurde.

Er hatte am 26. April Worms verlassen, und der Zug, den wieder der kaiserliche Herold begleitete, schlug den Weg über Oppenheim, Kloster Hersfeld, wo ihm der Benediktinerabt ehrenvolles Quartier gab, und Eisenach nach Gotha ein. In Eisenach trennte sich Luther von seinen Gefährten, welche weiter zogen, und fuhr rechts ab, um seiner Heimat nach langen Jahren einen Besuch abzustatten. Zu Möhra war er bei seines Vaters Bruder Heinz zu Gaste, brach dann — es war am 4. Mai — wieder auf gegen Gotha zu, wo er den Waldweg einschlug über Schweina, Schloß Altenstein, Waltershausen. Da, als man Altenstein im Rucken hatte, sprengte plötzlich ein Haufen Gewappneter heran: Luther ward rasch aus dem Wagen gerissen, zu Pferd gehoben, der Fuhrmann durfte seines Wegs ziehen. Das Ganze war das Werk eines Augenblicks. Auf seinem Schlosse, der W a r t b u r g — so war es der Plan des Kurfürsten Friedrich, der dem Schloßhauptmann Hans von Berlepsch bereits die nötigen Weisungen erteilt hatte — sollte Luther vor den Nachstellungen seiner Feinde verwahrt werden. Da verschwand der kühne Mönch nun nach dem Sinn seines Fürsten und Beschützers bis auf Weiteres aus der Welt und wirklich hielt man Luther in Deutschland eine Zeit lang für tot und seinen Feinden in die Hände gefallen. — Welchen Eindruck diese Nachricht überall hervorbrachte, wo sie hingelangte, darüber liegt uns die Kundgebung eines Zeitgenossen vor, des Nürnberger Malers Albrecht Dürer (vgl. S. 126), der

Die Wartburg.

damals auf einer Reise in die Niederlande begriffen, in sein Tagebuch folgendes Gebet schrieb: „. . . . Du willst, o Herr, so wie dein Sohn Jesus Christus durch die Priester sterben mußte, um vom Tode zu erstehen und darnach gen Himmel zu fahren, daß es gleichermaßen auch deinem Nachfolger Martin Luther ergehe, den der Pabst mit seinem Gelde verräterisch gegen Gott um sein Leben bringt. Du aber wirst ihn erquicken. Und wie du darnach, o mein Herr! verhängtest, daß Jerusalem dafür zerstöret ward, also wirst du auch diese eigenmächtig angenommene Gewalt des römischen Stuhles zerstören. Ach Herr! gieb uns darnach das neue geschmückte Jerusalem, das vom Himmel herab steigt, wovon in der Apokalypse geschrieben steht, das heilige reine Evangelium, das nicht durch menschliche Lehre verdunkelt sei! Sieht doch ein Jeglicher, der Martin Luthers Bücher liest, wie seine Lehre so klar und durchsichtig ist, wo er das heilige Evangelium vorträgt. . . . O Gott! ist Luther tot, wer wird uns hinfort das heilige Evangelium so klar vortragen? Ach Gott! was hätte er uns noch in zehn oder zwanzig Jahren schreiben können!"

Das „Lutherzimmer" auf der Wartburg, im ganzen und einzelnen unverändert erhalten. (Nur der Tisch, an welchem Luther die Übersetzung des N. T. geschaffen, ist, da er nach und nach von den vielen Besuchern in Splittern weggetragen worden, ersetzt durch einen anderen, aber gleichfalls denkwürdigen; an ihm war Luther als Knabe im elterlichen Haus zu Möhra gesessen. In der Stube befinden sich mehrere Bildnisse Luthers und seiner Eltern aus Cranachs Schule, ein Brief Luthers, die Grubenlampe seines Vaters und ein Tintenfleck an der Wand, den Luther während seines Aufenthaltes auf der Wartburg dadurch veranlaßt haben soll, daß er sein Tintenfaß nach dem Teufel warf. Da indes kein alter Berichterstatter hievon etwas weiß, so haben wir es ohne Zweifel mit einer bloßen Sage zu thun, welche erst in späteren Zeiten zur Erklärung eines zufälligen Fleckens aufgebracht wurde.)

Fast ein Jahr brachte nun Luther auf der Wartburg zu unter dem Namen eines „Junker Georg", trug ein Schwert, nahm an der Jagd Teil, diesem „sauersüßen Vergnügen der Helden", und hielt sich nach außen als ein Rittersmann. Es war aber ein Aufenthalt, der nicht bloß ihm selbst zum Schutze, sondern auch seinem Werke zum reichen Gewinn gedieh. Nicht allein, daß er der doppelten Gefahr entrückt war, der Gefahr des Lebens und der Gefahr in dieser Sturm- und Drangzeit aus der rechten Haltung gebracht zu werden, sondern in der Stille seines „Patmos" (Offenb. Joh. 1, 9) bereitete er die Übersetzung der heiligen Schrift, zunächst des Neuen Testaments vor und schuf durch dieses köstliche Werk, sowie durch die deutsche Kirchenpostille, die ebenfalls auf der Wartburg entstand, der Reformation erst einen festen und sichern Halt auch im Volke.

In diesen großen Arbeiten störten den Reformator nur zu bald die Berichte, welche ihm die Wittenberger Freunde sandten. Es ging gewissen Anhängern seiner Sache nicht rasch genug vorwärts in Wittenberg und in seltsamer Verquickung geistlichen und fleischlichen Wesens traten Schwarmgeister, „Propheten“, wie sie sich nannten, auf, welche eine besondere Offenbarung von Gott für sich geltend machen wollten. Diesem Wesen verfiel leider auch einer der frühesten Anhänger Luthers, D. Karlstadt (Andr. Bodenstein aus Karlstadt in Unterfranken), der Luther bereits bei der Leipziger Disputation an der Seite gestanden hatte; der predigte nun nicht allein gegen die Klöster und Messe und die Ehelosigkeit der Priester, sondern auch gegen die Bilder in der Kirche, gegen die Fastengebote, gegen das Beichten, ja gegen die Schulen und gegen alle Wissenschaft. Und noch schlimmer wurde das Treiben, als gegen Weihnachten 1521 von Zwickau her der Prediger Thomas Münzer an der Spitze unruhiger Köpfe aus der dortigen Bürgerschaft erschien. Da ließ es Luther nicht mehr ruhig; auf eigene Verantwortung verließ er im März 1522 sein Patmos und erschien plötzlich und unerwartet in Wittenberg. Gleich am Tag nach seiner Ankunft — es war der Sonntag Invocavit — bestieg er seine Kanzel in der Pfarrkirche und predigte dann acht Tage nach

Luther als „Junker Georg“ auf Patmos. Facsimile des seltenen Kupferstichs von Zundt (1498–1586).

einander gegen die gewaltsamen Neuerungen, „acht Sermone" voll Milde für die Irrenden und voll Liebe für die Irregeleiteten, aber getragen von der im Vertrauen auf Gott und sein Wort gegründeten Macht seiner Persönlichkeit, welcher die Gegner nicht widerstehen konnten.

Martin Luther nach einem Ölbild von Lukas Cranach um das Jahr 1521.

Nur vom Worte will er einen wahren Segen für das begonnene Werk erhoffen, wie er in seinem zweiten Sermon sagt: Man müsse zuerst der Leute Herz fahen, welches geschehe wenn man Gottes Wort treibe, das Evangelium verkünde, ihnen ihren Irrtum sage. Wenn man das thäte, so fiele heute dem das Wort ins Herz, morgen einem andern, und es wirke so Gott mit seinem Worte mehr, denn die ganze Welt mit all ihrer Gewalt. Mit Stürmen und Gewalt würden sie es nicht hinausführen, und wenn sie dabei wollten verharren, so wolle er nicht bei ihnen stehen. „Summa Summarum! predigen will ichs, sagen will ichs, schreiben will ichs, aber zwingen, dringen mit Gewalt will ich niemand; denn der Glaube will willig, ungenötigt angezogen werden. Das Wort ist allmächtig, das nimmt gefangen die Herzen, und wenn die gefangen sind, so muß das Werk hernach von ihm selbst zufallen." Sein Grundsatz war, überall nichts zu beseitigen, was nicht ganz klare und gründliche Schrift wider sich hatte, und nichts Neues einzuführen, bevor nicht die Herzen durch das

Wort zuvor dafür gewonnen seien. Das ist denn fortan auch das Prinzip für die Lutherische Reformation geblieben gegenüber jeder Art von Gesetzlichkeit, die in die evangelische Kirche eindringen wollte.

In dieser Zeit machte die Verkündigung des reinen Evangeliums rasche und außerordentliche Fortschritte in den deutschen Landen. Allenthalben und auf allerlei Weise wurde das lautere Evangelium gepredigt, in Kirchen, auf dem Markte, auf freiem Felde; eine Menge von Flugschriften schloß sich dem Adlerfluge der Schriften Luthers an; nicht zum wenigsten half das evangelische Lied zur Verbreitung des evangelischen Glaubens. An eine Durchführung des Wormser Edikts war vorderhand um so weniger zu denken, als auch die Reichsstände aus ihrer Teilnahme an der Bewegung gegen Rom immer weniger ein Hehl machten und schon auf dem Reichstag zu Nürnberg (1522), ihre Beschwerden gegen den römischen Stuhl erneuernd, ein freies Konzil in einer deutschen Stadt forderten.

Allen voran fiel *Kursachsen*, die Heimatstätte der Reformation, unter Friedrich dem Weisen und nach dessen Tode (1525) unter seinem Bruder Johann dem Beständigen (1525—1532) und Johann Friedrich dem Großmütigen (1532—1556) dem evangelischen Bekenntnisse zu. In dem kühnen Landgrafen *Philipp von Hessen* (1518—1567) war seit dem Tage von Worms der Reformation ein eifriger Vorkämpfer gewonnen. In Norddeutschland, das zum größten Teil dem evangelischen Bekenntnisse gewonnen wurde, gingen einzelne freie Reichsstädte, wie *Magdeburg*, *Bremen* (welches der von Antwerpen flüchtige Augustinerprior Heinrich von Zütphen reformirte), *Breslau* mit dem Beispiele voran. *Preußen* aber wurde durch den Hochmeister Albrecht von Brandenburg aus einem Ordensland in ein weltliches Herzogtum umgewandelt (1525). Im Jahr 1522 hatte Albrecht in Deutschland Unterstützung gegen Polen gesucht, aber anstatt ihrer, die er nirgends fand, lernte er beim Nürnberger Reichstag die evangelische Predigt kennen und nahm hievon Anlaß, mit Luther in Verbindung zu treten, der schon zuvor aus eigenem Antrieb ein Sendschreiben „an die Herren deutsches Ordens“ gerichtet hatte, „daß sie falsche Keuschheit meiden und zur rechten ehelichen Keuschheit greifen sollten“, und nun einen schwäbischen Freund, den auch als Liederdichter gewaltigen *Paul Speratus*, an Albrecht empfahl. Zum Hofprediger in Königsberg ernannt, predigte dieser fortan im Verein mit zwei preußischen Bischöfen, von Samland und von Pomesanien, die sich bereits der Reformation angeschlossen hatten, in Preußen das Evangelium und die Ordensherren folgten. Und schon hatte dieses auch in *Lievland*, *Kurland* und *Esthland* Wurzel geschlagen, zunächst in der deutschen Bürgerschaft der Städte. Ihnen sandte im J. 1523 Luther eine kurze Ermahnung, „an die auserwählten lieben Freunde Gottes, alle Christen zu Riga, Reval und Dorpat“ gerichtet; da will er ihnen mit Pauli Worten bezeugen, „daß der Mensch durch den Glauben gerecht werde und hinfort nichts schuldig sei, denn seinen Nächsten zu lieben, und bereitet sie auf das Kreuz vor, welches beim Evangelium nicht ausbleiben könne“. Das größte Verdienst um die Ausbreitung und Befestigung des Evangeliums in Niederdeutschland erwarb sich Joh. *Bugenhagen*, Doctor Pomeranus (geb. 1485 als eines Ratsherrn Sohn zu Wollin in Pommern), der, anfangs ein Gegner Luthers, nachdem er die Schrift von der babyloni-

Ein Flugblatt von Hans Sachs in Nürnberg aus den ersten Reformationsjahren.

Die Flugblätter des Nürnberger Schuhmachers und Meistersängers Hans Sachs gingen ebenso wie Luthers erste geistliche Lieder, Predigten und Flugschriften in zahllosen Einzel- und Nachdrucken unter das Volk, fanden überall begierige Käufer und haben ohne Zweifel einen wichtigen Anteil an der so raschen Ausbreitung der reformatorischen Bewegung bis in die untersten Schichten des Volkes.

Ein neuwer Spruch/ Wie die Geystlicheit vnd etlich Handtwercker vber den Luther clagen.

Der geitzig clagt auß falschem můt/
Seit im abget an Eer vnd Gůt.
Er zürnet/ Dobet/ vnde Wůt/
Jn dürstet nach des grechten plůt.

Die warheit ist Got vnd sein wort/
Das pleibt ewiglich vnzerstort.
Wie ser der Gotloß auch rumort/
Gott bschützt sein diener hie vnd dort.

Der Grecht sagt die Gotlich warheit/
Wie hart man jn veruolgt/ verleit.
Hofft er in Gott doch alle zeit/
Pleibt bstendig in der grechtigkeit.

Die clag der Gotlossen.

Hör vnser clag du strenger Richter/
Vnd sey vnser zwitracht ein schlichter.
Eh wir die hend selb legen an/
Martin Luther den schedlich man.
Der hatt geschriben vnd gelert/
Vnd schir das gätz Teütsch land verkert.
Mit schmehen/ lestern/ nach vnd wait/
Die Erwirdige Gaistlichait.
Von jren Pfründen/ Rent vnd Zinst/
Vnd verwürfft auch jren Gotzdinst.
Der Väter gepot/ vnd auffsetz/
Hayßt er vnnütz/ vnd menschen gschwetz
Helt nichts von Aplaß vnd Fegfewr/
Die Meß kum̄ auch kaint Sel zu stewr.
All Kirchen Pew/ Zir/ vnd geschmuck/
Veracht er gar/ er ist nit clack.
Des clagen die Prelaten ser/
Pfaffen/ Münch/ Stationirer.
Glockengiesser vnd Organisten/
Goltschlager vnd Illuministen.
Hädtmaler/ Goltschmit vn̄ Bildschnitzer
Ratschmit/ Glaßmaler/ seydensitzer.
Stainmetzen/ Zirckelschmid/ Schreiner/
Paternoster/ Kertzen macher.
Die Permenter/ Singer vnd Schreyber/
Fischer/ Zopffmair vnd Pfaffen Weyber.
Den allen ist Luther ein bschwert/
Von dir wirt ein Vrteil begert.
Sunst werdt wir weiter Appellirn/
Vnd dem Luther die Piendrecht schirn/
Müß Primen/ oder Reuocirn.

Antwort. D. Martini.

Actuum. 1. O du erkenner aller hertzen/
Hör mein antwort des ist kein schertzen.
Die schreyen fast ich thůn mich jrren/
Vnd wöllen doch nit Disputirn.
Sonder mich mit worten schrecken/
Jr thůt we das ichs thu auff decken.
Jr grossen geytz vnd Simoney/
Jr falsch Gotzdinst vnd Gleißnerey.
Jr Bannen/ Auffsetz vnd gepot/
Das aller welt zu schand vnd spott.
Mit deinem wort/ das ich dann ler/
Nun jn abgeet an gůt vnd Eer.
So kunden sy dein wort nit leiden/
Dann mich schelten/ hassen vnd neiden.
Wenn ich het gschriben vnd gelert/
Das sich jr Reichtumb het gemert.
So wer kain besser auff gestanden/
Jn langer zeit in Teutschen Landen
Dis ist auch die vrsach ich sag/
Das gegen mir auch stent in clag.
Der Hantwercks leut ein grosse zal/
Den auch abgeet in disem val.
Seyt diß Apgötterey entnimpt/
Also seynd vber mich ergrimt.
3. Regū. 18. Von erst des Baals Tempel knecht/
Den jr jarmarck thůt nimmer recht.
Actuū. 19. Vnd Demetrius der werckman/
Dem sein handtwerck zu ruck wil gan.
Her durch dein wort das ich thů schreibn/
Jr drohen soll mich nit abtreibn/
Bey deinem vrteil will ich pleiben.

Das Vrteil Christi.

Joānis. 5. Das mein gericht das ist gerecht/
Nu merck vermaints gaistlichs geslecht.
Was ich euch selb beuolhen han/
Das jr in die gantz welt solt gan.
Mar. vlti. Predigen aller Creatur/
Das Euangeli rain vnd pur.
Dasselbig hant jr gar veracht/
Vnd vil newer Gotzdinst auff placht.
Mathei. 15. Der ich doch kein gehaissen hab/
Vnd verkaufft sie vmb gelt vnd gab.
Mit Vigil/ Jartäg vnd Selmessen/
Math. 23. Den witwen jr die hewser fressen.
Vnd versperrt auch das Himelreich/
Jr seyt den Doten greben gleich.
Vn̄ schlacht zu dot auch mein Prophetn/
Der gleich die Phariseer thetten.
Also veruolgt jr die warhait/
Die euch teglichen wirt gesait.
Luce. 11. Vnd so jr euch nit pessern wert/
Jr vmbkumen. Darumb so kert.
Von ewerem falschen widerstreit/
Dergleichen jr handtwercks leyt.
Die jr mein wort veracht mit tratz/
Von wegen ewers aygen natz.
Vnd hört doch in den worten mein/
Mathei. 6. Das jr nit solt sorgfeltig sein.
Vmb zeitlich gůt/ gleich den Haydn/
Sůndet sucht das Reich gots mit freudn.
Das zeitlich wirt euch wol zufalln/
Sunst wert jr in der hellen qualln/
Das ist mein vrteil zu euch alln.

Hans Sachs Schuster.

C. H. Beck'sche Buchhandlung in Nördlingen.

schen Gefangenschaft der Kirche gelesen, sich wie aus einem Schlummer erweckt fühlte und nun einer der eifrigsten Prediger des Evangeliums wurde, das er in Pommern und Mecklenburg zuerst verkündigte. Von Wittenberg aus, wohin er als Professor und Stadtpfarrer berufen wurde, richtete er dann die neue Kirchenordnung in Braunschweig (1528), in Hamburg (1529), in Lübeck (1529—32) ein, später folgte er einem Ruf des Königs Christian III. nach Holstein und Dänemark, wo er fünf Jahre bleiben mußte, und eine fruchtbare Lehrthätigkeit an der Universität Kopenhagen ausübte. So trat Bugenhagen in die Fußtapfen des Ansgarius, doch zog es ihn immer wieder zurück nach seinem Wittenberg. — In Süddeutschland wurde der evangelische Glaube nur mit Mühe und Not von den Bischofssitzen abgewehrt und von Bayern ausgeschlossen. Von den fürstlichen Reichsständen ging das fränkische Markgraftum Brandenburg (Ansbach-Bayreuth) unter Georg dem Frommen voran. Aber was hier vor allem in Betracht kam: es öffneten die Reichsstädte dem reinen Evangelium begeistert die Thore: allen voran Nürnberg, wo Hans Sachs, der Schuhmacher und Meistersänger, dem Reformator das Lied von der Wittenberger Nachtigall entgegensang und eine große Menge von Flugblättern ausgehen ließ, welche Luthers Sache verteidigten und von Bürger und Bauer begierig gekauft, gelesen und an Thüren und Wände ihrer Wohnstuben geheftet wurden, ferner der Künstler Albrecht Dürer, der Altmeister der deutschen Malerei, sein vollendetstes Werk „die vier Kirchenstützen" als ein Bekenntnis zur Reformation malte (vgl. unten), und der einflußreiche Stadtschreiber Lazarus Spengler, ein Zeuge des evangelischen Glaubens auch im Liede, seinen bedeutenden Einfluß zur Durchführung der Reformation aufbot. Luthers Freund Link hatte am Augustinerkloster schon von allem Anfang an die reine Predigt des Evangeliums vorgetragen und auch in den beiden Hauptkirchen, der Lorenzer- und Sebalduskirche, wurde in gleichem Geiste gepredigt, am mächtigsten von Andreas Osiander. Nicht zurück hinter Nürnberg stand Straßburg, dessen Stettmeister Jakob Sturm († 1553) für die Sache der Reformation daheim und auswärts, wie insbesondere auf dem Speierer und Augsburger Reichstag mit unerschütterlicher Treue eintrat; neben dem Pfarrer Zell wirkten von 1523 an hier Capito und Butzer, die von Basel her kamen. Auch in den schwäbischen Reichsstädten regte sich früh der evangelische Gedanke; nicht selten wurde den Mönchen die Predigt unterbrochen, indem einzelne ein Lied von Luther anstimmten und die Gemeinde in den Gesang einfiel. Die Magistrate, teils selbst ergriffen, teils der öffentlichen Meinung nachgebend, verfügten dann ihrerseits die Berufung evangelischer Prediger und nahmen die Ordnung des neuen Kirchenwesens in die Hand. In der Reichsstadt Schwäbisch-Hall wurde schon im Jahre 1523 ein evangelischer Gottesdienst eingerichtet durch Johann Brenz (geb. 1499 zu Weil der Stadt), nicht lange darnach reformierte in Heilbronn Erhard Schnepf (geb. 1495 zu Kreichgau), die beide nachmals in einen noch einflußreicheren Wirkungskreis in Württemberg berufen wurden. In Ulm predigten zuerst zwei ehemalige Franziskanermönche aus Kloster Günzburg, Eberlein und Kettenbach, mit gewaltiger Zunge; im J. 1524 berief dann die Ulmer Bürgerschaft den Konrad Sam von Bruckenheim als ersten ordentlichen Prediger des reinen Evangeliums in ihr herrliches Gotteshaus. Nicht ohne Kämpfe ging die Einführung des Evangeliums in Eßlingen von Statten, dessen Abgesandter vom Wormser Reichstag als Luthers Anhänger zurückkehrte, und wo nun Michael Stiefel, ein Augustinermönch, predigte. Die Nördlinger beriefen sich Theodor Billicanus, einen Heidelberger Dozenten, der sich freilich nicht ganz von zaghaften Schwankungen freihielt, wie denn diese Stadt zwar die Speierer Protestation, nicht aber die Augsburger Konfession unterzeichnete. In Reutlingen trat schon im Anfang der zwanziger Jahre Joh. Alberus als Prediger auf, den wir auch als geistlichen Liederdichter kennen lernen werden, in Konstanz Ambrosius Blaurer, ein ausgetretener Benediktiner aus Kloster Alpersbach, der mit Schnepf gemeinsam später das Württemberger Land reformierte; die beiden letzteren waren mit den Schweizern in Verbindung. In Augsburg stand früh der Karmeliterprior Frosch, bei dem Luther im J. 1518 gewohnt hatte, treu zu der verketzerten Lehre; seit 1524 begann hier auch Urbanus Rhegius (der nachmalige Reformator Lüneburgs) als Prediger eine einflußreiche Wirksamkeit, doch stemmte sich der Rat zunächst noch gegen die Einführung der Reformation.

Aber frühe schon bekam der neue Glaube auch seine Märtyrer, zuerst in den Niederlanden. Hier hatten Luthers zündendem Worte die Brüder des gemeinsamen Lebens (s. S. 96 u. 114) einen besonders günstigen Boden bereitet, und kaum irgendwo sonst in Deutschland fand die Bewegung so rasche Ausbreitung wie eben hier. Hingegen sorgte Karl V. in seinen Erblanden für strengere Vollziehung des Wormser Edikts. Das Augustinerkloster in Antwerpen, an dessen Spitze Heinrich von Zütphen stand, wurde wegen seiner Verbindungen mit Wittenberg, die es unterhielt, auf Karls Befehl niedergerissen und die Mönche vor ein peinliches Gericht gestellt. Da starben Heinrich Voes und Joh. Esch den Flammentod, während Heinrich von Zütphen nur wenige Jahre später, nachdem er in Ostfriesland, Bremen und Dithmarschen das Evangelium mit Erfolg gepredigt hatte, ihnen im Märtyrertod folgte, als ein Opfer der Wut aufgehetzter Bauern in dem Städtchen Meldorf. Luther erließ ein Sendschreiben „an alle die lieben Christen in Holland, Brabant und Flandern", unter denen die Verfolgungen fortdauerten, und pries die glücklich, die als Märtyrer sterben durften: „Lob sei dem Vater aller Barmherzigkeit, der uns wiederum sehen läßt sein wunderbares Licht; die Zeit ist wieder gekommen, daß wir der Turteltauben Stimmen hören und die Blumen aufgehen in unserem Lande (Hohelied 2, 11 ff.): — o wie verächtlich sind die zwei Seelen hingerichtet, aber wie herrlich und in Freuden werden sie mit Christo wiederkommen und recht richten diejenigen, von denen sie jetzt mit Unrecht gerichtet sind. — Gott sei in Ewigkeit gebenedeiet, daß wir erlebt haben, rechte Heilige und wahrhaftige Märtyrer zu sehen und zu hören, die wir bisher so viel falscher Heiliger erlebt und angebetet haben!"

Während auf diese Weise die Reformation unter dem Kampfe der Parteien, bei dem sie schon die Weihe der Bluttaufe empfangen hatte, große Fortschritte machte, war sie auch von anderen Gefahren bedroht, welche von befreundeter Seite herkamen, aber nicht minder bedenklich waren. Von dreifacher Richtung her bewegten sich die letzteren: von der humanistischen Wissenschaft, vom Adel und von den Bauern, und der Reformator hatte einen schweren Stand um sein Werk rein und unverfälscht zu bewahren (Gal. 3, 3).

Die humanistische Bewegung (s. S. 97) erschien als die natürliche Bundesgenossin der Reformation, insoferne die Humanisten und zwar vornehmlich in Deutschland, bereits seit Jahrzehnten einen Kampf gegen die kirchliche Verderbnis, die Unsittlichkeit der Klöster und die an den Universitäten herrschende unfruchtbare Scholastik eröffnet hatten. Indessen verkannte Luther doch nicht, daß dieser Kampf nicht sowohl auf religiöse Antriebe zurückzuführen war, als vielmehr ein Kampf war im Namen menschlicher Aufklärung, vielfach wohl auch nur eitlen Bildungsdünkels. Luthers Wege und die der Humanisten schieden sich denn auch bald, so wenig der Reformator selbst den Wert der klassischen Bildung unterschätzte — er, der sich selbst die Förderung des Schulwesens, des höheren, wie des niederen, so sehr angelegen sein ließ, daß er in diesem Sinne bereits 1524 seine eindringliche Schrift: „an alle Bürgermeister und Unterthanen der Städte in deutschen Landen, daß sie christliche Schulen aufrichten sollen" veröffentlichte. Aber er war sich über den Gegensatz des humanistischen und des evangelischen Geistes klar, — einen Gegensatz, der denn auch in seiner Stellung zu dem Hauptvertreter des deutschen Humanismus, zu Erasmus (s. S. 97), bald und schroff genug an den Tag trat. Ausgezeichnet durch Geist und Beredsamkeit war Desiderius Erasmus von Rotterdam († 1536), der nunmehr seinen Wohnsitz in Basel genommen hatte, die höchste wissenschaftliche und gelehrte Autorität der Zeit geworden, bewundert von den Humanisten und gefürchtet von den Anhängern der alten Scholastik, dessen

Desiderius Erasmus aus Rotterdam (nach dem Ölgemälde von Hans Holbein d. Jüngeren).

Anschluß an Luther für dessen Sache wichtig gewesen wäre. Aber Luthers rücksichtslose Wahrhaftigkeit und Entschiedenheit war dem Humanisten, der sich Leos X. Freund nannte, unbequem. Als ihn Friedrich der Weise vor dem Wormser Reichstag um sein Urteil über Luther befragte, da gab er die spöttische Antwort: „Luther habe zwei schwer verzeihliche Fehler gemacht, indem er dem Papst an die Krone und den Mönchen an den Bauch gegriffen habe.“ Schon von der Wartburg äußerte sich der letztere in einem Briefe: Erasmus sei von der Erkenntnis der Gnade weit entfernt, suche immer nur den Frieden, das Kreuz meidend. Offen an den Tag trat der schroffe Gegensatz zwischen den beiden Persönlichkeiten nun im Jahr 1524, als Erasmus gegen Luther auftrat mit einer Schrift „über die Freiheit des Willens“ und der Letztere mit seiner merkwürdigen Abhandlung: „daß der freie Wille nichts sei“ (de servo arbitrio) erwiderte: der Mensch sei völlig unfähig, von sich aus die Seligkeit zu erringen, weil er mit seinem Willen vollständig im Bann der Sünde liege; daher nur in Christo das Heil sei. „Glauben wir“, sagt er am Schluß dieser Schrift gegen Erasmus, „glauben wir, daß Christus uns durch sein Blut erlöst hat, so müssen wir bekennen, daß der ganze Mensch verloren war, sonst lassen wir Christum überflüssig werden.“ Das eben war Luthers freudige Zuversicht, daß der Mensch nicht auf seine eigenen Kräfte angewiesen sei — wäre er dies, so wäre ja auch sein Heil durch seine eigenen Leistungen bedingt — und an diesem Punkte trat daher die Scheidung gegenüber dem Humanisten ein, der sich nicht entschließen konnte, seine Weltklugheit zu opfern, um „in Gott klug zu sein.“ (Apostelg. 5, 34—39.)

Im Namen der Aufklärung hatte auch Ulrich von Hutten sich Luther genähert und ihm zugleich die thatkräftige Hilfe seines waffenmächtigen Freundes Franz von Sickingen angeboten. Die deutsche Reichsritterschaft erfüllte sich zu der Zeit mit einer wachsenden Erbitterung gegen Rom, dessen Uebermut die deutsche Nationalehre kränkte, und gegen die Geistlichkeit, welche Reichtümer und Grundbesitz an sich zog, während die alten Geschlechter ver-

Ulrich von Hutten. (Freie Nachbildung eines alten Kupferstichs.)

armten. Aber Luther hielt sich zurück. Daß er seine Schrift „von des christlichen Standes Besserung" (s. S. 145) an den deutschen Adel richtete, mag vielleicht in einen gewissen Zusammenhang gebracht werden mit dem ersten Brief, den ihm Hutten durch Melanchthon sandte im Anfang des Jahres 1520. Aber weiter ging er nicht; vielmehr lehnte er die Hilfe der ritterlichen Waffen und den Schutz, den ihm Sickingen auf der Ebernburg angeboten hatte, ab, indem er ihm schrieb: „Ich möchte nicht, daß man das Evangelium mit Gewalt und Blutvergießen verfechte. Durch das Wort ist die Welt überwunden worden, durch das Wort ist die Kirche erhalten, durch das Wort wird sie auch wieder zu Stande kommen" (Matth. 26, 52). Der klägliche Untergang der beiden, — Sickingens, der in einer Fehde mit dem Erzbischof von Trier im J. 1523 unterlag und den Fall seiner Burg Landstuhl bei Kaiserslautern nicht überlebte, und Huttens, der sein unstetes Leben nur wenige Monate später verlassen und krank auf einer Insel des Zürichersees endete — rechtfertigte nur zu sehr Luthers Zurückhaltung diesen mit allen Vorzügen und Schwächen jener Reichsritterschaft behafteten Männern gegenüber. Beide wollten sie das Gute, so wie sie es verstanden; beide waren sie erfüllt von edlem Zorn gegen den Geistesdruck und die Knechtschaft, in welche Deutschland sich gebeugt hatte unter Rom. Aber beide waren sie auch nicht frei von den Sünden ihres Standes: dem gewaltthätigen Wesen, welches „die deutsche Freiheit in die Ungebundenheit des Einzelnen und das Recht der Selbsthilfe setzte", und jenem Uebermut, welcher ebensowenig sich nach oben beugen wollte unter eine staatliche Ordnung, als er sich scheute, nach unten zu drücken und die Rechte des gemeinen Mannes mit Füßen zu treten. — Ein wie weiter Zwischenraum sie aber trennte von Luther, das hat Hutten selbst in einem Briefe an diesen ausgesprochen, wenn er sagt: „Ich will auch tapfer daran sein; doch ist hierinnen zwischen unserem Vornehmen ein Unterschied: daß das meinige menschlich ist, Ihr aber viel vollkommener ganz an göttlichen Dingen hanget". (1 Cor. 2, 13.)

Gefährlicher noch als eine Verbindung mit dem Adel aber hätte für Luthers Sache die aufrührerische Bewegung im Bauernstande werden können, welche gleichfalls mit der kirchlichen Bewegung Berührung suchte. Jene heftige und wilde Gährung, welche die Schwarmgeister da und dort erregten, haben wir bereits teilweise berührt (s. S. 153). In Wittenberg, Zwickau und an den andern Orten, an denen die sog. himmlischen Propheten sich gerührt hatten, hatte Luthers Predigt die Gefahr beschworen. Aber nun brachen in Süddeutschland in noch weiteren Volkskreisen Unruhen aus. Der Bauernstand war schon längst durch den harten Druck der Leibeigenschaft erbittert und schon vor der Reformation hatten sich geheime Bündnisse wie „der Bundschuh" und „der arme Konrad" unter den Bauern gebildet. Im Mißverstand der Lehre von der evangelischen Freiheit und aufgeregt durch die Schwarmgeister, brach er nun im wilden Sturme der Leidenschaft gegen weltliche und geistliche Herrschaften los im Bauernkriege von 1524—25. In einer öffentlichen „Vermahnung beides an die Obrigkeit und Bauerschaft" erklärte Luther die meisten der 12 Artikel der Bauerschaft, worin sie Besserung ihrer Lage verlangten, für recht und billig, und redete den Herren ernstlich ins Gewissen, während er den Bauern verwehrte im Namen der christlichen Freiheit also aufzutreten (Gal. 5, 13). „Lasset euch um Gottes willen sagen und rathen — schreibt Luther hier — und greift die Sache an mit Recht und nicht mit Gewalt, noch mit Streit, auf daß ihr nicht ein unendlich Blutvergießen anrichtet in deutschen Landen; drum wäre mein treuer Rat, daß man aus dem Adel etliche Grafen und

Herrn, aus den Städten etliche Ratsherrn erwählete, und die Sachen ließe freundlicher Weise handeln und stillen, daß ihr Herren euren steifen Mut herunterließet, welchen ihr doch müsset zuletzt lassen, ihr wollet oder nicht, und weichet ein wenig von eurer Tyrannei und Unterdrückung, daß der arme Mann auch Luft und Raum gewönne zu leben. Wiederum, die Bauern sich auch weisen ließen, und etliche Artikel, die zu viel und zu hoch greifen, übergäben und fahren ließen, auf daß also die Sache, ob sie nicht mag in christlicher Weise gehandelt werden, daß sie doch nach menschlichen Rechten und Verträgen gestillet würde." Als aber die Bauern Greuel auf Greuel häuften, ließ er eine scharfe Schrift ausgehen „wider die räuberischen und mörderischen Bauern." Aber ebenso richtete er auch nach der Unterdrückung des Aufstandes, wobei auch Th. Münzer in Frankenhausen einen schimpflichen Tod erlitt, an die Fürsten ernste Ermahnungen, die Sache mit Vernunft zu schlichten, damit ähnlichem Unheil vorgebeugt würde. — Doch loderte die Flamme der Schwärmerei ein Jahrzehent später noch einmal auf, als die Wiedertäufer in Münster unter ihrem Propheten, dem holländischen Schneider Johann Bockhold, als dem „Könige der Welt" das 1000jährige Reich aufrichten wollten, das freilich bald mit all seinem Unwesen ein Ende mit Schrecken nahm (1535). Ihre zerstreuten Reste wurden darauf von Menno Simons in die stille, aber dem staatlichen Wesen abholde Sekte der Mennoniten gesammelt.

Bald türmten sich auch von außen her neue Wolken auf, und die Zeit war böse, so daß Luther oft darnach seufzte, der argen Welt los zu werden. Um so mehr aber war er an seinem Platz notwendig. Wie Nehemia steht er auf dem Posten, auf den ihn Gott gestellt hat, und führt in der einen Hand das Schwert, in der anderen die Kelle. Nicht um das Einreißen war es ihm zu thun, sondern um das Aufbauen, und so schließen die jetzt folgenden 10 Jahre eine unermeßliche schöpferische Thätigkeit ein; in diesen Jahren wurde die evangelische Kirche erbaut. Während das Werk der Bibelübersetzung Alten und Neuen Testaments, Buch um Buch, der Vollendung zuschritt, nahmen den Reformator gleichzeitig Aufgaben praktischer Art in Anspruch, wie die Einrichtung der neuen Gottesdienstordnung (1526), die Begründung des Kirchenregiments und die Kirchenvisitation (1527—29), der Katechismus (1529). Daneben geht die Predigt und Seelsorge, das Lehramt an der Universität, welche die Pfarrer für das ganze evangelische Deutschland zu bilden hatte, die Liederdichtung, der lebhafteste Brief- und Schriftenwechsel her. Dazu war nun Luther im J. 1525 auch in den Ehestand getreten mit Katharina von Bora, und auch dies war eine That von den weitreichendsten Folgen für die Kirche, aber auch mit vielen Anfechtungen für den Reformator selbst verbunden. Bei der unermeßlichen Arbeitslast, die auf ihm ruhte, und den großen Aufgaben, welche die Umbildung des Kirchenwesens unter fortwährendem Kampf und Auseinandersetzung nicht allein mit den Gegnern, sondern auch mit den Freunden der neuen Sache stellte, da war es für Luther und sein Werk der größte Segen, daß Gott ihm Männer zur Seite stellte, wie *Melanchthon*, *Bugenhagen*, *Jonas*, *Cruciger*, *Spalatin*, *Amsdorf*, *Link* u. a., die in treuer Freundschaft ihm anhingen, und jeder nach den Gaben, die Gott ihm verliehen hatte, an seinem Werk mitarbeiteten.

Philipp Melanchthon nach einem Kupferstich von Albrecht Dürer.

In wunderbar zu nennender Weise hatte damals der HErr in Wittenberg *Luther*, *Melanchthon* und *Bugenhagen* zusammengeführt, die sich, jeder den andern, mit ihren eigentümlichen Gaben ergänzten. Ist auch Luther selbst, wie Melanchthon von ihm rühmte, *alles in allem*, so war seine besondere Aufgabe doch die, die Schrift wieder zu eröffnen, die Lehre zu reinigen, sie nach allen Richtungen hin zu verteidigen und zu behaupten und so „*Heerführer*" der Reformation zu sein. Ihm zur Seite nach Wittenberg ward nun im J. 1518 (auf Empfehlung seines Verwandten Reuchlin) als Professor der griechischen Sprache Philippus Melanchthon, (geb. 16. Februar 1497 zu Bretten im Schwarzwald als Sohn des Waffenschmieds Schwarzerd) berufen, der *Lehrer* der Reformation, dessen Beruf ward, „den Schatz der Lehre zu verarbeiten, zu formen und tüchtige Lehrer der Kirche zu bilden"; und weiter einige Jahre später Johannes Bugenhagen (s. S. 156) dessen hervortretende Gabe im Ordnen und Begründen des Gemeindewesens, in Entwerfung von Kirchenordnungen, deren er für Braunschweig, Hamburg und Lübeck, Pommern, Dänemark und Holstein verfaßte, in seelsorgerischer Beratung und pastoraler Weisheit fruchtbar wurde, so daß man ihn den *Hirten* unter den Reformatoren genannt hat, der nicht nur verstand, „die Schafe gut zu weiden, sondern auch zu leiten". Aus Mittel-, Nieder- und Süddeutschland stammend, wurden diese drei Männer in Wittenberg vereinigt, und arbeiteten gemeinsam, jeder dem andern ein treuer Helfer und Berater. Melanchthon als ausgezeichneter Kenner des Griechischen und durchgebildeter Gelehrter leistete Luther die wesentlichsten Dienste bei der Übersetzung der Bibel und bei Festsetzung der Glaubenslehre, ja Luther sagt in einem Brief vom J. 1519: „Der kleine Grieche *übertrifft* mich auch in der Theologie." Doch bedurfte Melanchthon, dessen Natur weich und mild war, erst recht der Anlehnung an den starken, unerschütterlichen Luther. — Treue Freunde Luthers waren ferner der Propst an der Allerheiligenkirche zu Wittenberg, Justus Jonas (geb. 1493 zu Nordhausen), der ihm von Erfurt aus, wo er damals noch lehrte, zum Wormser Reichstag gefolgt war und dann dem Freund sein Leben lang treu zur Seite stand, bis er ihm endlich auch die Augen zudrücken durfte; dann der besonders im Hebräischen ausgezeichnete Kaspar Cruciger (geb. 1504 zu Leipzig, † 1548 als Professor zu Wittenberg), der bei den Religionsgesprächen die Protokolle führte, viele der herrlichsten Predigten Luthers niederschrieb und dadurch für die Nachwelt rettete, auch bei der Uebersetzung des A. T. namhafte Dienste leistete. Und schon von der Erfurter Studienzeit her mit Luther verbunden war Georg Spalatinus (so genannt von seinem Geburtsort Spalt), Hofprediger Friedrichs des Weisen und Erzieher Johann Friedrichs, ein maßvoller, fast zu vorsichtiger Mann, aber von weitreichendem Einfluß, mit dem Luther in fortgesetztem Briefwechsel

Justus Jonas. Joh. Bugenhagen, gen. D. Pommer.
Nach Kupferstichen.

stand bis an sein Lebensende. Spalatin folgte im J. 1525 nach Friedrichs des Weisen Hingang dem Prediger Wenzeslaus Link, den die Nürnberger berufen hatten, nach Altenburg und starb nur ein Jahr früher als Luther im J. 1545. — Einer der ergebensten Anhänger Luthers war endlich Nikolaus von Amsdorf (geb. 1483 zu Zschopau), der, im J. 1511 sein Kollege an der Wittenberger Universität geworden, ihm nach Leipzig zur Disputation und nach Worms zum Reichstag gefolgt war. Amsdorf predigte seit 1524 das Evangelium in Magdeburg, Goslar, Einbeck, wurde 1544 gegen den katholischen Julius von Pflug von Luther zum evangelischen Bischof von Naumburg ordiniert und starb, nachdem er zur Zeit des Interims dieses Amt aufgegeben hatte, ein hochbetagter Greis als Generalsuperintendent zu Eisenach im J. 1558.

Bisher hatte Luther noch alle Hoffnung auf die Beschlüsse des Reiches gesetzt. Die Reichsgewalt befand sich aber zum Unglück Deutschlands in den Händen eines Kaisers, welchen seine spanische Erziehung an einem wahrhaftigen Verständnis der deutschen Reformation hinderte. Nachdem diese unaufhaltsam fortgeschritten war, gelang es nun dem römischen Hof, die Herzoge von Bayern durch Verleihung der richterlichen Oberhoheit über ihre Bischöfe und eines Teils der sämmtlichen geistlichen Einkünfte ihres Gebiets zu einem strengen Verbote der evangelischen Lehre zu bewegen; damit war für Rom wieder der erste gewichtige Stützpunkt in Deutschland gewonnen. Im Jahr 1524 unternahm es alsdann der päpstliche Nuntius Campeggi, der vom Papste zum Nürnberger Reichstag entsendet war und den deutschen Ständen Anerbietungen der Kurie bringen sollte, die freilich nicht mehr verfingen, darauf hin nach Regensburg die der römischen Kirche treu verbliebenen Herzöge von Bayern, den König Ferdinand von Oesterreich und verschiedene süddeutsche Bischöfe zu einer Zusammenkunft zu bestimmen und zu einem katholischen Bündnisse wider die Reformation zu vereinigen. Das gab der katholischen Sache zuerst wieder Halt und Festigkeit in Süddeutschland. Ihnen gegenüber schlossen sich aber auch die Evangelischen, wenigstens zum Teil, trotz Luthers und seiner Freunde Mißbilligung in Torgau 1526 zu einem Schutz- und Trutzbündnisse zusammen. Wesentlich in Folge der Bedrängnisse, in welche der Kaiser Frankreich gegenüber geraten war, gelang es auf dem Reichstag zu Speier 1526 den Beschluß durchzusetzen: bis zu einem allgemeinen Konzile sollte es jeder Reichsstand mit dem Wormser Edikt halten, wie er es vor Gott und dem Kaiser hoffe und vertraue zu verantworten. Die evangelischen Stände benützten diesen günstigen Zeitpunkt zur Ordnung des Kirchenwesens in ihren Gebieten, indem jeder Reichsstand für sich vorging, wodurch der Grund zu den verschiedenen deutschen Landeskirchen gelegt wurde. Anders lagen aber die Verhältnisse im J. 1529, wo Karl V. wieder einen Reichstag nach Speier ausschrieb. Der Kaiser hatte nach siegreicher Beendigung des Krieges gegen Frankreich und dessen Verbündeten, den Papst Klemens VII. (1523—1534), — welch letzterer während seines Pontifikats der Ausbreitung der Reformation unfreiwillig Vorschub geleistet hatte durch die rücksichtslose Geltendmachung seiner italienischen Territorialpolitik, die ihn zum Gegner des auch in Italien gebietend auftretenden Kaisers machte, — freie Hand bekommen. Kaiser und Papst waren im J. 1529 zu Bologna zusammengekommen; jener hatte unter festlichem Gepränge aus den Händen des Papstes die Kaiserkrone empfangen, und sie hatten sich geeinigt über die Unterdrückung und Ausrottung des „lutherischen Gifts." Als nun aber auf dem Reichstag zu Speier die katholische Mehrheit im Namen des

Einzug Karls V. und Papst Klemens VII. im J. 1529 zu Bologna nach einem gleichzeitigen niederländischen Holzschnitte.

Kaisers verlangte, daß keine Neuerungen weiter vorgenommen werden dürften und daß „die Ämter der Messe“ nicht abgethan werden sollten, antworteten die Evangelischen am 19. April mit einer feierlichen Protestation: „in Sachen, welche die Ehre Gottes und der Seelen Heil und Seligkeit angingen, seien sie verpflichtet und schuldig, vor allem Gott den HErrn anzusehen, auch könne eine solche Sache nicht durch Mehrheitsbeschlüsse entschieden werden, sondern da müsse jeder selbst für sich stehen und Gott Rechenschaft geben.“

Von dem Speierer Reichstag 1529 stammt der Name: „Protestanten“; Deutschland zerfiel von da ab in einen protestantischen und einen katholischen Teil. Es waren 5 Fürsten (Kurfürst Johann von Sachsen, Markgraf Georg von Brandenburg, Herzog Ernst von Braunschweig und Lüneburg, Landgraf Philipp von Hessen und Fürst Wolfgang von Anhalt), und die Abgeordneten von 14 Reichsstädten (an der Spitze Nürnberg und Straßburg, dann: Ulm, Konstanz, Lindau, Memmingen, Kempten, Nördlingen, Heilbronn, Reutlingen, Isny, St. Gallen, Weißenburg und Windsheim), welche die Protestation unterschrieben und am 25. April am Sonntag Quasimodogeniti überreichten. Von der Stimmung unter den Abgesandten der protestantischen Stände geben u. a. die Berichte des Abgeordneten Memmingens (eines Kaufherrn und Großzunftmeisters mit Namen Hans Ehinger) eine recht anschauliche Vorstellung. Da schreibt er u. a. am 23. April Nachmittags an seinen Rat: „Laus Deo. Fürsichtig ehrsam weise und günstig liebe Herren, ich hab euch bißher alle Notdurft geschrieben und ist nunmehr schier am End. Gott hab Lob! Gestern hat man den Abschied gelesen und standen viel Artikel darin, so der E. F. Fürsten und Reichsstädten nie fürgehalten, verschwiegen wurden, daß sie es hätten können beratschlagen, die doch allen Reichsstädten zum Nachteil dienen. Etlich Artikel sollen erst fürgenommen und in künftig Zeit beratschlagt werden. In Summa, die Geistlichen sammt D. Ec(en), Fabri regieren gewaltiglich diesen Reichstag; die Städte sind länger denn in 100 Jahren noch nie verächtlicher gehalten. . . . In Summa, man untersteht sich ganz, Welschland aus uns zu machen. . . . Der allmächtig Gott geb uns Gnad, standhaft und starkmütig bei seinem heiligen Wort, tapfer und unerschrockenlich zu bleiben, denn wir werden einem rauhen Winde einen Widerstand müßen thun. Ist derhalben mein getreuer Rat: ihr wollet, günstig v. l. Herren, Euer Stadt in guter Achtung haben, daß der Ungetreue nirgends mit Euch gespielt werde; dann zu sorgen, man werde etlich Städten zusetzen, insonderheit Straßburg, Konstanz, Lindau, Memmingen und leicht Nürnberg auch. Aber Gott ist starker, denn alle Welt; den wollen wir zu dem obersten Hauptmann haben und machen." — (Auch die Stätte, da der berühmte Speierer Reichstag tagte, — ein unter dem Namen „Retscher" bekannter Patrizierhof in der Nähe des Doms, in dessen geräumigem Saal die Speierer Reichstage und so auch derjenige vom J. 1529 abgehalten zu werden pflegten, — ist bis auf wenige Mauerreste verfallen.)

Die Angelegenheit sollte nun auf dem Reichstag zu Augsburg in Gegenwart des Kaisers zum Austrag gebracht werden. Dort trugen die evangelischen Stände am 25. Juni 1530 dem Kaiser und den Reichsständen eine Bekenntnisschrift vor, in welcher sie sich wie Ein Mann zu dem bekannten, was Luther 9 Jahre vorher in Worms als einzelner Mann so glaubensmutig vertreten hatte.

Diese Bekenntnisschrift (Augustana) war auf Grund schon vorher vereinbarter Sätze von Melanchthon verfaßt und von Luther gebilligt, der noch in der Reichsacht befindlich es nicht wagen durfte, seinen Herrn, den Kurfürsten Johann, nach Augsburg zu begleiten; von der Veste in Koburg aus beobachtete er jedoch den Verlauf der Dinge, hielt sich durch fortgesetzten Briefwechsel mit Melanchthon, Spalatin und anderen Theologen und Freunden, die in Augsburg anwesend waren, auch mit seinem Kurfürsten in Fühlung.

In ebenso milder als klarer Weise stellte die Bekenntnisschrift in 21 Artikeln die abweichenden Lehrpunkte zusammen und führte dann in 7 Artikeln die Mißbräuche auf, die eine Änderung nötig machten. Nur mit Mühe konnte der Kaiser bewogen werden, ihre Verlesung zu gestatten. Er bestimmte dazu statt des Reichstagssaales die bischöfliche Kapelle. Und auch hier wollte er nicht die Verlesung des deutschen Exemplars dulden, sondern verlangte das lateinische, bis ihn der Kurfürst von Sachsen erinnerte, daß man sich auf deutschem Boden befinde. Der Vortrag, welcher zwei Stunden dauerte, geschah durch den sächsischen Kanzler D. Baier mit so vernehmlicher Stimme und wurde in so lautloser Stille angehört, daß die Menge des Volkes auf dem Schloßhofe jedes Wort verstehen konnte. Unterschrieben war die Konfession von allen Ständen, welche die Speierer Protestation unterschrieben hatten, ausgenommen St. Gallen und Nördlingen; an deren Stelle aber standen unter dem Bekenntnis: Biberach, Schw. Hall. (Das lateinische Exemplar, welches dem Kaiser übergeben wurde, kam zunächst nach Brüssel und von dort später vermutlich durch die Jesuiten nach Spanien, wo es verschwand. Wahrscheinlich hat sich seiner die Inquisition bemächtigt und es verbrannt. Das deutsche kam später mit den Reichstagsakten nach Trident und von da wahrscheinlich nach Rom. Der Saal, in welchem die Verlesung der Konfession stattfand, ist im folgenden Jahrhundert leider verbaut worden.)

Der Eindruck war ein großer, selbst bei vielen Gegnern. Viele waren überrascht, etwas ganz anderes über die Lehre der Evangelischen zu vernehmen, als sie sich gedacht hatten oder ihnen gesagt worden war. Herzog Wilhelm von Bayern sah Dr. Eck ernst an und fragte ihn, ob er sich die Konfession zu widerlegen getraue? Auf Ecks notgedrungene Antwort: „Mit den Kirchenvätern wohl, aber nicht mit der heiligen Schrift", erwiderte der Herzog: „So höre ich wohl, die Lutherischen sitzen in der Schrift und wir daneben!" Noch einmal ergab sich auf dem Reichstag ein lebendiger Verkehr zwischen katholischen und evangelischen Theologen; Campeggi und Melanchthon verhandelten wiederholt in langen Konferenzen miteinander. Die Hoffnung freilich, welche der letztere eine Zeit lang hegte, es werde ihm gelingen, den päpstlichen Legaten zu überzeugen und eine Einigung der beiderseitigen Meinungen zu bewirken, war ein Trugbild; — ja Melanchthon, von einer allzu weitgehenden Nachgiebigkeit und Versöhnlichkeit getrieben, geriet bei der Unterredung mit dem schlauen Italiener in Gefahr, seinerseits Zugeständnisse zu machen, welche die evangelische Sache ernstlich hätten gefährden müssen. Zum Glück war Luther in minderem Grade friedensbedürftig als Melanchthon. Von Koburg aus richtete er Mahnungen und Zureden an die Fürsten und Theologen in Augsburg voll Kraft, voll Gottvertrauen, voll Entschlossenheit, und sein Beispiel feuerte den milderen und weicheren Freund an zur Standhaftigkeit und Ausdauer. Auch unter den Fürsten war ein Gegensatz vorhanden: dem milden und friedfertigen Kurfürst Johann von Sachsen stund der entschlossene Landgraf Philipp von Hessen gegenüber, der nach Verlesung der Konfutation erklärte: er wolle bei seiner Meinung bestehen, so lange man ihn nicht anders als geschehen wäre widerlegt hätte: „und sollte ich Leib und Leben darüber lassen." Im entscheidenden Augenblick aber gab Gott den Protestanten doch völlige Einigkeit im Widerstand gegen die Lockungen des Kaisers, welcher nichts unversucht ließ, die Fürsten an sich zu ziehen und von der neuen Lehre abzubringen. So wurde es denn auch für Melanchthon nicht schwer, die katholische Gegenschrift, die sog. „Confutatio", deren Verfasser Eck, Faber und Wimpina waren, und welche am 3. August verlesen, den Protestanten aber nicht ausgehändigt wurde, in seiner „Apologie (oder Verteidigungsschrift) der Augsburger Konfession" sofort zu widerlegen; die Annahme dieser Widerlegung hatte der Kaiser freilich beharrlich verweigert.

Der Ausgang des Reichstags war nicht günstiger als der zu Worms neun Jahre früher, obwohl jetzt eine ganze, große Gemeinschaft, ein starker Bruchteil aller Reichsstände, zu dem evangelischen Bekenntnisse stand. Es war noch als eine Gnade vermeint, wenn im Reichstagsabschiede vom 22. September den Evangelischen bis zum 15. April des nächsten Jahres Bedenkzeit gegeben wurde, ob sie sich über die streitigen Artikel mit der römischen Kirche vereinbaren wollten oder nicht. Unterdessen aber sollten sie sich alles weitern Vorgehens in Wort und That enthalten. So sie nicht nachgeben würden, sollte das Wormser Edikt durch das Reichskammergericht zur Ausführung kommen. Damit ward die protestantische Minderheit gleichsam aus dem gemeinsamen Reichsrechte ausgeschieden. Selbst die zeitweilige Duldung war ihr entzogen und nur eine Gnadenfrist geschenkt: folgte sie schließlich nicht dem Gebote, so drohte ihr kriegerische Gewalt und Vernichtung!

c) Bis zum Augsburger Religionsfrieden (1530–55.)

Die evangelischen Stände suchten sich, so gut es ging, durch ein Verteidigungsbündnis, das ein großer Teil von ihnen 1531 zu Schmalkalden einging, zu sichern. Aber der Kaiser bedurfte der protestantischen Hilfe gegen die Türken, welche eben jetzt Wien bedrohten; so mußte er 1532 sich zum Nürnberger Religionsfrieden und in demselben zur Zurücknahme des Reichstagsabschiedes herbeilassen. Zu einer Einigung zwischen den beiden Religionsparteien konnte es indessen nicht mehr kommen, so sehr man sich auch in verschiedenen Religionsgesprächen, insbesondere in Worms und Regensburg (1541) darum bemühte. Die weitere Ausbreitung der Reformation: in Württemberg durch Herzog Ulrich, in den freien Reichsstädten Augsburg und Frankfurt, im Kurfürstentum Brandenburg und im Herzogtum Sachsen nach dem Tode ihrer heftigen Gegner, dort des Kurfürsten Joachim I., hier des Herzogs Georg, ja sogar in dem Kurfürstentum Köln durch den Uebertritt des geistlichen Kurfürsten Erzbischof Hermann von Wied — diese Ausbreitung der Reformation verschärfte nur den Gegensatz und erhöhte die Spannung.

Württembergs Anschluß an die Reformation war von ebenso weitreichender Bedeutung im Süden, als der Brandenburgs im Norden Deutschlands. Herzog Ulrich von Württemberg, seit 20 Jahren durch den schwäbischen Bund aus seinem Lande, das an Österreich gefallen war, vertrieben, war im Jahr 1534 von Landgraf Philipp von Hessen mit bewaffneter Hand wieder eingesetzt worden, und da er längst als Freund und Schützling Philipps dem Evangelium sich zugewendet hatte, fielen nun die Hindernisse, welche bisher der dem Evangelium feindliche schwäbische Bund der Reformation in Württemberg entgegengestellt hatte. Es predigten nun Ambrosius Blaurer und Erhard Schnepf, jener oberhalb der Steig, dieser unterhalb, während Brenz von Hall nach Tübingen berufen ward zur Reformierung der Universität und später als Hofprediger und Generalsuperintendent in Stuttgart eine reiche Wirksamkeit ausübte. Das Land ward in der Folge eine Burg des Protestantismus in Süddeutschland, und die evangelischen Regungen erhielten nun unmittelbar neue Nahrung im ganzen Umkreis des schwäbischen Bundes, im Elsaß, in den Gebieten der Markgrafen von Baden und Hanau, ja selbst in Augsburg, wo endlich der große und kleine Rat unter Leitung des Bürgermeisters Wolf Rehlinger die Messe in allen dem Bischof nicht unmittelbar zugehörigen Kirchen abschaffte. — Im Kurfürstentum Brandenburg aber räumte

Joh. Brenz (nach einem alten Kupferstich).

1535 mit dem Tode Joachims I. ein heftiger Gegner der Reformation den Platz; seine eigene Gemahlin Elisabeth hatte vor ihm die Flucht nach Wittenberg nehmen müssen, und nach dem Nürnberger Religionsfrieden hatte er erklärt: daß er unter keiner Bedingung einen Frieden mit den Protestanten eingehen werde, lieber wolle er Land und Leute verlieren und selbst sterben und verderben. Sein Sohn Joachim II. gewährte den Protestanten alsbald Duldung und trat 1539, trotz eines Gelübdes, das sein Vater früher von ihm und seinen Brüdern erzwungen, zur evangelischen Kirche über, ohne aber dem Schmalkaldischen Bunde beizutreten. In demselben Jahre 1539 starb auch der alte Feind Luthers und der Reformation, Herzog Georg von Sachsen, der doch in seiner Todesstunde seinen Trost im Leiden und Sterben Christi suchen wollte und nicht bei den Heiligen, und dessen Bruder Heinrich, sein Nachfolger auf dem Throne, alsbald zur Reformation übertrat. In einzelnen Gegenden vermischten sich in Norddeutschland mit den evangelischen Bestrebungen auch solche politischer Natur, ähnlich wie in Ober- und Mitteldeutschland zur Zeit der Karlstadt'schen Umtriebe und des Bauernkriegs. Zu heftigen inneren Kämpfen kam es in einzelnen westfälischen Städten, nicht allein in Münster (vgl. S. 162), sondern auch in Soest, Paderborn &c. In Pommern und Mecklenburg blieben zunächst die Ritterschaft und die Stifter am Alten hängen, während die Städte die Reformation einführten, so daß auch hier die Veränderung nicht ohne vielerlei Reibungen vor sich ging.

Inzwischen war Papst Klemens VII. im Jahre 1534 gestorben und sein Nachfolger Paul III. schien mit der Berufung des lange vergeblich begehrten Konzils Ernst machen zu wollen. In der Bulle, welche die Eröffnung desselben auf den 23. Mai 1537 nach Mantua ausschrieb, bezeichnet er als Zweck den Frieden der Kirche durch „Ausrottung der Ketzerei", und damit ja kein Zweifel sein könne, wer damit gemeint sei, sprach eine andere Bulle näher von der „pestilenzialischen Lutherischen Ketzerei." Hatten die Protestanten wohl immer ein „frey, christlich, deutsch" Konzil begehrt, so konnten sie dieses doch nicht als solches anerkennen. Ein von Kurfürst Johann Friedrich im Jahre 1537 nach Schmalkalden berufener Konvent der Verbündeten lehnte denn auch die Beschickung des Konzils ab.

Luther hatte seinen Kurfürsten zu der Fürstenversammlung nach Schmalkalden begleitet und der Beratung der fürstlichen Theologen die von ihm verfaßten sog. „Schmalkaldischen Artikel" unterstellt, eine Zusammenfassung der evangelischen Grundsätze über Glauben und Lehre „worauf im künftigen Konzil endlich zu beharren sei". Es war, nach des kurfürstlichen Kanzlers Brück Worten, Luthers Testament. Wenn Melanchthon in seiner Friedensliebe dem Bischof von Rom, falls er nur das Evangelium frei lassen wollte, nach menschlichem Rechte immerhin die oberste Stelle im Regimente der christlichen Kirche belassen hätte, so ließ Luther keinen Zweifel daran, daß er in dem Papst noch immer den Antichrist sah; schwer erkrankt gezwungen die Versammlung in Schmalkalden zu verlassen, rief er noch aus dem Wagen seinen Freunden die Worte zurück: „Gott erfülle Euch mit dem Hasse des Papstes!" Den Konvent bewegte mehr noch als die Besorgnis um das Konzil die Sorge um des teuren Vaters Luther Leben, das aber Gott diesmal noch dem Evangelium erhalten wollte. Kam doch auch jenes noch nicht zu stande, und Luthers klarer Blick hatte richtig vorausgesehen, daß auch der neue Papst es vermeiden werde, solange er nur könne, und dabei kamen ihm der Krieg des Kaisers mit Frankreich und die Türkennot zu statten. Zunächst erfolgte die Verlegung nach Vicenza, und dann die Hinausschiebung ins Ungewisse. Luther aber schrieb im Jahr 1539 noch sein Buch „von den Conciliis und Kirchen", erlebte wirklich auch noch die Berufung des Konzils nach Trident, welchem gegenüber er im Einverständnis mit seinem Kurfürsten in der Schrift „wider das Papsttum in Rom, vom Teufel gestiftet" (März 1545) noch einmal sein Zeugnis gegen die göttliche Einsetzung des Papsttums wiederholte und am Schluß seines Lebens erschöpfend zusammenfaßte, was er beim Beginn seines Auftretens zu Leipzig gegen Eck zuerst aufgestellt hatte. Wie sich nun auch dichter und dichter die Wolken über den Evangelischen zusammenzogen, verließ ihn die Gelassenheit im Vertrauen auf das göttliche Regiment, dem er diese Sache ja stets allein anheimgegeben hatte, doch nicht, wie er sich denn gelegentlich äußerte: „über Reichstage und Konzilien sorge ich nichts, glaube nichts, hoffe nichts, denke nichts; Eitelkeit der Eitelkeiten. Was ist die Welt? was ist ihr Wüten? ja was ist ihr Fürst? ein Rauch und eine Wasserblase gegen den Herrn, der mit uns ist!" Aber er war müde, und der Herr erfüllte sein Gebet. Den Ausbruch des Kampfes mußte er nicht mehr erleben. Als Friedensstifter bei den Grafen von Mansfeld in seinem Geburtsorte Eisleben weilend, wurde er rasch hinweggenommen. Luther verschied am 18. Februar 1546 morgens 3 Uhr an einem Schwächeanfall, nachdem er noch kurz vorher auf die Frage seines Freundes Dr. Jonas: „Reverende pater (ehrwürdiger Vater), wollt Ihr auf Christum und die Lehre, wie Ihr gepredigt, beständig sterben?“ ein vernehmliches Ja geant-

Kurfürst Johann Friedrich von Sachsen (1532–1556), nach dem seltenen Kupferstich von Georg Pencz in Nürnberg.

wortet hatte (Ebr. 13, 7). Noch am 14. hatte er in Eisleben gepredigt, doch hatte er die Predigt abbrechen müssen. Aber er beruhigt brieflich seine Frau: „laß mich in Frieden mit deiner Sorge, ich habe einen besseren Sorger, denn du und alle Engel sind; darum sei in Frieden! — Lehrest du also den Catechismum und den Glauben? Bete du und laß Gott sorgen!" (Pf. 55, 23.) Die letzte Aufzeichnung seiner Feder, die man nach seinem Tode auf dem Schreibtisch fand, sind einige Sätze in lateinischer Sprache über die Schwierigkeiten des Verständnisses der Schrift; die letzten Worte: „Wir sind Bettler. Das ist wahr. 16. Febr. a. 1546." Die Freunde Jonas, Cölius

Luther in seinem Todesjahr. Nach dem Holzschnitt von Lukas Cranach.

und Aurifaber haben gemeinsam sein Ende beschrieben. Sein Leichnam wurde in feierlichem Zuge nach Wittenberg gebracht und auf Befehl des Kurfürsten in der Schloßkirche beigesetzt. Die Leichenpredigt in Wittenberg hielt Bugenhagen über 1 Thess. 4, 13 f.; nach ihm sprach Melanchthon im Namen der Universität in lateinischer Sprache. „Wir sind wie arme Waisen, die einen trefflichen Mann zum Vater gehabt und dessen beraubt sind."

Der Kaiser hatte mit Frankreich im Jahre 1544 zu Crespy Frieden, mit den Türken einen fünfjährigen Waffenstillstand gemacht. Der Augenblick war gekommen, den Papst und die Protestanten zu zwingen: am 15. März 1545 trat zu Trient das Konzil zusammen, das die Evangelischen anzuerkennen sich weigerten. Freilich fehlte in diesem kritischen Momente ihnen ihr Haupt und ihr Vater Luther gar sehr: seinen ganzen Wert sollte man erst inne werden, als die Stelle leer war, die er eingenommen hatte! Kleinliche Gebietsstreitigkeiten zwischen Kurfürst Johann Friedrich und Herzog Heinrichs Sohn, Moriz von Sachsen, trieben den letzteren vom schmalkaldischen Bunde hinweg ins kaiserliche Lager, eben im Augenblick, als der schmalkaldische Krieg ausbrach. Die Protestanten waren besiegt, noch ehe die Waffen gesprochen hatten. Nachdem der Kaiser an der Donau Herr geworden und die schwäbischen Städte, Ulm, Augsburg, Heilbronn, Schw. Hall zur Unterwerfung gebracht, überraschte er 1547 am 24. April Johann Friedrich von Sachsen bei Mühlberg an der Elbe, zerstreute das protestantische Heer und nahm den Kurfürsten selbst gefangen. Das gleiche Schicksal ereilte auch den tapferen Landgrafen von Hessen. Und nun faßte der Kaiser, der, unzufrieden mit der durch den Papst eigenmächtig veranlaßten Übersiedelung des Konzils von Trient nach Bologna, auch gegen diesen einen Schlag führen wollte, den Beschluß, seine Übermacht zu benutzen, um die deutschen Religionsverhältnisse auf eigene Hand zu ordnen. Auf dem nach Augsburg berufenen Reichstag ließ er das sog. „Interim“ aufstellen, eine Formel, welche in der Lehre von der Rechtfertigung, dem Abendmahl, der Messe und der Priesterehe den Protestanten entgegenkam, aber in der Verfassung die alte Kirche mit Papst und Konzil im wesentlichen aufs neue herstellte, und forderte die Anerkennung derselben in allen ihm untergebenen Gebieten.

Hatte der Kaiser gegen die beiden Fürsten in sehr zweideutiger Weise verfahren — gegen Philipp von Hessen bediente sich sein Feldherr Alba einer echt spanischen List, indem er ihn zu Halle aufs Schloß lud und dann zu seinem Gefangenen erklärte, — so entwickelte die Art und Weise, wie er nun den protestantischen Ständen das Interim aufzwang, den Charakter despotischer Willkür und Gewaltsamkeit. Die Stände waren zu ohnmächtig, um widerstehen zu können; 400 Prediger mußten damals ihre Heimat verlassen und auswandern, unter ihnen die besten, ein Osiander aus Nürnberg, Frecht aus Ulm, Alber aus Reutlingen, Blaurer aus Konstanz, Schnepf aus Tübingen, Brenz aus Hall. Überall wohin die spanischen und italienischen Truppen des Kaisers kamen, da fahndeten sie auf die Geistlichen. Brenz wurde umsonst von dem württembergischen Herzog Ulrich auf einem seiner Schlösser (Hohenwittlingen bei Urach) geborgen; er suchte in Basel Zuflucht. Standhaft lehnten Geistliche wie Laien die Annahme des Interims ab: allen voran der gefangene und an seinem Leben bedrohte Johann Friedrich, dadurch den gläubigen Widerstand, der in Magdeburg seinen Mittelpunkt fand, nicht wenig stärkend, und Moriz, auf welchen nun zum Lohn für seine Dienste die Kurwürde übergegangen war, befand sich in Verlegenheit. Sein Leipziger Interim sollte vermitteln, aber es stieß, trotzdem sich Melanchthon, welcher in Wittenberg nunmehr in Moriz' Gewalt war, bestimmen ließ daran mitzuarbeiten, auf nicht minderen Widerstand; Karl V. aber trug sich jetzt mit Plänen einer vollständigen Wiederherstellung der durch das (1551 nach Pauls Tod nach Trient zurückverlegte) Konzil restaurierten römischen Kirche in Deutschland. Während aber die spanische Soldateska die deutschen Lande heimsuchte, priesen Volkslieder überall den Widerstand Magdeburgs und das von Johann Friedrich gegebene erhabene Beispiel des Martyriums für das Evangelium.

Moriz von Sachsen (nach dem zu Dresden befindlichen Ölgemälde von Lukas Cranach).

Im ganzen Umkreis des deutschen Reichs war eine wachsende Gährung erwacht. Da wurde der Knoten plötzlich durchhauen von Moriz selbst, welcher die Zeit gekommen hielt, der auch ihn bedrohenden Übermacht des Kaisers Halt zu gebieten. Die Belagerung Magdeburgs, die ihm der Kaiser aufgetragen hatte, benützte er zur Aufstellung eines ausreichenden Heeres. Überraschend erschien er im Süden, erstürmte die Ehrenberger Klause, und der Kaiser mußte sein Heil in schleuniger Flucht nach Italien suchen, wie auch das Konzil in Trident auseinanderstob. Er nötigte nun des Kaisers Bruder Ferdinand von Österreich zu dem Passauer Vertrag 1552, wornach zunächst die gefangenen Fürsten freigelassen, das Interim abgeschafft und Religionsfreiheit zugesichert wurde. Auf Grund desselben wurde dann am 25. September 1555 der Augsburger Religionsfriede abgeschlossen, in welchem den Evangelischen endlich Religionsfreiheit zugestanden wurde.

War für die Evangelischen damit im wesentlichen das Ziel erreicht, so war es doch noch keineswegs gesichert. Denn erstlich waren die Reformierten noch von diesem Zugeständnisse ausgeschlossen. Dann war diese Religionsfreiheit nur den Reichsständen gestattet, den Unterthanen im Falle des Glaubenswechsels nur freier Abzug (nach dem Grundsatze: cujus regio, ejus religio, „wessen das Land, dessen der Glaube“). Überdies trug der sog. „geistliche Vorbehalt“ (reservatum ecclesiasticum), wornach bei Übertritt kirchlicher Pfründeinhaber das Kirchengut der katholischen Kirche verbleiben sollte, den Keim zu weiteren Zerwürfnissen in sich.

2) Die schweizerische Reformation.

a) In der deutschen Schweiz.

Huldreich Zwingli
(nach einem gleichzeitigen Stiche)

Es erübrigt nun noch, den Gang der schweizerischen Reformation nachzuholen, und zu diesem Zweck zurückzukehren zu den Ereignissen vor dem Augsburger Reichstag im J. 1530. Denn nicht lange nach dem ersten Auftreten Dr. Luthers in Deutschland hatte die Reformation auch in der Schweiz und zwar in selbständiger Weise begonnen durch den Prediger Ulrich Zwingli.

Zwingli, 1. Januar 1484 zu Wildhaus im Kanton St. Gallen als der Sohn eines Landammanns geboren, war durch das Forschen in der heiligen Schrift, auch durch gelehrte Studien in den Schriften des griechischen und römischen Altertums zu einer reiferen Erkenntnis gelangt. Schon als Pfarrer an dem Wallfahrtsorte Einsiedeln wies er von dem durch seine angebliche Wunderkraft berühmten Marienbilde auf Christus als den einigen Mittler hin. Aber erst als er am 1. Januar 1819 eine Pfarrstelle am großen Münster zu Zürich angetreten hatte, fieng er an reformierend aufzutreten, nicht unberührt von Luthers Schriften. In der Chronik eines Berners mit Namen Anselm steht zum Jahre 1519 folgende schöne Aufzeichnung: „Glych im Ingang des Jahrs ist dem starken Luther mächtig zugetreten der fest Ulrich Zwingli. — Welcher, nachdem er vorher dry Jahr hat geprediet zu Einsiedlen die gewohnlichen Meßevangelia nach Wys und Uslegung der alten Kirchenlehrern; jetz an gen Zurich, einer loblichen Eydgenoßschaft obrists Orts, in das groß Munster zu einem Lütpriester und Predikanten bestellt. Mit vorgehebtem Urlaub sines oberen Probsts und Capitels hat er angefangen us lutrer biblischer Gschrift St. Mathei Evangelium trostlich ze predien, und da auch ernstlich ze ermahnen, allein Gotts Wort ze hören, ze lesen, anzunehmen und ze glauben, als ein unbewegliche Grundfeste unsers Heils und Seligkeit. Hat auch diß selig Furnehmen mit sölicher Frucht erstattet und usgeführt, daß da, wie zu

Wittenberg schnell ein wunderbar großer Zulauf Gottes Wort zu hören, ist worden, ein Achtung, als ob Luther und Zwingli, so doch enandern wit gelegen, und noch nur von Hörsag bekannt, abgelernte Lehr predietint, und der Sach vereint wärint.“ Auch Zwingli wurde durch das Treiben eines Ablaßkrämers, des Franziskaners Samson aus Mailand, weiter gedrängt.

Auf Zwinglis Einwirkung hin ordnete der Rat von Zürich 1520 die reine Predigt des Evangeliums an und nach zweimaliger Disputation mit den Gegnern am 29. Januar und 26.—28. Oktober 1523 wurde die Reformation an Pfingsten des Jahres 1524 vom Züricher Großen Rat mit Abschaffung der Bilder und der Messe endgültig durchgeführt.

50
IOANNES OECOLAMPADIVS
Basiliensis Ecclesiæ Pastor.
M. D. XXXI.
Ökolampadius
(nach dem Holzschnitt von Tob. Stimmer).

Von Zürich aus griff das Werk der Kirchenverbesserung in einem großen Teil der deutschen Schweiz um sich, insbesondere in Basel, dessen Prediger Ökolampadius aus Weinsberg († 1531) im Verein mit dem humanistisch gebildeten, später in Straßburg wirkenden Capito frühzeitig durch Luthers Schriften ergriffen worden war; im Jahr 1529 wurden auch hier die Bilder abgeschafft. In St. Gallen floh 1528 der Abt, worauf Stadt und Kloster reformiert wurden; weiter folgten Glarus, Schaffhausen, Solothurn, und die Landsgemeinde Appenzell Außer-Rhoden hatte schon 1524 den Predigern, welche lehrten, was sich nicht aus der Schrift erweisen lasse, den Gehorsam gekündigt. Das mächtige Bern trat nach einer großen Disputation 1529 zur Reformation über. Auch nach Straßburg, welches Capito zum Prediger berief, Konstanz, Memmingen und Lindau fand sie von der Schweiz aus Eingang.

Aber die Urkantone am Vierwaldstätter See und einige andere setzten hartnäckigen Widerstand entgegen. Bald kam es darüber zum Bürgerkrieg. In diesem wurden die unvorbereiteten Züricher überfallen und bei Kappel geschlagen (1531). Zwingli, der selbst mit in den Kampf gezogen, wurde durch einen Steinwurf schwer verwundet, als er eben einem Schwerverwundeten Trost zusprach. Von den Feinden zur Beichte vor einem Priester und zur Anrufung der Heiligen ermahnt, schüttelte er das Haupt, und wurde darauf unter dem Rufe: „So stirb, du hartnäckiger Ketzer!“ getötet. An dem Leichnam wurde das Ketzergericht der Flammen vollzogen. Damit war der weiteren Ausbreitung der Reformation in der deutschen Schweiz Halt geboten.

b) In der französischen Schweiz.

Unterdessen waren aber bereits auch die französischen Kantone von der Predigt des Evangeliums ergriffen worden. Farel aus der französischen Dauphiné († 1565) stand an der Spitze der reformatorischen Be-

Jean Calvin (nach einem gleichzeitigen Kupferstich).

wegung im Waadtland, in Neuchatel und in Genf, das sich von Savoyen losgemacht. Dann vollendete das Werk der Reformation der ebenfalls aus Frankreich stammende Jean Calvin, durch welchen Genf zur Musterstätte reformierten Kirchenwesens und zum Vorort der reformierten Kirche jener Zeit erhoben ward.

Jean Calvin, geb. 10. Juli 1509 zu Noyon in der Picardie, hatte die Rechtsgelehrsamkeit studiert, war auch schon Doktor der Rechte geworden, als ihm durch das Lesen der Bibel ein neues Licht aufging. Als er seine evangelische Überzeugung in Paris bekannte, mußte er aus Frankreich flüchten. In Basel schrieb er seinen berühmten „Unterricht über die christliche Religion“, in welchem er die augustinische Lehre von der Prädestination in der strengsten Form erneuerte. Auf einer Reise durch Genf im J. 1536 hielt ihn Farel fest. Die Sittenstrenge, die er gegen die dortigen „Libertiner“ (Freigesinnten) übte, trug ihm bald Verbannung ein. Doch wurde er schon nach drei Jahren wieder von Straßburg zurückgeholt. Und nun übte er eine durchgreifende Wirksamkeit, um Genf nach seinen Gedanken in Lehre und Leben als eine „Gottesgemeinde, einen Gottesstaat“ zu gestalten. Durch die Gründung einer Hochschule sollte die Lehre, durch Übung einer strengen Kirchenzucht die Sitte gewahrt werden; er scheute nicht davor zurück, den Irrlehrer Mich. Servède, der Verwirrung anzurichten drohte, dem Feuertode preiszugeben. Nach seinem Tode (1564) setzte Theod. Beza sein Werk in milderem Sinne fort.

c) Verhältnis der beiden evangelischen Kirchen zu einander.

Obwohl die lutherische Kirche und die reformierte als evangelisch-protestantische Kirchen so nahe verwandt und gegenüber den mächtigen gemeinsamen Gegnern auch auf Vereinigung hingewiesen waren, so konnten sie doch nicht zu einer solchen gelangen. Was sie vor allem trennte, das war der Streit um das Abendmahl, welches den Schweizern nur ein Gedächtnismahl war, für Luther dagegen das Sakrament des gegenwärtig sich darbietenden Leibes und Blutes Christi, welches erst die volle Gnade und die volle Aneignung der Erlösung in sich schloß, wobei er sich auch auf die biblischen Einsetzungsworte „Das ist mein Leib“ stützen konnte. An Versuchen zur Vereinigung Luthers und Zwinglis fehlte es nicht. Besonders der Landgraf Philipp von Hessen, der schweizerischen Lehre auch innerlich zugewandt und getrieben von dem zeitlichen Interesse des Protestantismus, gab sich alle Mühe und ruhte nicht, bis er die beiden Parteien im Jahre 1529 zu Marburg zu einem Religionsgespräch vereinigte. Aber Luther fühlte sich dort gedrungen, von Zwingli und seinen Freunden mit den Worten zu scheiden: „Ihr habt einen andern Geist als wir!“

Für Luthers Verhältnis zu dem schweizer Reformator war es von Anfang an nachteilig gewesen, daß er auf ihn zuerst aufmerksam wurde im Kampfe mit Karlstadt. Die schweizerische Reformation war gegen die Bilder in der Kirche, Fastengebrauche und ähnliche Äußerlichkeiten, in welchen Luther, weil sie für ihn Äußerlichkeiten waren, um der Einfältigen und Schwachen willen jedem seine Freiheit lassen wollte, mit einem Nachdruck aufgetreten, welcher sich mit dem Karlstadt'schen Wesen berührte, wie denn Karlstadt schließlich auch in der Schweiz seine Zuflucht fand. So kam es, daß Luther in Zwingli und

Ökolampad von vorneherein gleichermaßen Schwarmgeister erblickte, und in Bezug auf sie sagte: „Der Satan wolle jetzt eitel Geist sein!“ Doch hatte man in Wittenberg von den Schweizern wenig Kenntnis genommen, bis Zwingli, der sich durch Luthers Schrift „Wider die himmlischen Propheten“ angegriffen glaubte, rasch nach einander zwei Schriften veröffentlichte wider Luther: die eine lateinisch unter dem Titel „Von der wahren und falschen Religion“, die andere deutsch: „Klare Unterweisung vom Nachtmahl Christi“. Nun wollte auch Luther nicht schweigen und gab noch im Jahr 1526 seinen „Sermon von dem Sakrament des Leibes und Blutes Christi wider die Schwarmgeister“ heraus, dem er als weitere Ausführung folgen ließ: „Daß diese Worte Christi ‚Das ist mein Leib‘ noch fortbestehen, wider die Schwarmgeister“ (1527). Die Fehde war aus der Ferne mit gegenseitiger Unduldsamkeit und rücksichtsloser Heftigkeit geführt worden, und die Zusammenkunft auf dem Marburger Schloß

Das Schloß zu Marburg (unverändert erhalten).

des Landgrafen Philipp in den Maitagen des Jahres 1529, wenn sie auch ohne ein eigentliches Ergebnis blieb, bewirkte doch dies, daß die Streitenden, die sich nun erst persönlich kennen lernten, beiderseits die Überzeugung ihrer Aufrichtigkeit und Redlichkeit mit fortnahmen. Luther, der in Begleitung Melanchthons, ferner der Theologen Mykonius aus Gotha, Osiander aus Nürnberg, Brenz aus Schw. Hall, Stephan Agricola aus Augsburg erschienen war, während Zwingli von Ökolampad aus Basel, Butzer, Hedio und Sturm aus Straßburg begleitet war, hatte beim Beginn der Verhandlungen auf die Tafel die Worte geschrieben: „Das ist mein Leib“. Zwingli aber beharrte bei der Auslegung: „Das bedeutet mein Leib“, unter Berufung auf Joh. 6 und nahm Anstoß daran, daß wir sollten „Christi Leib und Blut verzehren“, trotzdem ihm Luther vorstellte, daß es sich ja nicht um einen grobsinnlichen Genuß handle. Aber gerade das, was für Luther die Gegenwart Christi im Sakrament zu einem Gut machte, mit dem sich für den Christen nichts anderes an Wert vergleichen kann, das erschien den Schweizern nahezu als eine Gotteslästerung! Nach ihrer ganzen Anschauung war ihnen Gott so sehr jenseitig und überweltlich, daß sie ein solches Eintreten Gottes in die Endlichkeit und in die sterbliche Natur des Menschen sich nicht denken konnten (wie es die reformierten Theologen bezeichneten: finitum non est capax infiniti d. h. „das Endliche kann das Unendliche nicht fassen“). Luther, welcher in schmerzlichem Ringen mit Anfechtungen über die Sünde, ihre Schuld und Verdammnis hindurch den Weg gefunden hatte zu Gottes unendlich herablassender Liebe und Barmherzigkeit, getröstete sich gerade alles dessen, was diese herablassende Gottesgnade dem Bedürfnis der schwachen Menschennatur entgegenbringt, und zwar auch sinnlich vermittelt. So konnte und wollte er nicht auf das Sakrament des Leibes und Blutes Christi verzichten. Und wenn die Schweizer erklärten das nicht fassen zu können, wie sie denn auch in der Person Christi Menschliches und Göttliches ängstlich auseinanderhielten, so erklärte Luther: „Die natürliche Vernunft sollte nicht, könnte auch nicht Gottes Allmächtigkeit richten.“ Die Lutherischen aber, wie ihnen die völlige Einigung des Menschlichen und Göttlichen in der Person Christi feststand — späterhin in der Lehre von der wahrhaftigen Gemeinschaft der Eigenschaften der beiden Naturen, doch ohne ihre Vermischung („communicatio idiomatum“) weiter ausgebildet (vgl. S. 43) — waren auch der wesentlichen Gegenwart des erhöhten Christus im Abendmahle gewiß. Zuletzt baten Zwingli und Ökolampadius, daß man sie als Brüder anerkennen wolle, was auch der Landgraf sehr wünschte. Zwingli sagte mit Thränen in den Augen: „Es sind keine Leut auf Erden, mit denen ich lieber wollt eins sein, denn mit den Wittenbergern.“ Sie konnten es nicht ertragen, wenn Luther sagte: „Ihr habt einen andern Geist als wir!“ Sie entbrannten, so oft sie dies hörten. Luther aber wollte ihnen den Brudernamen nicht bewilligen, und sprach ihnen auch seine Verwunderung aus, wie sie ihn für einen Bruder halten könnten, so sie anders ihre Lehre für die rechte hielten? Das sei ein Zeichen, daß sie ihrer Sache nicht groß achteten. Doch gab er ihnen die Hand zum Frieden, daß bei der Vertretung der entgegenstehenden Ansichten alle Feindseligkeit und harte Worte fern bleiben sollten, wie denn auch in dem Schlußprotokoll ausgesprochen wurde: „Und wiewohl wir uns — ob der wahre Leib und Blut Christi leiblich im Brot und Wein sei — diese Zeit nicht verglichen haben, so soll doch ein jeder Teil gegen den andern christliche Liebe, sofern jedes Gewissen immermehr leiden kann, erzeigen, und beide Theile Gott den Allmächtigen fleißig bitten, daß er uns durch seinen Geist in dem rechten Verstand bestätigen wolle. Amen.“

Sie waren beide, der deutsche und der schweizerische Reformator auf verschiedenen Wegen zum Evangelium gekommen: Luther getrieben von der tief innerlichen Sehnsucht des Herzens nach Gnade und Barmherzigkeit, Zwingli von Anfang an mehr durch ein praktisches Ziel geleitet bei der Kirchenreformation, die bei ihm auch für die bürgerliche Gemeinschaft wichtige Folgerungen ergab. So überwiegt denn auch in der lutherischen Kirche die religiöse Sorge um Gnade und Gotteskindschaft, in der schweizerischen das sittliche Streben nach Rechtbeschaffenheit und Rechtverhalten: zwei Blüten aus der Wurzel des Einen Evangeliums von der Gerechtigkeit allein durch den Glauben, welche im Leben der Kirche sich zu ergänzen und zu berichtigen haben.

Es ist denn auch kein Wunder, daß die Versuche der Vermittlung, welche sich auch fernerhin wiederholten, immer nur einen zweifelhaften Erfolg und unsicheren Bestand hatten. Die mittlere Richtung, welche von Anfang die oberdeutschen „Vierstädte“ Straßburg, Memmingen, Lindau und Konstanz eingenommen hatten, übrigens stets mit starker Hinneigung zu Luthers Standpunkt, war nicht verschwunden, auch nachdem im Jahre 1532 jene Städte in den Schmalkaldener Bund aufgenommen waren. Mit lebhafter Energie hatte sie insbesondere der Straßburger Prediger **Martin Bucerus** ergriffen, der nach Zwinglis Tode mit dessen Nachfolger Bullinger verhandelte und (nachdem eine Konferenz mit Melanchthon zu Kassel 1534 kein Ergebnis hatte) 1536 in Begleitung Capitos nach Wittenberg kam, wo er am 29. Mai ein Bekenntnis über das Abendmahl unterschrieb, welches den Geist der lutherischen Auffassung bewahrte, aber in der Form den Schweizern entgegenkam. Es ist dies die sog. **Wittenberger Konkordie** vom Jahr 1536. Dieses Bekenntnis nahmen die oberdeutschen Städte an, und es war dadurch vorübergehend **eine** evangelische Kirche wenigstens in Deutschland begründet; aber die Schweizer lehnten es ab, trotzdem Luther seine Friedensbereitwilligkeit in herzlichen und kräftiglichen Worten öfter wiederholte, u. a. am 17. Mai 1538 in einem Briefe an Bullinger. „Keine größere Freude könnte mir vor meinem Ende widerfahren", so schrieb er, „als wenn Gottes Gnade denjenigen Geist, der mir Herz und Seele erquicken würde, verleihen wollte, daß wir Eines dächten und sprächen in Christo." Eine Vermittlung auf Kosten der Wahrheit aber wollte er freilich nicht und auch nicht die Schweizer, und so faßt er denn in seiner letzten Schrift, die er in dieser Frage veröffentlichte (Sept. 1544): „Kurz Bekenntnis D. Martini Luthers vom heiligen Sakrament" noch einmal mit aller Schärfe sein Bekenntnis gegen die Schweizer zusammen in den Worten: „Denn ich, als der ich nun auf der Grube gehe, will dies Zeugnis und diesen Ruhm mit mir vor meines Herrn Richterstuhl bringen, daß ich die Schwärmer und Sakramentsfeinde, Zwingli, Ökolampad und ihre Jünger zu Zürich und wo sie sind, mit ganzem Ernst verdammt und gemieden habe nach seinem Befehl Titus 3, 10".

MARTINVS BVCCER
BVCCER·HAT·VIEL·GLITEN·VN·GLERT
ENGELANT·HAT·ER·AVCH·BEKERT
DAR·IST·BEGRABE·NACH·SEIM·ENDT
AVCH·WIDR·AVSGRABEN·VN·VERBRENT
ABER·DIE·KONGIN·LOBESAN·
HAT·DIE·ASCH·EHRLICH·BSTATTEN·LAN
Martin Bucer (geb. 1491 zu Schlettstadt, Dominikaner, seit 1520 für die Reformation gewonnen) nach einem gleichzeitigen Holzschnitt. Bucer ging 1549 nach England, wo er dem Erzbischof Cranmer bei Einführung der Reformation zur Seite stand, † 27. Februar 1551 in Cambray. Die katholische Maria (s. S. 185) ließ 1556 seine Gebeine ausgraben und als die eines Ketzers verbrennen. Darauf beziehen sich die Verse.

Ganz kurz vor Luthers Tode erschien noch **Calvins** Hauptschrift über das Abendmahl, und kam im Jahre 1545 in deutscher Übersetzung nach Wittenberg. Calvin bemühte sich aufrichtig, den Lutherischen und Zwinglischen Standpunkt in eine höhere Einheit zu erheben und hielt eine geistige Gegenwart des Leibes Christi fest, ohne doch eine leibliche Gegenwart zuzugestehen. Nach einer glaubwürdigen Überlieferung fand Luther die Schrift bei seinem Buchhändler, durchlas sie und bemerkte beifällig: „Der Verfasser sei gewiß ein gelehrter und frommer Mann; hätten Oekolampad und Zwingli sich von Anfang an so erklärt, so hätte sich wohl nie solcher Streit entsponnen."

Kurfürst Friedrich III. der Fromme von der Pfalz (1559—1576). Nach einem im Privatbesitz befindlichen Ölbildnisse.

Es sollte eben nach Gottes Rat jede Kirche ihren eigenen Weg gehen und ihren besondern Beruf für sich erfüllen. So blieben sie auch im ganzen örtlich gesondert; die Linie des Rheines blieb im allgemeinen die Grenzlinie. Nur einzelne Schwankungen fanden statt, vornehmlich in der Kurpfalz, wo der Kurfürst Friedrich III. mit dem Beinamen der Fromme durch seine Theologen Ursinus und Olevianus den Heidelberger Katechismus als Lehrbuch der deutschen reformierten Kirche verfassen ließ (1562). Für die Zukunft war der im Jahr 1613 (sei es aus innerer Ueberzeugung, sei es um sich die Hilfe Hollands zur Geltendmachung seiner Erbansprüche auf Jülich-Cleve zu sichern) erfolgte Übertritt des Kurfürsten Sigismund von Brandenburg zur reformierten Kirche, dem aber das Land nicht folgte, für das Verhältnis beider Kirchen von weitreichender Bedeutung.

3) Die Ausbreitung der Reformation außerhalb ihrer Heimatländer.

Außer dem Gebiete der griechisch-katholischen Kirche blieb kein Land in Europa von der großen Bewegung unberührt. Aber sie drang freilich nicht überall durch. Den vollständigen Sieg oder doch das Übergewicht erlangte die Reformation nur bei den germanischen Völkern. In den Ländern mit romanischer Bevölkerung wurde sie nach anfänglichem Erfolg mit blutiger Gewalt wieder unterdrückt oder doch aufs äußerste beschränkt.

Dabei fand die lutherische Reformation Eingang vor allem bei den skandinavischen Völkern des Nordens, die reformierte (calvinische) Kirche außer in England vornehmlich bei den romanischen Völkern des Südens. Auch unter der slavischen und magyarischen Bevölkerung im Osten Deutschlands verbreitete sich die Reformation, teils nach dem lutherischen, teils nach dem reformierten Bekenntnisse.

a) Die Ausbreitung des lutherischen Bekenntnisses.

In Dänemark wurde, nachdem Christian II. mit seinem gewaltthätigen, aus weltlichen Gründen entsprungenen Reformationsversuche 1523 gescheitert war, schon 1527 auf dem Reichstag zu Odense unter Friedrich I. den Protestanten Gleichberechtigung mit den Katholiken gewährt; aber schon auf dem Reichstag von Kopenhagen 1536 errang der Protestantismus die Alleinherrschaft. Luthers Freund und Gehilfe Bugenhagen ordnete das Kirchenwesen daselbst. Norwegen, damals mit Dänemark verbunden, sowie auch Island folgten dem Hauptlande.

In Schweden predigten schon 1519 die Brüder Olaus und Lorenz Peterson das lautere Evangelium, das sie zu den Füßen der Reformatoren in Wittenberg kennen gelernt. Durchgeführt wurde die Reformation zugleich unter Beseitigung der dänischen Herrschaft durch Gustav Wasa von 1523 an. Bald war jede Spur des Papsttums beseitigt, aber die bischöfliche Verfassung, in evangelischem Sinne, blieb in der neuen Kirche. Lorenz Peterson wurde der erste evangelische Bischof von Upsala.

Auch in den russischen Ostseeprovinzen fand, wie S. 155 erwähnt, die Reformation bald Eingang, in Kurland unter Umwandlung des Ordenslandes in ein weltliches Herzogtum.

In Polen, wo schon durch dorthin geflüchtete böhmische Brüder der Boden bereitet war, wurde das lutherische Bekenntnis neben dem reformierten aufgenommen. Aber obwohl den Evangelischen später bürgerliche Gleichberechtigung zugesichert wurde, ließen doch fortwährende Anfechtungen sie nicht weiterkommen.

Durch den Verkehr der vielen in Ungarn und zumal in Siebenbürgen eingewanderten Deutschen mit dem Mutterlande fand die Reformation dort bald Eingang. In Ungarn war vornehmlich Matth. Devay und in Siebenbürgen Joh. Honter in dieser Hinsicht thätig. Trotz strenger Gesetze, welche auf Betrieb der Hierarchie gegen alle reformatorischen Bestrebungen erlassen worden waren, gewannen diese immer weiteren Eingang, wobei ihnen die Herrschaft der Türken in einem Teile des Landes zu statten kam. Der Abendmahlsstreit griff auch hier störend ein; die Deutschen blieben zumeist der lutherischen Lehre treu, die Ungarn hingen der calvinischen Richtung an. Als dann im Jahr 1619 die Habsburger das ungarische Erbe antraten, wurden freilich alle Mittel aufgeboten, den Protestantismus, der beinahe das ganze Land eingenommen hatte, wieder auszurotten, und es gelang wenigstens seine Beschränkung auf die rein deutschen Gebiete in den Karpathen (Zips) und Siebenbürgen.

b) Ausbreitung des reformierten Bekenntnisses.

Die reformierte Kirche breitete sich links der Rheinlinie und weiterhin aus. Hier kam es gleich von Anfang an zu den heftigsten und blutigsten Kämpfen.

In den Niederlanden ging die Anregung zunächst von Deutschland aus durch Luthers Schriften, und zwei junge Ordensgenossen Luthers in Antwerpen wurden, wie S. 157 erwähnt, die ersten Märtyrer des reinen Evangeliums. Weiterhin gewann in diesem dem französischen Einfluß naherliegenden Lande die reformierte Kirche, zum Teil unter gewaltsamen Ausbrüchen bilderstürmerischen Eifers, immer mehr Raum. Karls V. Nachfolger in der Regierung über Spanien und die Niederlande, König Philipp II. (1555–86), „katholischer als der Papst", bot alle Schrecken der Inquisition dagegen auf. Aber er rief dadurch und durch die Schreckensherrschaft unter dem finstern Herzog Alba den Aufstand hervor, welcher unter Wilhelm von Oranien 1579 zur Losreißung von Spanien und zur Bildung eines protestantischen Staates in der Vereinigung der 7 nördlichen Provinzen (Utrechter Union) führen sollte.

Auch in England hatte die Bewegung im Volke schon begonnen, als König Heinrich VIII. (1509–47), früher ein Gegner Luthers, auf eigene Art zu reformieren begann, nachdem er sich mit dem Papste wegen einer verlangten und nicht gewährten Ehescheidung überworfen hatte. Er wütete gleich sehr gegen Lutheraner wie gegen „Papisten". Unter seinem Sohne Eduard VI. (1547–53) konnte sein Ratgeber Thomas Cranmer, Erzbischof von Canterbury, offener mit der Reformation und zwar im Sinne der Schweizer vorgehen. Aber dessen Nachfolgerin, Heinrichs VIII. Tochter aus seiner Ehe mit der spanischen Prinzessin Katharina, die „blutige" Maria (1553—58), suchte alles wieder rückgängig zu machen; ihre Gegenkönigin, die edle Jane Gray, der Erzbischof Cranmer und noch gegen 300 andere fielen dabei als Opfer meist auf dem Scheiterhaufen. Aber unter ihrer Stiefschwester und Nachfolgerin Elisabeth (1558—1603) gelangte die Sache der Reformation zum vollständigen Sieg. Sie ließ 39 Artikel als Bekenntnis aufstellen und im „book of common prayer" („Kirchengebetbuch"), welches zahlreiche katholische Ceremonien beibehielt, die Gottesdienstordnung ausführen; die bischöfliche Verfassung wurde festgehalten. Diese so verfaßte Kirche wurde zur anglikanischen Staatskirche erklärt. Aber eine Partei im Volke widerstrebte dem; sie forderte eine gründliche Reinigung der Kirche von allem Ceremonienwesen, daher Puritaner genannt, und verlangte eine Leitung der Kirche durch Gemeindeälteste (Presbyterialverfassung); ebenso forderten sie Bewahrung der Sitte und Zucht. Vergebens suchte Elisabeth durch die Uniformitätsakte 1563 die kirchliche Einheit zu wahren, indem alle „Nonconformisten" mit Geld, Gefängnis, Verbannung gestraft wurden. Es bildete sich vielmehr aus den Gegnern die Sekte der „Independenten" heraus, welche gänzliche Unabhängigkeit für jede Einzelgemeinde forderten und selbst Presbyterien und Synoden verwarfen.

Am schärfsten wurden diese puritanischen Grundsätze in Schottland durchgeführt. Auch hier wurde der Anstoß zur Reformation von Wittenberg aus gegeben. Patrik Hamilton, ein junger, dem königlichen Hause verwandter Edelmann, brachte von dorther die neue Lehre mit, für die er bald im Alter von 24 Jahren als Märtyrer auf dem Scheiterhaufen starb. Zur Durchführung kam es im Sinne des strengsten Calvinismus seit 1555 durch John Knox, der schon früher zwei Jahre als Galeerensklave um des Glaubens willen hatte leiden müssen. Vor seinem unbeugsamen Ernste, sowie vor dem um ihn gescharten Bund (Konvent) des Adels mußte die Königin Maria Stuart, die auch sonst dem Volke Anstoß gab, eine gefährliche Zuflucht bei Elisabeth suchen, welche sie später dem Schaffote überlieferte.

Als nach dem Tode Elisabeths die beiden Königreiche unter den Stuarts vereinigt wurden, kam es über diese religiösen Gegensätze, die zugleich bürgerliche in sich bargen, bald zu heftigen und langwierigen Bürgerkriegen. Die Schotten glaubten ihre kirchliche Einrichtung durch die Stuarts bedroht, die

Th. Cranmer (nach einem alten Stich).

Engländer besorgten von ihnen die Wiedereinführung des Papismus (no popery!). Und so erhob sich eine heftige Bewegung aus dem Volke, in welcher schließlich die Independenten unter Oliver Cromwell die Führung gewannen. Karl I. mußte 1649 den Tod auf dem Schaffot erleiden und es wurde nun ein puritanischer Freistaat unter Cromwells Protektorat eingerichtet (1649—60). Neben diesem waren die hervorragendsten Führer der Puritaner John Milton, der Sänger des verlorenen Paradieses, und Bunyan, ein ebenso tapferer Kämpfer in Cromwells Reiterschaar als gewaltiger Volksprediger, welcher sein Buch „Des Christen Pilgerreise" im Gefängnisse geschrieben. Andere als geistliche Schriften fanden bei ihnen wenig Anklang, und das Schauspiel, wie es durch Shakespeare in den Tagen Elisabeths auf seine Höhe erhoben worden, war, zumal bei seiner damaligen Ungebundenheit, dem Kerne des Volkes, dem puritanisch gesinnten ehrenfesten Mittelstande, ein Ärgernis als Sonntagsentheiligung, als eine Verderbnis der ernsten Sittenzucht und als eine Störerin der Arbeitsamkeit. Ueberhaupt war den Puritanern ein strenger alttestamentlicher Gesetzesgeist eigen (Luc. 9, 51—56), wie sie denn sich auch mit Vorliebe alttestamentliche Namen beilegten. — Bald kehrten die Stuarts wieder, ohne durch das Schicksal ihrer Vorgänger etwas gelernt zu haben. Zur Ruhe kam England erst, als die katholisch gesinnten Stuarts vertrieben und Wilhelm III. von Oranien König geworden war. Er erließ sofort (1689) ein Toleranzedikt, welches den Sekten Duldung gewährte, von der indessen die „Papisten" ausgeschlossen blieben. — In Irland wurde die anglikanische Kirche mit Gewalt eingeführt; aber die unterdrückten Eingebornen ließen sich gleichwohl nicht von der katholischen Kirche abbringen. Es kam darüber auf beiden Seiten zu unverantwortlichen Thaten, wie einmal die gereizten Irländer bei einem Aufstand ein fürchterliches Blutbad unter den Protestanten anrichteten.

Ungünstiger verlief die Sache in Frankreich. Auch hier hatte zuerst die lutherische Reformation Eingang gefunden und wurde durch das Martyrium verschiedener Zeugen besiegelt. Indessen gewann bald die verwandtere calvinische Richtung die Oberhand. Dabei machte die Reformation solche Fortschritte, daß ein nicht geringer Teil des Volkes und im Süden selbst das Fürstenhaus der Bourbonen in Navarra ihr zufiel. Die Königin Jeanne d'Albret, Mutter Heinrich IV. von Navarra, wurde die Vorkämpferin des evangelischen Glaubens und als die „calvinische Deborah" gepriesen. Aber es kam auch hier bald zum blutigen Zusammenstoß der Parteien, von denen die katholische von den Herzogen von Guise geführt wurde. Durch die Ränke der Königin Katharina von Medici kam es am 24. August 1572 zu der sog. Pariser Bluthochzeit. Bei Gelegenheit der Vermählung Heinrichs von Navarra mit des Königs Schwester, angeblich zur Feier der Versöhnung der Parteien, begann auf ein gegebenes Zeichen ein allgemeines Gemetzel der Protestanten, wobei kein Alter, kein Stand, kein Geschlecht geschont wurde. Ungefähr 30,000 „Hugenotten" wurden hingemordet, darunter das Haupt derselben, der edle und fromme Admiral Coligny. Philipp II. von Spanien pries diesen Tag als einen der wenigen glücklichen in seinem Leben, und der Papst Gregor XIII. ließ auf die grause Nachricht ein Tedeum singen und eine Denkmünze prägen. Aber die Hugenotten sammelten sich wieder, und ihr Haupt, Heinrich von Navarra, bestieg nach langen Kämpfen um sein Recht als Heinrich IV. 1593 den Thron von Frankreich, den er „einer Messe wert hielt". Aber obwohl katholisch geworden, sicherte er doch im Edikt von Nantes 1598, welches die Protestanten zu Herren einer Reihe fester Plätze im Lande machte, seinen Glaubensgenossen weitgehende Rechte. Indessen wurde dieses Edikt 1685 von Ludwig XIV. wieder aufgehoben. Mit Gewalt — „Dragonaden" — versuchte man die Protestanten zum Abfall von ihrem Glauben zu zwingen, obwohl sich der innige fromme Fénélon, der auch zur Bekehrung der Ketzer ausgesandt war, die Dragoner verbat. Während in den Sevennen die Camisarden voll schwärmerischer Begeisterung einen furchtbaren Kampf gegen Ludwigs Heere kämpften, flüchteten Hunderttausende von Protestanten unter großen Gefahren ins Ausland (Réfugiés) und wurden besonders in Holland und in den brandenburgischen Ländern mit offenen Armen aufgenommen. Im Lande blieben nur etwa 2 Millionen Protestanten zurück, deren Lage sich erst in der neueren Zeit gebessert hat.

Admiral Coligny
(nach einem alten Stiche mit Abbildung von Scenen aus der Pariser Bluthochzeit).

In Spanien wurden alle evangelischen Regungen, welche durch den Zusammenhang und Verkehr mit Deutschland und den Niederlanden hervorgerufen worden, durch Philipp II. und die Inquisition mit erbarmungsloser Strenge unterdrückt. — In Italien drang der evangelische Glaube selbst in verschiedene Orden, ja bis in die päpstliche Kurie hinein und rief köstliche Zeugnisse hervor wie des nachmaligen Märtyrers Antonio Paleario Schrift: „Von der Wohltat Christi". Aber es gelang dem Papste und dem Inquisitionstribunale, das 1542 zu diesem Zwecke eingesetzt worden, mit Feuer und Schwert alle diese Regungen vollständig zu unterdrücken. Viele verließen ihre Heimat, um ihres Glaubens leben zu können, wie die hochgebildete Olympia Morata, Hoffräulein der Herzogin Renata von Ferrara.

4) Die katholische Kirche in der Reformationszeit.

Eine lange Zeit hatte sich der Katholizismus gegen die Fortschritte des Protestantismus zwar abwehrend, aber doch leidend verhalten und zusehen müßen, wie der letztere die gesamte germanische Welt ergriff und auch in den Ländern romanischer Zunge sich mehr und mehr Geltung verschaffte. Vergebens hatte Kaiser Karl V., hier in Uebereinstimmung mit den Lutherischen, den Papst Klemens VII. zur Berufung eines Konzils zu bestimmen versucht. Erst nach des letzteren Tode im J. 1535 wurde dasselbe endlich von Paul III. am 13. Dezember 1545 berufen, und zwar nach Trient. Das war der Wendepunkt in der Haltung des Katholizismus; von der Berufung des *Tridentinischen Konzils* an, das unter verschiedenen Unterbrechungen von 1545 bis 1565 dauerte, beginnt die Epoche der sog. *Gegenreformation*. Es erhob sich jetzt in den romanischen Ländern, ausgehend hauptsächlich von Spanien, wo bereits zu Ende des 15. Jahrhunderts unter König Ferdinand dem Katholischen (1479—1516) durch den Kardinal Ximenes eine Reform der katholischen Kirche in *katholischem* Geiste begonnen worden war, eine Bewegung, die auch die Reform wollte, aber eben in der strengen Festhaltung an den katholischen Grundlagen. In den jetzt kommenden Jahrzehnten erhielt durch eine Reihe bedeutender Vorgänge und Persönlichkeiten die katholische Kirche das

Ignatius von Loyola, der Begründer des Jesuitenordens. Stich nach einem gleichzeitigen Bilde.

Gepräge, welches sie bis auf den heutigen Tag im wesentlichen behielt. Das Tridentiner Konzil war bestrebt, mit verschiedenen Verbesserungen die überlieferte Lehre dem Protestantismus gegenüber abschließend festzustellen. Dann aber traten neue Orden auf, welche sich eine Hebung des religiösen und sittlichen Lebens in ihrer Kirche zur Aufgabe stellten, wie der durch Caraffa, den nachmaligen Papst Paul IV. gestiftete Orden der Theatiner. Das wichtigste Ereignis aber war die Gründung des Ordens der Gesellschaft Jesu (1540) durch Ignatius von Loyola (1491–1556), welcher voll schwärmerischer Verehrung Marias sich ganz dem Dienste des Papsttums als einem Kriegsdienst Christi widmete und vor allem wider die neuen „Ketzer", die Protestanten gegründet war.

Auf dem Tridentinischen Konzil, auf welchem die Italiener das entscheidende Wort führten und es mitunter sogar zu blutigen Konflikten gegen die opponierenden Spanier, Franzosen und Österreicher kam, wurde die Tradition der heiligen Schrift gleichgestellt und die Vulgata als allein berechtigte Übersetzung derselben erklärt. Auch wurde der evangelischen Lehre von der Rechtfertigung gegenüber die Lehre von den guten Werken hervorgehoben. Um jede Abweichung von der festgesetzten Lehre zu verhüten oder zu beseitigen, wurde ein Index (Verzeichnis) der verbotenen Bücher angelegt. Die Beschlüsse des Konzils unterzog von protestantischer Seite Martin Chemnitz in Braunschweig (vgl. S. 214) in einem 4bändigen Werk einer erschöpfenden Untersuchung (Examen Conc. Trid. 1565 ff.), wogegen sie der Jesuit Bellarmin († 1618) verteidigte (disputationes de controversiis christianae fidei adversus hujus temporis haereticos 1585 ff.).

Die h. Therese.

Unter den verschiedenen

Orden, die jetzt entstanden, sind abgesehen von dem Jesuitenorden und dem neuen Bettelorden der Kapuziner, besonders die weiblichen Orden zu nennen. Die heilige Therese „von Jesu" (geb. 1515 zu Avila in Kastilien), in welcher die weiblichen Heiligen des 13. Jahrhunderts wieder aufgelebt zu sein schienen, versenkte sich mit glühender Liebessehnsucht nach dem Heilande in die Tiefen der alten Mystik und bereicherte die asketische Literatur der katholischen Kirche durch Schriften, die noch heutigen Tags vielgelesen sind. Sie machte es sich zur Lebensaufgabe, in herbster Strenge den Orden der Karmeliterinnen zu erneuern und ist durch diesen Vorgang von weittragender Bedeutung geworden. Demselben folgten die dem Jugendunterricht gewidmeten Ursulinerinnen zur Erziehung von Mädchen, begründet durch Angela von Brescia, befördert durch den Kardinal C. Borromeo von Mailand, dann der „Orden von der Heimsuchung unsrer lieben Frauen", durch Franz von Sales gestiftet mit der Bestimmung für Krankenpflege und Kindererziehung. Über alle aber erhoben sich die „barmherzigen Schwestern", 1618 von dem frommen Vincenz von Paula zum Zwecke der Krankenpflege gegründet.

Der Gründer des Jesuitenordens war der spanische Ritter Don Inigo Lopez von Rekalde von Loyola aus dem Gebirge der Basken. Erzogen am Hofe Ferdinands des Katholischen im Geiste eines geistlichen Rittertums, wie es in Spanien sich erhalten hatte, und bei der Belagerung von Pampelona durch die Franzosen 1521 verwundet, verlor er sich während seiner unfreiwilligen Mußezeit in Ritterromane und Heiligenlegenden. Nach seiner Genesung pilgerte er nach Palästina und vertiefte sich immer mehr in das Studium der asketischen und mystischen Schriften; zu Paris, wo er sich zu diesem Zwecke aufhielt, schlossen sich ihm sechs Gleichgesinnte an, darunter Franz Xaver, geboren 1506 auf dem Schlosse Xeviero in Navarra, und Jakob Lainez, die einen Bund miteinander eingingen, worin sie das Gelübde thaten, entweder ins heilige Land zu gehen zu einem Leben der Askese oder sich dem Papste zur Verfügung zu stellen für jeden Ort, ohne Lohn und bedingungslos. Ihre Dienste wurden in Rom angenommen und 1540 der Orden der Gesellschaft Jesu „zu größerer Ehre Gottes" (in majorem dei gloriam) durch den klugen Papst Paul III. aus dem Hause Farnese († 1549) bestätigt. Außer den üblichen drei Mönchsgelübden stand dieser Orden noch unter dem weiteren: „unbedingten Gehorsam gegen den päpstlichen Stuhl!" Und wie unter den nächsten Ordensgeneralen der Orden seine umfassendere Ausbildung erlangte, so nahm auch die Zahl seiner Mitglieder, die bei dem Tode des Stifters 1556 schon ungefähr 1000 in 100 Kollegien betrug, reißend zu. Der Jesuitenorden war von vornherein ein Kampfesorden und er war eine um so furchtbarere Macht in den Händen des Papsttums gegenüber der Welt und insbesondere den „Ketzern", als in ihm alles und jedes aufs vollständigste für den Zweck des Ordens in Anspruch genommen wurde und in Verwendung kam. Wer nach zweijährigem Noviziat in den Orden eintrat, mußte sich gänzlich von aller, auch der edelsten natürlichen Neigung, wie zu Familie und Vaterland, lossagen. In unbedingtem, wechselseitig überwachtem Gehorsam unterstanden alle Glieder dem Willen und Gebot des Ordensgenerals. Alle Gaben und Kräfte — und nur körperlich und geistig Befähigte wurden aufgenommen — wurden je an ihrer Stelle für den Zweck des Ordens ausgenützt. Alle Gebiete des Lebens wurden vom Orden besetzt und alle Stände in Angriff genommen, wie er denn auch schon an seiner weltförmigeren Tracht (langes, schwarzes Gewand und flachbodiger Krempenhut) sein Bestreben durchblicken ließ, in die Welt hineinzutreten, um sie zu beherrschen. Dabei ließ sich der Orden in seinen Handlungen durch Gewissensbedenken nicht allzusehr beengen und war nicht ängstlich in der Wahl seiner Mittel, wie schon der Stifter sagte: „Ausgezeichnete Klugheit mit minderer Heiligkeit ist mehr zu schätzen als vorzügliche Heiligkeit mit minderer Klugheit" (Matth. 10, 16!). Aus peinlichen Verlegenheiten half er sich oft durch willkürliche Deutungen (reservatio mentalis) und scheute auch vor gewaltsamen Mitteln nicht zurück, um den Willen des „allein göttlich berechtigten Papstes" gegenüber den Fürsten durchzusetzen. Dabei war „Intoleranz" gegen Andersgläubige Grundsatz und Leidenschaft des Ordens.

Die Evangelischen in Deutschland merkten bald, was sie von den Jesuiten — „Jesuwider" nannte sie J. Fischart, der berühmte Straßburger Satyriker jener Zeit — zu erwarten hatten. Ferdinand I. hatte bereits im Jahr 1551 durch Le Jay, der in Augsburg durch einige Bekehrungen die Aufmerksamkeit des Königs auf sich gezogen hatte, die erste Jesuitenschule in deutschen Landen begründet in Wien, und auf das gegebene Beispiel entstanden nun binnen wenigen Jahren die Jesuitenschulen zu Köln und Ingolstadt, zu Prag, Olmütz, Trier, Mainz und Aschaffenburg, Speier, München, Dillingen, ja sogar Augsburg. Vornehmlich waren es Spanier, welche zu Lehrern eingesetzt wurden, deren ganze Thätigkeit darauf gerichtet war, Nachwuchs zu erziehen und durch diesen die Schulen, die höheren wie die niederen, Universitäten, Gymnasien und Kinderschulen, für welche der Niederländer Pater Canisius († 1597) seinen Katechismus verfaßte, zu beherrschen. Die Lehrmethode war überall dieselbe, ohne Tiefe, platt verständig, der Freiheit des Geistes keinen Raum lassend, jedoch durch ein bis ins Einzelnste ausgebildetes, keinen Zweifel übrig lassendes Lehrsystem die Gemüter der Wankenden und Schwachen unwiderstehlich bezwingend. Und nicht lange währte es, so machte sich dieser neue Einfluß gewaltig fühlbar. Zuerst im Norden. Der reformierte Erzbischof von Köln, Georg Truchseß, wurde mit Hilfe der Spanier, welche in Belgien gesiegt, und nach Antwerpen, Brüssel, Mecheln, Löwen die Jesuiten geführt hatten, und unter dem Eindruck des hier zum Sieg gelangten restaurierten Katholizismus vertrieben und an seiner Stelle Herzog Ernst von Bayern, Bischof von Freising, eingesetzt, in dessen Händen nach und nach Paderborn, Osnabrück, Münster und Hildesheim vereinigt wurden, lauter Stifter, die bereits reformiert gewesen. Dann drang die Gegenbewegung auch nach dem Süden vor. Im Fürstbistum Würzburg verbot Bischof Julius Echter von Mespelbrunn, früher der Reformation günstig, nun mit einem Mal die evangelische Predigt, und wurde den Protestanten nur die Wahl zwischen Messe oder Auswanderung gelassen. Und weiter pflanzte sich der einmal gegebene Anstoß: nach Bamberg, Salzburg, Nieder- und Oberösterreich, Steiermark, wo die Bekenner des Evangeliums bereits die Hälfte der Bevölkerung ausgemacht hatte. Ja sogar in einzelnen Reichsstädten, wie Biberach, Augsburg, Regensburg erfolgte ein Umschwung. Flüchtlinge wanderten auf allen Straßen; überall zogen die Jesuiten nach, und wo sie einmal Fuß gefaßt hatten, da blieben sie. Alles schärfte sich gegen das Ende des 16. Jahrhunderts auch in Deutschland zu einem Zusammenstoße zu, zu einer großen Auseinandersetzung zwischen dem deutschen Protestantismus und der verjüngten, durch den Jesuitenorden zu Thaten angetriebenen, ruhelos ihre Alleinherrschaft wieder anstrebenden katholischen Kirche.

5) Der Entscheidungskampf des 30jährigen Krieges (1618—48).

Luther hatte es verkündigt, daß das Evangelium den Völkern das Schwert bringen werde. Er sah den Sturm im Anzug, aber er sagte, das Wort der Gottseligkeit könne nie ohne Sturm, Unruhe und Gefahr getrieben werden; entweder müsse man es verleugnen, oder auf Frieden und Ruhe verzichten. Der Krieg sei des Herrn, der nicht gekommen sei, Frieden zu bringen. — Die Zeit der Erfüllung dieses prophetischen Wortes nahte sich; in einem Krieg von 30 Jahren mußte das evangelische Volk sich den Besitz des Evangeliums sichern.

Joh. Tilly Graf Tzerclaes. Nach dem Leben gemalt von van Dyck.

Die Gährung der Gemüter erreichte in Süddeutschland den Höhepunkt, als über die protestantische Reichsstadt Donauwörth wegen angeblicher Mißhandlung einer katholischen Prozession vom Reichskammergericht die Acht ausgesprochen und von Bayern mit gewaltsamer Unterdrückung des Evangeliums und der reichsständischen Freiheit vollstreckt wurde (1607). Im Angesicht der Gefahr schlossen (1608) einige evangelische Stände auf Veranlassung des Kurfürsten Friedrich V. von der Pfalz eine evangelische Union, welcher Herzog Maximilian von Bayern, ein Zögling der Jesuiten, eine katholische Liga gegenüberstellte. Der Krieg, der seit langem drohend über der deutschen Welt schwebte, kam zum Ausbruch, als Kaiser Matthias auf das Drängen seines Vetters, des Erzherzogs Ferdinand, gegen seine Zusagen in dem sog. Majestätsbrief den Bau protestantischer Kirchen in Böhmen untersagte. Da erhoben sich die böhmischen Stände und warfen am 23. Mai 1618 zwei verhaßte kaiserliche Räte aus dem Schlosse zu Prag aus den Fenstern. Den zum Kaiser erwählten

Ferdinand II. erklärten sie als einen Feind der böhmischen Freiheit und Religion und wählten an seiner Statt den Kurfürsten Friedrich V. von der Pfalz zu ihrem Könige. Aber bald wurden die Böhmen unter dem Beistand Maximilians von Bayern und der Liga durch die Schlacht auf dem weißen Berge bei Prag überwunden (8. Nov. 1620). Und nun verfuhr Ferdinand in Böhmen ähnlich, wie er es schon in seinen österreichischen Erblanden gemacht hatte. Das Land wurde mit Dominikanern und Jesuiten überschwemmt, welchen des Kaisers Kriegsleute zu Befehl standen, und der evangelische Glaube mit Feuer und Schwert ausgerottet. Und in gleicher Weise ging Maximilian in der von ihm eroberten Ober- und Rheinpfalz vor; Friedrich V. wurde seiner Lande entsetzt und die Kur kam trotz des Widerspruchs von Brandenburg und Sachsen 1624 an Bayern. Die Heidelberger Bibliothek ging als Geschenk nach Rom. Die evangelische Union, von Anfang an matt und kraftlos, löste sich auf, und im Jahre 1624 stand hier kein protestantisches Heer mehr unter den Waffen.

Als dann der Kaiser zu dem liguistischen Heere unter dem strengen, in keiner Feldschlacht noch besiegten Grafen Tilly, der über die Pfalz siegreich bis nach Niedersachsen vorgedrungen war, noch ein eigenes unter Wallenstein aufstellte, da war es klar, daß Kaiser Ferdinand II. und Kurfürst Maximilian von Bayern es nicht allein auf das unglückliche Böhmen, sondern auf die Vernichtung des deutschen Protestantismus überhaupt abgesehen hatten.

Wallenstein, Herzog von Friedland. Nach dem Leben gemalt von van Dyck.

Erzherzog Ferdinand hatte als Ferdinand II. (1619—1637) nach Matthias' Tode auch den deutschen Kaisertitel empfangen. Zugleich mit dem Kurfürsten Maximilian von Bayern an der Jesuiten-Universität von Ingolstadt erzogen, betrachtete er es als die Aufgabe seines Lebens der katholischen Kirche in Deutschland die Alleinherrschaft zurückzuerobern und hatte nun in dem früheren Reiterobristen Albrecht von Waldstein oder Wallenstein, einem von keinem religiösen Gedanken getriebenen, kalt berechnenden Egoisten, einen General gefunden, der sich erbot, dem Kaiser auf eigene Hand ein Heer von 40,000 Mann aufzustellen. Die evangelischen Fürsten jener Tage besaßen nicht den Zeugenmut ihrer Vorfahren. Insbesondere die beiden mächtigsten unter ihnen, die Kurfürsten Georg Wilhelm von Brandenburg und Johann Georg von Sachsen, ließen sich in kurzsichtiger Verblendung zu einer Neutralität verleiten, welche ihre Länder zwar nicht vor den Verheerungen der Tilly'schen und Wallenstein'schen Soldateska schützte, wohl aber der katholischen Kriegführung den Sieg über den Protestantismus erleichterte. Vergebens stellte sich im Namen des letzteren der König Christian IV. von Dänemark in die Breſche; er erlitt am 27. August 1626 von Tilly bei Lutter am Barenberg eine Niederlage, die ihn zur Umkehr zwang, und Wallensteins Verheerungszug fand erst vor den Mauern Stralsunds, das über vier Monate einen heldenmütigen Widerstand leistete, sein Ziel. Bereits im Jahre 1629 konnte Kaiser Ferdinand II. es wagen, ein Restitutionsedikt zu erlassen, kraft dessen alle seit dem Passauer Vertrage eingezogenen Stiftungen der kath. Kirche zurückerstattet und den kath. Fürsten volle Freiheit zur Wiederherstellung der kath. Religion in ihren Landen gewährt werden sollte. Die Verkündigung des Restitutionsedikts war für das protestantische Deutschland fast noch schwerer zu ertragen als jene Zuchtrute, welche ihm die kaiserlichen und liguistischen siegreichen Armeen auferlegten, die ein Elend zurückließen, von welchem sich auch die lebhafteste Phantasie keine Vorstellung zu machen vermag. Von dem Restitutionsedikt wurden zwei Erzbistümer und zwölf Bistümer betroffen, die dem Katholizismus zurückgegeben werden sollten mit allen Bewohnern, die nun wie die böhmischen und österreichischen Protestanten zu dem ihnen fremd gewordenen römischen Glauben „zurückgefoltert" werden sollten; es betraf alle seit 70 oder 80 Jahren aus dem katholischen in den protestantischen Gottesdienst übergegangenen Kirchen in Städten und Dörfern, wo es oft keinen einzigen Katholiken mehr gab; es betraf eine ungezählte Menge von Klöstern, deren frühere Besitzungen jetzt entweder evangelischen Schulzwecken dienten oder sonst evangelisches Eigentum geworden waren. Ein Schrei der Verzweiflung ging durch das protestantische Deutschland und Stimmen verlauteten, daß man „eher Gesetz und Sitte von sich werfen und Germanien wieder in seine alte Waldwildnis umwandeln" würde, als das Restitutionsedikt ausführen.

Aber nun im Augenblick der höchsten Not trat der heldenmütige und glaubenseifrige König Gustav Adolf von Schweden den Evangelischen zu Hilfe auf den Kampfplatz (Jes. 44—45). Ganz der Sache des Evangeliums ergeben, von Herzen fromm, zugleich von hoher Geistesbildung und begabt mit einem gegen den polnischen König Sigismund, der ihm die Krone von Schweden streitig gemacht, erprobten Feldherrntalent, so betrat er den deutschen Boden gerade ein Jahrhundert nach der Übergabe der Augsburger Konfession als der von Gott gesandte Retter des deutschen Protestantismus, mit einem Heere, nicht wie das wallensteinische aus dem Auswurf aller Länder, sondern von Unterthanen, die für ihren König und ihren Glauben kämpften und in dem die strengste Kriegszucht herrschte. Wenn die deutschen protestantischen Fürsten in dem Schwedenkönig auch mehr den Eroberer als den Glaubensretter sahen, so gewann Gustav Adolf dagegen um so rascher die Herzen des evangelischen Volkes „durch die einfache Würde seiner Erscheinung, durch seine Leutseligkeit, durch die Aufrichtigkeit seiner Gottesfurcht, durch die Sittenstrenge, welche er sich selbst und seinem ganzen Heere zum Gesetz gemacht, durch die von ihm gehandhabte Mannszucht, welche nicht duldete, daß dem Bürger und Bauer, die von den eigenen Landsleuten die größten Mißhandlungen erfuhren, durch die Schweden ein Haar gekrümmt oder das mindeste Stück ihrer Habe ohne Bezahlung genommen werde."

Gustav Adolf, König von Schweden.
Nach dem Leben gemalt von van Dyck, gestochen von Paul Pontius.

Obschon Tilly bei dem Erscheinen Gustav Adolfs in Pommern sich auf Magdeburg geworfen hatte, das sich gegen eine ungeheure Übermacht heldenmütig verteidigte, hielten doch die protestantischen Kurfürsten von Brandenburg und Sachsen sich wiederum ängstlich und argwöhnisch bei Seite. Umsonst suchte der Schwedenkönig seinem Schwager Georg Wilhelm von Brandenburg die Lage der Dinge klar zu machen. „Das sag ich Euch klar voraus“, so lauteten seine Worte zu dessen Gesandten, „E. Liebden muß Freund oder Feind sein. Wenn ich an die Grenze komme, muß sie sich kalt oder warm erklären. Hier streitet Gott oder der Teufel. Will E. Ld. es mit Gott halten, wohl, so trete Sie zu mir. Will Sie es aber mit dem Teufel halten, so muß Sie fürwahr mit mir fechten. Tertium non dabitur, des seid gewis!“ Durch diese Verhandlungen aber ward Gustav Adolf aufgehalten und verhindert, dem bedrohten Magdeburg rechtzeitig zu Hilfe zu eilen. Am 10. Mai wurde dieses von Tilly und Pappenheim erstürmt und fiel einem furchtbaren Schicksal zum Opfer. Die ganze Bevölkerung mit einziger Ausnahme derjenigen, die sich in den Dom geflüchtet hatten, bei 30,000 Einwohner fanden ihren Tod unter den Säbeln der Tilly'schen Soldateska, und die ganze Stadt wurde in einen Aschenhaufen verwandelt. „Seit der Zerstörung von Jerusalem“, schrieb Tilly an den Kaiser, „hat man eine solche Viktoria nicht gesehen!“ Nun endlich war es für die Kurfürsten mit der Neutralität, in welcher sie sich halten wollten, vorbei. Brandenburg verpflichtete sich, einen monatlichen Beitrag von 30,000 Thlr. zu den Kriegskosten zu leisten, während Sachsen seine Truppen unverweilt zu dem schwedischen Heere stoßen ließ.

Gustav Adolf am Abend des Sieges auf dem Breitenfeld bei Leipzig.

Auf dem Breitenfelde bei Leipzig traf Gustav Adolf am 17. September 1631 mit Tilly zusammen und vernichtete das Heer des bis dahin nie besiegten liguistischen Feldherrn, und Österreich, Bayern, ganz Süddeutschland standen dem

Schwedenkönig offen. Der eine Tag brachte das Übergewicht wieder auf die Seite der Protestanten; bis zum Rhein dehnte Gustav Adolf seinen Siegeszug aus, selbst Bayern wurde von ihm besetzt (der Lechübergang kostete Tilly das Leben) und Österreich bedroht. Es fehlte nicht viel, so hatte der König die Bedingungen des Friedens auch dem Kaiser gegenüber in der Hand. Leider wurde er von seinen protestantischen Bundesgenossen, in welchen wieder der Argwohn die Oberhand gewann, der König gehe auf Eroberungen in Deutschland aus, nicht genügend unterstützt, und der Kurfürst von Sachsen insbesondere verhinderte nicht, daß Wallenstein, an welchen sich der Kaiser in seiner Not wiederum wendete, ein neues Heer sammelte, welches Gustav Adolf nötigte, im Sommer 1632 sich auf Nürnberg zurückzuziehen. Dahin folgte ihm Wallenstein; 9 Wochen lagerten die beiden feindlichen Heere in verschanzten Stellungen einander gegenüber, ein Sturm, welchen Gustav Adolf, der an Truppenzahl schwächere, hingegen mit der Verproviantirung Nürnbergs beschwerte, unternahm, kostete ihm 2000 Mann, ohne die Stellung Wallensteins zu erschüttern. So entschloß sich der König, Nürnberg zu räumen. Ihm auf dem Fuße folgend, brach nun auch Wallenstein sein Lager ab und fiel durch Franken und Thüringen, alles weit und breit zur Einöde machend, in Sachsen ein. Erst bei Lützen, unweit des Schlachtfeldes, wo der Heldenkönig ein Jahr zuvor seine Siegeslaufbahn in Deutschland begonnen, gelang es demselben, seinen Gegner zum Stehen zu bringen. Es war am 16. November 1632. Unter den Klängen des Lutherliedes „Ein feste Burg ist unser Gott!" schritt Gustav Adolf zum Angriff; mehrere Stunden wurde auf beiden Seiten mit gleicher Feldherrnkunst und gleicher Tapferkeit gestritten: — da, beim Anblick des reiterlos vorübersprengenden königlichen Schlachtrosses durchfuhr das Schreckenswort die schwedischen Reihen: der König tot! Über der Leiche des Schwedenkönigs entzündete sich nun erst die eigentliche Schlacht; Bernhard von Weimar, ein Urenkel Johann Friedrichs, übernahm an Gustav Adolfs Stelle den Oberbefehl und mit einer Wut ohne Gleichen kämpfte das schwedische Heer, um seinen König zu rächen. Wallenstein beschloß am Abend den Rückzug nach Böhmen; auch die Kaiserlichen beklagten den Tod eines tapfern Streiters, des ritterlichen Graf Pappenheim. Doch größer war der Verlust der Sieger. Der große Held des evangelischen Glaubens war gefallen! Der letzte fürstliche Träger jenes Geistes, der die Glaubenszeugen des 16. Jahrhunderts beseelt hatte, des ernsten gottvertrauenden, gottergebenen Luthertums war mit dem Schwedenkönig ins Grab gesunken.

Der Tag von Lützen blieb entscheidend für den großen Krieg nicht nur, sondern auch entscheidend für die endgültige Gestaltung der kirchlich-politischen Verhältnisse in Deutschland, indem das Gleichgewicht der militärischen Kräfte, das er herstellte, auch das Gleichgewicht der Bekenntnisse dauerhaft in sich schloß. Die mancherlei Schwankungen und Zuckungen, die der noch 16 Jahre sich hinziehende Krieg brachte, änderten hieran nichts. Der Krieg war seit dem Siege der Kaiserlichen bei Nördlingen (6. Sept. 1634), welcher das Eingreifen des katholischen Frankreichs zu Gunsten der Protestanten veranlaßte, kaum mehr ein Religionskrieg zu nennen. Die Protestanten, die er im eigenen Lande bedrängte, unterstützte Kardinal Richelieu, der die französische Politik klug und von eigensüchtigen Motiven getragen leitete, in Deutschland, um die Macht Österreichs zu schwächen und in Deutschland gute Beute zu machen. Dadurch zog sich der Krieg noch über ein Jahrzehnt auf deutschem Boden hin, bis endlich der furchtbaren Not durch den Frieden zu Osnabrück und Münster, den sog. westfälischen Frieden, 1648 ein Ende gemacht ward. Das Werk der Reformation war, wenigstens für den größeren Teil des deutschen Reiches, aus dem Sturme gerettet; der Augsburger Religionsfriede wurde bestätigt und den Protestanten, die Reformierten als Augsburger Konfessionsverwandte eingeschlossen, vollständige Gleichberechtigung mit den Katholiken gewährt. Zur Entscheidung über den streitigen Besitzstand an Kirchengut wurde auf das Jahr 1624 als „Normaljahr" zurückgegangen.

Unsäglich war die Trangsal dieser Zeit gewesen; das Land war zu einem großen Teil verödet, drei Viertel der Bewohner durch Schwert, Hunger und Seuchen hinweggerafft; nicht minder groß war die eingerissene geistige Verödung und sittliche Verwilderung. — Im Friedensschlusse verlor Deutschland mehrere Provinzen an Schweden und Frankreich. Aber an der durch den Krieg gewonnenen Gleichberechtigung der Protestanten und dem verfassungsmäßigen Grundsatze der gegenseitigen Duldung konnten weder der später erfolgende Übertritt einzelner Fürsten, wie der des Kurfürsten Friedrich August von Sachsen um der polnischen Königskrone willen (1697), noch einzelne Verfolgungen, wie die Vertreibung der Salzburger Protestanten durch den Erzbischof Firmian (1732), noch auch der Widerspruch der Päpste gegen den westfälischen Frieden etwas ändern. Die Päpste mußten vielmehr nun zusehen, wie Spanien das protestantische Holland anerkannte, Schweden einen Teil des Reiches behielt und überhaupt alle Entzweiungen ausgetragen wurden mit Ausnahme derjenigen zwischen den zwei großen katholischen Mächten des europäischen Kontinents, der spanisch-habsburgischen Monarchie und Frankreich, welche noch ein Jahrhundert lang das Gebiet der katholischen Welt zerrütteten. Die päpstliche Politik, welche gänzlich unter die Herrschaft des Jesuitenordens geraten war, hat am meisten selbst dazu gethan, den Einfluß des Katholizismus auf die Völker zu brechen, für welche seit dem großen Religionskriege die konfessionellen Streitigkeiten mehr und mehr an Interesse verloren. Die dynastisch-politischen Interessen beherrschten nun die Welt, und in den neuen Kämpfen der Völker und Staaten entwickelte der Protestantismus erst seine geistige und materielle Überlegenheit. Die beste Frucht aber des großen Kriegs, die freilich teuer genug erkauft war, blieb für Deutschland außer der Rettung des protestantischen Bekenntnisses überhaupt, die Anbahnung der gegenseitigen Duldung zwischen den einzelnen Konfessionen. Nicht allein, daß der Hader zwischen den Angehörigen der deutschen und denen der schweizerischen Reformation (Lutheranern und Reformierten) von nun an allmählich erlosch, sondern auch zwischen den Protestanten und Katholiken wurde der zunächst nur reichsverfassungsmäßig gewährleistete Grundsatz der Gleichberechtigung (Parität) und Duldung (Toleranz) zur Lebensgewohnheit. Andererseits führten aber auch Vermittlungsversuche, die öfter erneut wurden, zu keinem Ergebnis.

B. Die innere Entwicklung in der Reformationszeit.

I. Sitte und Wandel.

Die evangelische Religiosität und Sittlichkeit.

Facsimile des Holzschnitts zum 3. Gebot in der II. Ausgabe von Luthers Großem Katechismus mit Bildern von Lukas Cranach (Wittenberg 1539).

Die Reformation brachte eine durchgreifende Veränderung in den sittlichen Vorstellungen und Grundsätzen und demnach auch in Sitte und Wandel hervor (Matth. 13, 33). Vor allem war nun erkannt, daß mit einer bloß kirchlichen Frömmigkeit das Gesetz noch nicht erfüllt werde, daß „der äußere Gottesdienst noch nicht fromm mache vor Gotte." So wurde im Augsburger Bekenntnis (Art. 15) mit aller Entschiedenheit ausgesprochen: „Von Kirchenordnungen, von Menschen gemacht, lehret man diejenigen halten, so ohne Sünde mögen gehalten werden und zu Frieden und zu guter Ordnung in der Kirche dienen, als gewisse Feiern, Feste und dergl. Doch geschieht Unterricht dabei, daß man die Gewissen nicht damit beschweren soll, als sei solch Ding nötig zur Seligkeit" (Col. 2, 16). Und so wurde auch die Jugend unterwiesen, daß die Hauptsumme des Gebots sei: „Wir sollen Gott über alle Dinge fürchten, lieben und vertrauen."

Alles nun, was in den bisherigen Sitten und Gebräuchen unnötig oder gar bedenklich erschien, wurde unterlassen oder doch sehr beschränkt (wie z. B. auch die altchristliche Sitte der Bekreuzung, weil sich der Aberglaube ihrer bemächtigt hatte, oder die Fastengebote u. dgl.). Bösen Gerüchten aber, welche den Evangelischen daraus entstanden, konnten sie getrost mit dem Hinweis begegnen (Art. 20): „Den Unsern wird mit Unwahrheit aufgelegt, daß sie gute Werke verbieten, denn ihre Schriften von den zehn Geboten und andern beweisen, daß sie von recht christlichen

Ständen und Werken guten und nützlichen Bericht und Ermahnung gethan, davon man vor dieser Zeit wenig gelehrt hat."

Schon im Jahr 1520 ließ Luther seinen Sermon: „von den guten Werken" ausgehen, von denen er nach seinen eigenen Worten zu den ungelehrten Laien reden wolle, „weil in keinem andern Ding mehr List, Betrug und Verführung der Laien als in jenen statthabe, weil kein Gold und Edelgestein so mancherlei Zusätze und Abbruch erleide, wie sie." Diese seine Schrift — eine Anweisung zu einem Leben dem Willen Gottes gemäß, für jeden Christen und für das ganze Leben — will indes nicht allein jene Satzungen der Kirche des Mittelalters zurückweisen, welche ein wahrhaft sittliches Leben vielmehr hemmen als fördern, sondern sie will dagegen aufzeigen, was die wahre Sittlichkeit sei, und daß diese erst durch den Glauben möglich werde. Von den zwei Sätzen geht er aus: daß gute Werke nur diejenigen seien, welche Gott geboten habe, und das erste und größte Werk der Glaube an Christum sei (Joh. 6, 18). Hätte Jedermann den Glauben, so gedächte man der Gesetze nimmer. Das heißt nicht, daß nun die guten Werke verboten seien, sondern im Gegenteil, daß sie dann Jeder von selbst thue; „die Freiheit des Glaubens gibt nicht Urlaub zur Sünde, sondern sie gibt Urlaub allerlei Werke zu thun und Alles zu leiden." Dieser Glaube aber, der die guten Werke von selbst wirket in der evangelischen Freiheit vom Gesetz, muß nun eben „aus dem Blute, Wunden und Sterben Christi quellen und fließen, in welchem du siehst, daß dir Gott so hold ist, daß er auch seinen Sohn für dich gibt, da muß dein Herz süß und Gott wiederum hold werden" — hier entsteht eine gläubige Zuversicht zu Gottes Gnaden und Gottes Wohlgefallen, welche auch unter allen Übeln, wo Gott sich zornig stellt, aushält, und wovon die Werkheiligen nichts wissen. — Er führt dann diese Gedanken weiter aus in einer Auslegung der zehn Gebote, deren Erfüllung aus diesem Glauben von selbst hervorgehen muß und in deren Auslegung Luther den Willen Gottes, den die 10 Gebote zunächst nur in Verboten aussprechen, im Geiste des Glaubens verstehen lehrt. Die erste Gesetzestafel betrachtend findet er: daraus, daß wir nach dem ersten Gebot ein gut Herz und Zuversicht zu Gott haben, fließt „das Gott preisen, seine Gnade bekennen, ihm alle Ehre geben allein" (zweites Gebot), „Gottesdienst üben mit Beten, Predigt hören, dichten und trachten Gottes Wohlthat, dazu sich kasteien und sein Fleisch zwingen", wie es das dritte Gebot fordert. — Von der zweiten Tafel ist besonders reichhaltig die Ausführung des vierten Gebots, wo Luther nicht bloß die Pflichten der Kinder und Eltern, sondern auch die der Obrigkeiten und Unterthanen, der kirchlichen Behörden und der Laien bespricht, und innerhalb des Standes, den jeder einnimmt, in der Stille an guten Werken reich werden lehrt „statt daß man sonderlicher Heiligkeit halber aus der Welt fliehe und in ein Kloster laufe." Die übrigen Gebote zu erfüllen, wird dem Glauben, der nicht daran zweifelt, einen gnädigen Gott zu haben, auch gar leicht werden: „dem Nächsten gnädig und günstig sein und die zornigen und rachsüchtigen Begierden zu überwinden (5. Gebot); die unreinen Gedanken zu meiden (6. Gebot); Geld und Gut mit fröhlicher Milde dem Nächsten zu Nutz brauchen und ihm das Seine gönnen (7. Gebot); ein mutiges, trotziges, unerschrockenes Herz haben, das überall für die Wahrheit einsteht, es gelte Hals oder Mantel, es sei wider Papst oder Könige (8. Gebot) u. s. w.

Mit dieser entschiedenen Zurückweisung der Werkheiligkeit und Geltendmachung des Satzes, daß die Sittlichkeit nur aus der Gottseligkeit des Glaubens hervorgehe, verband aber die evangelische Kirche doch nicht die Folgerung, daß Beten, Gottesdienstbesuch, Sonntagsheiligung und andere Dinge, welchen die römische Kirche den Ruhm der „guten Werke" zugeteilt hatte, unnötig seien. Nur die Verdienstlichkeit in dem römischen Sinn, daß wir dadurch bei Gott uns einen Gnadenschatz erwerben, sprach sie ihnen ab. Ernstlich mahnte Luther an das Gebet, „daß man früh morgens lasse das Gebet das Erste und abends das Letzte sein" und Luther selbst war ein Mann des Gebets wie wenige: „fleißig gebetet ist über die Hälfte studiert!" Und darin folgt ihm die Kirche. Auch wurde dem Volke die Heiligkeit des Eides, welcher jetzt vor aller unberufenen Einmischung menschlichen Ansehens, ob sie auch unter kirchlichem Namen geschehe, sichergestellt war, mit großem Ernste vorgehalten. Mit ihrem Protest gegen gesetzlichen Zwang und äußerliches Wesen gedachten die Reformatoren auch keineswegs das Gebot vom Feiertag aufzulösen; sondern es sollten die Pfarrherren den Gemeinden einschärfen, daß Gott dies Gebot strenge wolle gehalten haben, weil eine solche Feierzeit nötig sei, daß die Gemeinde Gottes Wort und die Predigt höre. In der reformierten Kirche wurde der Sonntag als der „gebotene" Ruhetag, besonders auch für die Dienst- und Arbeitsleute, äußerlich noch strenger gehalten. Auch die evangelischen Obrigkeiten nahmen sich der Sonntagsfeier an, die in allen evangelischen Ländern bald gesetzlich geschützt ward und zwar nicht bloß für den Vormittag, sondern für den ganzen Tag.

Die evangelische Sitte im bürgerlichen und häuslichen Leben.

Auf der andern Seite wurde auch dem bürgerlichen Wesen sein volles Recht neben dem kirchlichen wiedergegeben, zugleich aber eine höhere bürgerliche Gerechtigkeit gefordert (Matth. 5, 20 ff.): „Auch werden diejenigen verdammt, so lehren, daß christliche Vollkommenheit sei, Haus, Hof, Weib und Kind leiblich verlassen und sich der vorberührten Stücke äußern, so doch dies allein rechte Vollkommenheit ist: rechte Furcht Gottes und rechter Glaube an Gott. Denn das Evangelium lehret nicht ein äußerlich, zeitlich, sondern innerlich, ewig Wesen und Gerechtigkeit des Herzens und stößt nicht um weltlich Regiment, Polizei und Ehestand, sondern will, daß man alles solches halte als wahrhaftige Gottesordnung und in solchen Ständen christliche Liebe und rechte gute Werke ein jeder in seinem Berufe beweise. Derhalben sind die Christen schuldig, der Obrigkeit unterthan und ihren Geboten gehorsam sein in allem, so ohne Sünde geschehen mag; denn so der Obrigkeit Gebot ohne Sünde nicht geschehen mag, soll man Gott mehr gehorchen denn den Menschen" (Art. 16 der Augsburger Konfession).

Luther durfte mit Recht einmal von sich, dessen Lehre man aufrührerisch schelte, rühmen, daß „seit der Apostel Zeit das weltliche Schwert und Obrigkeit nie so klärlich beschrieben und herrlich gepreiset ist, wie auch seine Feinde müßten bekennen, als durch ihn." Hatte die römische Kirche das Recht der Obrigkeit von der Kirche ableiten wollen, wie das Licht des Mondes von dem der Sonne herrühre, so will Luther in seiner aus einer Predigt entstandenen dem Herzog Johann gewidmeten Schrift „von der weltlichen Obrigkeit" (1523) die Obrigkeit wieder erweisen als von Gott geordnet, so sehr er ihr auch die Aufgabe abspricht, „die Menschen fromm zu machen." Denn „über die Seelen kann und will Gott niemand regieren lassen, denn sich selbst allein; man soll und kann niemand zum Glauben zwingen: es ist ein frei Werk um den Glauben." — Selbst ein Gegner der Evangelischen, Kaiser Ferdinand I. rühmte es als eines der schönen und herrlichen Stücke in der Lehre der Lutheraner, daß sie den Stand der Obrigkeit so hoch hielten und Gottes Ordnung daran aufwiesen.

Vor allem folgereich ist geworden die neue Wertschätzung des Ehestandes, welchen Luther einen „geistlichen Stand" nennt, „darin der Glaube Not thut und täglich geübt wird, dem HErrn zu vertrauen, der seine milde Hand aufthut und alles, was da lebet, mit Wohlgefallen erfüllt." Durch die Begründung des evangelischen Pfarrhauses wurde der Ehestand auch in der Gemeinde an Würde und Heiligung gehoben.

Die Ehe, die durch das Klosterwesen und das Cölibat mit dem Makel der Unheiligkeit behaftet war, haben die Männer der Reformation wieder als einen heiligen, von Gott verordneten und von Gott gesegneten Stand dargestellt. Obwohl sie nicht mehr als „ein Sakrament", sondern wie Luther in seinem Traubüchlein sagt, als ein „bürgerlich Ding" galt, so wurde sie doch nicht ohne kirchliche Trauung geschlossen und durch strenge Ehegesetzgebung auf die Heilighaltung dieser Gottesordnung gesehen. Luther besiegelte seine Überzeugung von der gottgewollten Ordnung des Ehestands durch seine Verheiratung mit Katharina von Bora im Jahre 1525, nachdem fast alle seine Freunde,

Luthers Eltern:
Margaretha Lutherin, eine geborene Lindemännin, † 30. Juni 1531.
Johannes Luther, ein Bergmann u. Ratsherr zu Mansfeld, † 29. Juni 1530.

Jonas, Bugenhagen, Link, in dieser Hinsicht ihm vorangegangen waren. Schon 1519 am 2. Epiphaniassonntage hatte er eine Predigt über den Ehestand gehalten, in welcher er sagte: „es ist nichts mit Wallfahrten nach Rom oder Jerusalem, mit Kirchenbauen, Messenstiften u. s. w. gegen diesem einigen Werk: daß die Ehelichen ihre Kinder ziehen", und in der Schrift „an den christlichen

Adel" (S. 115) bekämpfte er erzwungene Ehelosigkeit der Geistlichen gerade zu als Teufelssatzung. Er freute sich über die Freunde aus dem geistlichen Stande, welche ihm in der Ehe vorangingen, und aus den Klöstern austraten, während er selbst noch bis zum Jahre 1524 seine Mönchstracht trug, und seine Klosterzelle noch bewohnte, nachdem er die Kutte abgelegt. Was Luther bestimmte, in die Ehe zu treten, war die Überzeugung, daß er durch die Begründung eines frommen Hausstandes das Werk der Reformation, die Erneuerung des Lebens nach Gottes Wort, fördern werde. Und auch seinem Vater wollte er damit etwas zu lieb thun, „aus Begehr seines lieben Vaters", der mit seinem frühern Eintritt ins Kloster ganz und gar nicht einverstanden war und einst ihm und seinen Freunden zürnend zurief: „Ihr Gelehrten, habt ihr nicht gelesen in der Schrift, daß man Vater und Mutter ehren soll?" (Matth. 15, 4—9.) — Über das häusliche Leben Zwinglis, der mit Anna geb. Reinhard aus Zürich in das „hochheilige Bündnis" getreten war, wird von einem Fremden gerühmt: „wie ihm bei diesen lieben Leuten die christliche Hausordnung so wohl gefallen, daß er dieselbe nimmermehr vergessen werde sein Leben lang und werde sie den Seinigen immer anpreisen."

Durch die Begründung des evangelischen Pfarrhauses ward in einer vor der Reformation unbekannten Weise der christliche Hausstand überhaupt gleichsam unter die Aufsicht des geistlichen Amts gestellt, das hinfort nicht durch das Wort allein, sondern ebenso kräftig durch sein Vorbild dem Volk zeigen konnte, was es um ein Christenhaus sei. Luthers „Hauspostille" — die Sammlung von Predigten, welche er in seinem Hause hielt, vor dem Gesinde, „damit er als ein Hausvater auch das Seine thäte bei seinem Gesinde, sie zu unterrichten, ein göttlich Leben zu führen" — ist ein rechtes Zeugnis, wie im evangelischen Sinne der Hausvater seines Amtes warten sollte.

Und wie das Haus, so erhielt auch das bürgerliche Zusammenleben seine christliche Ordnung in Zucht und Frömmigkeit. Das ganze Leben: die Geburt, der Eintritt in das Jünglingsalter, die Begründung des Hausstandes, der Tod war von der frommen Sitte und der kirchlichen Weihe umfaßt, und der ganze Tages- und Jahreslauf war in gleicher Weise von der Kirche geordnet und geregelt. Drei Mal des Tages riefen die Glocken die Gemeinde hinweg aus der zerstreuenden Geschäftigkeit zur Sammlung im Gebet; am Morgen, Mittag und Abend und an den Festzeiten erinnerten die von den Türmen erschallenden Choräle die Christenheit an die Heilsthaten Gottes. So entstand ein frommes Herkommen, das sich wohl selbst da noch geltend machte, wo der lebendige Glaube schwach war.

Solche fromme Werke, wie sie vor der Reformation als verdienstlich vor Gott galten, wie Stiftungen für Kirchenbauten, Gottesdienste &c. werden freilich nun selten. Doch ist die Reformationszeit nicht arm an Stiftungen für den Unterricht und für Barmherzigkeitszwecke. Insbesondere aber gebrach es nicht an Werken persönlich aufopfernder Barmherzigkeit und vornehmlich haben edle Frauen darin einen feinen Ruhm erlangt. Katharina Zell, die Gattin des Straßburger Predigers Matthias Zell (s. S. 157), die „gottesfürchtig, grundstudiert und mutvoll wie ein Held" in Wort und Schrift als Zeugin der evangelischen Wahrheit auftrat, hat sich nicht minder bewährt im Liebesdienst an den Armen, Kranken, Verfolgten. Die Jungfrau Margareta Blaurer, ihrem Bruder Ambrosius, dem Konstanzer Reformator (s. S. 158), an Bildung des Geistes nicht unebenbürtig, diente auch den Armen in ebenso bescheidener als aufopfernder Weise. Sie nahm sich der armen Kinder an mit Unterweisung im Christentum, im Lesen und Arbeiten; auch bildete sie einen weiblichen Verein für Armen- und Krankenpflege. Sie starb über der Pflege von Pestkranken, von denen, die sie kannten, eine „Perle" der Jungfrauen genannt. — Übrigens wurden auch zahlreiche Klöster in Wohlthätigkeitsanstalten, Spitäler &c. verwandelt.

Die Zucht des Gesetzes.

So sehr die Kirche der Reformation den Grundsatz von der evangelischen Freiheit fest- und hochhielt (Gal. 5, 1), so war sie dabei doch nicht gewillt, dem Fleische Raum zu geben (Gal. 5, 13). Das Gesetz blieb auch für die evangelische Christenheit in voller Kraft und Geltung, und die Reformatoren warnten, daß man einen Glauben ohne Buße und Übung des Gesetzes predige, der nur „eine fleischliche Sicherheit erzeugen würde, welche schlimmer wäre als alle Irrtümer unter dem Papsttum." Freilich kamen Ausschreitungen vor in Lehre und Leben. Aber sie wurden ernstlich bekämpft und es wurde bezeugt: „Obwohl der Unterschied des Gesetzes und Evangeliums als ein besonder herrlich Licht mit großem Fleiß in der Kirche zu erhalten sei, so sei doch auch die Predigt des Gesetzes nicht allein bei den Ungläubigen und Unbußfertigen, sondern auch bei den Rechtgläubigen, wahrhaftig Bekehrten, Wiedergeborenen und durch den Glauben Gerechtfertigten mit Fleiß zu treiben." Demnach wurde die Lehre vom dreifachen Gebrauch des Gesetzes als eines Riegels, eines Spiegels und eines Zügels aufgestellt.

Wie entschieden auch Luther die Buße, d. i. die Umkehr des Herzens und des ganzen sittlichen Menschen gewirkt sein läßt nicht durch die Furcht vor dem Gesetz und der Strafe Gottes, sondern durch jene wahre Gottesfurcht, die der Glaube an die im Evangelium verheißene erbarmende Liebe Gottes in uns wirkt, von welcher allein wir die Kraft zum siegreichen Kampf mit der Sünde empfangen, so lehrte er doch mit nicht minderem Nachdruck, daß dem Wirken der göttlichen Liebe in uns die Wirksamkeit des den Sünder strafenden Gesetzes zu einer kräftigen Erschütterung des Gewissens (wie er sie selbst erfahren) vorangehen müße. Auch in seinem Katechismus stellte er das Gesetz an die Spitze. Aber es gab unter den Anhängern der Reformation Schwärmer, welche meinten, die Zeit des Gesetzes sei ganz vorbei, im neuen Bunde handle es sich nicht mehr um Verletzung des Gesetzes, sondern allein um Verletzung des Evangeliums. Der unruhige Johann Agricola, Magister an der evangelischen Schule zu Eisleben, das Haupt der Gesetzesstürmer („Antinomisten"), wollte die Zucht nach dem Gesetze ganz aus der Kirche auf das Rathaus verweisen und in der Kirche nur die Predigt vom Kreuz Christi zur Buße und Erkenntnis der Sünden gelten lassen. Schließlich von Luther zum Widerruf bewogen (1540), nahm er eine Hofpredigerstelle in Berlin an.

Die traurigen Erfahrungen, welche sich Luther und Melanchthon gelegentlich der von ihnen in Sachsen in den Jahren 1528 und 1529 vorgenommenen Kirchenvisitationen über den sittlichen Zustand des Volkes ergaben, wirkten mächtig mit dahin, daß die Predigt des Gesetzes wieder mehr in den Vordergrund trat.

Auch eine durch Älteste von der Gemeinde selbst auszuübende Sittenzucht nach Matth. 18, 15 ff. nahm Luther in Erwägung, doch scheint es in dieser Beziehung bei dem einzigen Versuch sein Bewenden gehabt zu haben, welchen Luthers treuergebener Freund Brenz in Schw. Hall im J. 1526 machte, wie es scheint ohne große praktische Erfolge. Es war eben teilweise ein arges Geschlecht, mit dem die Reformation es zu thun hatte, das Volk in seiner großen Masse war in Rohheit versunken, und nicht nur im Volke, sondern auch in den oberen Ständen herrschte die Völlerei, ein schlimmes Laster, das gegen Ende des 16. Jahrhunderts nur noch zunahm. „Wir Deutschen", sagte schon Melanchthon einmal, „trinken uns arm, trinken uns krank, trinken uns in die Hölle". Da war es der fromme Geist der Zeit, der doch mitunter auch da Früchte der Buße und Rechtschaffenheit trieb, wo die angeborne Wildheit und Zügellosigkeit die Gottseligkeit auszuschließen schienen. Das wilde Leben des Markgrafen Albrecht Alcibiades von Brandenburg-Kulmbach — er starb 1557 in der Reichsacht — ist darin ein rechtes Spiegelbild der Zeit: durch schwere Schicksale gedemütigt, ward er noch der Sänger des Liedes:

„Was mein Gott will, gescheh allzeit."

Wie sehr auch immer der Zorn Gottes über die Sünde in Luthers Katechismus der Jugend vorgehalten wurde in dem Wort: „Gott drohet zu strafen alle, die seine Gebote übertreten, darum sollen wir uns fürchten vor seinem Zorn und nicht wider solche Gebote thun", so waren die sittlichen Zustände doch ein schwerer Kummer für Luther bis ans Ende seines Lebens. Über Wittenberg äußert er im J. 1543: „Ob die halbe Stadt in Ehebruch, Wucher, Diebstahl, Betrug versunken sein möchte, — es ist kein Richter dafür da, alle lachen fast dazu, oder sie stimmen gar zu und machen mit." Wiederholt sprach er seine Absicht aus, Wittenberg zu verlassen und führte diese Absicht kurz vor seinem Ende im Sommer 1545 auch wirklich aus. „Weg", schrieb er an seine Frau, „aus dieser Sodoma!" Erst auf Bitten des Kurfürsten und nachdem Abgesandte der Hochschule Abstellung des Unfugs zugesichert, ließ er sich zur Rückkehr bewegen. Der Aufschwung, der während der ersten Jahrzehnte der Reformation die ganze Nation ergriff, hat offenbar noch zu Lebzeiten des Reformators nachgelassen. Zugleich aber hat Luther wohl im Alter ein schärferes Urteil über die sittlichen Zustände gehabt, da er sehen mußte, daß die Frucht der langen, aufopfernden Arbeit am Geistesleben seines Volkes nicht so reifen wollte, wie er erhofft hatte. Sicherlich war die Unzucht und Verwilderung vor der Reformation noch viel schlimmer, als nachher. Dafür liegt ein Beweis auch in der Härte der weltlichen Strafen, wie sie Karls V. „peinliche Halsgerichtsordnung" für notwendig hielt. Aber noch lange verdunkelten neben den leuchtenden Beispielen der Heiligung einzelner trube Schatten das sittliche Leben des Volkes: als einer der trübsten stellt sich dar der finstere Wahn, welcher gegen Ende des 16. Jahrhunderts in den schrecklichen Hexenprozessen zu Tage trat, gegen welchen sich die protestantische Geistlichkeit sowenig wie die katholische zu wehren wußte.

II. Glaube und Lehre.

Bei allem Gegensatze gegen die Satzungen der römischen Kirche bekannten sich die Reformatoren vollständig zum urchristlichen Glaubensbekenntnisse, und alle Versuche, das überlieferte Bekenntnis aufzulösen, wiesen sie entschieden ab. Gleich im 1. Artikel des Augsburger Bekenntnisses schließen sie sich an das Nicänische Glaubensbekenntnis an, und im Konkordienbuch, der Sammlung der lutherischen Bekenntnisse, sind „die drei Hauptsymbola der alten Kirche“ vorausgestellt.

Luther und Melanchthon in ihrem Zusammenwirken.

An Überschreitungen im Widerspruch mit dem Bekenntnisse und der Lehre der Reformatoren fehlte es nicht, wie in Deutschland Schwenkfeld gegen Luther, in der Schweiz Servede gegen Calvin auftrat. Aber nur der Sekte der Unitarier, von zwei Italienern namens Sozzini gegründet, gelang es in Polen und Siebenburgen ein kleines Kirchenwesen einzurichten.

Die Feststellung der Lehre gegenüber der römischen Kirche.

(Augsburger Bekenntnis.)

Erster Glaubensartikel.

Den Reformatoren lag vor allem daran, das Verhältnis des Menschen zu Gott wieder ins rechte Licht zu stellen. Sie fühlten sich in dieser Hinsicht gedrungen zu bezeugen, daß alles was wir sind und haben, „aus lauter väterlicher, göttlicher Güte und Barmherzigkeit, ohn all unser Verdienst und Würdigkeit" uns gegeben ist. „Wir Menschen sind alle von Natur voll böser Lust und Neigung und können keine wahre Gottesfurcht, keinen wahren Glauben an Gott haben; wiewohl Gott der Allmächtige die ganze Natur geschaffen hat und erhält, so wirket doch der verkehrte Wille die Sünde in allen Bösen und Verächtern Gottes; und diese angeborene Seuche und Erbsünde ist wahrhaftiglich Sünde und zieht die Verdammnis nach sich (Art. 2 u. 19).

Erst die Reformation gab dem allmächtigen Gott wieder seine Ehre gegenüber den Verdunkelungen des übermächtigen Papstthums. Indem sie die Lehre des Augustinus (s. S. 46) von der Erbsünde, der völligen sittlichen Verderbtheit der ganzen Menschennatur und der Unfreiheit des natürlichen Willens (s. Luthers Schrift gegen Erasmus S. 160) in aller Schärfe erneute, zerstörte sie die mächtigste Stütze der katholischen Hierarchie. Dabei ging die reformierte Kirche noch einen Schritt weiter als die lutherische, indem sie auch nicht zurückscheute vor der letzten Folgerung Augustinus', der Lehre von der unbedingten Gnadenwahl oder Prädestination. Calvins Anschauung von der absoluten Unwandelbarkeit Gottes und der unbedingten, an keinerlei Vermittlung sich knüpfenden Wirkung der göttlichen Gnade führte ihn notwendig zu jener Lehre, und er machte sie mit allem Nachdruck geltend. Die lutherische Kirche wollte eine Folgerung nicht ziehen, welche alle tröstliche Gewißheit ihres Glaubens zerstören würde. Sie wollte sich des im Wort geoffenbarten Willens des gnädigen und barmherzigen Vaters im Himmel getrösten und der auf die Verheißung des Sohnes gegründeten Gnadenmittel, auf welche sie daher auch vor der reformierten Kirche Gewicht legte (vgl. S. 181). Alle Einwendungen, daß ja nach der Lehre von der Prädestination „der lebendige Gott in der Einen That uranfänglicher, willkürlicher Vorherbestimmung seine Allmacht und Liebe erschöpft hätte", wies Calvin nur mit dem einen Worte zurück: „Wer bist du Mensch, daß du mit Gott rechten willst?" Übrigens erhob sich auch, von der reformierten Kirche der Niederlande ausgehend, mit der Zeit dagegen Widerspruch durch Arminius, Professor in Leyden, und seine Anhänger, und die Beschlüsse der Dortrechter Synode (1618), welche eben die Prädestinationslehre festhielt, fanden nicht überall Billigung.

Zweiter Glaubensartikel.

In dem Bekenntnis und der Lehre von der Erlösung wurde vor allem jede andere Vermittlung, als die durch Christum geschehene, zurückgewiesen. Alle weitere Lehre über Christi Person und Werk zielte darauf, das Bewußtsein der Gnade Gottes durch die Versöhnung in Christi Blut und Tod, „in seinem heiligen und teuren Blut und seinem unschuldigen Leiden und Sterben", zu einem getrosten: „Das ist gewißlich wahr" zu versiegeln wider alle Schrecken des Zornes Gottes und alle Anklagen des Gewissens.

„Durch die Schrift mag man nicht beweisen, daß man die Heiligen anrufen oder Hilfe bei ihnen suchen soll; denn es ist allein ein einiger Versöhner und Mittler gesetzt zwischen Gott und den Menschen" (1 Tim. 2, 5). Ebenso verwarf die Augustana (Art. 24) die Mittlerschaft des Priestertums mit seinem Meßopfer, weil dies wider die Schrift sei (Hebräerbrief) und das Verdienst Christi schmälere, der „ein Opfer sei nicht allein für die Erbsünde, sondern auch für alle andere Sünden und Gottes Zorn versöhnte" (Art. 3). Es war der Gedanke der Versöhnung, der alles beherrschte, und der Blick war vor allem auf das hohepriesterliche Amt Christi gerichtet, in dessen Ausrichtung er sich selbst für uns geopfert und in seinem stellvertretenden Tode für uns vollkommene Genugthuung geleistet hat (vgl. Anselms Lehre S. 94). Darum wehrte das Augsburger Bekenntnis auf Grund des Evangeliums auch alle Lehren ab, welche den Trost dieses Glaubens zu mindern drohten, und hielt mehr als die reformierte Kirche fest an der vollkommenen Einigung des Göttlichen und Menschlichen in der Person Christi, wie Luther bezeugt: „In diesem Geheimnis bestehet unser einiger Trost, Leben und Seligkeit."

Dritter Glaubensartikel.

Die alles beherrschende Frage war die von der Aneignung des Heils und der Gewißheit des Gnadenstandes. „Ich glaube, daß ich nicht aus eigener Vernunft und Kraft an Jesum Christum, meinen Herrn, glauben oder zu ihm kommen kann" wurde nun gegen die überlieferte Lehre betont.

Vom freien Willen lehrt Art. 18 des Augsburger Bekenntnisses, „daß der Mensch etlichermaßen einen freien Willen hat, äußerlich ehrbar zu leben und zu wählen unter den Dingen, so die Vernunft begreift; aber ohne Gnade, Hilfe und Wirkung des heiligen Geistes vermag der Mensch nicht Gott gefällig zu werden, Gott herzlich zu fürchten, oder zu glauben, oder die angeborne Lust aus dem Herzen zu werfen, sondern solches geschieht durch den heiligen Geist, welcher durch Gottes Wort gegeben wird (1 Cor. 2, 14; Ephes. 2, 8—9).

Das Erste und Nötigste aber in der Heiligung oder Aneignung des Heils sei die Vergebung der Sünden oder die Rechtfertigung des sündigen Menschen vor Gott. Diese Rechtfertigung sei aber nicht unser Werk und Verdienst (Gal. 3, 11), sondern sie sei ein göttlicher Urteilsspruch, daß

Gott um Christi willen unsere Sünden nicht ansehen wolle; dieser Spruch werde im Worte des Evangeliums gegeben und durch den heiligen Geist im Gewissen des Gläubigen versiegelt. Näher heißt es darüber im Augsburger Bekenntnis (Art. 4), „daß wir Vergebung der Sünden und Gerechtigkeit vor Gott nicht erlangen können durch unser Verdienst, Werk und Genugthun, sondern daß wir Vergebung der Sünden bekommen und vor Gott gerecht werden aus Gnaden um Christi willen durch den Glauben, so wir glauben, daß Christus für uns gelitten hat und daß um seinetwillen die Sünde vergeben, Gerechtigkeit und ewiges Leben geschenkt wird. Denn diesen Glauben will Gott für Gerechtigkeit vor ihm halten und zurechnen, wie St. Paulus sagt Römer am 3. und 4.“ So wurde das „sola fide“, „allein durch den Glauben!“ das Losungswort der lutherischen Reformation.

„Von diesem Artikel“, sagt Luther in den Schmalkaldischen Artikeln (s. S. 171) „als dem Hauptartikel kann man nichts weichen noch nachgeben, es falle Himmel und Erde und was nicht bleiben will.“ Und es focht ihn nicht an, wenn die Gegner ihm vorhielten, er habe das „allein“ in Röm. 3, 28 hineinübersetzt; denn er konnte dessen gewiß sein, daß er ganz im Sinne des Apostels nach dem Zusammenhang übersetzt habe. Es ist der Grundgedanke der ganzen Reformation! „Der Glaube allein macht selig.“ Nicht äußerlich, durch gute Werke, durch kirchliche Ceremonien u. s. f., sondern in der innerlichen Hingabe der Herzen an den Erlöser und an Gottes Gnade liegt das Heil, — wie Luther auch einmal sagt: „Du mußt es bei dir selbst beschließen.“ Dieser Glaube ist die Freiheit des Christenmenschen, — „eine lebendige, verwegene Zuversicht auf Gottes Gnade, die fröhlich, trotzig und lustig gegen Gott und alle Kreaturen macht“.

Dieser Glaube gibt allem Werke, es sei groß oder klein, vor Gott erst sein Ansehen. Gegen die Einwendung der Gegner, daß diese Lehre von der Rechtfertigung für die Trägen ein bequemes Ruhekissen sei, wies die Augsburger Konfession hin auf die Lehre vom „neuen Gehorsam“, der notwendig aus der Rechtfertigung und dem Glauben hervorgehen müsse. Der Art. 6 besagt, „daß solcher Glaube gute Früchte und gute Werke bringen soll, und daß man müsse gute Werke thun, allerlei, so Gott geboten hat, um Gottes willen, doch nicht auf solche Werke zu vertrauen, dadurch Gnade vor Gott zu verdienen“, und weiter Art. 20: „Es sei diese Lehre vom Glauben nicht zu schelten, daß sie gute Werke verbiete, sondern vielmehr zu rühmen, daß sie lehre gute Werke thun, und Hilfe anbiete, wie man zu guten Werken kommen möge. Denn außer dem Glauben und außerhalb Christo ist menschlich Natur und Vermögen viel zu schwach, gute Werke zu thun“ (Joh. 15, 5).

„Der Glaube", rühmt Luther in seiner Vorrede zum Briefe an die Römer, „ist ein göttlich Werk in uns, das uns wandelt und neugebiert vor Gott und tötet den alten Adam, machet uns ganz andre Menschen von Herzen, Mut und Sinn und Kräften und bringet den heiligen Geist mit sich. O, es ist ein lebendig, geschäftig, thätig, mächtig Ding um den Glauben, daß unmöglich ist, daß er nicht ohn Unterlaß sollte Gutes tun. Er fragt auch nicht, ob gute Werke zu thun sind, sondern ehe man fraget, hat er sie gethan und ist immer im Thun." Und der Glaube, aus dem sie geschehen, macht die Werke vor Gott angenehm. Luther war ein rechter Glaubensheld, und sein Glaube hat ihn stark gemacht, Thaten zu thun, wie in der christlichen Geschichte nach ihm keiner mehr und vor ihm nur die Apostel. Aber er war sich dessen bewußt, wie er im großen Katechismus darauf hinweist, daß das Kindermädchen, das nichts thue als Tag und Nacht das ihm anvertraute Kind zu hegen und zu pflegen, durch ihren Glauben, mit dem sie das thue als um Gottes Willen, vor Gott so wert sei als bei gleicher Glaubenstreue der mächtigste Kaiser, von dem täglich große segensvolle Thaten ausgingen. Wo wahrer Glaube ist, da ist auch die Liebe — sie ist eine Blüte aus derselben Wurzel wie der Glaube, und die eine ohne die andere nicht zu denken.

Darnach mußte aber auch die Frage von der Kirche, sowohl was das Wesen der Kirche, als die Wahrheit und die Einheit derselben betrifft, ganz anders beantwortet werden als bisher.

„Es wird gelehrt (Art. 7), daß allezeit müsse Eine heilige christliche Kirche sein und bleiben, welche ist die Versammlung aller Gläubigen, bei welchen das Evangelium rein gepredigt wird und die heiligen Sakramente laut des Evangelii gereicht werden." Demnach ist nur der ein wahres Glied der Kirche, welcher im Glauben an den HErrn, das Haupt der Kirche, steht, nicht bloß der „sichtbaren", sondern auch der „unsichtbaren" Kirche angehört. „Denn die christliche Kirche stehet nicht allein in Gesellschaft äußerlicher Zeichen, sondern steht fürnehmlich in Gemeinschaft inwendig der ewigen Güter des Herzens, als des heiligen Geistes, des Glaubens, der Furcht und Liebe Gottes." Und die Wahrheit der Kirche ruht nicht zunächst in der zeitlichen Überlieferung, sondern in ihrer Übereinstimmung mit der heiligen Schrift: „Daß das Evangelium rein gelehrt und die heiligen Sakramente laut des Evangelii gereicht werden." In gleicher Weise besteht auch die Einheit der Kirche nicht in der äußern Gleichförmigkeit ihrer Einrichtungen, sondern (Art 7): „Dies ist genug zu wahrer Einigkeit der christlichen Kirche, daß da einträchtiglich nach reinem Verstand das Evangelium gepredigt und die Sakramente dem göttlichen Worte gemäß gereicht werden. Und ist nicht nötig zu wahrer Einigkeit der christlichen Kirche, daß allenthalben gleichförmige Ceremonien, von Menschen niedergesetzt, gehalten werden (Ephes. 4)."

Dabei betonten die Reformierten mehr die Gemeinde der Heiligen, welche der Gemeinschaft am Heile sich freut, die Lutherischen mehr die Anstalt des Heils, welche mit der Predigt des Wortes und der Darreichung der Sakramente den Glauben weckt und versiegelt (Art. 5). In der lutherischen Kirche wurde die kirchliche Einheit mehr bewahrt, während auf dem Boden der reformierten Kirche nach und nach eine ziemliche Anzahl von Sekten entstand (vergl. Art. 8).

Die Feststellung der Lehre innerhalb der evangelischen Kirche.

So entschieden die Väter in diesen Glaubens- und Lebensfragen gegenüber der römischen Kirche Stellung nahmen, so waren doch im einzelnen noch viele Fragen zu lösen. Es kam darüber zum Teil noch in den Tagen Luthers zu zahlreichen Verwicklungen und Streitigkeiten unter den Lutherischen selbst, wie auch mit den Reformierten, — Streitigkeiten, welche mit zunehmender Heftigkeit und besonders nach Luthers Tode mit maßlosem Eifer geführt wurden, insbesondere der Streit über die Abendmahlslehre, bei dem sich die lutherische Kirche gegen das Eindringen eines „versteckten" Calvinismus (Kryptocalvinismus) wehrte. Das Übel wurde vermehrt durch Hereinziehung und Einmischung der weltlichen Gewalt. Doch gewann unter diesen Kämpfen die evangelische Heilserkenntnis eine nicht zu leugnende Vertiefung.

Schon a. 1521 hatte Melanchthon die evangelische Glaubenslehre wissenschaftlich dargestellt in seinen „loci communes", d. i. „allgemeinen Begriffen" hauptsächlich aus der Lehre des Paulus über Sünde, Gesetz und Gnade, und leistete dadurch dem Werke Luthers einen Dienst, welchen dieser bei jedem Anlaß hoch und warm anerkannte. Luther nannte Melanchthon „seinen süßesten Philippus" und sagt: „es gebe nach der heiligen Schrift kein besseres Buch als Melanchthons loci." „Ich bin dazu geboren, sagt Luther im J. 1529, daß ich mit den Rotten und Teufeln muß kriegen und zu Felde liegen; darum meine Bücher viel stürmisch und kriegerisch sind. Ich bin der grobe Waldrechter, der Bahn brechen und zurichten muß. Aber Mag. Philippus fährt säuberlich und stille daher, bauet und pflanzet, säet und begeußt mit Lust, nachdem Gott ihm hat gegeben seine Gaben reichlich. O der seligen Zeit!" Melanchthons loci sind die Glaubenslehre der lutherischen Kirche im Reformationszeitalter geworden; sie schaffen zuerst eine systematische Zusammenfassung und wissenschaftliche Durchführung der Grundgedanken der Reformation von der Größe des menschlichen Verderbens, von der Unzulänglichkeit der bisher gepriesensten Heilsanstalten, vom neuen Menschen und von der wahren Gerechtigkeit, welche Luthers Streitschriften erst mehr hingeworfen behandelt hatten.

Leider trübte die letzten Lebensjahre Melanchthons und auch sein Andenken in der lutherischen Kirche der Kampf um die Abendmahlslehre. Melanchthon befand sich bald nach dem Augsburger Reichstag im J. 1530 in einem Gegensatz gegen die schroffe Haltung Luthers in der Abendmahlsfrage und suchte eine Verständigung mit Bucer und Calvin, deren vermittelnde Lehre (vgl. S. 182) in der reformierten Kirche mehr und mehr durchgedrungen und schließlich in der „Züricher Verständigung" (Consensus Tigurinus a. 1549) die Zwinglische Lehre auf ein verschwindendes Gebiet zurückgedrängt hatte. Melanchthon wollte mit Calvin den Hauptnachdruck gelegt wissen nicht auf Brot und Wein, als woran die Gegenwart Christi im Abendmahl gebunden sei, sondern auf den Menschen, der sie genieße, in welchem sich die verheißene wirkliche Gegenwart Christi im Sakrament verwirkliche. Ausgehend von der Erfahrung, daß die Spaltung der Lehre gar leicht Rechthaberei und Dünkel und damit Lieblosigkeit unter den Christen erzeuge und befördere, war Melanchthon aufrichtig bestrebt, die lutherische Kirche und die Reformierten zu einigen. Aber er ging darin zu weit und verdiente sich wenig Dank, als er im Jahre 1540 bei der neuen Herausgabe der Augsburger Konfession auf eigene Hand das Bekenntnis vom Abendmahl abänderte. Die hauptsächlichste Veränderung in dieser „Variata" im Unterschied von der „Invariata" war, daß darin von Christi Leib und Blut gesagt wurde, daß sie „wahrhaftiglich mitgeteilt würden" (vere exhibeantur) statt: daß sie wahrhaftiglich da seien und ausgeteilt würden (vere adsint et distribuantur).

Luther selbst ließ sein treues Werkzeug nicht fallen und sein Ansehen hielt die inneren Gegensätze nieder, wenn er Melanchthon wohl auch nicht verhehlt hat, daß die Augsburger Bekenntnisschrift nicht mehr Melanchthons Buch sei, sondern das Buch der Kirche, an dem ohne deren Zustimmung nichts geändert werden könne. Nach Luthers Hingang jedoch kamen über dem Leipziger Interim, welches Melanchthon und die Seinen annahmen (S. 174), die Gegensätze zum Ausbruch. Vor allem wurde darüber gestritten, ob gewisse äußere Gebräuche der römischen Kirche, wie Weihwasser, Fasten, Bekreuzung, — die sog. Mitteldinge, noch ohne Sünde mitgemacht werden könnten, weil sie ihrer Natur nach gleichgültig oder „adiaphoristisch" seien. Von dem sog. antinomistischen Streit war schon auf Seite 204 die Rede. Gleichfalls noch zu Luthers Lebzeiten hatte auch der Osiandrische Streit seinen Anfang genommen. Es war die Absicht Andreas Osianders, des hochbegabten und verdienten Nürnberger Predigers (s. S. 157), die Lutherische Fassung der Rechtfertigung zu vertiefen; allein er geriet auf den Irrweg, daß er die Rechtfertigung mit der Heiligung vermengte durch den Satz, daß nicht Christus für uns, sondern Christus in uns uns gerecht mache. Durch das Interim aus Nürnberg vertrieben und als Professor in Königsberg zugleich der preußischen Landeskirche vorgesetzt, erneuerte er den durch Luther vordem beschwichtigten Streit, und wie er selber gegen seine Gegner mit Landesverweisung vorging, so geschah es, daß nach seinem Tode (1552) sein Schwiegersohn, der Hofprediger Funck, vor der siegreichen Gegenpartei in Folge Vermengung der religiösen Frage mit politischen Dingen sein Leben auf dem Schaffot enden mußte. Im „majoristischen" Streite standen gegenüber sich Georg Major, Professor in Wittenberg, ein Anhänger Melanchthons, und Nik. v. Amsdorf in Magdeburg, der auch sonst gerne bei übrigens unbedingter Zustimmung über Luther hinaus eiferte (vgl. S. 164), unter nicht geringer Unklarheit auf beiden Seiten. Es handelte sich im Kernpunkt um die Frage, ob die guten Werke zur Seligkeit notwendig seien oder nicht: jener bejahte die Frage, dieser verneinte sie. In Wahrheit sind sie notwendig, sofern der Glaube nicht anders kann, als in guten Früchten sich bethätigen; dagegen nicht notwendig sind sie, wenn die Frage erhoben wird nach dem Grund unserer Rechtfertigung, denn dieser Grund ist allein Christus. (Das Richtige hatte schon Luther gesagt, wenn er schrieb: „Gute fromme Werke machen nimmer einen guten, frommen Mann, sondern ein guter, frommer Mann macht gute Werke, wie ein guter Baum gute Früchte bringt; aber die Bäume wachsen nicht auf den Früchten, sondern die Früchte auf den Bäumen.") Anregender waren die sog. „synergistischen" Streitigkeiten, wo es sich um die Frage der Mitwirkung der natürlichen Kräfte beim Werke der Heilsaneignung und Bekehrung handelte. Gegenüber dem philippistischen Prediger Vict. Strigel in Weimar, welcher eine verhältnismäßige Freiheit des Willens behauptete, ließ sich Matth. Flacius (Illyricus), Luthers einstiger Liebling, nunmehr Prediger in Magdeburg, in leidenschaftlicher Überspannung der von Luther gegen Erasmus (s. S. 160) behaupteten augustinischen Lehre von der gänzlichen Verderbtheit und Unfreiheit des natürlichen Menschen, bis zu der Behauptung fortreißen, daß das Wesen des Menschen selbst in der Erbsünde aufgehe, diese des Menschen *Substanz* sei. Nachdem Strigel eine Zeitlang im Gefängnisse gesessen, fiel im Wechsel der Verhältnisse das Los der Verbannung seinem Gegner Flacius zu, der sich hartnäckig geweigert, seine übertriebene Behauptung zurückzunehmen. Nirgends aufgenommen, ja überall vertrieben, irrte Flacius unstät umher und starb 1575 im Elend, nachdem er noch kurz vor seinem Tode seine Übereilung gut gemacht.

Melanchthons Vermittlung ward von denen, die sich vorzugsweise als die Anhänger Luthers fühlten, zurückgewiesen, und immer mehr erweiterte sich nach seinem Hinscheiden der Gegensatz zwischen seinen Anhängern, den sog. „*Philippisten*" und den „*Lutheranern*". Als er am 19. April 1560 die Augen geschlossen hatte, da fand man auf seinem Tische ein Blatt, worauf er sich kurz zuvor bemerkt hatte, was ihm den Tod erleichtere: „er freue sich, nun durchzudringen zum Licht und zum Anschauen Gottes und Christi und zum Verstehen hier undurchdringlicher Geheimnisse, auch darauf, daß er dann befreit sein werde von der Sünde und des Lebens Mühsal, und so auch von der Raserei der Theologen (et a rabie theologorum)". Was diese gelehrten Streitigkeiten vergiftete, das war die Einmischung der *Staatsgewalt*, — vornehmlich im neuen Kurfürstentum Sachsen. Die beiden Parteien lösten sich ab im Einfluß und in jeweiliger rücksichtsloser Ausnutzung dieses Einflusses. In den ersten 20 Regierungsjahren des Kurfürsten August (1653—80) hatten die Philippisten die Oberhand, damals mußte Flacius in die Verbannung gehen. Dann aber kam die Reihe an die Philippisten, gegen welche ihre Gegner, besonders in der Abendmahlslehre den Vorwurf eines versteckten Calvinismus (*Kryptocalvinismus*) erhoben und mit dieser Anklage beim Kurfürsten durchdrangen. Es mögen sich auch rein politische Gegensätze, sowie die Eifersucht der Universitäten, von denen Wittenberg philippistisch, Leipzig und Jena lutherisch, mit der kirchlichen Frage vermischt haben; Kaspar *Peucer*, Melanchthons Schwiegersohn, des Kurfürsten einflußreicher Leibarzt, mußte damals des Kryptocalvinismus beschuldigt, 10 Jahre im Kerker schmachten, wo ihm nicht einmal die Bibel vergönnt wurde.

Eigentliche vnd warhafftige Bildtnuß / des Ehrwirdigen vnnd Hochgelehrten Herrn / Jacobi Andree / der heyligen Schrifft Doctor vnd Professor / auch Probst zu Tubingen / vnnd Cantzler der Hohenschul daselbsten.

Die Konkordienformel.

So war in kurzem das ganze Gebiet der evangelischen Kirche mit innerem Krieg und Hader erfüllt. Den Streitigkeiten gegenüber, welche die lutherische Kirche, wenn sie nicht gelöst und geschlichtet wurden, zu zerspalten drohten, hatte sich innerhalb derselben immer lauter und nachdrücklicher das Bedürfnis geltend gemacht nach einer sichern Entscheidung der aufgeworfenen Fragen. Ein besonderes Verdienst erwarb sich in dieser Richtung der Tübinger Kanzler Jakob Andreä († 1590), dessen unermüdliches Bemühen schließlich denn auch von Erfolg gekrönt wurde. Im Kloster Bergen bei Magdeburg kam nach vielen Vorarbeiten und nachdem das Werk durch die gemäßigten Lutheraner, den Leipziger Professor Nik. Selnecker († 1592) aus Hersbruck und Superintendent Martin Chemnitz († 1586) von Braunschweig im Verein mit Andreä nochmals überarbeitet worden, am 28. Mai 1577 eine Konkordienformel (Eintrachtsformel) zu Stande, welche den vorläufigen Abschluß der Kämpfe um die Lehre in der lutherischen Kirche besiegelte und in der Folge von 9000 Geistlichen und Kirchenlehrern angenommen und unterschrieben wurde. Durch den Kurfürsten August von Sachsen wurde darauf eine Sammlung aller lutherischen Be-

kenntnisschriften veranstaltet: außer den drei ältesten ökumenischen Bekenntnissen, dem apostolischen, nicänischen und athanasianischen, die Augustana mit der Apologie oder Verteidigungsschrift derselben von Melanchthon, die schmalkaldischen Artikel und die beiden Katechismen Luthers, sowie die Konkordienformel umfassend. Diese wurde am 25. Juni 1580 als Konkordienbuch der lutherischen Kirche verkündet.

Quid sum? nil. Quis sum? nullus, sed Gratia CHRISTI.
Quod sum, quod vivo, quodque laboro, facit.
NICOLAVS SELNECCERVS D. ÆT.

Welche Stellung dieses Bekenntnisbuch in der Kirche einnehmen sollte, ist auf dem ersten Blatt der Konkordienformel ausgesprochen: „Wir glauben, lehren und bekennen, daß die einige Regel und Richtschnur, nach welcher zugleich alle Lehren und Lehrer gerichtet und geurteilt werden sollen, seien allein die prophetischen und apostolischen Schriften alten und neuen Testaments. Andere Schriften aber, der alten oder neuen Lehrer, wie sie Namen haben, sollen der heiligen Schrift nicht gleich gehalten, sondern alle zumal mit einander derselben unterworfen und anders oder weiter nicht angenommen werden, denn als Zeugen, welcher Gestalt nach der Apostel Zeit und an welchen Orten solche Lehre der Propheten und Apostel erhalten worden! Es bleibt **allein** die heilige Schrift der **einige** Richter, Regel und Richtschnur, nach welcher als dem **einigen** Probierstein sollen und müssen alle Lehren erkannt und geurteilt werden, ob sie gut oder bös, recht oder unrecht seien. Die andern Symbola aber sind nicht Richter wie die heilige Schrift, sondern allein Zeugnis und Erklärung des Glaubens, wie jederzeit die heilige Schrift in streitigen Artikeln in der Kirche Gottes von den damals Lebenden verstanden und ausgelegt und derselben widerwärtige Lehre verworfen und verdammet worden."

Allen Gegensätzen und ein für alle Mal konnte freilich auch die Konkordienformel nicht abhelfen, und auch der Philippismus, der eben eine vermittelnde Richtung zwischen Luthertum und Calvinismus sein wollte, lebte noch bis in das 17. Jahrhundert fort. Er gewann sogar noch einmal vorübergehend die Oberhand in Sachsen unter Kurfürst Christian I., der jedoch schließlich seinen Kanzler Krell wegen heimlicher Einführung des Calvinismus unter peinliche Anklage stellte und nach 12jähriger Haft auf dem Königstein am 22. Sept. 1601 enthaupten ließ. Länger prägte sich der Gegensatz auch in den Lehrkörpern der Universitäten aus: Wittenberg galt vorzugsweise als Sitz der philippistischen, Jena als Sitz der lutherischen Theologie. Im 17. Jahrhundert hatte die Glaubenslehre noch eine Reihe von hervorragenden Vertretern, welche sie zur strengen Rechtgläubigkeit („Orthodoxie") ausbildeten: Joh. Gerhard in Jena, ein Schüler des frommen und tiefsinnigen Joh. Arndt, des Verfassers der 6 Bücher vom wahren Christentum, schrieb eine 4bändige Dogmatik (Loci theologici. 1. Ausgabe 1610—1621), die noch heute keinem lutherischen Dogmatiker entbehrlich ist. Die Bedeutung Joh. Quenstedts in Wittenberg († 1688), der auf Gerhards Schultern stand, liegt in der weiteren Verarbeitung und Formulierung der Gedanken seines Meisters, sowie auch in der polemischen Durchführung der Lutherischen Rechtgläubigkeit gegenüber den Reformierten und Philippisten. Sein Hauptwerk ist die Theologia didactico-polemica in 4 Foliobänden. Die reine Streittheologie vertritt aber Abraham Calovius († 1686) in Wittenberg, der sich mit schonungsloser Hartnäckigkeit sein ganzes Leben lang mit dem Helmstädter Professor Calixtus abstritt, welcher von Melanchthons Friedensliebe erfüllt, einen neuen Boden der Verständigung zwischen den verschiedenen Konfessionen suchte. Die orthodoxe Gelehrsamkeit geriet über diesem Gezänke in steigende Gefahr, den lebendigen Glauben in einen bloßen Wissensglauben zu verknöchern und zu verkehren!

III. Das Dichten und Trachten in der evangelischen Christenheit.

Die evangelische Freudigkeit im Gebete zu Gott.

Vom Titelblatt der Ausgabe des Neuen Testaments in Luthers Übersetzung [mit Holzschnitten von Schäuffelin (1523).

Auch das Gebetsleben der evangelischen Christenheit nahm eine ganz andere Art an. Wie schon die innere Stellung zu Gott eine andere wurde, so wurde auch auf Grund derselben ihr Dichten und Trachten im Geiste des Gemüts ein anderes.

Sie hatte einen freien, nicht einen knechtlichen Geist empfangen, und meinte nicht, alle möglichen Mittel und Mittler aufbieten zu müssen, um Gottes Huld und Gnade zu gewinnen und zum Ziele zu kommen. Das „Abba, lieber Vater" (Röm. 8, 15) war ihrem Herzen voll aufgegangen, wie Luther den Eingang des Vaterunsers erklärt: „Gott will uns damit locken, daß wir glauben sollen, er sei unser rechter Vater und wir seine rechten Kinder, auf daß wir getrost und in aller Zuversicht ihn bitten sollen, wie die lieben Kinder ihren lieben Vater." Das machte die Gewißheit der Versöhnung durch das vollgültige Verdienst Christi.

Luther ist auch im Gebet das Vorbild der Kirche geworden. Sein Gebet aber kommt aus einem rechten festen, frommen, kindlichen Glauben. Er hatte die Tiefen des göttlichen Wesens erschaut, wie vielleicht kein zweiter Christ seit Augustinus, aber diese Tiefen blieben ihm furchtbar, und vermessen erschien ihm, darin eindringen zu wollen. Um so herzlicher und inniger aber schloß sich seine Seele zusammen mit dem menschgewordenen Sohne, in welchem die Gottheit mit der armen Menschheit eins geworden, zu ihr herabgestiegen und sie zu sich emporgezogen hat. Wie die deutschen Maler die Menschheit und Menschlichkeit des Gottessohns mit besonderer Vorliebe schildern, so versenkt sich auch Luther gar gerne betrachtend in die arme Menschheit Christi, malt uns vor Augen, wie er als Kindlein in den Windeln an der Mutter Brust gelegen, wie er, „das Zimmermannskind", in fröhlicher Unschuld aufwuchs und seinen Eltern gehorsam war. „Ach wie gern wollt ich bei dem Herrn Christo gewesen sein, wenn er einmal fröhlich gewest ist", rief er eines Abends aus. Und so sucht und findet er den Weg zum Herzen des Vaters und fühlt sich schon hier als Genosse des verklärten Menschensohnes und der Herrlichkeit und Seligkeit des dreieinigen Gottes, mit dem er denn auch in ununterbrochenem Gebetsumgange lebte.

Aus solchem Gebetsumgange schöpfte Luther Kraft und Rat auch für sein Werk. „Durchs Gebet leiten wir, was geordnet ist, bringen zurecht, was geirret ist, tragen, was nicht gebessert werden kann, überwinden alles Unglück und erhalten alles Gute." Und so erzählt der damals 24jährige M. Veit Dietrich, einer der Tischgenossen Luthers aus Wittenberg, der ihn während des Augsburger Reichstags auf die Veste Koburg geleitete, wie er betete: „Einmal glückte es mir, daß ich ihn beten hörte. Guter Gott, welch ein Glaube war in seinen Worten! Mit solcher Ehrfurcht betete er, daß man sah, er redete mit Gott, und doch wieder mit solchem Glauben und solcher Hoffnung, daß es schien, als rede er mit einem Vater und Freunde." Und da traute er sich wohl auch zu, Gott im Sturme etwas abzugewinnen. Als im Jahr 1540 Melanchthon in Weimar auf den Tod erkrankt war, ließ der Kurfürst Luther holen. „Behüte Gott, wie hat der Teufel dies Organon geschändet!" rief Luther als er den Freund mit halb gebrochenen Augen liegen sah. „Allda muß mir unser HErr Gott herhalten" rief er und redete nun mit seinem Gott in der naiven und kühnsten, ja in derber Weise und hielt ihm vor alle seine Verheißungen, daß er Gebet erhören wolle, die er in der heiligen Schrift aufzuzählen wußte, „daß er ihn habe erhören müssen, wo er anders seinen Verheißungen trauen sollte." Und dann sprach er Melanchthon tröstend zu: „Seid getrost, Philippe, ihr werdet nicht sterben . . . gebt dem Trauergeist nicht Raum und werdet nicht euer eigener Mörder, sondern verlaßt euch auf den Herrn, der da kann töten und lebendig machen." Und Melanchthon genas. Aus dieser innern Stellung zu Gott erklärt sich seine heldenhafte Haltung, wie sie sich auch in jenem Briefe ausspricht, den er seinem Kurfürsten schrieb, als er wider dessen Willen von der Wartburg nach Wittenberg eilte (s. S. 153). „Sintemal der Vater der abgründlichen Barmherzigkeit uns durchs Evangelium hat gemacht freudige Herren über alle Teufel und Tod und ausgegeben den Reichtum der Zuversicht, daß wir dürfen zu ihm sagen: Herzliebster Vater!, kann E. K. F. Gnaden selbst ermessen, daß es solchem Vater die höchste Schmach ist, so wir ihm nicht vertrauen wollten. Ich komme gen Wittenberg in gar viel einem höhern Schutz, denn des Kurfürsten. Ich habs auch nicht im Sinne, von E. K. F. G. Schutz begehren. Ja, ich halt, ich wollt E. K. F. G. mehr schützen, denn sie mich schützen könnte. Dazu wenn ich wüßte, daß mich E. K. F. G. könnte und wollte schützen, so wollte ich nicht kommen. Dieser Sachen soll noch kann kein Schwert raten oder helfen: Gott muß hie allein schaffen ohn alles menschliche Sorgen und Zuthun. Darum wer am meisten glaubt, der wird hie am meisten schützen!" Die Kirche hielt sich an das Vorbild Luthers und stärkte sich auch ihrerseits in allen ihren Anfechtungen im Gebet: die lutherische, indem sie vertraute, daß die Sünder doch von Gott in Christo zu Gnaden angenommen sind (Röm. 5, 1 ff.), die reformierte durch das Bewußtsein erhoben, daß der Mensch trotz aller Unwürdigkeit durch die Gnade Gottes sogar gewürdigt sei, etwas sein zu dürfen zu Lobe seiner herrlichen Gnade (Ephes. 1, 3 ff.).

Aber nicht bloß darin, **wie** unsre Väter beteten, macht sich die Glaubenserneuerung bemerklich, sondern auch in dem, **was** sie beteten, um was sie baten. Die Summe aber all ihres Gebets war: Gottes Wort, das lautere Evangelium, die reine Lehre. Und während sie der neugewonnenen christlichen und evangelischen Freiheit im Genuß und Gebrauch der natürlichen Dinge sich freuten, war es doch ihr Anliegen und ihre ernste Sorge, daß sie im Gnadenstande bewahrt würden.

Die Wertschätzung des Gotteswortes und der rechten Lehre.

Der Evangelischen höchster Wunsch war es, daß Gottes Name durch sie verherrlicht würde. Und wie die reformierte Kirche das soli deo gloria! (Gott allein die Ehre!) voranstellte, so sang die lutherische Kirche nicht minder ihr: „Allein Gott in der Höh' sei Ehr!" Aber in dieser zumal drängte sich dabei das Verlangen mächtig hervor: „**daß Gottes Wort lauter und rein gelehret werde**", weil ja doch sonst der Name Gottes, wie die Erfahrung belehrte, nicht recht geheiligt werden könnte.

Dieser Gedanke hat Luther bei der **Übersetzung der Bibel** geleitet und ihn, wie seine Gehilfen, zu gewissenhaftester Sorgfalt angehalten: „Das kann ich mit gutem Gewissen bezeugen, daß ich meine höchste Treue und Fleiß darin erzeiget und nie keinen falschen Gedanken gehabt habe. Denn ich habe keinen Heller dafür genommen; so habe ich meine Ehre darin nicht gemeinet, das weiß Gott, mein Herr; sondern hab es zu Dienst gethan denen lieben Christen und zu Ehren einem, der droben sitzt."

Titelblatt der Ersten Ausgabe des Alten Testaments deutsch von M. Luther (gedr. bei Melch. Lotther in Wittenberg). Der erste Teil, die 5 Bücher Mose enthaltend, erschien 1523, das vollständige Alte Testament 1534.

Schluss der Vorrede Martin Luther's zur Ersten Ausgabe des A. T.:
„Das alte Teſtament halten etlich gering ꝛc. ꝛc.“
nebst Schlussvignette mit Luther's Wappen.

Summa/wenn wyr gleych alle zu ſamen thetten/wyr hetten dennoch
alle gnug an der Bibel zu ſchaffen/das wyr ſie ans liecht brech-
ten/eyner mit verſtand/der ander mit der ſprach/Denn auch
ich nicht alleyne hyrynnen habe geerbeyttet/ſondern dazu gebraucht/wo ich nur yemand habe mocht vberko-
men. Darumb bit ich/yderman laſs ſeyn le-
ſtern vnd die armen leut vnverwerret/ſon
dern helffe myr/wo er kan. Wil er
das nicht/ſo neme er die Bibel ſelbs fur vnd mach
yhm eyn eygen/
Denn die
yheni
gen/
die nur le-
ſtern vnd zwa-
cken/ſind freylich ni-
cht ſo frum vnd redlich/das
ſie gerne wolten eyn lautter Bibel
haben/ſyntemal ſie wiſſen/das ſie es nicht
vermugen/ſondern wolten gerne meyſter klug-
ling ynn frembder kunſt ſeyn/die ynn yhrer eygen kunſt
noch nie ſchuler worden ſind. Gott wolt ſeyn werck volfu-
ren das er angefangen hat. A M E N.

Dis zeichen ſey zeuge/das ſolche bucher durch
meine hand gangen ſind/deñ des falſchē druckēs
vnd bucher verderbens/vleyſſigen ſich yzt viel

Gedruckt zu Wittemberg.

Die Übersetzung des Neuen Testaments war von Luther bereits auf der Wartburg vollendet worden und kam noch von dort nach und nach in die Druckerei. Obwohl der Drucker (Melch. Lotther in Wittenberg) so fleißig arbeitete, daß täglich von 3 Pressen 10000 Bogen gedruckt wurden, so ging das Werk Luther, welcher vor Begierde brannte, seinem deutschen Volke eine deutsche Bibel so bald als nur immer möglich in die Hand zu geben, doch nicht rasch genug von statten. Am 21. September 1522, unter dem Titel:

Das Newe Testament.

Deutsch.

Vuittenberg.

Ohne Jahrzahl, Namen des Übersetzers und Druckers.

gelangte es zur Ausgabe, und trotz des für die damalige Zeit hohen Preises von 1½ Gulden war die starke Auflage doch noch vor Ende des Jahres vergriffen. Die Nachfrage war eine so lebhafte, daß bis zum Jahr 1534, wo die ganze Bibelübersetzung vollendet war, zu Wittenberg allein 17 Ausgaben hergestellt werden mußten (von der zweiten an mit dem Namen Luthers sowie des Buchdruckers Melch. Lotther), ungerechnet 52 Nachdrucke, die zu Augsburg, Basel, Straßburg, Nürnberg, Zürich, Leipzig veranstaltet wurden. Sobald Luther mit der Übersetzung des Neuen Testaments zu Stande gekommen war, legte er unverzüglich Hand an das alte und brachte es dahin, daß dessen erster Teil, umfassend die fünf Bücher Mosis, in den ersten Monaten des Jahres 1523 unter die Presse gegeben werden konnte, sogleich mit dem (wahrscheinlich von Albrecht Dürer gezeichneten) Titel für das ganze Alte Testament, dessen Teile nach und nach erschienen und das vollständig erst im Jahr 1534 ausgegeben wurde. Aus sorgfältigen Vergleichungen erhellt, daß Luther in den zwischen 1523 und 1534 herausgekommenen neuen Auflagen der einzelnen Bücher des A. T. wenig oder nichts verändert, wogegen er am N. T. fast beständig besserte. Seine treuesten Helfer bei dem Übersetzungswerke waren von Anfang an für das Griechische Melanchthon, für das Hebräische und Chaldäische Cruciger, ferner Bugenhagen, welcher besonders in der Vulgata (s. S. 52) zu Hause war. Im Jahre 1539 begann Luther nun im Verein mit diesen seinen treuen Gehilfen, zu welchen noch Jonas und Matthäus Aurogallus (der Professor des Hebräischen an der Universität) gezogen wurden, eine neuerliche Durcharbeitung (Revision) des ganzen Werkes. Da kamen die Genannten zu einem „Sanhedrin“ oder „geistlichen hohen Rat“ allwöchentlich einige Abendstunden in Luthers Behausung zusammen, wo Luther dann den Text vorlegte und die Meinungen der Gelehrten hörte und zur Erörterung stellte. Im Jahr 1542 war auch diese abschließende Revision vollendet, und noch im gleichen Jahr kam die nun durchgesehene Bibelausgabe bei Lufft in Wittenberg gedruckt heraus.

Luthers Bibelübersetzung steht bei der lutherischen und reformierten Kirche deutscher Zunge in gleichen Ehren. Es ist der Ruhm unserer ja in so mancherlei Bekenntnisse und Landeskirchen zerteilten evangelischen Kirche gegenüber der römisch-katholischen Welt, daß sie das höchste der Bücher in der vortrefflichsten Übersetzung besitzt, und das können wir Evangelischen dem Pochen der Römischen auf Einheit entgegensetzen, daß wir einig sind durch alle deutschen Gauen im Gebrauch dieses höchsten Buches, wie es Luther verdeutscht hat. Mit der Sicherheit des gläubigen Gefühls, wie es eben ihm eigen war, traf Luther oft das rechte Wort und den rechten deutschen Ausdruck, wo alle Grammatiken und

Lexika im Stiche ließen, und stellte das heilige Denkmal in einem Gewande seinem Volke dar, in welchem es diesem mundgerecht wurde. Er sagte: „Nicht die Buchstaben in der fremden Sprache dürfe man fragen, wie man Deutsch reden solle, sondern die Mutter im Hause, die Kinder auf der Gasse, den gemeinen Mann auf dem Markte müsse man darum fragen und denselben aufs Maul sehen." So ist denn die Lutherbibel auch ein Volksbuch geworden in deutschen Landen und der Grund- und Eckstein nicht nur für den Aufbau der evangelischen Kirche, sondern auch hoch bedeutsam für die deutsche Volkssprache und Schrift, die vor Luthers Zeit noch nicht vorhanden war, wo es nur eine ober- und niederdeutsche Sprache und viele Dialekte gegeben hat.

Für die aus der heiligen Schrift erkannte Wahrheit lebten und stritten unsere Väter im Glauben, dafür duldeten sie und starben ihrer viele den Märtyrertod, wie Voes und Esch (s. S. 158), von denen Luther singt:

„Mit Freuden sie sich gaben drein,
mit Gottes Lob und Singen!"

oder wie unter vielen andern Leonhard Kaiser in Passau, der angesichts des Flammentodes nur den einen Wunsch hatte, „daß ja durch ihn nicht geschmäht und gelästert werde Gottes heiliges, reines und lauteres Evangelium, das er oft und lange gehört, wollte Gott mit Frucht und zur Ehre und zum Preis seines heiligen Namens!" Als auf dem Reichstag zu Augsburg der Kaiser drohend von den Evangelischen die Teilnahme an der Fronleichnamsprozession verlangte, beteuerte Markgraf Georg der Fromme von Ansbach († 1543) vor ihm: „Ehe er wollte Gott und sein Evangelium verleugnen, ehe wollt er vor seiner Majestät niederknien und sich den Kopf abhauen lassen." Auch Frauen traten in den Kampf für das reine Gotteswort mit ein, wie in der reformierten Kirche vor allen Jeanne d'Albret, in der lutherischen die ritterliche Argula v. Grumbach.

Mit großem Ernste hielt man darum auch darauf, daß die Gemeinde vor solchen Leuten bewahrt würde, die anders lehrten und lebten denn das Wort Gottes lehrt.

„HErr, behüt uns vor falscher Lehr,
das arm verführet Volk bekehr!"

betet Luther in seinem Vaterunserliede. Darum wurde auch gegen falsche Lehre mit großem Eifer gestritten. Luther selbst hat im Kampfe „harten", oft zu harten Widerstand gethan; doch kam's, wie Melanchthon bezeugt, nicht aus einem zänkischen und boshaften Gemüte, sondern von seinem großen Ernst und Eifer um die Wahrheit. Aber wohl wurde von solchen, die nicht den Geist Luthers hatten, in den spätern Lehrstreitigkeiten auf das rechtgläubige Bekenntnis in einseitiger Weise alles Gewicht gelegt, und selbst rechtgläubige Männer, welche auf dieses Gebrechen aufmerksam machten, wie schon Melanchthon und später Joh. Arndt, wurden als Ketzer verschrien.

Auch die evangelische Gemeinde war beseelt von dem Trachten nach dem Reich Gottes. Aber ihr Sinn war dabei nicht gerichtet auf „äußerliche Geberde"; ja die stolze Pracht einer falschberühmten äußern Kirchenherrlichkeit erschien ihnen geradezu als Widerchristentum, wie an dem Reich des Papstes, so an dem der Wiedertäufer (Art. 17). „Das Reich Gottes kommt, wenn uns der himmlische Vater seinen heiligen Geist gibt, daß wir seinem heiligen Wort durch seine Gnade glauben und göttlich leben hie zeitlich und dort ewiglich." Daher beteten sie mit Luther vor allem darum: „Erhalt uns, HErr, bei deinem Wort!"

Wenn sie nur das „Wort" hatten, so waren sie über den endlichen Ausgang des großen Kampfes völlig getrost, wie Luther in seinem — um die Zeit des Speierer Reichstags 1529 gedichteten — Heldenliede: „Ein feste Burg ist unser Gott" singt:

„Das Wort sie sollen lassen stahn
und kein Dank dazu haben;
Er ist bei uns wohl auf dem Plan
mit seinem Geist und Gaben.
Nehmen sie den Leib,
Gut, Ehr, Kind und Weib,
Laß fahren dahin,
Sie habens keinen Gewinn,
Das Reich muß uns doch bleiben!"

Demnach herrschte auch in der Gemeinde ein großes Verlangen nach der Predigt des göttlichen Wortes, wie eine große Freude über den Besitz der heiligen Schrift. „Laßt uns Gott danken für solche Gnade", sprach Fürst Georg von Anhalt und bitten, daß wir solche Übersetzung lieb und wert halten, behalten und auf unsre Nachkommenschaft unverfälscht bringen mögen!" Dabei freuten sich die lutherischen Christen vor allem des gegenwärtigen Besitzes im Reiche der Gnade, während die reformierten noch mehr dem kommenden Reiche der Herrlichkeit entgegenstrebten, dem Gottesstaate der Gemeinde der Erwählten. Allerdings wurde nicht immer nur mit geistlichen Waffen um dieses Reich gestritten. Ein gut Teil der Kraft der lutherischen Kirche verzehrte sich in heftigen Streitigkeiten um die Lehre, der reformierten in vielfachen Kämpfen um die Ordnung des Gemeindelebens. Selbst die Predigt war oft erfüllt, besonders in der späteren Zeit, von dem Streite, der um die Ausbildung der Lehre geführt wurde. Dabei stellte sich bald eine weitgehende Sicherheit ein im Gefühle des Besitzes des lauteren Wortes. Und Stimmen der Warnung, wie sie unter andern der einsichtige Stuttgarter Hofprediger Val. Andreä († 1654), von dem unten noch weiter die Rede sein wird, in seinem Gedichte: „die Christenburg" erhob, wurden nicht beachtet; er nannte unter den Gründen, warum der HErr seine Hand von der Christenheit gleichsam abzuziehen scheine, auch die Verirrungen und scholastischen Streitigkeiten der Theologen.

Welch ein ernstliches Bestreben die evangelische Christenheit beseelte, Gottes Willen zu thun, zeigt voran die unentwegte Beharrlichkeit, mit der Luther das Werk der Reformation ausführte, und die rastlose Thätigkeit, die er, besonders in dem letzten Jahrzehent seines Lebens nicht achtend der schweren körperlichen Leiden, bis ans Ende fortsetzte.

In dem einen Jahr 1522 giengen nicht weniger als 130, im nächsten Jahre 183 größere und kleinere Schriften (darunter sind natürlich die Predigten inbegriffen) von Luther aus und es regte sich bald das Bedürfnis nach einer Sammlung und Gesamtausgabe derselben. Noch zu Lebzeiten des Reformators gelangten an ihn desfallsige Anfragen aus Straßburg und Wittenberg; da antwortete er: „er habe vielmehr einen saturnischen Hunger, alle seine Bücher zu verschlingen", keines derselben wollte er mehr gelten lassen, außer etwa sein Buch vom geknechteten Willen gegen Erasmus (s. S. 160) und seinen Katechismus. Nur auf fortgesetzte Bitten gab er nach, daß in Wittenberg mit dem Druck einer Sammelausgabe begonnen wurde (im Ganzen 12 deutsche und 7 lateinische Foliobände, Wittenberg 1539—1555), der aber noch gar vieles fehlte, und die begleitete er mit einem Vorwort, das uns den großen Mann wieder in seiner herrlichen Bescheidenheit zeigt; „indem er der Sammlung seines Buches, die ohne seinen Dank und ihm wenig zu Ehren geschehe, nicht zu wehren vermöge, tröstet er sich damit, daß wenn der Zeiten Fürwitz gebüßt sei, auch sie der Vergessenheit anheimfallen werden, und bittet die Leser nur um das Eine, sich durch sie wenigstens beileibe nicht hindern zu lassen im Studieren der Schrift."

Aber dieses Bestreben war zugleich von dem Bewußtsein geleitet, daß Gottes Wille durch sie nicht geschehen könne, wenn sie nicht „gestärkt und festbehalten würden in seinem Wort und Glauben bis ans Ende." Recht aus dem Herzen seiner Zeitgenossen betete der Mitverfasser der Konkordienformel Nikolaus Selnecker:

„Laß mich dein sein und bleiben" ff.

Damit war aber auch das Bestreben verbunden, nicht mehr als die Unmündigen zu wandeln, sondern ihres Glaubens in der Erkenntnis immer gewisser zu werden. Um aber prüfen zu können, was der gute und wohlgefällige und vollkommene Gotteswille sei, waren sie bedacht aus dem Worte Gottes „in der heiligen Schrift rein, schlecht und recht beschrieben" immer mehr zu lernen. Luther voran lebte und webte in der heiligen Schrift; sie war seine Rüstkammer, aus der er seine Waffen nahm im großen Kampfe. Aus der Schrift Rede und Antwort stehen zu können, was Gottes Wille und Ratschluß sei, war der Ruhm dieser Zeit, Bibelfestigkeit ihr edler Stolz.

Es war überall in der evangelischen Christenheit Regel, daß in den Häusern früh und abends ein Kapitel aus der Bibel gemeinsam vorgelesen wurde, und so kam es, daß einzelne die Bibel nahezu auswendig konnten. Der Markgraf von Baden-Durlach las sie 58 Mal von Anfang bis zum Ende, der vielgeschäftige kursächsische Kanzler Carpzov († 1666 zu Dresden) 53 Mal, ein Graf von Öttingen brachte die ganze Bibel in Reime, die er eigenhändig zusammen schrieb in einem saubern Folioband, den die fürstliche Bibliothek zu Maihingen aufbewahrt. Auch die Frauen nahmen an diesem Streben wie an diesem Ruhm nicht geringen Anteil. Von Maria Andreä, der Frau eines Apothekers und der Mutter des Val. Andreä wird gerühmt, „daß sie fest und streng im Glauben, eifrig im Gebet, nach und von Gottes Wort lebte, die Bibel alljährlich, ihr Psalmbuch monatlich durchlas und in den erbaulichen Schriften ihrer Zeit sehr bewandert war." Dabei war sie dem Dienste an Armen und Kranken so ergeben, daß sie in Kalw, wo sie zuletzt lebte, als „die Mutter der Stadt" von jedermann verehrt wurde.

Im Laufe der Zeit wendete es sich so, daß in der lutherischen Gemeinde mehr der Katechismus als die „kleine Bibel" hervortrat, während die reformierte sich immer unmittelbar an die Schrift als „das göttliche Gesetz“ hielt. Dabei ist nicht zu leugnen, daß oft ein starrer Geist, der an dem Buchstaben klebte, hervortrat. Doch machte sich der stete Umgang mit dem Buche des Heils noch vielmehr segensreich geltend in unberechenbarer Weise für das innere und für das äußere Leben der Christenheit jener Zeit. Die Bibelfestigkeit ist ein Grundzug deutscher Bildung im wahren Sinn des Wortes geblieben noch bis tief in die Zeiten der sog. „Aufklärung“ herein und hat dem deutschen Leben den Stempel aufgedrückt, wie auch ein Goethe in seinem väterlichen Hause in Frankfurt noch darin groß gezogen worden ist, und die Verehrung diesem Buche gegenüber sein Leben lang bewahrt hat. Die Haus- und Familienbibel war ein Heiligtum des deutschen Bürgerhauses, in welches man die wichtigsten Taten der Familiengeschichte eintrug, sie war ein notwendiger Teil eines behaglichen Hausstandes, vielfach geschmückt mit Bildern oder bereichert mit Auslegungen, wie die sog. Weimarische Kurfürstenbibel, welche mit den Porträts der sächsischen Kurfürsten versehen, auf Veranlassung von Herzog Ernst dem Frommen zuerst 1641 herausgegeben, und dann bis zum Jahr 1767 etwa 13 Mal neu aufgelegt wurde. Ebenfalls viel verbreitet war die Berleburger Bibel mit Erklärungen, die von Lukas Osiander in Tübingen erläuterte Bibel (zuerst 1639) u. s. f.

Die Freude an der Welt in evangelischer Freiheit.

Im Besitze des reinen und gewissen Gotteswortes freute sich das Geschlecht der Reformation der evangelischen Freiheit, zu der es durchgebrochen war durch den Bann menschlicher Satzungen. Diese harmlose Freude an der natürlichen Welt, welche der evangelischen Gemeinde erblüht war, wurzelte ganz und gar in dem tiefen und warmen Grunde der wiedergewonnenen Gotteskindschaft und einer daraus ersprießenden kindlichen Freudigkeit zu Gott. Am ursprünglichsten tritt diese Freude mit ihrer Einfalt, Kraft und Frische in dem Reformator selbst hervor. Wenn wir das Bild des in seinem Glauben so gewaltigen und zugleich so kindlich einfältigen Mannes uns vorhalten, der, wie wir gehört, den Glauben die lebendig verwegene Zuversicht auf Gottes Gnade nennt (s. S. 209) und sein Verlangen ausspricht, daß er doch bei dem Heiland hätte sein dürfen, „wenn er einmal fröhlich gewest ist“ (s. S. 217), — dann verstehen wir, daß mit dem Luther, welcher Kaiser und Reich kühnlich in die Schranken forderte, nur die eine Seite seines Bildes gegeben ist. Unzertrennlich gesellt sich in unserer Vorstellung dazu die andere Seite des Bildes: Luther als Hausvater, der frohen und heiteren Muts im Hause waltet, an der Seite seines Ehegemahls, im fröhlichen Kreise der Kinder, am Tisch mit den Freunden in kernhaftem Gespräche oder Gesang geistlicher und weltlicher Lieder. Auch in seinem Privat- und Familienleben ist Luther ein Vorbild für die evangelische Christenheit geworden.

Sie freute sich der Güter, die dem Menschen zum irdischen Wohlsein gegeben, in der Erkenntnis, daß alle Kreatur Gottes gut und nichts verwerflich, das „mit Danksagung“ empfahen wird (1 Tim. 4, 45).

D. Martin Luther auf der Höhe seines Lebens gemalt von Lukas Cranach.
Nach dem Ölgemälde in der Moritzkapelle zu Nürnberg.

Mit herzlicher Freude genoß die evangelische Christenheit den Segen des ehelichen und häuslichen Lebens. Der gewaltige Reformator fand in den harten Kämpfen seines Lebens nächst der Erbauung in Gottes Wort seine beste Erholung im Kreise der Seinen, bei „fromm Gemahl, fromm Kind, fromm Gesinde“. „Es ist keine lieblichere, freundlichere noch holdseligere Verwandtnis, Gemeinschaft und Gesellschaft, denn eine gute Ehe.“ Luther wendete auf sich den Salomonschen Spruch an von dem Manne, dem ein tugendhaftes Weib beschert ist, edler denn die köstlichsten Perlen, und schrieb in seinel Bibe an den Rand zu diesem Spruch: „Nichts lieblicheres auf Erden, als Frauenglück, wem's kann werden." Er hatte sein Gemahl unter jenen Nonnen gefunden

Katharina Luther, geb. von Bora. Nach dem Leben gemalt von Lukas Cranach.
Nach dem Ölbild in der Moritzkapelle zu Nürnberg.

welche acht an der Zal in der Nacht vor dem Osterfest 1522 aus dem Kloster Nimtzsch bei Grimma gen Wittenberg geflohen kamen, wie Luther damals in einem offenen Sendschreiben berichtete, „um ihr Gewissen zu retten". Nachdem Katharina mehrere Jahre im Hause des Wittenberger Stadtschreibers Reichenbach gelebt, hatte sich Luther mit ihr am 13. Juni 1525 vermählt, wie es scheint, nach raschem Entschluß, in Gegenwart des Malers Lukas Cranach und seiner Frau, des Lehrers der Rechte D. Apel, dann des Stadtpfarrers Bugenhagen und des Propsts des Allerheiligenstifts D. Jonas als Trauzeugen. Aus seiner Ehe waren ihm 3 Knaben (Johannes oder Hänschen geb. 1526, Martin 1531 und Paul 1533) und 3 Mädchen erwachsen (Elisabeth 1527, Magdalena 1529 und Margaretha 1534); davon waren zwei frühe verstorben: Elisabeth schon im ersten Lebensjahr, Magdalena oder Lenchen im 14. Jahre, und ihr Tod erschütterte den Vater aufs tiefste, so daß er nachher noch in Briefen bekannte: „seine liebe Tochter sei jetzt zwar neu geboren in Christi ewig Reich und sie sollten Gott dafür danken, doch sei die Macht der zeitlichen Liebe so groß, und das Antlitz, die Werke und Gebärde des lebenden und sterbenden, gehorsamsten und ehrerbietigsten Kindes sei ihnen so tief ins Herz eingesenket, daß sie den Fall nicht ohne Seufzen und Schluchzen des Herzens, ja ohne ein schweres eigenes inneres Sterben ertragen könnten und daß sogar der Tod Christi, mit welchem ja kein anderer sich vergleichen lasse, nicht so wie es sein sollte, ihren Schmerz zu überwinden vermöge." Zumal unter seinen Kindern suchte und fand Luther ja seine Erquickung: „Ach, wie ein großer, reicher und herrlicher Segen Gottes ist im Ehestande, welche Freude wird dem Menschen gezeigt an seinen Nachkommen!" rief er einst aus, als er seine Kinder ansah. Da konnte der ernste, große Mann ein Kind sein unter Kindern in fröhlichem Gemüte; in ihrem Kreise dichtete er sein köstliches Kinderlied auf die Weihnachten vom Kindelein Jesu Luk. 2:

Vom Himmel hoch da komm ich her
Und bring euch gute neue Mähr

und selbst mitten in die Sorgen um sein Werk hinein begleiteten ihn die Gedanken an die Kinder, wie jener schöne Brief bezeugt, den er von der Veste Koburg im Jahre 1530 an sein „Söhnchen Hänschen" schrieb vom Paradiesesgarten, in welchen die Kinder kommen, „die gern beten, lernen und fromm sind." Überhaupt herrschte ein fröhlicher Geist im Hause; war doch die „Musika, die schöne und liebliche Gabe Gottes" die Freundin des Hauses. Und Luthers, durch seine Schüler, deren fast täglich eine Anzahl mittags und abends an seinem Tische saßen, uns aufgezeichnete „Gespräche" oder „Tischreden", im Kreise guter Freunde aus nah und ferne beim einfachen Mahle gethan, — Ernst und Scherz — waren den Tischgenossen die beste Würze des Mahls, und der derberen Art der Zeitgenossen fiel es weniger auf, wenn manchmal das Scherzwort etwas zu derbkräftig ausfiel. Zum vollen Bilde Luthers im Hause und bei den Seinigen gehört auch seine Freude an der Schöpfung Gottes, das Naturgefühl, das ihn beseelte, — wie es uns jene Tischreden schildern. Garten, Feld und Wald, wo er gerne Erholung suchte, jede Blume, die Biene, die Sonne, alle Kreatur stimmt ihn zum Preis des Lobes Gottes, überall erkennt er Sinnbilder des ewigen Lebens. Und angesichts der Frühlingspracht ruft er aus: „hat Gott schon jenes vergängliche Reich so schön geschaffen, wie viel schöner wird er erst das unvergängliche, ewige Reich machen!" (vgl. S. 92). Der ganze Luther als Mensch und als Theolog tritt uns entgegen in einem Brief, welchen er im Jahr 1530 von Koburg an den Stadtschreiber Lazarus Spengler nach Nürnberg schrieb, anläßlich eines Geschenks, welches Prinz Friedrich Johann in dieser Stadt für ihn hatte anfertigen lassen, eines Petschafts mit dem Wappen des Reformators (Kreuz, Herz und Rose, wie es auf der Rückseite des Titelblatts zum A. T. zu Seite 219 abgebildet ist): „Zu diesem Wappen solle das Erste ein schwarz Kreuz sein im lebendig roten Herz, damit es stets daran erinnere, daß der Glaube an den Gekreuzigten uns selig macht, wenn er auch wehe thue: das deute das schwarze Kreuz an, das doch das Herz nicht tötet. Solch Herz solle in einer weißen Rose stehen, anzuzeigen, daß der Glaube Freude, Trost und Friede gibt, kurz in eine weiße, fröhliche Rose setzt. Solche Rose aber steht im himmelfarbenen Feld, denn jene Freude ist ein Anfang der himmlischen Freude. Darum endlich einen goldenen Ring; denn die himmlische Freude hat kein Ende und ist köstlich über alle Freude und Güter, wie Gold ist das höchste, köstlichste Erz."

Auch ein Herz voll Liebe zu seinem deutschen Volke besaß der deutsche Reformator und auch wo er zornig auf die Deutschen schalt, war es doch nur der Eifer um seines Volkes Wohl und Ehre, der ihn dabei beseelte (Röm. 9, 1–5). Überall tritt er in seinen Streitschriften wider das Papsttum für die Freiheit und Ehre seiner Nation ein, und in den zahlreichen Predigten „wider den Türken" mahnt er, daß man den Glaubenshader bei Seite stelle, um den drohenden Feind von den Grenzen des Reichs zurückzuweisen. So ward auch der bürgerliche und vaterländische Sinn durch die Reformation kräftig angeregt. Wenn bei der damaligen Zersplitterung und Zerspaltung Deutschlands Gebet und Bitte sich vor allem auf „fromme und getreue Oberherrn, gut Regiment" beschränkte, so gelang in der reformierten Welt, wo von Anfang an die bürgerlichen und kirchlichen Bestrebungen enger mit einander verflochten waren, die Begründung oder Befestigung des nationalen Gemeinwesens in einem ausgesprochen protestantischen Sinn. Es dauerte lange, bis sich Luther nur in das damals längst begründete und zu Recht bestehende Verhältnis der Unabhängigkeit der deutschen Fürsten von dem Kaiser finden konnte. Ihm galt dieser immer noch nicht bloß dem Namen, sondern auch der That und dem Rechte nach als das Oberhaupt der deutschen Nation. Nur schwer ließ er von den Staatsmännern sich von der Berechtigung der protestantischen Fürsten zum Abschluß des Schmalkaldischen Bundes überzeugen, und es ist höchst fraglich, ob er den Ausbruch des Krieges 1546 nicht zu verhindern gewußt hätte, wenn er noch am Leben gewesen wäre. Wenn die protestantischen Fürsten auf Verhandlungen mit dem König von Frankreich sich einließen, so thaten sie nur, was auch katholische Fürsten vor und nach ihnen gethan hatten, und was sie für berechtigt ansehen konnten, wobei die, welche ihnen das zum Vorwurf machen, nicht vergessen sollten, daß Papst und Kaiser und die Mehrzahl der deutschen Fürsten, die geistlichen voran, zu ihrem Untergang sich verbunden hatten, und sich nicht im geringsten ein Gewissen daraus gemacht hätten, sie von dem Erdboden gänzlich zu vertilgen; es steht aber denen, die den andern zur Notwehr treiben, übel an, ihm zum Verbrechen zu machen, daß er sie ergreift. Was aber die reformierten Gebiete betraf, so kämpften auch diese um ihre Existenz. Wollten sie das erlangte Gut der Glaubensgewißheit nicht preisgeben, so mußten sie sich um ihr Leben wehren, und die vielfache Treulosigkeit, die sie vornehmlich von Seite der französischen Regierung erfuhren, war nicht geeignet, sie zu überzeugen, daß ihr Widerstand unrecht sei. Oder kann man es den niederländischen Provinzen zum Verbrechen machen, daß sie alles daran setzten, sich der Einführung der Inquisition und der Grausamkeit eines Alba zu erwehren?

Eine unleugbare Erscheinung ist auch, daß die protestantischen Völker bald durch ein regeres wirtschaftliches Streben hervortraten. Dieses ward mächtig entbunden durch die Beseitigung so vieler Hemmnisse, wie der vielen Feiertage, kirchlichen Abgaben, durch die Aufhebung der Klöster. Einen Franziskaner, der mit seiner Büchse in eine Schmiede zu Nürnberg trat, fragt der

Meister, warum er nicht lieber sein Brot mit seiner Hände Arbeit verdiene; da wirft der kräftige Mönch den Habit von sich und tritt sofort als Schmiedeknecht ein; Kutte und Büchse aber schickt man ins Kloster. In höherer Art bekundet sich dieser Sinn in dem Leben der Gemahlin des großen Kurfürsten von Brandenburg, Louise Henriette von Oranien († 1667). Unter Herbeiziehung holländischer Gärtner und Landwirte legte sie in ihrem Oranienburg eine Musterwirtschaft an, um ihrem Volke nach der Verwüstung des dreißigjährigen Krieges aneifernd voranzugehen. Große Summen hat sie auf diese Weise zum Besten ihres Volkes aufgewendet.

Doch ruhte alle diese Freiheit und Freudigkeit auf einem demütigen, bußfertigen Sinn, der sich beugte vor Gottes Majestät und Heiligkeit, und die evangelische Christenheit war sich dieser Freiheit als eines Gnadenstandes bewußt. Darum sorgten sich auch die evangelischen Christen darum, daß sie nicht, indem sie ihrer Freiheit brauchten, aus dem Stande der Gnade fielen (Röm. 6).

Die Sorge um Bewahrung des Gnadenstandes.

Vor allem bewegte daher die evangelische Christenheit die Bitte um Vergebung der Sünden in ihrem Herzen. War sie doch von der Erkenntnis durchdrungen: „Wir sind der keines wert, das wir bitten, habens auch nicht verdient, sondern er wolle uns alles aus Gnaden geben, denn wir täglich viel sündigen und wohl eitel Strafe verdienen."

„So ist es ohn Unterlaß vonnöten", sagt Luther, „daß man hieher laufe zu Gottes Gnade und Trost hole, das Gewissen wieder aufzurichten." Auch die Frauen der Reformation bewegen diese Bitte mit tiefstem Ernst in ihrem Herzen. „Ich will von meiner Missethat zum HErrn mich bekehren", bekennt die fromme Kurfürstin Louise Henriette von Brandenburg; sie hatte sich auch ein Bußgebet zum täglichen Gebrauche niedergeschrieben. Aber trotzdem vermochten sie des Trostes in der Gnade Gottes so froh zu werden, daß sie auch gegenüber Tod und Grab beten und singen konnten, wie Paul Eber:

„In Christi Wunden schlaf ich ein,
Die machen mich von Sünden rein."

Dabei stützte sich der lutherische Christ, Luther selbst voran, mehr als der reformierte, auf die verordneten Gnadenmittel, die Sakramente (vgl. S. 181), und auf die amtliche Versicherung, die Absolution.

Nicht mindern Ernst brachten sie auch entgegen den Versuchungen des Lebens. Es that auch not; denn die neugewonnene Freiheit führte auch ihre besonderen Gefahren in ihrem Gefolge. Nicht alle Glieder der Gemeinde standen wirklich im Glauben, sondern manche zogen das Evangelium von der Gnade und von der herrlichen Freiheit der Kinder Gottes auf Mutwillen. Aber es war die Sorge und das Anliegen aller Ernsteren, den Schild ihres Glaubens rein zu bewahren.

Auch fehlte es nicht an besonderer Gelegenheit zur Selbstbesinnung und zur Zucht. Die erste kam, als die *Bilderstürmerei* in Wittenberg begann. Aber da trat Luther auf und warnte in jenen gewaltigen acht Predigten (s. S. 155) vor dem *Mißbrauch* der evangelischen Freiheit (1 Kor. 6, 12; 10, 23): „daß wir nicht auf uns und unsern Glauben oder Vermögen allein dürften sehen, sondern auf unsern Nächsten, daß wir uns nach ihm richten und ihn nicht mit unserer Freiheit beleidigen; man müßte mit den schwachen Brüdern freundlich handeln und sie in aller Sanftmut unterweisen und lehren; der *Glaube* müsse wohl feststehen, aber die *Liebe* müsse sich lenken und schicken nach des Nächsten Notdurft.“ Dabei fordert er, daß in den Dingen, die an sich unnötig seien und freigelassen werden können, jeder müsse lernen für sich selbst stehen. „Darauf müsse aber ein jeder sehen, daß er könne vor Gott und der Welt bestehen, wenn er derhalben angefochten werde.“ Mit Dank bekannten darauf Gelehrte und Ungelehrte, daß sie, „die armen, verführten und geärgerten Menschen vermittelst göttlicher Hilfe durch Luthers Zeugnis wiederum auf den Weg der Wahrheit seien geweiset worden.“

Dieselbe Versuchung kehrte aber nach Luthers Tode wieder in Gestalt einer großen Anfechtung. Mit dem *Augsburger Interim* (s. S. 174) trat nämlich die ernste Frage heran: wie weit es erlaubt sei, hinsichtlich gottesdienstlicher Gebräuche dem Drange der äußern Verhältnisse nachzugeben. Manche schwankten und rieten zur Nachgiebigkeit; die meisten aber erklärten sich gegen das Interim. Mehr denn 400 süddeutscher Prediger wanderten von Haus und Pfarre in die Verbannung oder in das Gefängnis, lieber als daß sie auch nur dem Schein einer Verleugnung der Wahrheit sich aussetzten. Und der gefangene Kurfürst Johann Friedrich, der sich mit der Annahme des Interims die Freiheit hätte erkaufen können, weigerte sich für seine Person entschieden und schrieb an seine Söhne, sie sollten sich lieber aller ihrer Lande berauben lassen und sich allein unter den Schutz des Allmächtigen stellen, als von ihrem guten Bekenntnis weichen. Selbst der Kurfürst Moritz scheute sich, das Interim in seiner ursprünglichen Gestalt anzunehmen, und ließ es durch Melanchthon abändern (s. S. 175). Aber Melanchthon hatte mit seiner Nachgiebigkeit und Friedensliebe einen schweren Stand und zog sich üble Nachrede zu. Doch mochte auch er sich den Anfechtungen, wie er leicht gekonnt, nicht entziehen, sondern lehnte eine ehrenvolle Berufung nach England ab. Während so in der lutherischen Kirche in diesem Streit um die sogenannten Mitteldinge bezüglich der Lehre und des Gottesdienstes das Gewissen geschärft wurde, geschah es in der reformierten Kirche zumeist in verschiedenen Kämpfen um die Sitte und Ordnung der christlichen Gemeinde.

Die Zeit brachte es mit sich, daß sie auch die Bitte um *Erlösung von dem Übel* von rechtem Herzen beteten. War doch das ganze Zeitalter eine Zeit des Kampfes mit dem Worte und mit dem Schwerte, und die Anfechtung war oft sehr groß, also daß auch ein standhafter Mut erschüttert werden konnte. Aber sie standen fest und getrost auf dem Grund der Gnade, darauf sie gegründet waren.

Luther wünschte sehnlich, nachdem er drei Jahrzehnte im heißen Kampfe gestanden, zur Ruhe des Volkes Gottes eingehen zu dürfen, zudem er auch unter viel leiblicher Trübsal seine Arbeit gethan und seinen Kampf gekämpft hatte. Ebenso sehnte sich sein Freund und Gehilfe *Melanchthon*, zumal als er allein stand, herzlich hinweg aus der Wut der streitenden Gelehrten (vgl S. 213). Das war ja auch ein besonderer Übelstand, daß die Kirche der Reformation alsbald durch so heftige Lehrstreitigkeiten in Anspruch genommen wurde. Darum betete gegen das Ende der Zeit einer, der auch viel darin erduldet, Nik. Selnecker:

„Ach Gott, es geht gar übel zu,
Auf dieser Erd ist keine Ruh;
Viel Sekten und groß Schwärmerei
Auf Einen Haufen kommt herbei!"

Aber sie gedachten deswegen doch nicht, mit ihrer Überzeugung zurückzuhalten, sondern sie trachteten in Geduld darnach, Gottes Willen zu thun nach bestem Wissen und Gewissen in aller Überzeugungstreue. Dann kam noch die furchtbare Drangsal des 30jährigen Krieges. Da riefen sie aus tiefster Not:

„Christe, du Beistand deiner Kreuzgemeine,
Eile, mit Hilf und Rettung uns erscheine!"

Doch fehlte es auch da den evangelischen Christen nicht an dem unverzagten, heldenhaften Glauben. Das bezeugt die ganze Haltung des evangelischen Glaubenshelden Gustav Adolf, wie auch sein Schlachtlied, mit dem er bei Lützen in den Streit und Tod zog:

„Verzage nicht, du Häuflein klein!"

Joh. Valentin Andreä (geb. 1586 zu Herrenberg in Württemberg, † als Generalsuperintendent zu Adelberg 1639).

Dies bezeugt der Opfermut so vieler größerer und kleinerer Gemeinwesen, der heldenmütige Widerstand, welchen Bürgerschaften wie die von Stralsund, Magdeburg, Nürnberg, Nördlingen leisteten. Dies bezeugt die Pflichttreue, mit welcher die Diener des geistlichen Amtes mitten unter den Bedrängnissen, womit sie die feindliche Soldateska stets am ehesten bedrohte, mitten unter Pestilenz und Hunger in ihren Gemeinden ausharrten, ohne anderes Panier als ihr Gottvertrauen. Aus dieser Zeit tritt uns besonders die Gestalt des schon einmal genannten Joh. Valentin Andreä entgegen. Als nach der Nördlinger Schlacht a. 1634 ein bayerischer Heerhaufe Calw in Asche legte, da sammelte er an 700 Flüchtlinge um sich, mit denen er im Gebirge umherirrte, bis der Feind abgezogen war, und griff dann entschlossen den Wiederaufbau seiner Gemeinde an; die Not der Seuchen war so groß, daß er binnen einem Vierteljahre mehr als 400 Leichen zu begraben hatte. Und wie er seine kleine Calwer Gemeinde aus den Ruinen wieder emporgebracht hat, so trat später, als er in einen höheren Wirkungskreis berufen ward als Hofprediger und Konsistorialrat in Stuttgart, dieselbe Aufgabe an ihn heran gegenüber der ganzen Württembergischen Landeskirche, die durch den Krieg dem Ruin anheimzufallen drohte.

Es war eine Zeit, in welcher die evangelische Christenheit in der Treue und im Glaubensmut auf eine Probe gestellt wurde, ähnlich wie sie die junge Christenheit in der Zeit der römischen Verfolgungen ablegen mußte. Und daß sie diese Probe bestanden hat, davon singen und sagen auch die herrlichen Kreuz und Trostlieder, die jener Zeit entstammen, die herrlichsten von allen Paul Gerhards (1606—1676), der, wie er selbst viel Leid erfahren, auch die gemeinsame Not der Zeit mitgetragen, und der mahnt:

„Befiehl du deine Wege
Und was dein Herze kränkt,
Der allertreusten Pflege
Des, der den Himmel lenkt",

und der in der Gewißheit seines Gnadenstandes bekennt:

„Ist Gott für mich, so trete
Gleich alles wider mich,
So oft ich ruf und bete,
Weicht alles hinter sich!"

In allen Übelständen aber, unter denen man litt, war die lutherische Gemeinde geneigter zur leidenden Ertragung, die reformierte mehr zur thatkräftigen, nicht selten stürmischen Überwindung derselben.

IV. Erziehung und Unterweisung.

Taufe und Kinderlehre.

Facsimile des Holzschnittes zum 1. Hauptstück in der zweiten Ausgabe von Luthers Großem Katechismus, illustriert von Lukas Cranach (Wittenberg 1530).

Bezüglich der Taufe wurde im wesentlichen nichts geändert, nur daß die Form der Handlung gereinigt und verkürzt wurde. Insbesondere wurde auch mit der Kindertaufe die Stellung der Kirche als Volkskirche festgehalten.

Gegen Ansichten, wie sie da und dort aus dem Gebiete der reformierten Kirche laut wurden, wurde (Art. 9) gelehrt: „daß die Taufe nötig sei und daß dadurch Gnade angeboten werde, daß man auch die Kinder taufen solle, welche durch solche Taufe Gott überantwortet und gefällig werden. Derhalben werden die Wiedertäufer verworfen, welche lehren, daß die Kindertaufe nicht recht sei.“

Luthers Katechismus.

Die Siebend bitt
Sondern erlö
vns von dem vbe
Was ist das? Antwo
Wir bitten ynn diesem g
bet/ als ynn der summa / d
vns der Vater ym Hymel v
allerley vbel leibs vnd seel
guts vnd ehre erlöse/ vnd
letzt weñ vnser stündlin kom
ein seliges ende beschere/ v
mit gnaden von diesem iam
tal zu sich neme yn den hym
F ij

Ein aufgeschlagenes Blatt der zweiten Ausgabe von „Luthers Kleinem Katechismus für die gemeinen Pfarrherrn und Prediger“ (in Duodezformat). Die zweite Ausgabe erschien, wie die erste (welche uns nicht mehr erhalten ist) im Jahre 1529 in Wittenberg. Die drei ersten Hauptstücke sind mit Bildern verziert.

Um so ernstlicher wurde auf die Unterweisung der christlichen Jugend Bedacht genommen, „daß sie glauben lernten“. Während Melanchthon, der praeceptor Germaniae (Lehrer Deutschlands), vor allem für die höhern Schulen sorgte, nahm sich Luther der Jugend des Volkes, auch der Mädchen an. Schon im Jahre 1524 ließ er eine Schrift ausgehen „an die Bürgermeister und Ratsherrn aller Städte Deutschlands, daß sie christliche Schulen aufrichten und halten sollten.“ Er selbst that das Beste in der Sache, indem er, gedrungen durch die klägliche, elende Not, welche er in den Jahren 1527 und 28 als Visitator im Kurfürstentum Sachsen erfahren, seinen unvergleichlichen kleinen Katechismus verfaßte, in Frag und Antwort, „wie sie ein Hausvater seinem Gesinde einfältiglich fürhalten soll“. Demselben war einige Monate vorangegangen der „große

Katechismus", für die Pfarrer und Hausväter bestimmt „auf der Kanzel vorgepredigt und daheim in den Häusern des Abends und Morgens vorgelesen zu werden." Sie enthalten beide gleichmäßig (nur mit größerer oder geringerer Ausführlichkeit) die zehn Gebote, das apostolische Glaubensbekenntnis, das Vaterunser, die Bibelstellen über die Sakramente mit fortlaufenden untengesetzten Auslegungen. „Unvergängliche Vorbilder, wie eine hohe Weisheit dem Volke in einfältiger Rede gelehrt werde nach der Weissagung, die sie erfüllten, daß den Kindern das Himmelreich gepredigt werden solle."

Von Luthers kleinem Katechismus sagt ein neuerer Geschichtschreiber der Reformationszeit, Leopold v. Ranke: „Er ist ebenso kindlich wie tiefsinnig, so faßlich wie unergründlich, einfach und erhaben. Glückselig, wer seine Seele damit nährte, wer daran festhält: Er besitzt einen unvergänglichen Trost in jedem Momente, nur hinter einer leichten Hülle den Kern der Wahrheit, der dem Weisesten der Weisen genug thut!" Und wirklich konnte Luther mit großer Freude bald rühmen: „Es wächst jetzund daher die zarte Jugend, mit dem Katechismus und der Schrift wohl zugericht, daß mirs in meinem Herzen sanft thut, wie jetzt junge Knaben und Mägdlein mehr lernen, glauben und reden können von Gott, von Christo, denn zuvorhin und noch alle Stifte, Klöster und Schulen gekonnt haben und noch können. Es ist fürwahr solch ein junges Volk ein schön Paradies, desgleichen auch in der Welt nicht ist." Freilich wurde dieser Unterricht nach und nach nur Gedächtnissache, aber in dieser Beziehung wurde noch gegen das Ende des Zeitraums durch den Bischof der böhmischen Brüdergemeinde, J. Amos Comenius, Verfasser des orbis pictus († 1671), eine Besserung angebahnt.

Nicht minder machte sich bei der Erziehung der Jugend ein großer Fortschritt bemerklich. „Wasser thuts freilich nicht, sondern das Wort Gottes, so mit und bei dem Wasser ist, und der Glaube, so solchem Worte Gottes im Wasser trauet." Auch in der Erziehung war nun das Wort die Hauptmacht geworden statt der äußerlichen Gebräuche. Der Katechismus Luthers wurde nicht bloß Kirchen- und Schulbuch, sondern auch Hausbuch.

Ein Jeder lern sein Lection,
so wird es wohl im Hause stohn,

war der Spruch, den Luther der Haustafel beisetzte.

Von der Bedeutung des Katechismus auch für die häusliche Erziehung legte Fürst Georg von Anhalt Zeugnis ab, indem er eigenhändig in seinen Katechismus schrieb: „Nächst der Bibel ist dieses Buch mein bestes Buch." Er hat es also gehalten und viele mit ihm, wie Luther selber von sich sagt: „Ich bin auch ein Doktor und Prediger, noch thue ich wie ein Kind, das man den Katechismus lehret, und lese und spreche auch von Wort zu Wort des Morgens und wenn ich Zeit habe, die zehn Gebote, Glauben, das Vater unser u. s. w. und muß ein Kind und Schüler des Katechismus bleiben und bleibs auch gerne."

Die Konfirmation.

Die Firmelung durch den Bischof, welche die Taufe in den Hintergrund gedrängt hatte, wurde abgeschafft. Für die Zulassung zur Abendmahlsfeier bildete sich eine besondere Handlung heraus, die Konfirmation. Auch nach der Schulzeit (und nach der Konfirmation) ward die Jugend zum Besuche der Christenlehre angehalten.

Für die Confirmation wurde geordnet, daß nach vorausgegangener Prüfung und nach abgelegtem Bekenntnisse des Glaubens sollte Fürbitte über die jungen Christen von der Gemeinde geschehen unter Handauflegung durch den Diener Christi. Doch wurde diese heilige Handlung vorerst nur in wenigen Kirchen eingeführt. In der Christenlehre wurde mit Fleiß auch über die Predigt des Tages geprüft, damit Gottes Wort recht gehört und bewahret werde. Auch wurde in häufigen Visitationen durch die kirchlichen Obern auf Bewahrung des Bekenntnisses und Mehrung der Erkenntnis gehalten.

Predigt und Erbauung.

Nun gelangte auch die Predigt zu ihrer vollen Entwicklung und Geltung. Wie Luther dem deutschen Volke die Bibel erst wieder zurückgab, indem er sie ihm verdeutschte, so eröffnete er ihm nun auch ein rechtes Verständnis des Bibelwortes in der lebendigen Auslegung auf der Kanzel. Waren auch vor Luther in der alten Kirche einzelne mächtige Kanzelredner aufgetreten, so bestand deren Stärke doch nicht in der Schriftauslegung, und im allgemeinen war die Kanzel ein Tummelplatz eitler Schulweisheit oder kindischer Legendenerzählung geworden. Luther wies auf die Schrift hin als den Grund, auf dem alle Predigt ruhen muß, und als den Boden, in dem sie allein wurzelt und aus dem sie allein ihre Nahrung zieht. Der Prediger muß nach Luther im Wort Gottes leben und weben: das kleinste Schriftwort wird ihm dann Stoff genug zu einer Predigt sein. „So einer ein Wort Gottes hat, sagt er einmal, und kann nicht eine Predigt daraus machen, der soll nimmermehr ein Prediger sein.“ Auch verschaffte die Predigt nicht zum geringsten dem reformatorischen Gedanken von der Erneuerung der Christenheit den raschen Durchbruch und siegreichen Einzug in die Herzen des Volkes.

Es hat in der ganzen Geschichte der christlichen Kirche seit der Apostel Zeiten wohl keinen Prediger gegeben, der unermüdlicher des Amtes der Predigt gewartet hatte, als Luther, der solange noch ein Atemzug in seiner Brust war, seinen Brudern das Evangelium von dem Erlöser predigte. Er predigte in Wittenberg oft an einem Tage drei und vier Mal, seitdem er im Jahre 1515 an der städtischen Pfarrkirche das Predigtamt aushilfsweise übernommen, und legte außer den regelmäßigen Predigten über die Sonntagstexte u. a. in dem Jahre 1517 die „Zehn Gebote“ und das „Vaterunser“ in eingehenden Wochenpredigten aus, und auch nachdem im Jahre 1521 Bugenhagen das Stadtpfarramt übernommen hatte, predigte Luther ungeachtet seiner andern Pflichten aushilfsweise und während der wiederholten Jahre langen Abwesenheit Bugenhagens regelmäßig an Sonn- und Wochentagen. Unter die folgereichsten Ereignisse der Reformationszeit zählt das Erscheinen von Luther's Deutscher Kirchenpostille. Er hatte dieselbe, einer Anregung Friedrichs des Weisen folgend, bereits auf der Wartburg im J. 1521 begonnen. Der erste Teil, umfassend zwölf Predigten über die Episteln und ebensoviele über die Evangelien, vom 1. Adventsonntag bis zum Christfeste reichend, erschien bereits im Beginne des Jahres 1522 unter dem Titel:

Außlegung
der Epistel und Evangeli.
Martinus Luther.

und noch im gleichen Jahre folgte die Fortsetzung bis Epiphanias; aber erst im J. 1525 konnte auch diejenige bis Ostern folgen. Die Sommerpostille gab er wegen der andern Arbeiten, die seine Zeit in Anspruch nahmen, nicht selbst heraus, sondern „ließ es sich gefallen", daß der Magister Roth aus Zwickau sie teils nach früheren Einzeldrucken, (die fortwährend von den Buchdruckern nach seinen Predigten veröffentlicht wurden), teils nach Nachschriften zusammenstellte. Das ganze Werk ward dann von Luther selbst mit Cruciger's Hülfe in den Jahren 1540—1544 neu durchgesehen und ergänzt. Er wollte die Kirchenpostille für die Geistlichen bestimmt wissen, denen es ja teilweise gar sehr an der Fähigkeit mangelte zur Ausübung des Predigtamts. In seiner Bescheidenheit war es sein höchster Wunsch, wie er am Schluß des ersten Teils der Postille erklärte, daß jeder Christ die Schrift selbst vornähme und daß „darüber seine eigene und aller Lehrer Auslegung untergienge." Nur bis dahin sollte seiner Postille gedacht werden.

Über die Art dieser seiner Predigt äußerte Luther selbst einmal später: „Die Episteln und Evangelien seien hier deutlich und lüstiglich zugerichtet und vorgekaut, wie eine Mutter ihren Kindern den Brei vorkaue." Nur Eines wolle er predigen: „die Weisheit vom Kreuze" zuerst das Gesetz, „daran die Leute lernen sollen, wie große Dinge Gott von uns fordere", und zum anderen, „wenn also der Mensch gedemütigt durch sein Selbsterkenntnis, an ihm selbst und an seinem Vermögen muß verzagen", das Evangelium: „sehet

Veit Diedrich, Prediger in Nürnberg (nach dem seltenen Holzschnitt von Tobias Stimmer.

Johann Arndt († 1621), Pastor in Celle (nach einem gleichzeitigen Kupferstiche).

da, das ist das Lamm Gottes, das der Welt Sünde auf sich nimmt!" Gesetz und Evangelium, das ist das A und das O aller seiner Predigt, wie es die Botschaft ist, die in allen Evangelien und Episteln dieselbe bleibt: von unserer Schwachheit auf den Einen Christus hinzuweisen, „den wir vor allem als Geschenk Gottes aufnehmen sollen und der dann auch zum Exempel für uns werden und uns viele gute Lehren und liebliche, freundliche Mahnungen geben wolle." — Es wird eine Geschichte erzählt, welche uns Luthers Meinung von der richtigen Art zu predigen, recht ins Licht stellt. Als Bucer (s. S. 182) nach dem Abschluß der Wittenberger Konkordie am Sonntag nach Himmelfahrt 1536 in Wittenberg predigte, da meinte Luther: „Bucer's Predigt habe ihm ja wohl gefallen, aber doch möchte er sich für einen besseren Prediger halten. Er wolle sich nicht rühmen, er erkenne seine Schwachheit und wisse nicht so scharfsinnig und gelehrt wie Butzer zu predigen; aber wenn er auf die Kanzel trete, sehe er seine Zuhörer, arme Laien und Wenden, an und predige diesen, wie eine Mutter ihrem Säugling Milch und nicht feinen Syrup aus der Apotheke zum Trinken gebe; Butzer aber halte seine Predigt gar zu hoch, schwebe in den Lüften und im Geist, Geist!"

Das wurde auch bald das Übel der evangelischen Predigt, daß zu viel Gelehrsamkeit auf die Kanzel kam. Doch wirkte in den Predigern des 16. Jahrhunderts noch Luthers Geist. Seine Freunde und Genossen, Bugenhagen, Jonas, Link († 1547) und noch viele andere Zeitgenossen Luthers waren tüchtige Ausleger des göttlichen Worts; Veit Diedrich, in Nürnberg, Joh. Brenz in Stuttgart, Lukas Osiander in Tübingen gaben treffliche Predigtpostillen heraus; Joh. Mathesius, der auch an der Sammlung der „Tischreden" wesentlichen Anteil hatte, Rektor und hernach Prediger in Joachimstal, einer Bergwerksgemeinde im böhmischen Erzgebirge, schilderte in köstlichen Predigten voll unvergänglicher erbaulicher Kraft seiner Gemeinde und dem ganzen evangelischen Volke das Leben seines Lehrers Luther („Mathesii Historien von Luthers Leben"); Bugenhagens Nachfolger an der Wittenberger Stadtpfarrkirche, Paul Eber († 1590), Melanchthons Freund, trat in den Kämpfen der Zeit um die Lehre hervor, machte sich als Liedersänger (s. unten) einen Namen und verwaltete endlich über dreißig Jahre das Predigtamt an der Wittenberger Gemeinde. Aber je mehr die Streitigkeiten um die Lehre in den Vordergrund treten, um so mehr zieht sich die Auslegung des lebendigen Schriftwortes vor der Gelehrsamkeit, die sich nun auch auf der Kanzel breit machen will, zurück, und im 17. Jahrhundert begegnen wir Predigern, welche lateinische, griechische, ja hebräische Anführungen in ihre Predigten verweben. Doch in den schweren Zeiten des dreißigjährigen Krieges standen wieder treffliche Hirten und Zeugen auf, die dem armen Volk wahrhaft zum Herzen und in die Gewissen predigten. Wieder tritt uns der schon öfter genannte Calwer Dekan und nachmalige Stuttgarter Hofprediger Joh. Val. Andreä († 1654) entgegen, der das Wirken des christlichen Predigers mit folgenden Worten schilderte (in seiner „Christenburg"): „Als eine Schande würde es der Prediger erachten, andere zu etwas zu ermahnen, worin er nicht mit der That vorangegangen, so daß er, wenn er in der Versammlung steht, auch schweigend redet". In Braunschweig und nachmals in Celle predigte Johann Arndt († 1621), in Quedlinburg Christian Scriver († 1693), in Fraustadt Valerius Herberger, in Rostock Heinrich Müller († 1675), in Zeitz Joh. Habermann († 1590), die alle auch die Verfasser wahrhaft köstlicher Erbauungsbücher geworden sind. In seinen „vier Büchern vom wahren Christentum" (Erste Ausgabe 1605) mit dem „Paradiesgärtlein" von Gebeten als Anhang (1612) führte Joh. Arndt die Christenheit zu der älteren Mystik zurück, von welcher ja auch Luther gelernt hatte, und ein reicher Segen ruhte auf diesem Buch, das bis auf den heutigen Tag in immer neuen Ausgaben aufgelegt wurde und immer neuen Geschlechtern

Paul Eber († 1590), Stadtpfarrer zu Wittenberg (nach dem gleichzeitigen Kupferstich).

den Lebensbrunnen wahrhafter Frömmigkeit öffnete. Habermann's Gebetbuch für alle Tage in der Woche (Erste Ausgabe 1574), Valentin Herberger's „Herzpostille", Heinrich Müller's „Geistliche Erquickstunden" und „Himmlischer Liebeskuß", Christian Scriver's „Seelenschatz" und „Gotthold's zufällige Andachten" von demselben, — waren Bücher, die in wenigen christlichen Häusern fehlten und den Geist gesunder und echter Frömmigkeit atmeten und erweckten.

V. Gottesdienst und Festfeier.

Der evangelische Gottesdienst.

Facsimile des Holzschnittes zum 5. Hauptstück der zweiten Ausgabe von Luthers Großem Katechismus, illustriert von Lukas Cranach (Wittenberg 1530).

Die Reformation des Gottesdienstes richtete sich vor allem auf Beseitigung des Mißbrauchs, welcher mit dem Sakrament des Leibes und Blutes des HErrn im „Meßopfer" der römischen Kirche geschehen war. Mit aller Macht wurde die römische Lehre, welche aus dem Gottesdienst ein Opfer, ein gutes Werk machte, Gottesdienst in Werkdienst verkehrte, zurückgewiesen. Im 25. Artikel der Augustana wird bezeugt: „Es ist kein Opfer für die Erbsünde und andere Sünde, denn der einige Tod Christi; denn also stehet geschrieben zu den Ebräern, daß sich Christus einmal geopfert hat und dadurch für all unsere Sünde genug gethan. Es ist eine unerhörte Neuigkeit, in der Kirche lehren, daß Christi Tod sollte allein für die Erbsünde und sonst nicht auch für andere Sünde genug gethan haben." Demgemäß wurde nun das Meßopfer samt allem was damit zusammenhing, beseitigt, zugleich aber auch der Gemeinde wieder das „Abendmahl" und zwar in beiderlei Gestalt zurückgegeben. Das Bekenntnis über das Abendmahl, über welches, wie S. 179 u. ff. erzählt, die reformirte Kirche sich leider nicht mit der lutherischen einigen konnte, wurde in Art. 10 der Augsburger Konfession — zugleich gegenüber der katholischen Verwandlungslehre (s. S. 117) und der zwinglischen Anschauung, welche in dem Brot und Wein nichts als ein sinniges Gleichnis sah, — dahin festgestellt, „daß wahrer Leib und Blut Christi wahrhaftiglich unter der Gestalt des Brotes und Weines im Abendmahl gegenwärtig sei und da ausgeteilt und genommen werde." Die Gemeinde trat nun im Gottesdienste mehr hervor, nach dem Grundsatz des allgemeinen Priestertums; damit ergab sich notwendig, daß die lateinische Sprache aus dem Gottesdienst verschwand. Alles Gottesdienstes größtes und vürnehmstes Stück ist nach D. Luther aber Gottes Wort lehren und predigen. Die **Predigt** trat nun in die Mitte des gesamten Gottesdienstes, und an sie schloß sich alles übrige an.

Im J. 1526 gab Luther seine Schrift heraus: „**Die deutsche Messe und Ordnung Gottesdiensts zu Wittenberg fürgenommen**" mit Singstimmen für die Evangelien, Episteln und Abendmahleinsetzungsworte (die der Geistliche nach dem alten Brauch singend vortragen sollte). Er ließ im Jahr 1525 den kurfürstlichen Sangmeister Konrad Rupf und dessen Gehilfen Johannes Walther nach Wittenberg kommen und setzte mit ihnen die Musik der Liturgie fest, und zwar mit möglichster Anlehnung an die ältere Zeit, wobei aber der Anpassung der Musik an die **deutschen** Schriftworte gebührend Rechnung zu tragen war. Jene Schrift stellte die Grundsätze für den evangelischen Gottesdienst fest, ohne jedoch ein „Gesetz" geben zu wollen. „Wir stellen solche Ordnungen gar nicht um derer willen, die bereits Christen sind", sagt er, „denn die brauchen der Dinge keines; sie haben ihren Gottesdienst im Geist. Man muß sie aber derer wegen haben, die erst Christen werden oder im Christentum stärker werden sollen, allermeist um der Einfältigen und des jungen Volkes willen." Um ihretwillen wollte Luther auch sinnenwirkende Mittel nicht überflüssig halten, ja, „wo es hilflich und förderlich wäre, mit allen Glocken lassen läuten und mit allen Orgeln pfeifen und Alles klingen lassen, was klingen könnte." Er beseitigte also von den Kultusformen der alten Kirche nur die abgöttischen Stücke und übernahm hingegen eine reiche Erbschaft erbaulicher Gebräuche. — Die **Gottesdienstordnung** stellte sich demnach, wie folgt, her: Zum Eingang ein geistlich Lied oder Psalm, dann das Kyrie und Gloria („Allein Gott in der Höh sei Ehr"), kurzes Gebet und Epistellektion (vom Geistlichen gesprochen und gesungen), Evangelium und Glaubensbekenntnis (welches Luther für den Gemeindegesang in Liedform brachte: „Wir glauben all an einen Gott"). Nun folgt die Predigt über das Evangelium — der Mittelpunkt des ganzen Gottesdienstes — und das Vaterunser (von Luther gleichermaßen der singenden Gemeinde mundgerecht gemacht in seinem Lied: „Vater unser im Himmelreich"). Daran nun schließt sich als zweiter Teil des Gottesdienstes das Abendmahl. Die Einsetzungsworte trägt der Geistliche singend vor. Nach der Konsekration stimmt die Gemeinde das „Sanctus" an (in den von Luther verdeutschten Weisen „Heilig, heilig ist der Herr Zebaoth" oder „Jesaia dem Propheten das geschah, daß er im Geist den Herren sitzen sah") und während der Austeilung Husens (von Luther gleichfalls verdeutschtes) Lied: „Jesus Christus unser Heiland, der von uns den Zorn Gottes wandt" u. s. f. Luther hatte, wie man sieht, schon in den ersten Jahren nach der Reformation einen reichen Schatz deutscher Lieder für den Gesang der Gemeinde geschaffen, welche nunmehr überall recht im Gegensatz zu der früheren Zeit in den Vordergrund tritt.

„Die katholische Kirche", sagt Cl. Harms, „ist eine herrliche Kirche; sie hält und bildet sich vorzugsweise am Sakramente. Die reformierte Kirche ist eine herrliche Kirche; sie hält und bildet sich vorzugsweise am Worte Gottes.

Herrlicher als beide ist die lutherische Kirche; sie hält und bildet sich am Sakramente, wie am Worte Gottes." — Die katholische Kirche hat freilich in unevangelischer Weise mit ihrem Sakrament eine ähnliche Stellung einzunehmen gesucht, wie zu der sie Maria, die Mutter des HErrn, erhoben, eine heilsschaffende. Die reformierte Kirche hat vielfach einen nicht selten unruhigen Drang vom Hören des Wortes zum Marthadienst, zum Gottesdienst der That gezeigt. Die lutherische Kirche hat von je am liebsten zu den Füßen des HErrn gesessen und seiner Rede zugehört, wie Maria that, und hat sich vom HErrn dienen lassen in seinem Wort und Sakrament; doch mußte sie manchmal von der Schwesterkirche sich anregen lassen, daß „sie es auch angreife."

Leider erhielten Unwissenheit und Geschmacklosigkeit auf dem Gebiet des Kultus sowohl in der lutherischen als noch mehr in der reformierten Kirche später die Oberhand, so daß die von Luther gegebenen köstlichen Fingerzeige und Anregungen nicht volle Frucht tragen konnten. Anstatt daß man die in seiner Schrift „über die deutsche Messe" gegebenen Grundlinien weiter auszubauen gesucht hätte im Sinne einer Bereicherung der gottesdienstlichen Einrichtungen und Formen (wobei man auch dem Abendmahl eine centralere Stellung hätte einräumen sollen), verarmte der Kultus mehr und mehr unter dem Einfluß einer falschen Scheu vor „katholisirendem" Wesen, und es nahm, vornehmlich im 17. und 18. Jahrhundert, die Geschmacklosigkeit immer mehr überhand.

Die heiligen Zeiten.

Mit der Messe fielen noch verschiedene andere Gottesdienste hinweg, weil sie nicht schriftgemäß waren oder doch des Guten darin zu viel geschah. Es wurden nun bloß diejenigen Feste mehr gefeiert, welche sich auf die Gründung der christlichen Kirche bezogen, von Heiligenfesten nur die, welche mit der Schrift begründet werden konnten. Als ein neues Fest trat das Reformationsfest ein, neben ihm der Bußtag.

Im Gegensatz zu dem katholischen Fronleichnamsfest trat die Feier des Charfreitags bedeutsam hervor, wie die Passionszeit mit ihren Passionsandachten gegenüber der katholischen Fastenzeit. Das Reformationsfest als Stiftungsfest der evangelischen Kirche kam erst gegen das Ende des Zeitraums auf und wurde zuerst in Kursachsen (1668) gefeiert. In der Drangsal des 30jährigen Krieges fieng man auch an, Landesbußtage auszuschreiben, welche dann feststehend wurden, wie in der reformierten Kirche von Anfang an geschehen. Dabei traten in der reformierten Kirche die Feste sehr zurück gegen den Sonntag, den „gebotenen" Sabbath; in der lutherischen Kirche wurden zunächst sogar noch die dritten Festtage beibehalten.

Die Feier des Abendmahls begann gewöhnlich mit der Osterzeit und ging durch bis zum Schluß des Kirchenjahres; in der reformierten Kirche wurde es vierteljährlich zugleich als Bußfeier der Gemeinde begangen.

Um aller dieser Änderungen im Gottesdienste willen mußten die Evangelischen viele Nachreden erdulden; aber sie durften bezeugen (Art. 24): „Man legt den Unsern mit Unrecht auf, daß sie die Messe (was soviel heißt, als der Gottesdienst) sollen abgethan haben. Denn das ist öffentlich, daß die Messe, ohne Ruhm zu reden, bei uns mit größerer Andacht und Ernst gehalten wird denn bei den Widersachern." Das Volk wußte auch zu schätzen, was es an dem gereinigten Gottesdienste hatte, und hielt sich im Ganzen fleißig zur Kirche, auch nachmittags und in den Wochengottesdiensten mit ihrer Schriftlesung oder ihren Katechismuspredigten. In Wittenberg ward alltäglich Gottesdienst gehalten, und zwar an den fünf ersten Wochentagen des Morgens, am Sonnabend in der Vesper. Da legte Luther die Bergpredigt u. s. f. aus (wie früher schon die zehn Gebote, das Vaterunser, s. S. 231). An den Sonntagen wurde drei Mal gepredigt, und zwar früh um 5 oder 6 Uhr über die sonntägliche Epistel, um 8 oder 9 Uhr über das Evangelium und nachmittags über das alte Testament. Und trat auch mehr und mehr die Kanzel fast ungebührlich in den Vordergrund, so wurde doch auch der Altar nicht umgangen. Mit dankbarer Freude empfingen da die lutherischen Christen das Unterpfand der Vergebung der Sünden, und sie wußten, „wo Vergebung der Sünden ist, da ist auch Leben und Seligkeit“ durch Christum. Und die reformierte Gemeinde fühlte sich erhoben und gestärkt zu ihrem Werk durch das Bewußtsein ihrer Gemeinschaft in dem HErrn. Allerdings aber überwog mit der Zeit, zumal bei den lutherischen Christen, das „zur Predigt gehen“ allzu sehr gegen das Übrige, was zum Gottesdienst gehört.

Die heiligen Stätten und die bildenden Künste.

„Essen und Trinken thut's freilich nicht“, lehrte Luther im Katechismus, „sondern die Worte, so da stehen: für euch gegeben und vergossen zur Vergebung der Sünden“. Von der Äußerlichkeit hinweg strebte die evangelische Kirche auch in der Form des Gottesdienstes, und wie alle Zeremonien weichen mußten, die nicht im Wort Gottes begründet waren, so trat überhaupt alles zurück, was die Wirkung des Wortes durch die Zerstreuung der Gedanken und Sinne hemmen konnte, und insbesondere das Bildliche und Sinnbildliche, das im katholischen Cultus eine so große Bedeutung erlangt hatte, wurde auf seinen wahrhaft erbaulichen Wert und seinen schriftmäßigen Gehalt geprüft. Dies hatte den größten Einfluß auf die Stellung der Kirche zu der bildenden Kunst. Doch war die Reformation mit nichten bilderfeindlich, und Luther betonte „wie insbesondere die Leute und Einfältige durch Bildnis und Gleichnis besser bewegt werden können, die göttliche Geschichte zu behalten als durch bloße Worte und Lehre in Katechismus und Predigt 2c. und er bekannte: „Ich wollte alle Künste, sonderlich die Musika gern sehen im Dienst des, der sie gegeben und erschaffen hat.“ Strenger freilich verhielt sich die schweizerische Reformation gegen die Bilder, welche sie als eine Quelle der Abgötterei aus den Kirchen verbannte, wie auch der Heidelberger Katechismus (s. S. 183) in der 98. Frage thut: „denn wir nit sollen weiser sein denn Gott, welcher seine Christenheit nie durch stumme Götzen, sondern durch die lebendige Predigt seines Wortes will unterwiesen haben.“ Demgemäß gelangt die reformirte Kirche, auch wo sie mit dem bilderstürmerischen

Treiben (s. S. 154) nicht einverstanden war, doch wie in allen gottesdienstlichen Fragen, so auch hinsichtlich der Ausstattung der kirchlichen Stätten und des Gebrauchs bildlicher Mittel in den schroffsten Gegensatz gegen das Überlieferte, während Luther und seine Kirche wo immer möglich den Anschluß an dasselbe bewahrte.

Das Mittelalter hatte im gotischen Baustil mit seiner himmelanstrebenden Bewegung einen wunderbar gewaltigen Ausdruck gefunden für die tiefe Sehnsucht nach Gott, welche jene Zeit erfüllte. Gerade aber in den Städten, die nunmehr der Reformation so begeisterte Aufnahme gewährten, hatte dieser Stil seine höchste Entwicklung und reichste Verwendung gefunden, während die Hierarchie länger an dem romanischen Stil festhielt. Es ist gesagt worden, daß der gotische Spitzbogen, in welchem der stolze Rund- oder Kreisbogen, den die Kirche noch von der römischen Zeit überkommen hatte, gebrochen erscheint, dadurch dem Beschauer zu verstehen geben will, daß es sich da nicht mehr um weltliche Macht und Größe handle (deren Symbol der Rundbogen als römischer Triumphbogen und so auch noch in den an den Bischofsitzen erstehenden romanischen Bauten sei), sondern im Gegenteil der Bruch aller irdischen Größe und Herrlichkeit — die Armut — die Voraussetzung sei, auf welche sich die Nachfolge Christi gründet, und so sei es auch kein Zufall, daß in den gotischen Kirchen von den Steinmetzen im Bildwerk an Dachausläufern, in Ecken und Winkeln so viele Ausfälle gegen Klerus und Hierarchie sich angebracht finden. Gerade in der zweiten Hälfte des 15. und noch im ersten Viertel des 16. Jahrhunderts, als überall der Gegensatz gegen die römische Hierarchie und Tyrannei in deutschen Landen sich schon mächtig regte, hatte die Bauthätigkeit ihren Höhepunkt und einen Umfang erreicht, von der wir uns heute keine Vorstellung machen könnten, würden nicht die allerorts noch vorhandenen, im Vergleich zu dem ehemaligen Reichtum freilich ärmlichen Überreste davon zeugen. Es ist kein Wunder, wenn zunächst das Bedürfnis nach der Errichtung von Gotteshäusern mehr als genügend befriedigt war und die Reformation auf diesem Gebiet keine Aufgabe vorfand.

Aber auch auf dem Gebiet der Bildnerei und Malerei wurden die Aufgaben in der protestantischen Welt andere. Die Anregungen, welche der katholische Kultus diesen Künsten gegeben, fielen hinweg, die reformatorische Lehre wollte eben die Gewissen erneuern, und von dem Äußerlichen, welches die katholische Welt schließlich als das Wesen nahm und abgöttisch verehrte, nach dem Innern wenden. So verhielt sie sich wenigstens anfänglich zwar nicht notwendig feindselig, aber doch mehr gleichgültig gegen den bildlichen Ausdruck religiöser Gedanken. Dies gibt der neuen protestantischen Welt gleichsam ein nüchterneres Gepräge, als es der farben- und bilderfröhliche Katholicismus trug. Aber gerade dies entsprach ja dem heiligen Ernste, der die Reformation Luthers beseelte. Und doch sehen wir auch diesen heiligen Ernst in einem großartigen Bilde verkörpert, welches ein unvergänglicher Ausdruck der auf die Schrift und den Glauben als alleiniges Lebensprinzip des Christentums gegründeten protestantischen Gesinnung geworden ist und in dieser Beziehung dem Lutherlied: „Eine veste Burg ist unser Gott" würdig zur Seite tritt. Es ist dies das Apostel- und Evangelistenbild Albrecht Dürer's, das der ehrwürdige Nürnberger Meister als sein Bekenntnis zum Evangelium im Jahr 1526 malte und als ein Vermächtnis seiner Vaterstadt zum Geschenk machte; zwei Tafeln mit je 2 fast überlebensgroßen Figuren:

Alle Regenten in diesen gefährlichen Zeiten sollen billig Acht haben, daß sie nicht für das göttliche Wort menschliche Verführung annehmen, denn Gott will nichts zu seinem Wort gethan noch davon genommen haben. Darum höret diese trefflichen vier Männer Petrum, Johannem, Paulum und Markum!

Ihre Warnung:

1 Joh. 4, 1–3. 2 Petr. 2, 1–3. Ev. Marci 12, 38—40. 2 Tim. 3, 1—7.

auf der linken Johannes und Petrus, auf der rechten Paulus und Markus, darunter ein Mahnruf an die weltlichen Regenten sich zu hüten, „für das göttliche Wort menschliche Verführung anzunehmen", und Bibelstellen aus jener Schriften — auf der einen Tafel gegen die Neuerer, Schwarmgeister, Sectierer und Wiedertäufer, auf der andern gegen die römische Kirche, den üppigen Klerus und die vom Wissensdünkel erfüllten Humanisten gerichtet. Mit besonderer Vorliebe sind Johannes, der Lieblingsevangelist Luthers, und Paulus, der Bannerträger der Reformation, behandelt. Man hat in dem Kopf des Johannes, der sinnend in das geöffnete Buch (den Anfang seines Evangeliums) blickt, eine Ähnlichkeit mit Melanchthon finden wollen, dem Dürer nahe befreundet war, und den er auch gemalt hat (s. S. 163); neben Johannes tritt Petrus, „ein Greis, der verdrossen mit in das Buch hineinschaut", einigermaßen zurück. Der eigentliche Held des Meisters aber ist Paulus (auf der rechten Tafel), der „Mann des Kampfes", mit dem Schwert in der Faust —, eine markige Figur, von den Falten eines langen Mantels umflossen, das Haupt auf dem mächtigen Nacken emporgerichtet, „die Zornader an der Schläfe geschwellt", während daneben sein Begleiter, Markus der Evangelist, in gespannter Aufmerksamkeit auf den Meister lauscht. — Das Bild, ein unvergleichliches Denkmal des Geistes des ersten Jahrzehnts der deutschen Reformation, hatte ein eigentümliches Schicksal. Der Rat der protestantischen Reichsstadt Nürnberg machte es auf das Andringen des katholischen bayerischen Kurfürsten Maximilian I. von Bayern diesem im Jahre 1627 zum Geschenk und behielt nur eine schlechte Kopie davon zurück. Diese aber trägt nunmehr die herrliche Unterschrift, welche die Münchener Jesuiten von dem (in der Pinakothek daselbst aufgestellten) Original abschnitten und gleichsam zum Hohn den Nürnbergern zurückschickten!

Durch das Wort von dem seligmachenden Glauben, der an die Stelle der seligmachenden Kirche trat, ward die Welt wie von einem Bann, der auf ihr gelastet, befreit und neue Kräfte regten überall ihre Schwingen. Die Reformation hatte von Anfang einen volkstümlichen Charakter, Luther selbst brachte die Sache, welche er als die wahre erkannte, vor das Volk, das er von der Knechtschaft, in welche es geraten war, befreien wollte. Da ist es nun bedeutungsvoll, daß sich ihm für die Verkündigung der evangelischen Wahrheit, wie der noch nicht lange erfundene Buchdruck, so auch eine deutsche Erfindung der Zeit im Gebiet der künstlerischen Darstellungsmittel darbot, d. i. der Holzschnitt. Was der Buchdruck für das Wort, das ist der Holzschnitt für das Bild, und die Reformation hat dem Holzschnitt viel zu danken. Luthers Flugblätter waren damit geziert, sein Katechismus ging in den ersten Auflagen mit Holzschnitten unter das Volk, die Bibel ward mit Bildern versehen. Es ist gewiß nicht ohne Bedeutung, daß neben Luther in Wittenberg sein treuer Freund und „Gevatter Lukas" wirkte, der Maler Lukas von Kronach im Fränkischen, genannt Cranach (1472—1553), aus dessen Werkstatt jene zahlreichen Bilder des Reformators hervorgingen, die seine Flugschriften schmücken (s. Beilage S. 173), oder auf Bestellung von Fürsten und anderen hohen Freunden des Reformators in Öl ausgeführt wurden (s. S. 155). Hans Schenfelin in Nördlingen (1490—1540), Barthol. (1498—1540) und sein Bruder Hans Beham (1500—1550), Georg Pencz, sämtlich Schüler von Dürer und in Nürnberg wirkend, Albr. Altdorfer (1480—1538) in Regensburg, Hans Burgkmaier in Augsburg (1473—1531), Hans Holbein d. J. in Basel und später in England (s. S. 145) — sie hatten alle Hände voll

16*

zu thun, um die Aufträge der Buchdrucker zu befriedigen, welche die Reformationsschriften und vor allem auch die Bibel in Luthers Übersetzung mit Bildern ausstatten wollten (s. S. 219). Diese Bilder aber wurden in den Wohnstuben vom Volke aufgehängt, an den Rathäusern und anderen öffent-

Samuel salbt den David.
Beispiel zur Bibelillustration im 16. Jahrhundert.

lichen Gebäuden prangten biblische Geschichten im Bilde, ja sogar in den Kacheln der Öfen wurden sie dargestellt, und das war ganz im Sinn Luther's, der im Vorwort zu seinem Passional (mit 50 Bildern verziert 1529) sagte: „Er möchte, daß man solche Geschicht auch in Stuben und Kammern mit den Sprüchen malete, damit man Gottes Wort und Werk an allen Enden immer vor Augen hätte und darum Furcht und Glauben gegen Gott übete", wie er selbst sich einen ähnlichen Ofen herstellen ließ.

Die heilige Nacht. Genaue Nachbildung einer Radierung von Rembrandt.

So kam die Bibel mit Hilfe des derben, schlichten, durch und durch deutschen und volkstümlichen Holzschnitts um so mehr ins Volk. Schufen die italienischen Meister, ein Raphael und Michelangelo (s. S. 125), im Auftrag der Päpste zu derselben Zeit Werke, welche an Großartigkeit der

Anlage und Schönheit der Ausführung diesen einfachen Bildern der deutschen sog. „Kleinmeister“ freilich weit überlegen waren, so ward doch diese protestantische Kunst eine wirklich volkstümliche, eine Kunst für's Haus, die überall leicht verständlich war und auch die niedrigste Hütte nicht verschmähte, —. „denn auch die niedrigste Hütte soll der Ehre Gottes voll werden“.

Die äußeren Anfechtungen und die inneren Streitigkeiten, in welche die evangelische Kirche nach Luthers Tod geriet, waren der Weiterentwicklung einer echt protestantischen Kunst in Deutschland nicht günstig. Ihr Herabsinken zum Handwerk läßt sich an den Holzschnitten Jost Amann's (in den von dem Buchhändler Sigm. Feierabend in Frankfurt a. M. zwischen 1560 und 1571 herausgegebenen Bilder- und Schulbibeln), sowie den Kupfern Merian's in Basel in seiner Bilderbibel (1625—27) stufenmäßig verfolgen. Der 30jährige Krieg, der unser Vaterland zu einer Wüste machte, vollendete auch diesen Verfall deutscher Kunst, die aber eben um diese Zeit in den Niederlanden eine großartige Auferstehung feierte. Gleichzeitig wirkten in dem katholischen Flandern im Sinn des restaurierten Katholizismus Rubens (geb. zu Köln 1577, † zu Antwerpen 1640) und Van Dyck, der gewaltige Bildnismaler (s. S. 92 ff.), während in dem reformierten Holland ein echt protestantischer Künstler aufstand in Rembrandt van Ryn (geb. 1607 in Leyden, † 1669 in Amsterdam). Die Bibel und die Familie hat man richtig die beiden Pole genannt, innerhalb deren sich die Reformation bewegt hat und noch bewegt, in der Bibel wurzelt ihres Glaubens Kraft, in der Familie die Kraft ihrer Volkstümlichkeit, wie alles deutschen Volkslebens. Die Bibel und das Volksleben drängten sich der protestantischen Kunst denn vor allem entgegen, und wie sie diese beiden Stoffe heute noch verarbeitet — darauf wird unten noch einmal kurz zurückzukommen sein —, so hat auch die Kunst eines Rembrandt, des größten unter den spätern protestantischen Malern, fast ausschließlich zwischen diesen beiden Stoffen sich bewegt. In seinen Bildern und Radierungen erscheinen die Thatsachen der Bibel in volksmäßigem Gewand, und das Volksleben selbst erhält einen biblischen Charakter. Er malt nur was er sieht; was er schildert, ist Wirklichkeit. Aber die Vergänglichkeit ist ihm nur ein Gleichnis, und wie er Licht und Schatten mit einander oft fast bis zu unheimlicher Wirkung spielen läßt, so dringt durch alle Naturwahrheit hindurch in seinen Bildern stets der Glanz und die Hoheit des Überirdischen. Viele seiner biblischen Scenen sind für die protestantische Auffassung derselben für alle Folgezeit maßgebend geworden, — so seine Verkündigung der Hirten, seine Auferweckung des Lazarus, sein Christus der Kranken Heiland, seine Grablegung, seine Auferstehung, seine Pilger von Emmaus, seine Himmelfahrt.

Auch die andern Künste mußten jetzt im Gotteshause eine bescheidenere Stellung als früher einnehmen. Im einfachen schwarzen Talare als Amtskleid erschien der Diener des Wortes. Von geistlichen Schauspielen an heiliger Stätte, auch nur in feierlichen Aufzügen war keine Rede, wie überhaupt nicht von Schaugepränge. Und selbst die kunstmäßig ausgeführte Kirchenmusik trat zunächst zwar zurück, dafür gewann allerdings der Gemeindegesang im Chorale eine um so bedeutendere Stellung.

Die strenge Kirchenmusik erreichte in der katholischen Kirche durch zwei Meister erst im Beginn der Reformationszeit ihre hochste Vollendung: durch den Italiener Giovanni Pierluigi da Palästrina (geb. 1524 zu Palästrina bei Rom, † 1594 als päpstlicher Musikdirektor zu Rom), und den Niederländer Orlandus di Lassus (geb. 1520 zu Boes im Hennegau, † 1595 als Kapellmeister des bayerischen Herzog Albrecht's V. zu München). Palästrina's Vokalmessen, welche jeder Begleitung durch Instrumente entbehrten, die er strenge aus der Kirche verwies, hat man mit den gotischen Domen verglichen. Eine Stimme beginnt den ernsten feierlichen Cantus firmus, die anderen Stimmen schlingen sich um sie her, das Ganze ist ebenso wunderbar klar und einfach, als doch in der Vielstimmigkeit wieder geheimnisvoll verschlungen, so daß wir an diesen herrlichen Tonwellen hinaufgeführt werden zum Unendlichen wie an den himmelanstrebenden Säulen und Pfeilern und Wölbungen eines gotischen Doms. In der Schule dieser unübertroffenen Meister bildeten sich auch die protestantischen Kirchenmusiker, unter welchen wir hier nennen: Hans Leo Haßler (1564—1602), Hoforganisten der sächsischen Kurfürsten Christian II. und Joh. Georg, Joh. Eccard (geb. 1553 in Mühlhausen, 1583—1608 in Königsberg i. Pr., † 1611 als kurfürstlich brandenburgischer Kapellmeister in Berlin), welcher der bedeutendste und fruchtbarste protestantische Komponist vor Joh. Seb. Bach ist, Jakob Prätorius († 1582 zu Hamburg), sein Sohn Hieronymus und Enkel Michael Prätorius (geb. 1571 zu Kreuzburg in Thüringen, dann Kapellmeister am sächsischen und wolfenbütteler Hofe, † 1621), und Heinrich Schütz (geb. 1595 zu Köstritz im Voigtlande, † 1672 als kurfürstlicher Kapelldirektor in Dresden). Diese Meister sind berühmt geworden wohl weniger durch die Melodien, welche sie für den geistlichen Volksgesang schufen, als durch ihre im strengen Schulstil geschriebenen Kirchenstücke, Motetten, Madrigale, Psalmen u. s. f., die noch heute in der protestantischen Kirchenmusik eine hervorragende Stelle einnehmen.

Ungeachtet der Gemeindegesang in der Kirche der Reformation eine ganz andere Stellung einnahm als in der katholischen (s. S. 127), erhielt sich doch auch in der evangelischen Kirche ein kunstmäßiger Gesang. Der zu frommen Stiftungen noch immer geneigte Sinn wählte sich sogar eben die Einrichtung von Schülerchören als vorzugsweise beliebten Gegenstand seiner Bethätigung. Vornehmlich in Thüringen und Sachsen, sowie in süddeutschen ehemaligen Reichsstädten finden wir noch heute die Erinnerung hieran in den Schülerchören, welche nicht allein den kirchlichen Gemeindegesang zu stützen und zu führen haben, sondern auch in selbständigen, kunstreichen Vorträgen die Gemeinde erheben sollen, und die verhältnismäßig geringen Überreste dieser einstmals allgemeinen, für die Belebung und Bereicherung des lutherischen Gottesdienstes so bedeutsamen Schüler- oder — wie man sie auch nach den Stiftungen (Benefizien) nannte, welchen sie ihr Dasein verdankten, — Benefiziantenchöre lassen es bedauren, daß diese schöne Sitte nicht mehr Nachfolge fand, oder gar die Stiftungen im Lauf der Zeit ihrem ursprünglichen Zwecke entfremdet wurden.

Die kirchliche Sitte und das geistliche Lied.

Zu einer würdigen Teilnahme am Gottesdienste schickte man sich an nach dem Grundsatze: „Fasten und leiblich sich bereiten ist wohl eine seine äußerliche Zucht; aber der ist recht würdig und wohl geschickt, der den Glauben hat an das Wort Gottes."

So heißt es Art. 26: „Daß man aber den Unsern Schuld giebt, als verboten sie Kasteiung und Zucht, wie Jovinianus (vgl. S. 54), wird sich viel anders in ihren Schriften befinden. Denn sie haben allezeit gelehrt vom heiligen Kreuz, das Christen zu leiden schuldig sind, und dieses ist die rechte ernste und nicht erdichtete Kasteiung. Daneben wird auch gelehrt, daß ein jeglicher schuldig ist, sich mit leiblicher Übung, als Fasten und anderer Übung, also zu halten, daß er nicht Ursach zur Sünde gebe, nicht daß er mit solchen Werken Gnade verdiene; diese leibliche Übung soll nicht allein etliche Tage, sondern stetig getrieben werden." So war es denn auch Sitte, am Sonntag morgens vor Empfang des heiligen Abendmahls zu fasten. Auch in der äußern Erscheinung sprach sich der hohe Ernst aus, der die Gemeinde beseelte; nicht helle, sondern dunkle, nicht bunte, sondern, zumal bei der Abendmahlsfeier, einfache schwarze Tracht war nach ihrem Sinn und Geschmack. Aber vor allem wurde der Nachdruck auf den Glauben gelegt, und die evangelische Gemeinde bekundete sich durch ihre ganze Haltung beim Gottesdienst als eine Gemeinde der Gläubigen, gekommen, um zu hören. So wurde gegen die römische Lehre, daß die Sakramente durch sich selbst wirkten, bezeugt (Art. 13): „Vom Gebrauche der Sakramente wird gelehrt, daß die Sakramente eingesetzt sind nicht allein darum, daß sie Zeichen sind, dabei man äußerlich die Christen kennen möge, sondern daß es Zeichen und Zeugnisse sind göttlichen Willens gegen uns, unsern Glauben dadurch zu erwecken und zu stärken; derhalben sie auch Glauben fordern und dann recht gebraucht werden, so mans im Glauben empfähet und den Glauben dadurch stärket." So waren auch ihre Gesangbücher, nachdem man angefangen solche zu brauchen, gewöhnlich mit den Perikopen versehen.

Die so ganz andere Stellung, welche nun die Gemeinde im Gotteshause und beim Gottesdienst einnahm, wurde besonders im Kirchengesange offenbar. Denn nun hatte der geistliche Volksgesang den Zugang in's Heiligtum gewonnen, und die Gemeinde übte in ihrem Gemeindegesang ihr geistliches Priestertum aus. Martin Luther wurde auch der Schöpfer des evangelischen Kirchenlieds und Kirchengesangs. Nicht bloß dichtete er selbst geistliche Lieder, sondern noch wichtiger wohl ist er geworden für die Kirche durch die Anregungen, die von ihm ausgegangen sind. Er sammelte, was von volksmäßigen geistlichen Liedern und Singweisen in der alten Kirche entstanden war, und leitete das Echte in die evangelische Kirche herüber, wovon wir bereits auf S. 127 Beispiele gegeben haben. In Gemeinschaft mit dem Kapellmeister Joh. Walther am kurfürstlichen Hof zu Torgau, später zu Dresden, wurde der Reformator auch der Begründer des herrlichen evangelischen Chorals, der in seiner melodischen und rhythmischen Art bei aller Strenge der altkirchlichen Harmonie durchaus volkstümlich und gemeindemäßig war. Er wurde es um so mehr, als bald durch Verlegung der Melodie aus der Tenorstimme

Eigenhändige Aufschrift D. Luthers auf dem Titelblatt der ihm von Kapellmeister **Joh. Walther** *in Torgau im Jahr 1530 zum Geschenk gemachten handschriftlichen Sammlung geistlicher Lieder und Tonsätze mit der Altstimme, wie sie Luther sang (die Altstimme war damals für Männer und tiefer geschrieben, als jetzt geschieht, entsprechend unserm Tenor). Aus dieser Sammlung folgt das Weihnachtslied „Gelobet seist du, Jesu Christ" umstehend in Facsimileabdruck.*

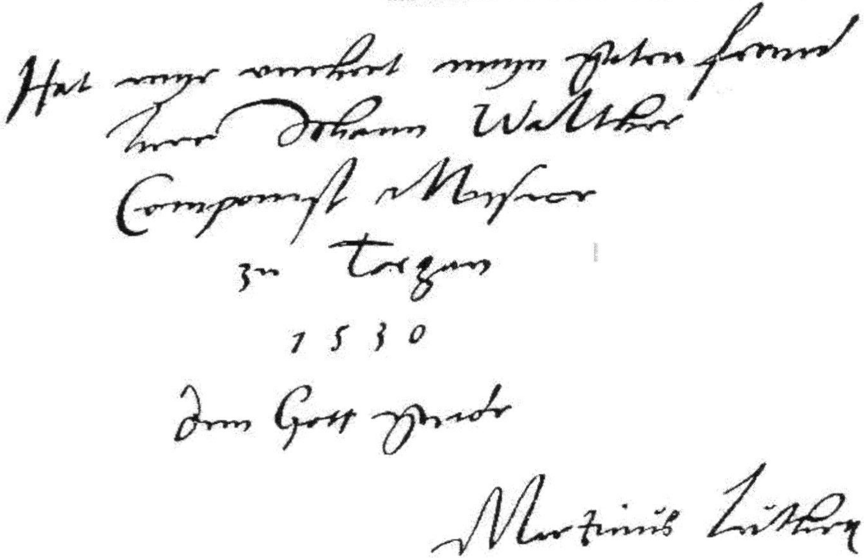

Hat mir verehrt mein guter Freund
Herr Johann Walther
Componist Musice
zu Torgav
1530
dem Gott gnade

Martinus Luther.

Zu Baum, Kirchengeschichte. (Nach Kade's neuaufgefundenem Luther-Codex vom Jahr 1530; Dresden bei Schrag.) C. H. Beck'sche Buchhandlung in Nördlingen.

(wie es früher gebräuchlich war) in die Oberstimme (Diskant) die Sangbarkeit der Lieder erhöht wurde.

Mit lautem Jubel nahm das deutsche Volk die Lieder Luthers auf, verbreitete sie in Abschriften und auf fliegenden Blättern, und diese förderten das Werk der Reformation vielleicht noch unmittelbarer als Katechismus, Bibelübersetzung und Predigtpostille. In Haus und Werkstatt, auf Gassen und Märkten und Feldern wurden sie gesungen, und mit Recht hat man gesagt, das deutsche Volk habe sich in die neue Lehre förmlich hineingesungen. Es kam nicht selten vor, daß Mönche die Kanzel bestiegen, um zu predigen und daß die versammelte Gemeinde dann plötzlich ein Lied Luthers anstimmte und damit das Zeichen zur Einführung der neuen Lehre gab. Wo ehedem ausschließlich der Priesterchor den lateinischen Gregorianischen Cantus firmus (s. S. 63) sang, da erscholl eben jetzt ein rhythmisch belebter, schwungvoller Volksgesang, und jedem besseren Dichter gesellte sich rasch ein Musiker zur Seite, oder es findet sich eine weltliche Volksmelodie, welche dem Text unterlegt werden kann und die dadurch für die Kirche gewonnen und vergeistlicht wird. Das kaum geborene Lied konnte, mit dem Schmucke lieblicher Töne geziert, sofort in die Öffentlichkeit hinaustreten, und dazu wurde die Orgel, jenes herrliche, durch seinen Tonreichtum und die Fülle köstlicher Mittel ausgezeichnete Instrument, die Leiterin des Gemeindegesangs und trug so mächtig bei, die neuen Melodien rasch ins Volk zu bringen.

Die Geburt des evangelischen Kirchenlieds fällt in das Jahr 1523, in welchem das erste Lied der neuen Kirche auf einem fliegenden Blatt zuerst ins Volk kam. „Ein christenliche lied Doctoris Martini Luthers, die unaussprechliche Gnaden Gottes vnd des rechten Glaubens begreyffendt":

Nun freut euch, lieben Christen gmein,
Und laßt uns fröhlich springen,
Daß wir getrost und all in ein
Mit Lust und Liebe singen,
Was Gott an uns gewendet hat
Und seine süße Wunderthat;
Gar theuer hat er's erworben!

Ein Jahr später erschien bereits auch das erste Gesangbuch der ev. Kirche, acht Lieder, nemlich 5 von Luther und 3 von Speratus enthaltend, unter dem Titel: „Etlich christlich Lieder, Lobgesang und Psalmen, dem reinen Wort gemäß, und der heiligen Schrift, durch mancherlei Hochgelehrte gemacht, in der Kirche zu singen, wie es denn zum Teil bereits in Wittenberg in Übung ist." Ebenfalls im Jahr 1524 gab denn auch Luther selbst ein Gesangbuch heraus, und zwar bereits mit 25 Liedern (darunter außer jenen fünf noch 14 weitere von ihm selbst), unter dem Titel:

Eyn Enchiridion oder Handbüchlein
eynem ytzlichen Christen fast nutzlich bei
sich zu haben, zur steter vbung vnd
trachtung geystliche gesenge vnd Psalmen,
rechtschaffen vnd künstlich vertentscht.
1524.

Man muß unter den Luther zugeschriebenen Liedern unterscheiden: 1) solche, die er frei aus seiner Seele heraus geschaffen hat (wie jenes erste „Nun freut euch lieben Christen gmein", sein Lied zum Preis von Gottes Wunderthat); 2) solche, die er nach Bibelstellen (wie sein Weihnachtskinderlied: „Vom Himmel hoch da komm ich her", Luk. 2) oder Psalmen

(Ps. 12: „Ach Gott vom Himmel, sieh darein“, Ps. 46: „Eine veste Burg ist unser Gott“, Ps. 130: „Aus tiefer Not schrei ich zu dir“) in immer noch sehr selbständiger Verwertung des Schrifttextes gedichtet hat, so daß diese Lieder zu seinen wertvollsten und herrlichsten gerechnet werden müssen; — 3) solche, die er aus lateinischen Hymnen oder Sequenzen der alten Kirche verdeutschte (wie sein deutsches Te Deum laudamus: „Herr Gott dich loben wir“, des Ambrosius Veni redemptor gentium: „Nun komm der Heiden Heiland“, Notkers media in vita: „Mitten wir im Leben sind von dem Tod umfangen“, das Veni sancte spiritus: „Komm heiliger Geist Herre Gott“, das Da nobis pacem: „Verleih uns Frieden gnädiglich“) — und endlich 4) solche, wo er bereits vorhandene geistliche Volkslieder der deutschen Kirche nur verbesserte, umarbeitete und mit neuen Versen vermehrte (so das Weihnachtslied: „Gelobet seist du, Jesus Christ“, die Pfingstlieder: „Nun bitten wir den heiligen Geist“ und „Gott sei gelobet und gebenedeiet“ vgl. S. 127). — Alle diese Lieder entstanden nach und nach in den Jahren 1523—1543, und wurden teilweise auch von Luther selbst mit Melodien versehen. Unter den ihm zugeschriebenen Melodien dürfen wir wenigstens die folgenden drei ganz sicher als sein Eigentum betrachten: „Wir glauben all an einen Gott“, „Jesaia dem Propheten das geschah“ und „Ein veste Burg ist unser Gott“.

Eine große Anzahl geistlicher Lieder erwuchs im Anschluß an Luthers Vorgang weiterhin aus der Gemeinde und wurde ihr zum geistigen Eigentum. Aus ernster Überzeugung sang sie die lehrhaften Bekenntnislieder:

„Durch Adams Fall ist ganz verderbt menschlich Natur und Wesen“

von dem Nürnberger Stadtschreiber Laz. Spengler, Luthers altem Freunde, oder:

„Es ist das Heil uns kommen her
Aus Gnad und lauter Güte“,

ein Lied, das bald eine mächtige Waffe für Ausbreitung des Evangeliums im deutschen Volke ward, von dem treuen Bekenner Paul Speratus (s. S. 157). Sie betete in der Not mit Paul Eber, einst Melanchthons Famulus, dann Bugenhagens Nachfolger im Stadtpfarramte zu Wittenberg (s. S. 237):

„Wenn wir in höchsten Nöten sein“

oder mit A. Reißners Psalmliede:

„In dich hab ich gehoffet, Herr!“

Sie feierte mit dem Liede des Nikolaus Decius in Braunschweig:

„O Lamm Gottes unschuldig“ (Agnus Dei)

die Passion des HErrn. Sie that ihr Morgen- und Abendgebet mit Liedern eines Matthesius (s. S. 236) und seines Kantors Nik. Hermann in Joachimsthal.

Lazarus Spengler (nach einer Medaille).

Dann gegen den Ausgang des Jahrhunderts der Reformation, als die Kirche durch die Streitigkeiten um das Bekenntnis und die Lehre aufgeregt wurde, da spiegelte sich der Ernst dieser Lehrkämpfe wieder in dem Gebete Selneckers († 1592 als Professor in Leipzig, vgl. S. 213):

„Ach bleib bei uns, Herr Jesu Christ,
Weil es nun Abend worden ist“.

der Ernst evangelischer Buße, aber auch die Kraft evangelischen Trostes in Ringwaldts Lied:

„Herr Jesu Christ, du höchstes Gut"

Sie sang einem Helmbold († 1598 als Superintendent in Mühlhausen) nach:

„Von Gott will ich nicht lassen";

und Mart. Schalling (geb. 1532 in Straßburg, † 1608 in Nürnberg) wurde durch sein Lied:

„Herzlich lieb hab ich dich, o Herr!"

ein Liebling der Gläubigen. Während sie mit Martin Moller klagte:

„Ach Gott, wie manches Herzeleid" zc.

und mit Valerius Herberger, dem Pastor in Fraustadt, den wir schon als Prediger und Erbauungsschriftsteller kennen gelernt haben (s. S. 237):

„Valet will ich dir geben, du arge, falsche Welt",

ließ sie sich durch den Hamburger Prediger Philipp Nicolai in seinem:

„Wie schön leuchtet der Morgenstern!

zu heiliger Freude erheben und in desselben:

„Wachet auf, ruft uns die Stimme"

zu freudiger Bereitung stimmen.

Gerade unter der Trübsal des schrecklichen Krieges gelangte das evangelische Kirchenlied zu seiner schönsten Blüte. In diesen bösen Tagen, da suchten die Herzen Hülfe, wo allein sie zu finden war, bei dem barmherzigen und starken Gott. Die gehaltvollen Lieder des Pfarrers Joh. Heermann zu Köben in Schlesien († 1647), eines vielgeprüften Kreuzträgers, wurden der evangelischen Gemeinde eine rechte „Haus- und Herzmusika". Ein willkommenes Erbe hinterließ ihr der frühverstorbene Paul Flemming (geb. 1609 zu Hartenstein im Voigtlande, † im 31. Lebensjahr 1640 als Arzt zu Hamburg), von dem wir 41 geistliche Lieder besitzen, darunter jenes frohgemute, gottvertrauende Reiselied, das im J. 1636 auf der holst. Gesandschaftsexpedition nach Persien entstand:

„In allen meinen Thaten laß ich den Höchsten raten".

Und innig erbaut wurde sie durch des viel umhergetriebenen Dulders Andreas Gryphius († 1664 als Syndikus zu Glogau) Lied:

„Es ist vollbracht!"

und Meyfarts:

„Jerusalem, du hochgebaute Stadt!"

Für mannigfaltigen Bedarf sorgte Joh. Rist mit seinen Liedern. Die Lieder des Königsberger Professors der Dichtkunst Sim. Dach († 1659) wurden um so lieber aufgenommen, als sie von seinem Freunde, dem Organisten Albert, dem Verfasser von:

„Gott des Himmels und der Erden",

mit schönen Melodien versehen wurden. Von Herzen betete und sang die Gemeinde mit Josua Stegmann:

„Ach bleib mit deiner Gnade bei uns Herr Jesu Christ."

Nicht minder traf Martin Rinckart, Prediger zu Eilenburg (1586—1649), den rechten Ton mit seinem

„Nun danket alle Gott!"

um auszudrücken, was die Herzen der evangelischen Christen bei der Kunde von dem Ende des schrecklichen Krieges bewegte. Er war aber auch als Pfarrer in Eilenburg bei Leipzig so recht inmitten all der Schrecken, Trangsale

Paul Flemming.

und Leiden gestanden; hat er doch nicht weniger als 4480 Personen, die an pestartigen Seuchen gestorben, zu Grabe geleitet, und, ehe er, selbst in Armut geriet, bei einer Hungersnot im Vereine mit einigen andern an oft 4500 bis 8000 Menschen vor seiner Wohnung Brod ausgeteilt. Sein Lied wurde der Lobgesang der evangelischen Kirche an der Stelle des Te Deum.

Am meisten aber hat Paul Gerhard, 1657 Prediger bei St. Nikolai zu Berlin, dann wegen standhafter Bezeugung seines lutherischen Bekenntnisses auf der Kanzel der Hauptstadt durch den großen Kurfürsten, der dem reformierten Bekenntnis angehörte (vgl. S. 183), verwiesen, Prediger in Lübben, wo er 1670 starb, aus dem Herzen und zum Herzen der evangelischen Gemeinde gesprochen: er der in und an sich alles selbst erfahren hat, was ein jeder Christenmensch einmal erfährt: geistliche Anfechtung, Hunger und Kummer. Aber in seinen Liedern ist eitel Fröhlichkeit, Zuversicht und Gottvertrauen: „Sollt ich meinem Gott nicht singen?“ „Wie soll ich dich empfangen?“ „Ist Gott für mich, so trete gleich alles wider mich.“ „Gib dich zufrieden und sei stille in dem Gotte deines Lebens.“ und „Befiehl du deine Wege!“

An inniger Gläubigkeit ihm ähnlich, und als Dichterin mit ihm in Verkehr, obwohl durch die obwaltenden kirchlichen Verhältnisse von ihm geschieden, hat die reformierte Kurfürstin Louise Henriette (s. S. 228) mit ihren Liedern, wie: Jesus, meine Zuversicht, freundliche Aufnahme auch in der lutherischen Kirche gewonnen. Dieses Lied, wie viele andere, besonders Gerhard'sche und Heermann'sche, wurden von

Joh. Crüger in verwandtem Geiste in Musik gesetzt. Das Lied G. Neumarks (sächsischen Sekretärs) — als Meister des Palmenordens, einer jener poetischen Gesellschaften, deren es in jener Zeit mehrere gab, trug er den Beinamen „der Sprossende" (Germinascens) —: „Wer nur den lieben Gott läßt walten", wurde bald völliges Eigentum der Gemeinde. Durch den Rechtsanwalt Joh. Frank erhielt sie in: „Schmücke dich, o liebe Seele", ihr glaubensinnigstes Abendmahlslied.

Diesen nach, ob auch nicht in der gleichen Kraft, dichteten noch viele andere Dichter, wie M. Knorr v. Rosenroth († 1689 zu Sulzbach), Kasp. Neumann (Hauptpastor bei St. Elisabeth zu Breslau † 1715), die Reichsgräfin Ämilie Juliane von Schwarzburg und ihre Schwägerin Ludämilie Elisabeth, auch Anna Sophia, Landgräfin von Hessen. Der schlesische Arzt Dr. Joh. Scheffler ließ sich, nachdem er seiner Kirche eine Anzahl inniger Lieder gedichtet, später von seiner mystischen Richtung in die katholische Kirche hinüberführen (Angelus Silesius).

So stimmte sich denn die lutherische Christenheit am liebsten mit solchen geistlichen lieblichen Liedern zur Andacht des Glaubens. Die reformierte pflegte im Gegensatz gegen „menschliche Lieder" ausschließlich biblische Gesänge, den strengeren Psalmengesang, wobei sie sich in erster Linie an die schönen, formvollendeten

Luise Henriette, Kurfürstin von Brandenburg

Georgius Neomarcus p. t.
Secretarius Ducalis Saxo-Vin:
GERMINASCENS.

Umdichtungen des Franzosen Clemens Marot (1505—1544) hielt. Diese Psalmen wurden der Schlacht- und Sterbegesang der französischen Hugenotten; unter Psalmengesang griffen die Camisarden in den Sevennen ihre Verfolger an; für die Gefangenen auf den Galeeren, für die armen Frauen im Turm La Constanze war Psalmensingen oft der einzige Trost, der ihnen geblieben.

War die lutherische Kirche vorwiegend eine singende, so die reformierte eine betende. In jener wurde es Sitte, nach dem öffentlichen Gottesdienste oder doch sonst am Sonntage noch die Predigt zu lesen mit Anwendung des geistlichen Lieds; in dieser wurde die übrige Zeit des Sonntags gerne zu Gebetsversammlungen benützt. Überhaupt war der lutherischen Kirche ein fröhlicherer Festgeist eigen, wie Luther es in der Vorrede zu seinem Gesangbuche ausspricht: „Die Religion der Christen ist eine fröhliche Religion, denn Gott hat unser Herz fröhlich gemacht durch seinen Sohn" und selber den Ton anstimmte: „Nun freut euch, lieben Christen gmein!" Die reformirte Gemeinde war mehr von einem ernsten Sabbathsgeist beseelt mit Zucht und Vermahnung zum HErrn. Allerdings wurde bei der lutherischen Kirche die Feier nicht selten beeinträchtigt und entwertet, weil ihr Gottesdienst im Liede leicht in leeren Singsang ausartete; die reformirte dagegen bewahrte ihre Sonntagssitte nicht immer vor gesetzlichem Wesen.

VI. Verfassung und Zucht.

Die evangelische Kirchenverfassung.

Facsimile des Holzschnitts zum „Anhang von der Beichte" in der 1. Ausgabe von Luthers Großem Katechismus (mit Bildern von Lukas Cranach, Wittenberg 1530).

Bei allem Proteste wider die „Hierarchie" der römischen Kirche waren die Reformatoren doch weit davon entfernt, das Amt in der Kirche anzutasten. Vielmehr behielt es, zumal in der lutherischen Kirche seine volle Geltung, die ihm nach Gottes Ordnung zukam. „Ich glaube, daß was die berufenen Diener aus seinem göttlichen Befehle mit uns handeln, alles so kräftig und gewiß sei auch vor Gott im Himmel, als handelte es unser lieber Herr Christus selbst."

Demnach wurden die Wiedertäufer und andere abgewehrt, welche lehrten, daß wir ohne das leibliche Wort des Evangeliums den heiligen Geist durch eigene Bereitung, Gedanken und Werke, durch das „innere Wort" erlangen. „Vielmehr hat Gott", sagt Art. 5, „den Glauben zu erlangen, das Predigtamt eingesetzt, Evangelium und Sakramente gegeben, dadurch er, als durch Mittel, den heiligen Geist gibt, welcher den Glauben, wo und wann er will, in denen, so das Evangelium hören, wirket."

Aber es war doch viel zu ändern, um dem kirchlichen Amt wieder seine rechte Form zu geben. Vor allem wurde protestiert gegen die Vermengung der geistlichen und weltlichen Gewalt.

„Derhalben die Unsern", sagt Art. 28, „zum Trost der Gewissen gezwungen sind worden die Unterschiede der geistlichen Gewalt, Schwertes und Regiments anzuzeigen. Nun lehren die Unsern also, daß die Gewalt der Schlüssel oder der Bischöfe sei laut des Evangelii eine Gewalt und Befehl Gottes, das Evangelium zu predigen, die Sünde zu vergeben und zu behalten und die Sakramente zu reichen und zu handeln."

Zum andern wurde auch der Unterschied innerhalb der Träger des Amtes als ein angeblich göttlich gesetzter verworfen und überhaupt die Verwaltung der Gnadenmittel, das „Predigtamt", gegen das Kirchenregiment mehr in den Vordergrund gestellt.

„Nach göttlichem Rechte", sagt Luther in den Schmalkaldischen Artikeln, „ist kein Unterschied zwischen Bischöfen und Pastoren oder Pfarrherren, sondern solcher Unterschied ist allein aus menschlicher Ordnung gekommen."

Am allermeisten aber wurde bestritten, daß die Träger des Amtes in unbeschränkter Selbstherrlichkeit in der Kirche schalten und walten dürften. Nur was sie „nach seinem göttlichen Befehle" mit der Gemeinde handelten, habe Geltung. Dieser „göttliche Befehl" könne aber nur aus der heiligen Schrift entnommen werden, und mit dieser habe sich das Predigtamt und Kirchenregiment der Gemeinde gegenüber auszuweisen.

„Die Unsern lehren, daß die Bischöfe nicht Macht haben, etwas wider das Evangelium zu setzen und aufzurichten." Die heilige Schrift sei aber allein die sichere Urkunde des Christentums und darum auch die Richtschnur und Regel des christlichen Glaubens, und ihr gegenüber gelte keine Berufung auf die mündliche „Tradition" oder auch auf unmittelbare Offenbarung. Und die „christliche Versammlung oder Gemeinde, d. h. die Gemeinde aller Christen, hat Macht und Recht alle Lehre zu urteilen und Lehrer zu berufen, zu wählen und ordinieren; denn die „Schlüssel" sind der ganzen Kirche gegeben und sie hat das „königliche Priestertum" (1. Petri 2; 9)." Unter dieser Beschränkung waren die deutschen Reformatoren nicht abgeneigt, die bischöfliche Würde „nach menschlichem Rechte" bestehen zu lassen, wie es denn auch in den nördlichen Ländern geschah.

Gleichwohl wagten die Reformatoren nicht, den Grundsatz vom allgemeinen Priestertum in der Ordnung und Verfassung der Kirche völlig durchzuführen.

Selbst in der reformierten Kirche wagte man nicht überall, die Kirchenleitung in die Hand der Kirchenältesten zu legen. Luther sagt: „Kürzlich, wenn man die Leute und Personen hätte, die mit Ernst Christen zu sein begehrten, die Ordnungen und Weisen wären bald gemacht. Aber ich kann und mag noch nicht eine solche Gemeinde oder Versammlung ordnen oder anrichten, denn ich habe noch nicht Leute oder Personen dazu, so sehe ich auch nicht viel, die dazu dringen."

So kam es durch die Not der Zeit, wo der Schutz der weltlichen Obrigkeit immer und immer in Anspruch genommen werden mußte, daß den **Landesherrn** ohne weiteres alle diejenigen Rechte überlassen wurden, welche ehemals die katholischen Bischöfe ausgeübt hatten; sie übten dieselbe durch besondere Behörden mit geistlichem Beirat, Konsistorien, mit den untergeordneten Behörden, den Dekanaten oder Superintendenturen, aus.

Gegen diese staatskirchliche Behörde trat das Recht der Gemeinde bald fast ganz zurück; auch was von dem eingezogenen Kirchengute nicht zu andern Zwecken verwendet worden war, sondern den Kirchengemeinden blieb, wurde unter fürstliche oder staatliche Verwaltung genommen. — Im Anfang berief man sich, um die Rechte der Landesherren in kirchlichen Dingen zu bestimmen, wohl auch auf die israelitischen Könige, welche das Gesetz Moses zu hüten hatten; später entwickelte **Carpzov**, Professor der Rechte zu Leipzig († 1666) das System des bischöflichen Rechts, wonach die Rechte der weder dem Kaiser noch dem Papste unterthänigen Bischöfe auf die Landesherrn übergegangen wären.

Ein echter Landesbischof war Herzog **Ernst der Fromme** von Gotha († 1675). Wie er für sich selbst auch unter dem Kriegeslärm nicht der regelmäßigen Ausübung des Gottesdienstes vergaß, so sorgte er auch in der Regierung seines Landes durch Kirchenordnungen und Kirchenvisitationen für die Bewahrung der reinen Lehre und für Aufrechthaltung der Zucht; auch um das Schulwesen erwarb er sich große Verdienste, und wie er selbst als Kind sich von der Mutter eine Bibel als liebstes Weihnachtsgeschenk erbeten hatte, so ließ er nun auch ein Bibelwerk herausgeben, um das Verständnis der Bibel im Volke durch eine solche Anleitung und Erklärung zu fördern. Ihm geistesverwandt war der an seinem Hof gebildete Staatsmann **Veit Ludwig von Seckendorf**, der in seiner Schrift „Christenstaat" für den kirchlichen, staatlichen und häuslichen Stand vortreffliche Lehren gab. Er sah sich auch angetrieben, den Landesbischöfen vorzuhalten: „daß sie sich nicht zu Herren des Glaubens sollten aufwerfen, den Lehrern der Kirche und Gemeinde keine Glaubensartikel aufdrängen und überhaupt in Glaubenssachen keine Gewalt brauchen sollten; die wahre christliche Religion wolle durch Lehre und Beispiel gepflanzt und mit gläubigem, freiwilligem Herzen bekannt sein."

Das äußere Band der Einigkeit für die Landeskirchen untereinander war das sog. **Corpus Evangelicorum**, ein aus dem schmalkaldischen Bund hervorgewachsener Verein aller evangelischen Reichsstände zur Wahrnehmung ihrer Rechte auf den Reichstagen, dessen Vorstandschaft abwechselnd die sächsischen Kurfürsten, dann die Kurfürsten von der Pfalz, im 30jährigen Krieg die Schweden und nach dem westfälischen Frieden wieder Kursachsen inne hatten.

Kirchenzucht.

Auch in diesem Punkte wollte die Reformation nichts gegen die Kirchenzucht an sich sagen und setzen. Im Gegenteil war es ihr Be-

Facsimile einer Ordinationsurkunde aus dem J. 1546, ausgefertigt von den Mitgliedern des geistlichen Ministeriums zu Wittenberg.

Versatus est in schola Ecclesiæ nræ vir venerabilis
Melchior Piscator Norlingiacensis cum eximia laude modestiæ
et diligenciæ in studijs doctrinæ Euangelij et aliarum honestarum
artium Cum autem vocatus esset ad gubernationem Ecclesiæ
Memmingensis propè Norlingam . et nos rogati essemus . vt
explorata ejus eruditione publicam ordinationem adderemus . diligenter
eum audiuimus , et comperimus eum rectè tenere summam Chrianæ
pietatis , et amplecti puram Euangelij doctrinam , quam Ecclesia nra
vno spiritu et vna voce cum catholica Ecclesia Chri profitetur ,
ac à fanaticis opinionibus damnatis judicio catholicæ Ecclesiæ
Chri abhorrere . Promisit etiam hic Melchior in doctrina constantiam et in officio fidem et diligentiam . Quare ei juxta doctrinā
Apostolicam publica ordinatione commendatum est ministerium docendi
Euangelij , et sacramenta à Chro instituta administrandi juxta voca-
tionem . Cumq; scriptum sit de filio Dei : Ascendit , dedit dona
hominibus prophetas . Apostolos . pastores et doctores precamur arden-
tibus votis . vt suæ Ecclesiæ gubernatores det idoneos et salutares ,
ac efficiat . vt hujus jam ordinati ministerium sit efficax et salutare .
Ipsum etiam Melchiorem et suam Ecclesiam hortamur , vt curent
Euangelium Dei purè et fideliter conseruari et propagari . Nam
hoc officio Deus præcipuè se coli postulat , sicut inquit Chrs .

Es hat an der Schule unserer Kirche der ehrwürdige Melchior Piscator von Nördlingen mit ausnehmendem Lob der Bescheidenheit und des Fleißes die Studien der evangelischen Lehre und anderer ehrbarer Künste durchgemacht. Da er aber berufen ward zur Leitung der Kirche von Memmingen nahe bei Nördlingen und wir gebeten wurden, daß wir nach Prüfung seines Wissens ihm die öffentliche Ordination erteilen, haben wir ihn fleißig vernommen und erkundigt, daß er recht inne habe die Summe der christlichen Frömmigkeit und erfasse die reine Lehre des Evangeliums, welche unsere Kirche in einerlei Geist und Wort mit der allgemeinen (katholischen) Kirche Christi bekennt, und daß er fern sei von schwärmerischen Meinungen, wie sie durch das Urteil der Kirche verdammt worden. Es versprach Melchior auch in der Lehre Festigkeit und im Amt Treue und Fleiß. Deshalben ist ihm gemäß der apostolischen Lehre durch öffentliche Ordination das Lehramt am Evangelio und die Verwaltung der von Christo eingesetzten Sakramente gemäß der Berufung übertragen worden. Und wie geschrieben steht vom Sohn Gottes:

C. H. Beck'sche Buchhandlung in Nördlingen.

Zu Baum. Kirchengeschichte.

In hoc glorificatur pater meus, vt fructum copiosum feratis, et fiatis mei discipuli. Et hac luce retenta, manet Ecclesia, et aderit in ea Ecclesia Deus, dabit vitam æternam inuocantibus ipsum, et opitulabitur in ærumnis hujus vitæ. Ibi enim adest, et exaudit Deus vbi ipsius Euangelium vere sonat. sicut scriptum est Joh. XV. Si manseritis in me, et verba mea in vobis manserint, quicquid volueritis petetis, et fiet vobis. Datæ Witebergæ. Anno 1546. die quo celebratur memoria Johannis Baptistæ cujus doctrinam et constantiam in confessione sequamur.

pastor Ecclesiæ dei in
oppido saxoniæ witeberga,
& ceteri ministri Evangelij
in eadem Ecclesia

Johannes Bugenhagius Pomeranus

Caspar Cruciger d.

Georgius Maior d.

philippus melanthon

er ist aufgefahren in die Höhe und hat den Menschen Gaben gegeben, etliche zu Aposteln gesetzt, etliche aber zu Propheten, etliche zu Hirten und Lehrern, so bitten wir denn mit heißen Wünschen, daß er die Leiter seiner Kirche geschickt und ersprießlich mache, und bewirke, daß das Amt dieses neu Ordinierten wirksam und ersprießlich sei. Ihn Melchior und seine Kirche ermahnen wir, daß sie sorgen, daß das Evangelium Gottes rein und in Treue bewahret und ausgebreitet werde. Denn in diesem seinem Amte will Gott vornehmlich geehrt werden, wie Christus spricht: Darinnen wird mein Vater geehrt, daß ihr viel Frucht bringet und werdet meine Jünger. Und wenn dieses Licht fortscheint, bleibet die Kirche, und wird in dieser Kirche Gott gegenwärtig sein, Er wird geben das ewige Leben denen, die ihn anrufen, und wird helfen in den Mühseligkeiten dieses Lebens. Da nemlich ist Er gegenwärtig, und erhört Gott, wo sein Evangelium lauter und rein gepredigt wird, wie geschrieben steht Joh. 14: So ihr in mir bleibet, und meine Worte in euch bleiben, werdet ihr bitten, was ihr wollt, und es wird euch widerfahren. — Gegeben zu Wittenberg. Im Jahre 1586. Am Tage, da man das Gedächtnis Johannis des Täufers feiert, dessen Lehre und Standhaftigkeit im Bekenntnis wir nachfolgen mögen.

Der Pastor der Kirche Gottes in der sächsischen Stadt Wittenberg und die andern Diener des Evangelii an derselben Kirche.

(Folgen die eigenhändigen Unterschriften.)

Johannes Bugenhagius Pomeranus D. (Doctor.)
Caspar Cruciger D.
Georgius Major D.
Philippus Melanchthon.

kenntnis: „Ich glaube insonderheit, daß, wenn die berufenen Diener Christi nach seinem göttlichen Befehle die öffentlichen und unbußfertigen Sünder von der christlichen Gemeinde ausschließen und die so ihre Sünden bereuen und sich bessern wollen entbinden, das alles so kräftig und gewiß sei, als handelte es unser lieber Herr Christus selbst."

In den Schmalkaldischen Artikeln (9) sagt Luther: „Den großen Bann, wie es der Papst nennt, halten wir für eine lautere weltliche Strafe und gehet uns Kirchendiener nichts an; aber der kleine, das ist der rechte christliche Bann, ist, daß man offenbarliche halsstarrige Sünder nicht soll lassen zum Sakrament oder ander Gemeinschaft der Kirchen kommen, bis sie sich bessern und die Sünde meiden. Und die Prediger sollen in diese geistliche Strafe oder Bann nicht mengen die weltliche Strafe."

Während in der reformierten Kirche nur die sog. offene Schuld, d. h. die allgemeine Beichte nach der Predigt und außerdem die Abendmahlsvorbereitung blieb, wurde in der lutherischen Kirche gelehrt (Art. 11): „daß man in der Kirche selbst Privatam absolutionem erhalten und nicht fallen lassen soll, wiewohl in der Beichte nicht not ist, alle Missethat und Sünde zu erzählen, dieweil doch solches nicht möglich ist."

Auch der Beichtstuhl blieb noch in der Kirche, nur nicht als Richterstuhl, sondern als Gnadenstuhl. Luther selbst, wie er auch für sich oft zu kräftigerem Troste die Privatbeichte gebrauchte, wollte sonderlich um der blöden Gewissen willen, wie auch zur christlichen Erziehung des evangelischen Volkes die Beichte gebraucht wissen und bekämpfte die Geister, welche sich rühmten, ohne und vor dem Worte den Geist zu haben. So wurde denn auch am Sonnabend eine Beichtvesper gehalten.

Über die „Absolution" wurde gelehrt (Art. 12), „daß diejenigen, so nach der Taufe gesündigt haben, zu aller Zeit, so oft sie zur Buße kommen, Vergebung der Sünden erlangen mögen, und ihnen die Absolution von der Kirche, soferne sie sich bußfertig zeigen, nicht soll geweigert werden; nur ist wahre rechte Buße eigentlich Reu und Leid oder Schrecken haben über die Sünde und doch daneben glauben an das Evangelium und Absolution, daß die Sünden vergeben und durch Christum Gnade erworben sei, welcher Glaube wiederum das Herz tröstet und zufrieden macht. Darnach soll auch Besserung folgen und daß man von Sünden lasse."

So war allem gesetzlichen Treiben mit den mancherlei willkürlichen Büßungen und Genugthuungen gewehrt; indessen war es aber nicht so gemeint, als wenn „die Besserung" erlassen worden wäre, sondern es wurde verlangt, daß wieder gut gemacht werden müsse, was gutgemacht werden konnte. Freilich wurde nicht selten die Absolution zu falscher Sicherheit mißbraucht. Andrerseits wurde durch die landeskirchlichen Behörden vielfach eine gesetzliche Bußzucht eingeführt und die „weltliche Strafe" wieder mit hineingemengt, wie etwa die Armensünderbank, das Tragen des Halseisens vor der Kirchenthüre und dergl., — ein Verfahren, das freilich seine Erklärung nur zu sehr in der Verwilderung des Volkes während des Religionskrieges findet.

Die letzte Ölung für Sterbende wurde als nicht in der Schrift begründet und als ein bloß äußerlich Werk abgeschafft; dafür wurde den Kranken und Sterbenden auf ihren Wunsch die „Krankenkommunion" gewährt. Bei den Begräbnissen traten die Ceremonien gegen das Wort des Trostes und der Mahnung zurück, und es kamen die „Leichenpredigten" in Gebrauch.

In der reformierten Kirche trat Kranken und Sterbenden gegenüber statt des amtlichen Dienstes mit Wort und Sakrament mehr die brüderliche Seelsorge in Gebet und Zusprache ein.

II. Vom westfälischen Friedensschlusse bis auf unsere Tage (1648—1880).

Nachdem im Zeitalter der Reformation die evangelische Kirche gegenüber der römisch-katholischen begründet worden und Gestalt gewonnen hatte, sollte sie nun in die weitere Erfüllung ihres Berufes an der Welt in allen Stücken hineinwachsen und deren mannigfache Beziehungen und Bedürfnisse durchdringen und befriedigen. Von jetzt an bereitete sich so zu sagen eine völlige Frontveränderung in der Stellung der Kirche vor, insofern als nun nach der veränderten Zeitströmung statt der ausschließlich kirchlichen die allgemein *menschlichen* Beziehungen und die *weltlichen* Bestrebungen in immer größerem Umfange in den Vordergrund traten und teilweise den bisherigen Gewinn auf geistlichem Gebiete in Frage stellten, ja den gewonnenen Besitzstand der Kirche aufzulösen drohten. Und noch ist die Bewegung, welche recht eigentlich das den getrennten Kirchen gemeinsame Fundament und Wesen des Christentums berührt, nicht zum Abschluß gekommen.

A. Das Zeitalter der Erweckung.

Während der furchtbaren Religionskämpfe, welche die ganze westliche Hälfte Europas in ihren Grundfesten mehr oder minder erschütterten und allerwärts nicht bloß schreckliche äußere, sondern auch innere Verwüstungen anrichteten, bereitete sich langsam ein Umschwung vor in der Gesinnung und Gesittung der Völker. Eine weltliche Richtung entwickelte sich, deren tonangebender Vertreter das französische Königtum Ludwigs XIV. wurde. Französischer Geschmack, französische Sprache, französische Bildung drangen überall in Deutschland ein. Der höfische Prunk von Versailles fand Nachahmung an den katholischen wie auch den meisten protestantischen Höfen Deutschlands, ja Europas, und nicht minder der Absolutismus eines Ludwig XIV. mit der fürstlichen Maxime: „Der Staat, der bin ich!" Die Kirche mußte sich in die Rolle finden, welche das unumschränkte Fürstentum ihr anzuweisen beliebte, sie trat in die zweite und dritte Stelle zurück. Ihre Kraft war in den Kämpfen um die Lehre erschüttert worden und sie war in Lehre und Leben in zunehmende Erstarrung verfallen. Das Bewußtsein ihres göttlichen Ursprungs und ihrer göttlichen Bestimmung trat ihr mehr und mehr zurück und sie wurde zu einer Staats- und Polizeianstalt. Die Religiosität aber, welche in der Kirche die gesuchte Befriedigung nicht mehr fand, zog sich in die Innenwelt des Gemüts, in das persönlich fromme Gefühl zurück, und so entstanden — nicht unähnlich der Mystik des 14. Jahrhunderts (s. S. 96) — Richtungen, welche der Welt und allem weltlichen Leben einfach den Rücken kehrten und gegen die bestehenden Kirchen selbst, deren Lehre und öffentlichen Kultus, mehr oder minder gleichgiltig, den Schwerpunkt ihres Christentums vielmehr in eine persönliche Lebensgemeinschaft mit Gott und in die sittlichen Forderungen des Evangeliums setzten. Wie die Bedingungen überall die gleichen waren, so sehen wir auch überall gleichartige Wirkungen, in der romanischen wie in der deutschen Christenheit, auf dem Gebiet der katholischen wie der protestantischen Kirche. Es ist das Zeitalter der Erweckung, des Pietismus.

1. In den katholischen Kirchen.

In der römisch-katholischen Kirche hatte der Jesuitenorden einen beherrschenden Einfluß gewonnen. Er hatte sein Ziel, die Welt in den Gehorsam Roms zurückzubeugen, im dreißigjährigen Krieg zwar nur zum Teil erreicht, aber als die bestimmende Macht in der Kirche hatte er sich behauptet. Sein Prinzip — ein unbedingter Gehorsam, welcher die freie sittliche Persönlichkeit aufhob — war das Prinzip der Kirche geworden, aber damit hatte sie auch den sittlichen Rückhalt verloren und war der Widerstandskraft gegen den politischen Absolutismus und gegen die weltliche Veräußerlichung verlustig geworden. Wie die Kirche mit der Welt ging und selbst im Geschmack jenem Königtum huldigte, davon legen die kirchlichen Bauten jener Zeit im sog. Jesuitenstil mit ihrem hohlen Prunk und unkirchlichen Schnörkeln noch heute Zeugnis ab — eine charakteristische Erinnerung an jene Epoche der römischen Kirche. Dem

17*

französischen König, obwohl er sich den Vorschriften seiner Beichtväter unterwarf, war doch die Kirche hauptsächlich ein Staatsinstitut, und aus ähnlichen Gründen, wie dereinst die römischen Cäsaren das Christentum (s. S. 25), verfolgte Ludwig XIV. den Protestantismus in seinem Lande (s. S. 187). Große Kanzelredner wie Bourdalone, Massillon und vor allem Bossuet,

Bischof Bossuet.
Nach dem berühmten Bilde von Hyacinth Rigaud, gestochen von Trebet.

der Erzieher des Dauphin, standen dem Hofe nahe und wußten in dem Getriebe des höfischen Lebens eine eigentümliche Stellung zu behaupten. Besonders in der Persönlichkeit Bossuets, des Bischofs von Meaux († 1704), stellte sich die Bedeutung des französischen Klerus dar, welche dieser selbst noch in seiner Verweltlichung behauptete.

Diesem glänzenden Staatskirchentum gegenüber lebte nun in frommen Gemütern eine mystische Richtung auf mit ausgeprägtem „Quietismus", d. i. der völligen Ruhe in Gott selbst ohne Worte, vertreten durch Madame de la Motte Guyon, die sich selbst als „geistliche Mutter der Glaubigen" bezeichnete. Aber selbst der am Hofe hochangesehene, fromme und edle Fenélon, Bischof von Cambray († 1715), „der Schwan von Cambray", der Erzieher eines Enkels Ludwig's XIV. (des Herzogs von Burgund, für den er seinen Telemach schrieb), konnte jenen Quietismus seinem Gegner Bossuet, „dem Adler von Meaux", gegenüber nicht vor Verdammung schützen. Bossuet erwirkte endlich ein päpstliches Breve, in welchem unter 23 „irrigen, verwegenen und anstößigen" Sätzen auch der verdammt wurde, daß es eine ganz uneigennützige Liebe zu Gott (amour désintéressé) gebe. Da machte Fénélon selbst den päpstlichen Erlaß in seiner Diöcese bekannt und ermahnte jedermann, auch von der Kanzel herab, sich nach diesem päpstlichen Verbote zu richten. Aber während der Papst durch diesen demütigen Gehorsam Fénélons befriedigt war und ihn belobte, fuhren seine Gegner in ihren Angriffen fort, so daß der Papst ihnen den Vorwurf machte: Fénélon habe zwar geirrt, aber aus Übermaß der Liebe zu Gott, ihr Irrtum aber rühre her aus Mangel an Liebe zum Nächsten. — Und viel tiefer noch war der Gegensatz, in welchen eine andere mystische Richtung zur Kirche geriet: der Jansenismus, so genannt nach seinem Urheber, dem flandrischen Bischof Kornelius Jansen († 1638). Dieser hatte ein Buch unter dem Titel „Augustinus" geschrieben, in welchem er dem Pelagianismus (vgl. S. 45), den der Jesuitenorden zum Nachteil seiner Moral bis zum Äußersten ausgeprägt hatte, die Gnade als alleinigen Heilsquell entgegensetzte, ähnlich wie Luther es auch gethan. Die vornehme Familie der Arnauld machte diesen Gedanken zu dem ihrigen und führte ihn ins Leben ein, indem sie gegenüber der Weltlichkeit des Zeitalters einen streng geistlichen Lebenswandel führte. Das Kloster Port Royal bei Paris wurde der Mittelpunkt dieser wahrhaft frommen, edlen Richtung; ihr Vorkämpfer war der große Mathematiker und Naturforscher Blaise Pascal (1623—62). Mit eben so feinem Spott als hohem Ernst griff dieser in den Lettres provinciales die Jesuiten an und deckte insbesondere die Verderblichkeit ihrer Sittenlehre auf, wie er in einer späteren Schrift „Pensées" dem Unglauben und der Zweifelsucht gegenüber als Apologet des Christentums sich hervorthat. Aber auch dieser Versuch wurde unterdrückt, nicht ohne heftige Bewegungen. Dabei geschah es, daß der Papst Klemens XI. in einer Bulle, welche die Jesuiten gegen die Erklärung der heiligen Schrift von Paschasius Quesnel erwirkten, auch Aussprüche der Kirchenväter und sogar der heiligen Schrift mitverdammte, weil man sie im Sinne der Jansenisten deuten könnte. Nur ein Rest der Jansenisten erhielt sich als selbständige Gemeinde unter einem eigenen Bischof in Utrecht.

Auch in der griechischen Kirche Rußlands gab es um diese Zeit heftige Bewegungen. Der Patriarch Nikon hatte (1666) Neuerungen in der Liturgie gemacht, und Peter der Große vereinigte 1702 die oberste Kirchengewalt mit der Kaiserwürde unter Einrichtung der heiligen dirigierenden Synode (Cäsareopapie). Dies zog den Austritt einer großen Anzahl von Altgläubigen (Starowerzi, d. h. Beobachter der alten Gebräuche), von den andern Raskolniki (Abtrünnige) genannt, meist Bauern, nach sich. Vielfach verfolgt, konnten sie doch nicht unterdrückt werden; ihre Zahl beträgt gegenwärtig etwa 12 Millionen. Es bildeten sich unter ihnen zwei Hauptzweige, der eine mit Priestern (Popen) versehen, der andere nur aus Laiengemeinden bestehend. Unter den letzteren sind die Duchoborzen (Streiter des Geistes) die bedeutendsten, eine mehr selbständige Partei, die sich auch von der orthodoxen Lehre ab- und einer Art Gnosis zuwendeten, ähnlich der, welche die Sekten des Mittelalters zeigen. Streng in ihren Lebensgrundsätzen und von schwärmerischem Eifer beseelt, verwerfen sie nicht bloß alles äußere Kirchenwesen, sondern verhalten sich unter Verschmähung aller irdischen Ehre, Verweigerung des Kriegsdienstes und des Eides auch spröde gegenüber dem Staate.

2. Der Pietismus und die Herrnhuter in der lutherischen Kirche.

Die protestantische Kirche war im Kampfe um die reine Lehre mehr und mehr in die Gefahr gekommen, einerseits über der eifrigen Behauptung des eignen Bekenntnisses das allen Konfessionen Gemeinsame zu vergessen und sich in endlose Bestreitung der Gegner (Polemik) zu verlieren, andrerseits über der Wahrung und Ausbildung der reinen Lehre das rechte Leben darnach zu versäumen. Es war eine buchstäbliche gesetzliche Rechtgläubigkeit (Orthodoxismus) in die Kirche eingezogen, deren Bann um so schwerer drückte, als die Kirche mit dem Staate in so enge Verbindung getreten war.

Schon der Rostocker Professor H. Müller hatte in der „apostolischen Schlußkette" (s. S. 237) geklagt und wiederholt es in seinen „Erquickstunden": „Es hat die heutige Christenheit (von den Heuchelchristen ist die Rede) vier stumme Kirchengötzen, denen sie nachgehet, den Taufstein, Predigtstuhl, Beichtstuhl, Altar. Aber Gott ist ein Geist, und will, daß wir ihm im Geist und in der Wahrheit dienen. Wie? Ist das nicht wiedertäuferisch, daß man Taufe, Wort, Beichte, Abendmahl stumme Götzen nennt? Nein ist denn bei dir kein Unterschied unter Taufe und Taufstein, Predigt und Predigtstuhl, Beichte und Beichtstuhl, Abendmahl und Altar? Ach, man sollte davon nicht viel Disputierens machen, sondern im HErrn einen Mut fassen, wider die Baaliten mit Elias eifern, sich bemühen, den Tempel des HErrn zu reinigen und die selbstgemachten Götzen in den Herzen der Menschen niederzureißen." Und der reichbegnadete Val. Andreä, der mit Liebe und Schärfe, in Ernst und Spott die Verkehrtheiten seiner Zeit, insbesondere seiner Kirche rügte, klagte und betete um dieselbe Zeit in seiner „Christenburg"; „Ach HErr, von uns das Böse nimm und gib neu Sinn, neu Art und Werk, neu Glauben, Lieb, Hoffnung und Stärk, neu Zucht, Ordnung und Disciplin, den Geist vermehr, das Fleisch bezähm!" Er bekämpfte auch den Mietlingssinn der Hirten, welcher zum Unheil für die Gemeinden eingerissen war, aufs eindringlichste in einem Gedichte: Von dem guten Leben eines rechtschaffenen Dieners Gottes, wie er auch in seinem eigenen Amtsleben ein erweckliches Vorbild gab. Und wie diese, so dachten und klagten in dieser Zeit der Dürre des wissenschaftlichen, kirchlichen und auch bürgerlichen Lebens noch viele. Geleitet von dem Gedanken: „Selig sind die Friedfertigen!" suchte der Helmstädter Professor G. Calixt (s. S. 216) den gemeinsamen Boden für die verschiedenen christlichen Kirchengemeinschaften außer in der heiligen Schrift auch in der altchristlichen Kirche der ersten 5 Jahrhunderte aufzuzeigen. Diese allerdings unzutreffende Behauptung rief den heftigsten Widerspruch hervor und man schalt Calixt mit den bittersten Vorwürfen einen

„Synkretisten", der Wahres und Falsches miteinander zu vermischen suche (synkretistische Streitigkeiten).

Zum Durchbruch kam die Bewegung in Deutschland durch das Auftreten Philipp Jakob Spener's. Spener, geboren 1635 zu Rappoltsweiler im Elsaß, schon in seiner Kindheit von seinen Eltern zum Dienst der Kirche bestimmt, an der heiligen Schrift und an solchen Erbauungsbüchern wie an Arndt's wahrem Christentum genährt, später auf verschiedenen Reisen, insbesondere nach Basel und Genf, auch mit bedeutenden Männern anderer Konfessionen bekannt geworden, war seit 1666 als Prediger in der freien Reichsstadt Frankfurt a. M. thätig. Was er dort erstrebt, das suchte er durch seine 1675 herausgegebene Schrift: „Pia desideria" oder „herzliches Verlangen nach gottgefälliger Besserung der wahren evangelischen Kirche" auch für die gesamte evangelische Kirche Deutschlands zur Geltung zu bringen. Diese Besserung aber erzielte er durch folgende Vorschläge: 1) Man solle die Leute fleißig zum Lesen der heiligen Schrift anhalten; 2) jeder solle das allen Christen gemeinsame Priestertum ausüben und nicht nur sich selbst durch Gebet und gute Werke Gott zum Opfer hingeben, sondern auch seinen Nächsten treulich lehren, warnen, ermahnen und trösten; 3) man solle es den Leuten wohl einschärfen, daß es mit dem Wissen im Christentum durchaus nicht genug sei, sondern dieses vielmehr in praxi d. h. in der Ausübung, in einem durch Liebe thätigen Glauben bestehe; 4) man solle die Irrenden und Ungläubigen nicht durch liebloses Gezänke und Schmähen erbittern, sondern durch eifriges Gebet, gründliches Vorhalten der Wahrheit und gutes Beispiel zu gewinnen suchen; 5) für bessere Erziehung und Bildung der Prediger auf hohen Schulen sorgen, daß sie gründlich aus Gottes Wort unterrichtet und wiedergeboren seien; 6) für erbauliche Einrichtung der Predigten sorgen zur Bekehrung der Herzen. Die Äußerung dieser Wünsche rief eine große Bewegung hervor. Allenthalben entstanden solche „collegia pietatis", wie sie sich in Frankfurt ohne besondere Anordnung unter der Wirksamkeit Speners gebildet hatten, d. h. fromme Vereinigungen, in welchen durch Betrachtung, Gespräch und Gebet in brüderlicher Weise herzliche Frömmigkeit erweckt und kräftige Erbauung im Christentum gewährt werden sollte; die also Erweckten und Geförderten sollten dann ein Licht und ein Salz für die Masse der Gemeinden sein. Noch größer wurde Speners Einfluß, nachdem er 1686 durch den Kurfürsten Johann Georg III. von Sachsen als Oberhofprediger nach Dresden, in die damals vornehmste kirchliche Stelle des evangelischen Deutschlands, berufen worden war. Insbesondere wirkte er auf eine Erneuerung des Unterrichts hin wie in der Kirche, so an der Hochschule. Obgleich er im wesentlichen nichts anderes wollte, als jenes Wort Luthers über die Heiligung des Namens Gottes, daß sie nämlich geschehe, „wo das Wort Gottes lauter und rein gepredigt und wir auch heilig als die Kinder Gottes darnach leben", zur vollen Geltung und Erfüllung in der Kirche seiner Zeit zu bringen, so erhob sich doch sofort von Seite der „Orthodoxen" ein heftiger Widerstreit gegen ihn und seine Anhänger; sie erhielten den Namen „Pietisten", und nicht weniger als 283 Ketzereien wurden ihnen zur Last gelegt. Aber für sie zeugte ihr Leben und Wandel, wie der erweckliche und erbauliche Einfluß, den sie auf das Volk übten (Matth. 7, 16). Eine Fülle geistlicher Lieder voll innig frommen Gefühls verkündigte, daß ein neuer Trieb geistlichen Lebens in den Herzen rege geworden.

Als der Kurfürst von Sachsen schon nach wenig Jahren des ernsten Mahners müde geworden, wurde Spener durch den Kurfürsten Friedrich III. von Brandenburg in ehrenvoller Weise 1691 als Propst an die Nikolaikirche in Berlin berufen, wo er am 5. Februar 1705 starb. Von Berlin aus wirkte Spener noch mit zur Gründung der Universität Halle. Halle wurde gegenüber Wittenberg und Leipzig die Hochschule der neuen Zeit. Während der aufgeklärte Rechtslehrer Chr. Thomasius in Übereinstimmung mit den pietistischen Freunden den Bann der starren Satzungen auf dem Gebiet des Rechts- und Staatslebens zu durchbrechen suchte und insbesondere, nach dem Vorgange des innig frommen Jesuiten Fr. v. Spee, für die Beseitigung der Hexenprozesse kämpfte, pflegte Speners Schüler und Freund Aug. Herm. Francke und andere, wie Anton, Breithaupt mit ihm, eine neue Theologie, die Theologie des Herzens in der studierenden Jugend zu begründen.

In dem leidenschaftlichen Streite zwischen der Orthodoxie und dem Pietismus, bei dem auf beiden Seiten nur wenige, wie auf der einen Seite der milde Spener selbst, auf der andern der Oberhofprediger in Dresden,

Val. E. Löscher, eine würdige Haltung bewahrten, wurden die „Pietisten" von den „Orthodoxen" des Abfalls von dem Bekenntnisse der Rechtfertigung aus Gnaden allein beschuldigt, weil sie die Heiligung des Lebens betonten, nicht sowohl den rechten als den lebendigen Glauben für notwendig hielten. Man klagte sie an, daß sie den Grundsatz der protestantischen Freiheit verleugneten, weil sie einen ernsten Wandel in der Zucht forderten und die Grenzen des Erlaubten enge zogen. Man warf ihnen vor, daß sie gegenüber der heiligen Schrift die Bekenntnisschriften der Kirche heruntersetzten und daß

A. H. Francke nach dem Gemälde von Ant. Pesne (1725). Sein Wahlspruch lautete: „Der Herr ist meines Lebens Kraft, für wem sollte mir grauen!"

sie gleichgültig (indifferent) seien gegen die Lehre und die Lehrsätze, die von den Vätern im heißen Streite gewonnen worden.

Die Pietisten konnten nicht alle diese und andere Vorwürfe entkräften, auch den des Separatismus nicht; denn auch die Besten unter den Anhängern Speners ließen sich, wider seinen Sinn, von der Neigung anstecken, sich aus der „verderbten" Kirche und Gemeinde auf ihre Konventikel (ecclesiolae in ecclesia) zurückzuziehen. Dennoch waren sie ein Salz in jener kraftlosen Zeit. Sie befleißigten sich nicht bloß eines ernsten frommen Wandels, sondern nahmen sich auch des Volkes und der Jugend mit erwecklicher und erbaulicher, auf den biblischen Text eingehender Predigt und mit fleißiger und herzlicher Katechismuslehre an, nach der Hauptregel Speners: „wie bringen wir den Kopf ins Herz?“ Spener selbst hatte eine „Einfältige Erklärung der christlichen Lehre nach der Ordnung des kleinen Katechismi Lutherš“ verfaßt (1677). Spener war es auch, welcher durch seine Empfehlung die allgemeine Einführung der Konfirmation förderte. Auch sonst bewiesen sie deutlich, wes Geistes Kinder sie seien, in dem Eifer nämlich, mit dem sie den Christenberuf erfaßten und auch übten. Als einmal A. H. Francke in der Armenbüchse in seinem Hause 4 Thlr. 16 Gr. fand, sagte er: „Das ist ein ehrlich Kapital, davon muß man etwas Rechtes stiften; ich will eine Armenschule damit anfangen!“ Gesagt, gethan. Und durch diese Gründung des Halleschen Waisenhauses (1698), ein Werk des Glaubens und des Gebets, wie der Liebe und des Erbarmens, wurde Francke der Vater der Armen- und Waisenpflege im evangelischen Deutschland, und noch ragt sein Werk, das ein großes Wachstum gewann, unter den ähnlichen Anstalten hervor. In Halle war es, daß die erste Bibelanstalt zur Verbreitung der Bibel unter dem Volke durch den Freiherrn v. Canstein gegründet wurde. Von Halle zogen (1705) die ersten evangelischen Missionare Deutschlands, Ziegenbalg und Plütschau, aus, um den Heiden in Ostindien das Heil zu bringen, wie von dort auch Stephan Schulz auszog, um den Juden in der Nähe und Ferne, in Europa und Asien das Evangelium zu verkündigen.

Auch brach nun ein neuer Frühling geistlicher Dichtung an. Spener selbst dichtete 9 geistliche Lieder, zugleich nüchtern und innig. Wie er in seinem Sterbliede: „So komm, geliebte Todesstund, komm Ausgang meiner Leiden“ es ausgesprochen, so ist er hingegangen „gar geschwinde und sanft“ und wurde begraben, wie er wünschte „mit weißen Kleidern angethan, als der lange genug um das Verderben der Kirche getrauert, nun aber eingehe von der streitenden in die triumphierende Kirche, und voll Hoffnung auch für die noch streitende Kirche scheide.“ Einer der ältesten Freunde Speners, der Rechtsgelehrte J. Jak. Schütz in Frankfurt, dichtete als sein einziges, doch so treffliches Lied: „Sei Lob und Ehr dem höchsten Gut, dem Vater aller Güte.“ Mit beiden Männern trat Joach. Neander (1650—1680) aus Bremen, der reformierten Kirche angehörig, in nähere Verbindung, nachdem er die erste Anregung von dem Prediger Undereyk empfangen. Im „Neanderthale“ (mit der „Neanderhöhle“) bei Düsseldorf, wo er als Rektor an einer Schule wirkte, entstanden seine meisten Lieder. Er ist mit seinen Liedern, unter denen das Loblied: „Lobe den Herren, den mächtigen König der Ehren!“, das Abendlied: „Der Tag ist hin, mein Jesu bei mir bleibe!“, das Sterbelied: „Wie flieht dahin der Menschen Zeit!“ hervorragen, der Anfänger des geistlichen Liedes in der reformierten Kirche Deutschlands geworden, in der man bis dahin die gereimten Lobwasserschen Psalmen sang. Neander starb in seiner Vaterstadt nach kurzer Wirksamkeit an der dortigen Martinikirche (1680). Auch A. H. Francke (1663—1727) dichtete geistliche Lieder voll Salbung, wie das Abendlied: „Gottlob, ein Schritt zur Ewigkeit ist abermals vollendet.“ Sein Freund Chr. Fr. Richter (1676—1711), Arzt am Waisenhause, bereitete nicht bloß für leibliche Krankheit eine vielgebrauchte „süße Essenz“, sondern auch eine geistliche in seinen geistlichen Liedern, vor allem in dem Lobgesang von der Hoheit, Herrlichkeit und Glückseligkeit des Christenstandes: „Es glänzet der Christen inwendiges Leben“ und in den beiden Liedern: „Es ist nicht leicht ein Christ zu sein“, und: „Es kostet viel ein Christ zu sein“. J. H. Schröder, Pfarrer im Magdeburgischen, dichtete das Lied: „Eins ist not, ach HErr, dies Eine lehre mich erkennen doch“; Joachim Lange, Professor in

Halle, das Lied: „O Jesu, süßes Licht, nun ist die Nacht vergangen". Ein viel gebrauchtes Gesangbuch wurde von Franckes Gehilfen Anast. Freylinghausen (1670—1739) herausgegeben, der unter andern auch das Lied verfaßte: „Wer ist wohl, wie du, Jesu, süße Ruh?" Eine Zierde dieses Gesangbuches war auch das Lied des thüringischen Pfarrers Eusebius Schmidt: „Fahre fort, Zion, fahre fort im Licht!" Mit gleichem Ernste mahnt und dringt auch das Lied: „Schaffet, schaffet, Menschenkinder!" verfaßt von dem Gothaischen Hofrate L. A. Gotter, an den Ernst der Heiligung mit Furcht und Zittern. C. H. v. Bogatzky (1690—1774), durch Kranklichkeit verhindert ein Predigtamt anzunehmen und zuletzt Hausgenosse im Halleschen Waisenhause, verfaßte das Erbauungsbuch „güldnes Schatzkästlein" und gab eine Sammlung geistlicher Lieder heraus zur „Übung der Gottseligkeit", darunter das Lied: „Ich weiß von keinem andern Grunde". Er sang auch schon das neue Lied, das Missionslied: „Wach auf, du Geist der ersten Zeugen." Ebenso frommen Sinn als lehrhafte Art zeigen die Lieder des Halleschen Professors Rambach († 1735). E. Gottl. Woltersdorf (1725—61), der Gründer des Waisenhauses in Bunzlau, arbeitete auch als Schriftsteller, besonders für die Jugend in Katechismuslehre und Kinderliedern; sein „fliegender Brief an die Jugend über das Glück früher Bekehrung" durchflog das ganze evangelische Deutschland. Die vielen Lieder des stimmlos gewordenen schwäbischen Pfarrers Ph. Fr. Hiller (1699—1769) in seinem „Paradiesgärtlein geistlicher Gebete in Liedern" und „geistliches Liederkästlein" übten in Schwaben und darüber hinaus einen nachhaltigen erbaulichen Einfluß. Alle, auch die kleinsten Verhältnisse des Lebens verklärte der fromme Dichtersinn des Reichsfreiherrn v. Pfeil, der sang:

„Mein Adel ist nicht von der Welt, er ist vom Himmel her;
In meinem Wappen steht das Feld der Eitelkeiten leer."

Ein anderes Zeugnis seines Sinnes ist das Lied: „Wohl einem Haus, da Jesus Christ allein das All in allem ist!" Auch Benj. Schmolck (1672 bis 1737), Pfarrer zu Schweidnitz in Schlesien, mit seinen vielen innigen und sinnigen Liedern von des Christen Glaube, Liebe, Hoffnung, wie: „Thut mir auf die schöne Pforte", „Hirte deiner Schafe", „Je größer Kreuz, je näher Himmel", war von diesem Geiste berührt. Ebenso der geistvolle Liederdichter Gottf. Arnold († 1714), welcher auch in seiner Schrift: „Erste Liebe der Christen" der evangelischen Christenheit das Vorbild der alten Christen, über welche damals einer auch das Lied sang: „Lowen, laßt euch wiederfinden", in eindringlicher Weise vorhielt, wie er zugleich in seiner Kirchen- und Ketzerhistorie es wagte, sich der Ketzer ziemlich eifrig anzunehmen. In verwandtem Geiste dichtete der edle Mystiker Gerh. Tersteegen (1697—1769), ein westfälischer Seidenbandweber, welcher, eine stille Größe seiner Zeit, einen weitreichenden Einfluß übte und seiner reformierten, wie der ganzen evangelischen Kirche einen so köstlichen Schatz hinterließ in seinem „geistlichen Blumengärtlein inniger Seelen", dessen lieblichste Blüte das Lied: „Gott ist gegenwärtig". Ja, auch solche, welche die Pietisten bekämpften, wurden doch von diesem Geiste beeinflußt, wie der Hamburger Pastor Neumeister, dessen Gebet war: „Gib, daß unser Lebenslauf von Herzen fromm und nie dabei kein pietistisch Wesen sei!"

Endlich kam die neue Richtung in der geistlichen Musik zum Ausdruck. Die Melodie trat mehr hervor und wurde weicher, zierlicher und beweglicher. Auch bildete sich eine geistliche Konzertmusik aus, die neben oder auch gegenüber dem Gemeindegesang zur Geltung zu kommen suchte. Am bedeutsamsten ist das Hervortreten der „Arie", des frommen Einzelgesangs mit der Äußerung der persönlichen Gefühle. Dies zeigt sich auch in den Tondichtungen der großen Meister jener Zeit, Händel und Bach, durch welche die neu entstandene Form geistlicher Musik, das „Oratorium" mit dramatischer Anlage zur höchsten Ausbildung gelangte. Gg. F. Händel, geb. 1685 zu Halle, schuf seine großen Oratorien, meist aus der alttestamentlichen Geschichte, in England: über alle erhaben den „Messias", dessen Halleluja als der mächtigste Lobgesang durch alle Zeiten der Kirche tönen wird. Im heimischen Boden festgewurzelt lebte und wirkte Joh. Sebast. Bach, geb. 1685 zu Eisenach als ein Glied einer zahlreichen Musikerfamilie ähnlich der Sängerfamilie der Kinder Korah (Ps. 42 ff.), seit 1723 als Kantor und Musikdirektor der Thomasschule in Leipzig, der Altmeister der deutschen Musik, wie Albr. Dürer der Malerei. Ein echter deutscher Mann von schlichter bürgerlicher Art hat er aus der Tiefe deutschen Geistes heraus die wunderbarsten Tongebilde für die Orgel geschaffen, die er in gewaltiger Meisterschaft handhabte. Festgegründet im evangelischen Glauben hat er in zahlreichen Motetten, Kantaten, Arien das Singen und Spielen des Herzens zu Gott in tiefsinniger und gedankenvoller Weise wiedergegeben, wie in der Pfingstarie: „Mein gläubiges Herze"; dem Choralgesang der Gemeinde hat seine Kunst der Harmonisierung eine besondere Pflege gewidmet. Mit erstaunlichem Fleiße hat er die gottverliehene Gabe verwertet und eine Fülle von immer neuen und eigenartigen Werken geschaffen, auch im Heitersten den würdigen Ernst nicht verleugnend, am liebsten der Darstellung des Höchsten und Heiligsten hingegeben, sich selbst übertreffend in den großartigen Passionsoratorien (vgl. S. 128). Noch in den letzten Tagen seines Lebens, nach sechsmonatlicher Krankheit und schon erblindet, diktierte er dazu den Tonsatz über den Choral: „Wenn wir in höchsten Nöten sein." Gestorben am 28. Juli 1750, wurde er in der Zeit einer flachen Aufklärung, die seine Tiefe und Größe nicht zu würdigen wußte, vergessen; aber in der Zeit der Erneuerung des Glaubens trat das Bild des gewaltigen evangelischen Kantors und Organisten ehrfurchtgebietend wieder hervor.

Joh. Seb. Bach.

Dem Pietismus war eine reiche Segensernte in seiner Zeit beschieden, und er hat nicht allein in Deutschland und der Schweiz, sondern auch in Dänemark und Schweden eine tief greifende Bewegung hervorgerufen und im Adel und Bürgertum seine Zeugen gefunden. Friedrich Wilhelm I. von Preußen, Friedrichs des Großen Vater, zollte ihm wegen seiner praktischen Wirkungen Achtung, an allen Orten thaten sich ihm „stille Kreise" auf. Aber seine Blüte war nur kurz; sie fällt in die Jahre 1670—1720, dann war seine Kraft gebrochen. Schon die zweite Generation der Pietisten war der ersten nicht mehr ebenbürtig, und bereits in ihr schossen die Keime der Entartung, welche von Anfang in der Richtung lagen, empor. Die Betonung des christlichen Lebens schlug um in Gesetzlichkeit und Frömmelei; die Geringschätzung der Lehre und des Bekenntnisses aber öffnete der Aufklärung Thür und Thor; das Konventikelwesen endlich und die Gleichgiltigkeit gegen die Kirche als solche schädigte die Kirche in ihrem sakramentalen Charakter im Bewußtsein des Volkes, und zwar in fast unheilbarer Weise!

Mit Recht hatten Spener und Francke dem Wissensglauben, in welchem die Kirche erstarrt war, entgegengehalten, daß man „bei viel Irrtum in der Lehre doch ein guter Christ sein könne", daß „ein Quentchen lebendigen Glaubens höher zu schätzen sei, als ein Centner bloßen historischen Wissens" und „ein Tropfen wahrer Liebe mehr als ein ganzes Meer aller Wissenschaft der Geheimnisse". Aber daß der Glaube lebendig sein und Liebe wirken müsse, lehrte ja auch das kirchliche Bekenntnis (vgl. S. 210 und 212, wo vom majoristischen Streit die Rede ist), und Luther machte gerade das mit größtem Nachdruck geltend (s. S. 200). Ihr Gegensatz traf daher nur den Mißbrauch der Kirchenlehre und es konnte nicht fehlen, daß auch bei ihnen selbst sittliche Schwächen und Gebrechen gar bald zu Tage traten. Eine unevangelische Ängstlichkeit und Gesetzlichkeit machte sich geltend, nicht allein in der ablehnenden Haltung gegen die Welt und alles weltlich Schöne in Wissenschaft, Kunst, Staatsleben, sondern recht bezeichnend auch ist der Kampf, welcher gegen die sogenannten Mitteldinge eröffnet wurde, auf welche die Kirche bisher überhaupt wenig Gewicht gelegt hatte. Wenn auch Spener nicht so weit ging, zu behaupten, daß Dinge, wie Scherzen, Spielen, Tanzen, Mode, Gastmahle, Schauspiele u. dgl. an und für sich sündlich seien, so gab er doch auch den Gegnern nicht zu, daß es für das sittliche Leben, wie diese behaupteten, „gleichgültige" Dinge seien, indem er bedachte, wie wenig Gewinn für die Gottseligkeit sich daraus ergebe, wie viel Gefahr aber zur Leichtfertigkeit sie mit sich brächten, und um so bedenklicher erschienen sie ihm, wenn er an den dabei herrschenden Mißbrauch dachte. So riet er lieber davon ab (1 Kor. 6, 12; Röm. 14). Aber viele seiner Anhänger machten aus dem Rat ein Gesetz und verdammten ohne weiteres alle, die dergleichen mitmachten, als Unchristen (Röm. 14). Durch eine gewisse Manier der Frömmigkeit, durch eine gefährliche Übertreibung und Veräußerlichung des mit der Erweckung und Wiedergeburt verbundenen „Bußkampfes" (agon poenitentiae) wurde Ärgernis angerichtet und der pietistische Name selbst kam in Mißachtung. Nach ein so durch und durch frommer Mann, wie der ehrwürdige schwäbische Gottesgelehrte Alb. Bengel, der einst mit warmem Herzen als Studierender in Halle sich dem Pietismus angeschlossen hatte, konnte an den späteren Vertretern desselben kein rechtes Wohlgefallen mehr finden. Er, der treu zur Kirchenlehre stand, zu der er von der Bibel aus den Weg gefunden hatte, und der eine der trefflichsten Auslegungen des Neuen Testaments, welche die christliche Kirche überhaupt besitzt, unter dem Titel „Gnomon" verfaßt hat, äußerte sich: „Es ist wahr, die Halle'sche Art ist etwas zu kurz geworden für den Geist der heutigen Zeit: die Würde und der Ernst Speners ist nicht mehr vorhanden und doch auch nichts anderes zur Ergänzung." Und auch ein Zinzendorf ergießt die Schale seines heiligen Zornes über dieses Treiben:

Albert Bengel, geb. 24. Juni 1687 zu Winnenden.
† 2. Dez. 1752 zu Stuttgart.

Ein einzig Volk auf Erden
Will mir anstößig werden
Und ist mir ärgerlich:
Die miserablen Christen,
Die kein Mensch Pietisten
Betitelt als sie selber sich!

Aus dem Pietismus ging auch eine bleibende Gemeindebildung hervor, die herrnhutische Brüdergemeinde. Diese wurde von Nik. Ludwig Graf von Zinzendorf gegründet, als 1722 mährische Brüder, aus ihrer Heimat vertrieben, sich auf seinem Gute Berthelsdorf ansiedelten und Herrnhut erbauten. Sie sollte, ungestört durch den verschiedenen Bekenntnisstand ihrer Glieder, in Nachahmung des Lebens der apostolischen Gemeinde, als eine wahrhafte Gemeinschaft der Heiligen ein Kirchlein in der großen Kirche (ecclesiola in ecclesia) bilden.

Zinzendorf, geboren am 26. Mai 1700 als der Sohn eines sächsischen Ministers, wurde von Spener aus der Taufe gehoben. Vom 4. bis 10. Jahre wurde er im Hause seiner Großmutter, der frommen Sängerin Henriette von Gersdorf erzogen. Schon am Kinde zeigte sich in auffallender Weise ein innig frommer Sinn. Als er dann im Pädagogium zu Halle unter Franckes Leinung lernte, stiftete er da schon mit Gleichgesinnten einen „Senfkornorden“ zur Übung in der Gottseligkeit; das Ordenszeichen bestand in einem Schilde mit einem Ecce homo und der Umschrift: „Seine Wunden unsre Heiligung!“ Schon Francke sagte von ihm: „Dieser wird einmal ein großes Licht in der Kirche werden“. Von längern Reisen zurückgekehrt, sollte er bald die Gelegenheit zu einer eigentümlichen und bedeutenden Wirksamkeit finden durch die Aufnahme der flüchtigen mährischen Brüder auf seinen Besitzungen. Dieser Gemeinde widmete nun Zinzendorf bald seine ganze Thätigkeit. Aber er blieb dabei nicht ohne Anfechtung und mußte über ein Jahrzehent in der Verbannung leben. Nachdem er sich zum geistlichen Stande hatte weihen lassen, brachte er diese Zeit ganz im Dienste seiner Sache zu, zum Teil auf großen Reisen nach Rußland, England und Amerika. Er starb 1760 in Herrnhut, voll seliger Heiterkeit, „mit seinem Herrn ganz einverstanden“. Die Losung seines Lebens war: „Ich habe nur eine Passion, und die ist Er, nur Er!“

Nik. Ludw. Graf v. Zinzendorf (geb. 26. Mai 1700 zu Dresden, † 9. Mai 1760 zu Herrnhut).

Auch in seiner Gemeinde sollten alle allewege im unmittelbaren Verkehr mit dem Heiland stehen. Deshalb wurden auch in der Gemeinde alle schwierigeren Fragen durchs Los entschieden, wie z. B. die Schließung der Ehen; überhaupt suchte man durch tägliche Losungen von Schriftworten ein täglich Wort des HErrn zu haben. Das Leben des Einzelnen sollte ganz umfaßt und getragen sein von dem Leben der Gemeinde, der Gemeinschaft der Heiligen, welche in verschiedene Chöre nach Alter und Geschlecht geteilt war. Das apostolische Liebesmahl vor der Abendmahlsfeier, die Sitte des Bruderkusses und die Fußwaschung sollten ein Zeichen sein, daß sie eine Brüdergemeinde sei. Die Leitung, Verwaltung und Zucht wurde in die Hände der Ältesten Konferenz und der Synode gelegt; die Zucht sollte mit Ernst und Milde genau nach Matth. 18, 15—17 geübt werden. Die Ausbildung ihrer Lehrkräfte geschah vornehmlich in den Anstalten zu Niesky und Barby in Preußen.

Gegen die kirchlichen Lehrunterschiede verhielt sich Zinzendorf, und die Gemeinde ihm nach, ziemlich gleichgiltig. Deshalb trennte sich J. A. Rothe, Pfarrer in Berthelsdorf, der Dichter des Liedes: „Ich habe nun den Grund gefunden“, von ihm; auch konnte er den vielen geistlichen „Extravaganzen“ des Grafen nicht zustimmen. Aber so manches Eigene diese Gemeinde auch an sich hatte, so ist sie doch von Anfang an und vollends, als noch manches

Störende durch Zinzendorfs Nachfolger, Bischof Spangenberg, beseitigt war, für viele fromme Seelen eine stille und gesegnete Zufluchtsstätte geworden. Und wie sie im täglichen Leben mit stillem Wesen das Ihre schaffte (1 Thess. 4, 11), so hat sie auch durch ihre opferwillige Hingabe im Dienst des HErrn unter den Heiden Großes geleistet. Auch das geistliche Lied wurde unter ihnen viel gepflegt, zumal von ihrem Stifter. Unter den vielen Liedern desselben, die von der Liebe zum Heilande und von Freude an der Gemeinschaft der Heiligen überfließen, finden sich auch einige der edelsten Perlen des geistlichen Gesangs, wie: „Jesu, geh voran".

5. Methodismus und Quäkertum in der reformierten Kirche.

Eine ähnliche Bewegung erhob sich in der reformierten Kirche Englands; denn auch dort war eine gewisse Erstarrung eingetreten, und zwar in den Formen und Gebräuchen des Gottesdienstes. Sie führte zur Begründung der Methodisten-Kirche durch John Wesley und seinen Genossen Whitefield (1732). Diese hat ihren Namen von ihrer Art und Weise, „Methode", auf die Bekehrung des Sünders und die Erweckung der Volksmassen zu wirken; denn sie sucht den „Durchbruch der Gnade" in dem Menschen durch erschütternde Vorhaltung der Schrecken des Gesetzes und der Höllenstrafen in einem heftigen Bußkampf, ja Bußkrampfe, zu bewirken.

Sie predigten teils aus Not, teils aus Wahl meist im Freien, und der Zudrang des Volkes war groß. Die Geringen im Volke und die Verwahrlosten wurden vor allem von ihnen gesucht und ließen sich auch am ehesten von ihnen finden, obwohl andrerseits auch vom Pöbel aus die rohesten Angriffe gegen die unbequemen Bußprediger gerichtet wurden. Diese Prediger lasen ihre Predigten nicht ab, wie es in der bischöflichen Kirche Gewohnheit ist, sondern sie sprachen frei aus dem Herzen, volkstümlich durch die Einfachheit wie durch die Kraft ihrer Rede. Die geistlich Toten zur Buße zu erwecken und zur Wiedergeburt zu bringen (Ezech. 37) war ihr Ziel, auf das sie unverrückt hinarbeiteten. Und sie thaten dabei „dem Himmelreich Gewalt an" durch heftiges Einstürmen auf die Zuhörer, und ihre stürmische Beredsamkeit rief unter diesen gewöhnlich heftige Erregungen hervor, die sich in Erschütterung des ganzen Körpers zeigten, in Seufzen und Stöhnen, in Händeringen und Zuckungen, in lautem Aufschrei des geängsteten Herzens und offenem Sündenbekenntnisse; ja nicht selten steigerte sich die Erregung zu einer so zu sagen heiligen Raserei, die auf andere ansteckend wirkte. — Um den Erfolg ihrer Thätigkeit zu sichern und die Bewegung weiter zu leiten, wurde nun eine feste Vereinigung Gleichgesinnter gegründet, welche durch Volks- und Reiseprediger unermüdlich zur Erweckung der Volksmassen thätig war. So entstand die methodistische Kirchengemeinschaft, welche trotz bald eintretender Spaltung, wie denn schon unter den beiden Häuptern eine Spannung über die Lehre von der Gnadenwahl eingetreten war, weite Verbreitung fand, insbesondere in Amerika.

Etwas früher schon hatten sich auch Sekten aufgethan, welche mit dem äußern Kirchentum gänzlich brachen. Sie rühmten sich entgegen der amtlichen Predigt des Wortes und der Verwaltung der Sakramente ihrer „Inspiration", d. h. einer unmittelbaren Offenbarung des Geistes. Von diesen gelang es aber in der lutherischen Kirche nur dem schwedischen Bergrat Im. Swedenborg (1688—1772), für seine „Kirche des neuen Jerusalems", die er auf Grund angeblicher Offenbarung vermittelst seiner „Korrespondenzen" mit der unsichtbaren Welt begründen wollte, eine Anzahl Anhänger zu gewinnen. Er wurde mit dieser Gründung der Vorläufer der seltsamen und bedenklichen Erscheinung des „Spiritismus", welcher in der neuern Zeit sich ausbildete und besonders in Amerika Aufnahme fand. Von weit größerer Bedeutung wurde „die Gesellschaft der Freunde", auch Quäker genannt, die von dem Lederhändler Georg Fox in England 1647 gegründet und von William Penn, dem Sohne eines Admirals, durch die Begründung des Freistaates Pennsylvanien in Nordamerika (1682) weitergeführt wurde.

Fox, mit der Bibel frühe bekannt und innig vertraut, zerfiel bald mit seiner Kirche, die ihm ganz verweltlicht erschien, und nährte sich mit den Eingebungen seines erregten Geistes, die er für göttliche Offenbarungen hielt. Von 1649 an trat er öffentlich mit seinem Zeugnisse hervor, wie er denn einen Prediger in einer Predigt über das „feste prophetische Wort" offen unterbrach: „Nicht die Schrift ist es, es ist der Geist, das innere Wort, das alle Menschen erleuchtet!" Auf diesem Wege wurde er der Stifter jener Sekte. Der Name Quäker, d. h. Zitterer, wurde ihnen spottweise beigelegt, weil sie darauf drangen, daß man mit Furcht und Zittern (Phil. 2, 12) seine Seligkeit schaffen müsse und weil sie auch bei ihren gottesdienstlichen Zusammenkünften in stiller Beschaulichkeit mit heiligem Zittern der Eingebung des Geistes harrten. Regte sich der Geist in ihnen, so konnte jedes, ob Weib oder Mann, das Wort zu Rede und Gebet ergreifen (1 Tim. 2, 11—12!); wo nicht, so gingen sie nach stiller Andacht stille auseinander. Dabei zeichneten sie sich aus durch ein stillernstes Streben nach Heiligung in brüderlicher Gemeinschaft. Ihre Lebensweise war sehr einfach; sie verwarfen allen Luxus und alle Mode, selbst auch die herkömmlichen gesellschaftlichen Formen, sobald sie über das Einfachste hinausgiengen. Auch verhielten sie sich (im Mißverstand von Matth. 5, 33) abweisend gegen die Forderung des staatlichen Lebens, wie Eidesleistung und Kriegsdienst. In Pennsylvanien mit seiner Hauptstadt Philadelphia („Bruderliebe") wurde dem Grundsatze der Gewissensfreiheit eine Statte gegründet: „Zur Ehre Gottes setze ich als Grundgesetz dieses Landes fest, daß alle Menschen, die darin wohnen oder noch wohnen werden, die Freiheit haben und das Recht genießen sollen, das was sie glauben, öffentlich zu bekennen und ihre Ehrfurcht Gott auf die Art zu bezeugen, wie jeder nach seinem Gewissen glaubt, daß es ihm am angenehmsten sei; und so lange diese Menschen keinen Mißbrauch von dieser Freiheit machen oder sich ihrer nicht zum Nachteil ihres Nächsten bedienen werden, d. h. nicht auf eine ärgerliche, unheilige und verächtliche Art von Gott, Jesu Christo, der heiligen Schrift oder Religion sprechen und nicht den guten Sitten oder ihren Nächsten durch ihre Reden schaden, werden sie in dem Genuß besagter christlicher Freiheit durch die bürgerliche Obrigkeit beschützt werden."

B. Das Zeitalter der Aufklärung.

„Die Aufklärung" – sinnbildliches Kupfer von Daniel Chodowiecki (1726–1801).

Neben diesen Bewegungen brach sich jedoch ein ganz anderer Geist Bahn, welcher geradezu auflösend auf das bisherige Kirchenwesen und die ganze christliche Gesellschaft einwirkte. Es war der Geist der „Aufklärung", welcher die zweite Hälfte des 18. Jahrhunderts beherrschte und am Ende desselben in der französischen Revolution alle Schranken durchbrach. Es that sich nun der Gegensatz menschlichen Denkens und Meinens gegen das Licht der göttlichen Offenbarung auf, ein Gegensatz zwischen „Wissen und Glauben", dessen Überwindung fortan das Ziel aller wissenschaftlichen Arbeit sein muß.

1) Naturwissenschaft u. Philosophie.

Durch den geistigen Umschwung in der Reformation war auch die weltliche Wissenschaft aus dem Dienstverhältnis gelöst worden, in welchem sie während des Mittelalters zur Kirche stand. Sie war „die Magd der Kirche" gewesen, nicht ohne daß ihre Träger häufig ihre bessere Einsicht dem herrschenden Glauben zum Opfer bringen mußten (sacrificium intellectus). Es war aber ein schwerer Gang von tastenden Voraussetzungen zur sichern Erkenntnis der Wahrheit, welchen die Wissenschaft nun begann.

Die Entdeckung eines Domherrn in Frauenburg, Joh. Kopernikus (1473–1543), daß nicht die Sonne, sondern die Erde sich bewege, hatte eine mächtige Umwälzung der Weltanschauung des Zeitalters zur Folge, so wenig die christliche Wahrheit bei richtiger Einsicht davon berührt wurde. Es war ein schwerer Mißverstand, wenn die römische Inquisition den italienischen Naturforscher Galileo Galilei († 1638) zu dem Widerrufe dieser Lehre zwang, im Widerstreite gegen seine Überzeugung, bei welcher er auch verharrte: „Und sie bewegt sich doch!" Mit Recht sagte Galilei: „daß der heilige Geist uns zeigen wolle, wie man zum Himmel gelange, die Frage aber, wie die Himmel sich bewegen, der menschlichen Wissenschaft zur Forschung überlassen habe." J. Kepler († 1631), der große Entdecker der Bewegung des Sonnensystems und der planetarischen Gesetze, war ein treuer Sohn seiner lutherischen Kirche und ein freudiger und glaubiger Bekenner der Rechtfertigung durch den Glauben allein. Er freute sich, daß der Tag nahe sei, wo man die reine Wahrheit im Buch der Natur wie in der heiligen Schrift erkennen und über die Harmonie beider sich freuen werde (Joh. 8, 36). Doch blieben auch ihm die Anfechtungen von seiten einer im Bann der Vorurteile ihrer Zeit stehenden Orthodoxie nicht erspart, wie er auch seine Mutter nur mit Mühe vor dem Hexenwahn seiner Zeit rettete. Der Begründer der neueren „empirischen" Naturforschung, und der auch innerhalb ihrer Grenzen sich hielt, ist der Engländer Baco von Verulam († 1626) geworden. Er bezeugte, daß eine oberflächlich abgeschöpfte Wissenschaft von Gott ab-, eine tiefere aber zu ihm hinführe (leves gustus in philosophia movere fortasse ad atheismum, sed pleniores haustus ad religionem reducere)! Isaak Newton vollendete durch seine wissenschaftliche Begründung der Schwerkraft (Gravitation) die großen Entdeckungen der Deutschen Kopernikus und Kepler; aber die hohe Einsicht, die er in die Bewegungen der Weltkörper gewann, erhöhte ihm nur die Ehrfurcht vor dem allmächtigen Gott, der so Großes gethan, so daß dieser Forscher Gottes Namen nie anders aussprach, als indem er das Haupt entblößte.

Diese großen Entdeckungen in der Naturwissenschaft, welche den Kirchenglauben, wie wir sahen, in Wahrheit unberührt ließen, und deren Vertreter demselben auch noch mit Kopf und Herz angehörten, hatten doch eine neue Zeit eingeleitet. Die weltliche Wissenschaft fühlte sich nun gegenüber der kirchlichen, und in kühnem Jugendtriebe pochte sie darauf, „ihre eigenen Wege" zu gehen und die in den Naturwissenschaften so bewährte mathematische Methode des Denkens zur wissenschaftlichen Erfassung der Welt überhaupt zu versuchen. Nicht mehr die innere Erfahrung des menschlichen Herzens, wie bei Luther, sondern die verstandesmäßige Klarheit gilt nun als Maßstab der Wahrheit. Durch den Umstand aber, daß doch keines der nun entstehenden philosophischen Systeme mit dem andern übereinstimmte, sondern jedes die Welt auf seine eigene Weise erklärte, ließen sich die, welche mit Lust und Begier dem neuen Streben sich hingaben, nicht irre machen. Wenn gleichwohl dasselbe nach dem tiefen Plan der göttlichen Leitung der Menschheit mittelbar auch zur Förderung der auf die Schrift gegründeten Erkenntnis des Lebens und des Heiles dienen mußte, so war die Auflösung des alten Kirchenglaubens doch die nächste Folge.

Da trat in dem katholischen Frankreich René Descartes oder Cartesius auf mit dem Zweifel an allem, außer an dem eigenen Ich, an dem Selbstbewußtsein. „Ich denke, also bin ich" (cogito, ergo sum), dieser Satz scheint ihm gewiß. Von dieser Grundlage aus aber ergibt sich dem denkenden Ich von selbst nicht nur die Gewißheit des Daseins Gottes — denn wo ein Geschöpf, da ist auch ein Schöpfer, — sondern das Ich darf sich im Vertrauen auf die Vernunft, die ihm der Schöpfer gegeben hat und die ja nicht irren kann, kühnlich daran machen, den Gedanken der Schöpfung nachzudenken, denn „was klar ist, muß auch wahr sein", sagte Cartesius. Dieser Satz ist der Grundsatz der Aufklärung geworden. Cartesius selbst dachte noch nicht daran, sich in Widerspruch mit der Kirche zu setzen. Er wallfahrtete nach Loreto, dem Wallfahrtsorte der restaurierten römischen Kirche, und starb im J. 1650 am Hof der zum Katholizismus übergetretenen Tochter Gustav Adolfs, Königin Christine von Schweden. Zu anderm Ergebnisse aber gelangte auf diesem Wege schon Baruch Spinoza (1632—1677), ein holländischer Jude, der aus der Synagoge ausgeschlossen und doch auch dem Christentum fremd, einsam in seiner Zeit, nur die Seligkeit des Denkens genießen wollte. Er versenkte sich und das ganze Universum in den Abgrund des reinen Gedankens, das Ein und All, das er Gott nannte, und wurde so der Begründer des modernen Pantheismus. Nicht der lebendige persönliche Gott des Christentums, der über der Welt thront und doch die Welt mit seinem Leben durchdringt, ist das göttliche Allwesen Spinoza's, sondern das Universum selbst, und die Einzelwesen, die Menschen eingeschlossen, sind nur Eigenschaften, Zuständlichkeiten, Gedanken dieses Allwesens, ohne die Freiheit den Willen Gottes zu dem ihren zu machen oder nicht, also ohne die freie Persönlichkeit, diese unentbehrliche Voraussetzung, mit der das Christentum steht und fällt, ohne eine Seligkeit als die in dem Allwesen aufzugehen (System des reinen Determinismus). Gegen diese großartige logische Abstraktion erfolgte ein Rückschlag innerhalb des deutschen Protestantismus, wo Gottfried Leibnitz († 1716) das Recht der freien Persönlichkeit dadurch vor der auflösenden Macht des philosophischen Gedankens zu retten suchte, daß er das Universum in freie Einzelwesen („Monaden") zerstückelte, welche eine „vorherbestimmte Weltordnung" (prästabilierte Harmonie) — d. i. Gott — zur Einheit zusammenfaßt. Leibnitz, welcher in sich das ganze Wissen seiner Zeit vereinigte, war überhaupt bestrebt, alle Gegensätze in Harmonie aufzulösen; wie in seiner philosophischen Welt der Ausgleich aller möglichen Gegensätze in der prästabilierten Harmonie gedacht war, so strebte er auch Philosophie und Christentum zu versöhnen, sowie die getrennten Sonderkirchen zu vereinigen, für welches Ziel er Bossuet (s. S. 260) und den hannover'schen Hof lebhaft zu interessieren wußte, und er ist durch dieses sein Ausgleichsstreben für die nächste Zeit bedeutsam geworden. Sein Schüler Wolf in Halle († 1754) übertrug die Leibnitz'schen Gedanken auf die Kirchenlehre, die er nach der mathematischen Methode, nach der die Wissenschaft vorging, zu erweisen suchte.

2) Die Freidenker und die Humanitätsidee.

Der Geist der Kritik und Reflexion, wie er sich schon vorher geregt, war allerdings durch die Reformation noch mehr entbunden worden. Wenn aber Luther die Autorität des Papsttums bekämpft hatte, indem er ihm eine höhere Autorität, das Wort Gottes, in der heiligen Schrift bezeugt, entgegensetzte, so beseitigten, die jetzt kamen, auch diese Autorität und überhaupt jegliche außer uns selbst. Es gibt keine andere Autorität, so sagten sie, als die menschliche Vernunft, den gesunden Menschenverstand: was vor diesem nicht bestehe, sei wert, daß es zu Grunde gehe. Das waren die Freidenker, die eigentlichen Apostel des Zeitalters der Aufklärung. Sie lehrten eine Religion des „gesunden Menschenverstandes", und setzten der geschichtlichen Religion, dem Christentum, eine „natürliche, vernünftige Religion" gegenüber, mit dem allgemeinen Glauben an eine sittliche

Weltordnung, so wie an Gott und Unsterblichkeit (Naturalismus, Deismus) — eine Glaubensgrundlage so dürftiger Art, daß sie bald genug weiter zersetzt werden mußte.

Im protestantischen England hatte diese Richtung, als die Philosophie eines engeren Kreises von sittlich aufrichtigen Denkern, ihren Ursprung. Sie wurde zum Teil hervorgerufen durch die empirische Richtung, welcher Baco von Verulam in der Naturwissenschaft Bahn gebrochen (s. S. 275), zum Teil auch war sie ein natürlicher Rückschlag gegen eine alttestamentliche Gesetzlichkeit und finstere Weltflucht, wie sie durch den schottischen Puritanismus vor und unter Cromwell (s. S. 186) in Staat und Gesellschaft einzuführen versucht wurde. Aber sie war in England selbst doch nicht mächtig genug, um einen nachhaltigen Einfluß auf das aufrichtig christliche Volk zu üben. Anders auf dem Kontinent.

In dem katholischen Frankreich, wo der Geist des Spottes und der Verneinung mächtig in die Höhe schoß, sobald die Autorität der römischen Kirche vor dem Absolutismus des Königtums erblaßte, wurde die Lehre der Freidenker zum Stoff einer witzigen Unterhaltung der höfischen Gesellschaft und der feinen Zirkel. Voltaire (1694—1778) machte sich in geistreichen, aber von crasser Unwissenheit strotzenden Schriften zu ihrem Verkündiger, er erklärte, was dem gesunden Menschenverstand nicht sofort einleuchtete, kurzweg für Aberglaube und Priesterbetrug und eröffnete einen dämonischen Kampf gegen das Christentum, der zwar auch mancherlei wirklich unchristlicher Unduldsamkeit steuerte, aber doch noch viel mehr die Ehrfurcht vor Gott und Gottes Gesetz untergrub. Der eigentliche Prophet der gesellschaftlichen Revolution ist Jean Jacques Rousseau (1712—1778) geworden, ein Mann von gewaltiger, leidenschaftlicher Beredsamkeit, der nicht nur auf dem Boden der Religion ein Evangelium der Natur und der natürlichen Vernunft predigte, sondern dieses Evangelium der Natur auch auf Staat und Gesellschaft, auf Erziehung und Sitte übertrug. Rousseaus Leben — er stammte aus dem reformierten Genf, trat in seinem 16. Jahre zur katholischen Kirche über, um später zur protestantischen zurückzukehren, überließ seine eignen unehelichen Kinder dem Findelhaus und ergab sich endlich einem finstern Welthasse, um schließlich sein Dasein mit Gift zu enden — dieses Leben ist kein Beleg für die von ihm verkündete Lehre der natürlichen Güte und Vernünftigkeit des Menschen! Aber die von ihm ausgegangenen Schriften wurden von seinen Zeitgenossen förmlich verschlungen und sie richteten eine völlige Revolution im Geiste derselben an. Wie sein „Contrat social", der das Staatsleben auf den Gesellschaftsvertrag zurückführte, das Programm der französischen Revolution, so wurden seine in „Emil" verkündeten Grundsätze einer naturgemäßen Erziehung und der in dem Roman „die neue Heloise" dargestellte Kampf eines dem Naturzug zu Güte und Vernünftigkeit folgenden Herzens mit der Unnatur der Kultur insbesondere für Deutschland folgereich.

Den Ideen des englischen Deismus und der französischen Aufklärung kam in Deutschland die philosophische Aufklärung eines Leibnitz und Wolf (s. S. 276) auf halbem Weg entgegen. Unter Friedrich Wilhelms großem Sohn, Friedrich II. von Preußen (1740—1786), wurde Berlin der Herd der Aufklärung. Dieser größte Fürst seines Jahrhunderts, in dem sich ungewöhnliches Feldherrngenie und staatsmännisches Talent mit seltener Arbeitskraft vereinigte, hatte von seinem frommen, gegen sich und seine Familie harten Vater (s. S. 269) den Geist der Pflicht als Erbteil einer fast barbarisch strengen Erziehung empfangen, aber nicht die Frömmigkeit. Friedrich ergab

Friedrich II.
Facsimile-Nachbildung aus Lavaters physiognomischen Fragmenten.

sich ganz und gar französischer Bildung und französischem Geschmack, zog einen Mann wie Voltaire an seinen Hof und machte aus seiner tief gewurzelten Abneigung gegen das Christentum kein Hehl. Als er die Regierung übernahm, erklärte er: „die Religionen müssen alle toleriert werden, und muß der Fiskal nur die Augen darauf haben, daß keine der andern Abbruch thue; denn hier muß ein Jeder nach seiner Façon selig werden.“ Der Grundsatz seiner Regierung war die Aufklärung; gegen ein wirklich christliches Bekenntnis äußerte er sich, wo es ihm entgegentrat, wie bei seinem treuen General Zieten, unfreundlich. Freilich mußte der König an seinem Freunde Voltaire Erfahrungen machen, die ihn zu der Klage veranlaßten: „Es ist doch schade, daß mit einem so herrlichen Genie eine so nichtswürdige Seele verbunden ist!“ Und als der große König am Ende die auflösenden Wirkungen, welche die französische Aufklärung auf sein Volk und sein Heer übte, wahrnehmen mußte, da brachte ihn dies zu der Äußerung, er würde viel darum geben, wenn er sein Volk in der Gottesfurcht und Zucht hinterlassen könnte, wie er es von seinem Vater übernommen; seinem Minister warf er das Wort entgegen: „Schaff er mir wieder Religion ins Land!“ Zerfallen mit seiner Familie und mit dem Gott seiner Väter starb er einsam als der Philosoph von Sanssouci, „ein Fürst bis zum letzten Augenblick, aber ein Fürst ohne Glauben, ohne Liebe, ohne Hoffnung“.

Eine Frucht dieser Entwicklung war die Humanitätsidee, deren Blüte schon am Beginne der neuen Zeit im Humanismus hervorgebrochen war. Im Gegensatze gegen das ausschließlich kirchliche Gepräge, welches das Leben im Reformationszeitalter mehr und mehr erhalten, sowie auch gegen die einseitige Abkehr des Pietismus von der Welt wurde nun mit dem Recht des Natürlichen überhaupt auch das Recht des allgemein Menschlichen aufs neue und in neuer Weise hervorgehoben. Man suchte außerhalb und abseits von der Welt des Glaubens eine eigene Welt zu gründen, und fand diese in dem Rousseau'schen Evangelium von der natürlichen Güte und Vernünftigkeit, das zu einem Kultus der Menschlichkeit, der Humanität führte, welcher dann auch den Charakter der neuen deutschen mächtig emporblühenden schönen Literatur bestimmte und auf die Erziehung großen Einfluß übte.

Die Humanität, welche nun zu einer Art Religion wurde, ist freilich, soweit darunter ein Kultus der Menschlichkeit, ein Kultus des natürlichen Menschen gemeint ist, dem Christentum, das ja vielmehr lehrt, daß der natürliche Mensch in seiner Sündhaftigkeit nicht zu Gott gelangen kann (vgl. z. B. S. 46 u. 207), strads entgegen. Soweit freilich unter der Idee der Humanität — wie auch die edleren Geister, ein Herder und Schiller, thaten — die wahre Menschen- und Bruderliebe, die rechte Brüderlichkeit verstanden wird, ist sie ganz eigentlich die große Idee des Christentums. Und diese war dem Altertum fremd; weder dem Griechentum mit seiner Kunstbildung noch dem Römertum, in welchem noch viel mehr als in jenem nur der politische Gedanke herrschte, der den Menschen nur unter dem Gesichtspunkte der politischen Zweckmäßigkeit und Nützlichkeit faßt, wie u. a. die Duldung der Sklaverei beweist, war diese Idee aufgegangen, und auch dem national noch engherzigeren Judentum nicht, obwohl sie im Alten Testamente wenigstens dem Keime nach vorhanden war. Allerdings konnte diese Humanität, nachdem sie in der urchristlichen und altchristlichen Zeit wie eine herrliche duftende Rosenknospe zum Staunen der Heiden hervorgebrochen war (s. S. 35 ff.), weiterhin unter den von dem Geist des Christentums in ihrer Masse noch immer nicht durchdrungenen Völkern sich nur allmählich zu der vollen Blüte entwickeln, wie unsre Zeit sich derselben rühmt; ja es hat Zeiten gegeben, wo sie in Unverstand und Engherzigkeit verhüllt und zurückgehalten war.

Nun erfüllte sich das 18. Jahrhundert mit Begeisterung für die Humanität, — für eine Richtung, welche in dem Menschen vor allem den Menschen achten wollte, gleichviel wes Volkes, Standes, Bekenntnisses er sei. Gewiß lag darin gegenüber nicht wenigen Vorurteilen der älteren Zeit ein wesentlicher und gesunder Fortschritt. Jegliche Verfolgung um der Religion und des Bekenntnisses willen, jegliche Standesungleichheit vor dem Recht, unmenschliche und barbarische Gebräuche im Gerichtsverfahren, Sklaverei und Sklavenhandel wurden gleichmäßig und unaufhörlich zum Gegenstand des öffentlichen Tadels gemacht, und die Urheber alles dessen, was das „humane" Gefühl beleidigte, der Verachtung und dem Abscheu des ganzen aufgeklärten Europa preisgegeben. Es soll einem Voltaire unvergessen bleiben, daß er den gewaltigen Einfluß seiner Feder auch zu Gunsten des Andenkens und der Hinterbliebenen des unglücklichen Protestanten Jean Calas geltend machte, der im Jahre 1762 in Toulouse wegen seines Bekenntnisses hingerichtet worden war. Duldung, „Toleranz" wurde eine der Leidenschaften jenes Zeitalters, und sie kam ebensowohl den Juden zu Gute, als Protestanten und Katholiken. In Österreich wurde jetzt unter der Regierung Josephs II. (s. unten) zuerst den Protestanten Freiheit der Bekenntnisübung gewährt. Ein Jahrhundert war

Denkmünze zur 100jährigen Erinnerungsfeier der Grundsteinlegung der französischen Kirche in Berlin (10. Juni 1772). Nach einem Kupfer von Daniel Chodowiecky.

vergangen, seitdem viele Tausende französischer Protestanten, durch die Verfolgungen Ludwigs XIV. aus ihrem Vaterlande vertrieben, in den brandenburgischen Staaten ein Asyl gefunden hatten, und die Feier des Andenkens hieran gestaltete sich jetzt zu einer begeisterten Verherrlichung der Glaubensfreiheit. Gar viele unter den lauten Wortführern der Humanität ließen dabei freilich zu sehr außer Auge, daß es zuerst das Christentum war, welches die Menschenwürde als solche verkündete.

In die Literatur, welche damals aufzublühen begann, führte Lessing die neue Idee ein. Gotthold Ephraim Lessing (1729—1781) — aus einem schlesischen Pfarrhaus entsprossen, Meister der deutschen Sprache, die seit Luther keiner mehr so handhabte wie er, — verkündete von der Bühne, als von seiner Kanzel herab in dem Schauspiel „Nathan der Weise“, daß die wahre Religion weder Christentum, noch Judentum, noch Islam, der „echte Ring“ vielmehr verloren sei, und er that dies nicht ohne auffallende Ungerechtigkeit gegen die Religion, der er selbst angehörte, gegen das Christentum und die christliche Kirche. Und mehr und mehr diente den Aposteln der Humanität, die weiterhin auftraten, die Humanität, nicht anders wie auch das große Wort von der Vernunft, nur dazu, die bestehenden Grundlagen des Lebens, der Gesellschaft, Sitte, Religion u. s. f. und deren Giltigkeit durch den neuen Maßstab, den sie an sie legten, aufzulösen. In einer Art religiöser, dem Jesuitenorden nachgebildeter Vereinigungen wurde dieses neue Evangelium der Humanität unter den Völkern verbreitet: in dem Freimaurerorden, welcher in dem protestantischen England im Jahr 1717, und dem Illuminatenorden, welcher im Jahr 1777 in dem katholischen Bayern begründet wurde. Eine Vereinigung von Brüdern, über dem Zwiespalt der Bekenntnisse stehend, setzten sie sich die Verbreitung vernünftiger Aufklärung und die Förderung allgemeiner Nächstenliebe zum Ziele. Dabei umgaben sie sich mit einem Geheimnis mannigfacher Ceremonien — viel mehr als es in der von ihnen geschmähten Kirche, jedenfalls der evangelischen, je der Fall war.

Es konnte nicht fehlen, daß auch in der Schule und für das Erziehungswesen die neuen Ideen in Anwendung gebracht wurden. Die von Rousseau im „Emil“ verkündeten Grundsätze über naturgemäße Erziehung wurden zuerst von dem marktschreierischen „Aufklärer“ J. B. Basedow im „Philanthropin“ zu Dessau praktisch zu verwirklichen gesucht, aber mit mehr als zweifelhaftem Erfolg. Auch Joachim Campe, der Bearbeiter des berühmt gewordenen „Robinson Crusoe“, gehörte dieser Richtung an, in welcher man alles Gewicht auf das Nützliche, auf Entwicklung der natürlichen, angebornen Fähigkeit des Menschen und die Bestimmung für das natürliche, irdische Leben legte. In Campes Anstalt in Schnepfenthal bei Braunschweig herrschte übrigens ein edler Sinn, und er selbst waltete unter den Seinen wie ein ehrwürdiger Patriarch; aber durch Männer wie den berüchtigten, viel umhergeworfenen theologischen Abenteurer Bahrdt, welcher mit andern die „philanthropische“ und „naturgemäße“ Erziehung zum Aushängschild seiner Geldspekulation machte, wurden die neuen Bestrebungen im Fach der Erziehung gründlich bloßgestellt.

Bald genug sollten auch der Blutdurst und die Greuel der französischen Revolution aller Welt darüber die Augen öffnen, welche Bewandtnis es mit dem so übertrieben gerühmten natürlichen Trieb zum Wahren, Guten und Schönen in der Menschheit habe.

5) Die kirchliche Aufklärung in Deutschland.

Das System der lutherischen Rechtgläubigkeit war bereits durch den Pietismus durchbrochen worden, der in seinen spätern Ausläufern die Bedeutung des Christentums nicht sowohl mehr in dem Inhalt der Glaubenslehre als in der Wirksamkeit des Evangeliums auf das sittliche Leben suchte. Von da war nur noch ein Schritt dazu an die Stelle der göttlichen Offenbarung einfach die menschliche Vernunft (ratio) zu setzen; und diesen Schritt that zuerst Leibnitzens Schüler Wolf in Halle (s. S. 276). Er ist der Vater des Rationalismus, d. i. des Vernunftglaubens geworden, welcher von der Offenbarung nur das noch gelten lassen wollte, was der natürlichen Vernunft einleuchtete, dem jeweiligen „gesunden Menschenverstande" angemessen schien. Bald hatte im Gebiet des Glaubens nur noch das Gewöhnlich-Alltägliche Wahrheit. Die mit Wolf († 1754) in der Theologie und Kirche einbrechende Aufklärung gestaltete nun im Verlauf der zweiten Hälfte des vorigen Jahrhunderts Lehre und Gottesdienst der evangelischen Kirche nach ihrer oberflächlichen Ansicht und ihrem seichten Geschmack, alles verflachend, um.

Wolf war zwar für die Theologie erzogen, widmete sich jedoch hauptsächlich der Mathematik und Philosophie und strebte darnach, dies mathematische Denken nach dem Grundsatz: „Klarheit ist der Maßstab der Wahrheit" zur Versöhnung der Konfessionen auch für die Theologie nutzbar zu machen, und „die Wahrheit in der Theologie so deutlich zu zeigen, daß sie keinen Widerspruch dulde." Dies sind seine eigenen Worte. Er selbst war für seine Person noch kirchlich gesinnt, und die Anklage, welche seine pietistischen Kollegen an der Universität zu Halle gegen ihn richteten und welche eine Kabinetsordre Friedrich Wilhelms I. vom 8. Nov. 1723 zur Folge hatte, daß Wolf „binnen 48 Stunden bei Strafe des Stranges die preußischen Lande zu räumen habe" — diese Anklage schadete nur der bereits verlorenen Sache des Pietismus selbst. Der Regierungsantritt Friedrichs II. führte den Vertriebenen im Jahr 1740 im Triumph nach Halle zurück und seiner Schule gehörte die nächste Zukunft. Während einzelne von Wolfs Schülern, wie der Göttinger Kanzler Mosheim, der Vater der protestantischen Kirchengeschichtschreibung, die Leipziger Professoren Michaelis und Ernesti, jener in der Erklärung des Alten, dieser in der des Neuen Testamentes nach grammatisch-historischen Grundsätzen, eine unklare Vermittlung erstrebten, die noch allerlei von der Offenbarungsreligion stehen ließ, ohne doch diese selbst anders gelten zu lassen denn als eine Bestätigung der natürlichen, der Vernunftreligion (s. S. 276), schritt Joh. Jak. Semler in Halle, aus dem dortigen Pietismus hervorgegangen, zu entschlossener Geltendmachung des Maßstabs der „Vernunft" und einer ihr entstammenden Kritik gegenüber den geschichtlichen Urkunden der Offenbarungsreligion fort. Semler starb 1791, tief beunruhigt ob der Folgerungen, die von seinen Nachfolgern aus den zerstörenden Aufstellungen gezogen wurden, welche er an dem biblischen Kanon gemacht.

Einen mächtigen Anstoß gab Lessing der ganzen Bewegung durch die kühne und rücksichtslose Herausgabe der sog. Wolfenbüttler Fragmente, der Schrift eines hamburger Gelehrten und Schulmannes namens Reimarus, welche dieser selbst als für seine Zeit noch zu früh zurückgelegt wissen wollte. Als darauf der Hauptpastor Göze in Hamburg Lessing mit dem schwerwiegenden Vorwurf begegnete, daß er durch die Veröffentlichung solcher Angriffe gegen Bibel und Christentum vielen Seelen, zumal den Ungelehrten, Ärgernis bereitet habe, trat ihm Lessing mit der Behauptung entgegen: die Wahrheit gehe über alles und ihr müßten alle andern Rücksichten, selbst die auf die Ruhe und den Frieden der Einzelnen, geopfert werden; auch sei mit einer solchen Kritik der Bibel noch nicht das Christentum selbst gefährdet; denn die christliche Religion sei schon dagewesen, noch ehe die Schriften des Neuen Testamentes geschrieben worden; auch sei zu unterscheiden zwischen der christlichen Religion, wie sie die Kirche habe, und der Religion Christi, wie Er sie gehabt habe als ein unmittelbares Leben im Gemüte, ein Leben, welches sich in der Liebe erweise und in dem seligen Bewußtsein verbürge; ebenso dürfe man seinen Glauben nicht auf „zufällige Geschichtswahrheiten", sondern müsse ihn auf die allgemeinen und notwendigen „Vernunftwahrheiten" gründen; so dürfe man auch das Christentum nicht einschränken auf das geschriebene Wort, sondern müsse der Entwicklung durch das mündliche Wort der Überlieferung und durch den Geist Raum geben. Nicht viel anders als Lessing stellte sich auch der Philosoph Joh. Immanuel Kant in Königsberg (1724—1804), welcher in seiner „Kritik der reinen Vernunft" dem menschlichen Erkennen in scharfen Linien eine knappe Grenze zog. Auch er wollte von dem „Geschichtsglauben" der Kirche nur das, was dem reinen Vernunftglauben entspreche, gelten lassen, zu welchem Zweck er die christlichen Dogmen in sittliche Wahrheiten umzudeuten suchte.

So einseitig und zum Teil falsch diese Aufstellungen auch waren, lag doch ein fruchtbarer und für die protestantische Religiosität nicht verlorner Gedanke darin: nemlich der, daß die biblische Wahrheit nur dann eine wirksame für uns ist, wenn sie sich in aufrichtig erfaßte Herzenswahrheit umsetzt, und mancherlei Anregung für eine tiefere Begründung der Fragen über Offenbarung, Inspiration und Kanon (s. S. 20), über das Verhältnis des Christentums zu andern Religionen — Fragen, deren Beantwortung bisher eine doch zu einseitige und unzulängliche gewesen. Aber die Theologie freilich, welche nun unter dem Namen Rationalismus d. h. Denkgläubigkeit in der Kirche das große Wort führte und sie zum Tummelplatz einer seichten Aufklärung machte, bietet einen traurigen Anblick und sie hat das geistige und sittliche Leben unseres Volkes auf Generationen hinaus verwüstet, da ihre Ansichten nach und nach bis zu den untersten Schichten des Volkes durchdrangen, wo sie dann zähe noch festgehalten wurden, nachdem sie in den obern oder doch in dem Kreise der Amtsträger wie der Kirchenlehrer schon überwunden waren. Den Rationalisten, deren bedeutendste Vertreter auf den Lehrstühlen der Universitäten und auf der Kanzel Wegscheider in Halle († 1849), Röhr in Weimar († 1848), Paulus in Heidelberg († 1851) wurden, war Christus nichts weiter als der weiseste der Lehrer, einem Sokrates, dessen Methode man beim Religionsunterricht nachzuahmen suchte, gleichzustellen, die Bibel nichts weiter als das beste Lehrbuch der Sittenlehre fürs Volk zur „Ausbesserung" des menschlichen Herzens. Die Bekenntnisschriften wurden ganz zurückgestellt, und Luthers Katechismus aus der Schule verdrängt zu Gunsten einer Menge von „Leitfäden". Die seit Luthers Tagen bestehende Liturgie wurde abgeschafft, die Abendmahlsfeier der Gemeinde zu einer erbaulichen

Privatfeier heruntergesetzt; die Predigt wurde zu einer trockenen Abhandlung oft über die alltäglichsten „gemeinnützigen“ Dinge, wie an Weihnachten über den Nutzen der Stallfütterung, an Ostern über den Nutzen des Frühaufstehens. In den Gesangbüchern wurden die alten, kräftigen Lieder ausgemerzt oder umgeformt in die seichte Redeweise der Zeit, „verwässert“, und dazu in schleppendem Gesange gesungen. Die eigenen Lieder des Rationalismus wurden mehr und mehr gereimte Sittenpredigten. Während aber auf der einen Seite überall der nüchternste Verstand sich breit machte, gefiel man sich doch auf der andern Seite wieder in Ausdrücken einer überschwenglichen Gefühlsseligkeit (Sentimentalität), wie sie in Witschels vielgebrauchtem „Morgen- und Abendopfer“ sich aussprach, welches Gebetbuch neben Zschokkes „Stunden der Andacht“ die häusliche Erbauung in ganz Deutschland bis tief in unser Jahrhundert noch beherrschte. Zum Teil erklärt sich daraus, daß von kirchlichen Feiern nächst der Konfirmationsfeier insbesondere der Gottesdienst am Abend des scheidenden Jahres von nun an großen Anklang fand.

Dem Strome der Zeit suchte sich eine Richtung entgegenzustellen oder wenigstens mäßigend auf dessen Lauf einzuwirken, welche den Namen **Supranaturalismus** erhielt, weil ihre Vertreter gegenüber der bloß natürlichen Religion den Standpunkt einer „**übernatürlichen**“ Religion verteidigten. Aber auch sie konnten sich dem Einflusse der Aufklärungszeit nicht entziehen und machten mehr oder minder weitgehende Zugeständnisse, indem sie, die Kirchenlehre preisgebend, auf die vermeintliche Schriftlehre sich zurückzogen.

Unter ihnen erwarb sich der Oberhofprediger **Reinhard** zu Dresden († 1812) einen Namen als Kanzelredner, der badische Kirchenrat Pet. **Hebel** (1760—1826) durch seine gemütreichen, religiös gestimmten Gedichte in allemannischer Mundart. Die ehrwürdigste Gestalt aber aus der Kirche jener Tage ist der fromme Liederdichter Chr. Fürchtegott **Gellert**, Professor an der Hochschule zu Leipzig. Geboren 1715 im Pfarrhause zu Hainichen im sächsischen Erzgebirge, war er von Jugend auf beseelt von sittlichem Ernst, war auch in der „Abwartung“ des öffentlichen Gottesdienstes sehr gewissenhaft; noch als Mann legte er sich ein Tagebuch zu seiner Selbstprüfung an. Seine vielen körperlichen Leiden ertrug er allezeit in Gottvertrauen und Gottergebenheit; selbst anspruchslos ans Leben, befleißigte er sich der Wohlthätigkeit gegen andere. Als Lehrer an der Hochschule übte er durch seine Vorträge einen großen und heilsamen Einfluß auf die studierende Jugend und bei seinen Ermahnungen, aus gerührtem Herzen mit sanftem Ton gesprochen, wurden seine Zuhörer oft zu Thränen bewegt und er erlebte viele Beweise der innigsten Dankbarkeit dafür, daß er durch sein Wort und besonders durch seine geistlichen Lieder die Herzen gebessert. Seine Lieder wurden bald in fremde Sprachen übersetzt und fanden auch in katholischen Kreisen freudige Aufnahme. Auch durch seine Fabeln und Erzählungen hat er sich weithin beliebt und nützlich gemacht. Mit heiterem Antlitz verschied er am 13. Dezember 1769, seine Seele unterhaltend von den Wohlthaten des Versöhnungstodes Jesu. — Auch Gellert bewegte sich nach der Richtung seiner Zeit mehr im allgemein Religiösen und Sittlichen. So haben denn auch die Lieder von Schöpfung und Erhaltung der Welt, wie: „Wenn ich, o Schöpfer, deine Macht“ oder: „Wie groß ist des Allmächtigen

Güte", nicht minder seine Morgen- und Abendlieder, wie: „Mein erst Gefühl sei Preis und Dank" und: „Herr, der du mir das Leben", und seine Kreuz- und Trostlieder: „Ich hab in guten Stunden" oder: „Was ists, daß ich mich quäle" einen besondern Anklang gefunden und Einfluß geübt. Auch bei ihm ist Nüchternheit des Verstandes, der immer belehren will, mit einer gewissen Empfindsamkeit und Gefühlsseligkeit verbunden.

Chr. Fürchtegott Gellert.
Gemalt von Graff, gestochen im J. 1775 von Joh. El. Haid.

Auch Klopstock gehört noch dieser Richtung an. Er hat den Messias in einem Epos (seit 1748) gefeiert und hat damit Anklang gefunden. Dies bewies zwar einerseits, daß das Christentum immerhin noch einen Boden im deutschen Volksgemüt hatte, welches die Aufklärung ja nur nach und nach zersetzen konnte; andererseits aber war eine epische Verherrlichung der Heilsgeschichte doch nur in einem Zeitalter möglich, welches den über dichterischem Spiel erhabenen Wert des heiligen Stoffes nicht mehr mit dem frommen Väterglauben maß, sondern dem derselbe bereits Gegenstand der Reflexion geworden war. Das wurde denn auch die Art der Religiosität jenes Geschlechts, soweit wir bei demselben überhaupt noch der Religiosität begegnen, daß es die Religion nahm gleich anderem was das Leben schmückt, und von dem die Dichter sangen, Freundschaft, Liebe, Vaterland, — daß der Glaube der Väter nicht mehr die

Macht war, welche das ganze Leben durchwirkte, der feste, unerschütterliche Grund und Boden, in welchem die Wurzeln aller Kraft und aller Erkenntnis für Zeit und Ewigkeit liegen. Man kann Religion haben oder auch entbehren, und man kann sie auch bestimmen wie man will, sie ist Privatsache. Es war eine Religion mit nebelhaften Begriffen von Gott, Tugend und Unsterblichkeit, mit schönen Reden vom Lohn der Edlen, getrockneten Thränen, Wiedersehen

Fr. Gottlieb Klopstock. Nach einem Stich von Joh. El. Haid.

nach dem Tod, von Humanität, Liebe und Freundschaft: eine Religion der Sentimentalität und Humanität, vor welcher alle festen Lebensordnungen und Lebensmächte zerrannen in Gefühl, Sehnsucht, Schwermut, Weltschmerz, Freiheitsstreben. Es ist die Periode, wo der junge Goethe seinen Werther die Verirrung, durch welche er in die Ehe seines Freundes den Keim der Auflösung gebracht, im Selbstmord sühnen ließ und Schiller in den „Räubern" auf der Bühne den Kampf der Ungebundenheit mit der sittlichen Ordnung in Kirche, Staat und Gesellschaft feierte.

4) Die Revolution in Frankreich.

Während in den protestantischen Ländern eine mehr stille Auflösung der bestehenden Dinge sich vollzog und zunächst mehr nur die kirchliche

Lehre berührte, kam es innerhalb der katholischen Kirche, eben weil sie jede freie Bewegung des Geistes grundsätzlich ausschloß und mit dem katholischen Staate aufs innigste verwachsen war, zu einem furchtbaren Ausbruch wie eines Vulkans und zu einer gewaltsamen Umwälzung in Staat und Kirche gleich als durch ein Erdbeben. Die Revolution war eben der Versuch, die Grundsätze der Aufklärung in die Wirklichkeit einzuführen, die Ordnungen des Lebens umzugestalten nach den Forderungen der „Vernunft", d. h. des „gesunden Menschenverstandes" oder den wechselnden Meinungen des Tages.

Friedrich II. selbst hatte noch die Revolution in Frankreich herankommen sehen. Die auf die Richtung der Freigeister und Deisten (s. S. 277) folgenden „Encyclopädisten", an ihrer Spitze Diderot, d'Alembert und der Baron Grimm, warfen, wie es nur folgerichtig war, den nebelhaften Gott des Deismus bei Seite und verloren sich mit ihren Gedanken vollends an die sinnliche Welt, das irdische stoffliche Wesen, also daß sie den Stoff, die Materie für das einzig wirklich Seiende und die Forderung von der Herrschaft des Geistes über das Fleisch für bloßen Priestertrug erklärten. So war das menschliche Denken am Materialismus und Atheismus angelangt. Das Gift ihrer Meinungen aber verbreiteten die „Encyclopädisten" in großen, umfassenden Schriftwerken, welche eine Uebersicht alles Wissenswerten geben sollten (Encyclopädien), bis in die untersten Kreise des Volkes hinab. Die menschliche Vernunft, welche von Schritt zu Schritt vorwärts bis zum reinen Bankerott aller Moral und Sittlichkeit, zur reinen Abgötterei des Fleisches nach dem Grundsatz: „Laßt uns essen und trinken, denn morgen sind wir tot", bis an den völligen Abgrund fortgeschritten war, machte auch nicht Halt vor den Mächten des Staates und den Ordnungen der Gesellschaft, in welchen zudem vieles wirklich faul war. Die Mächte der Auflösung ließen sich nicht mehr bannen und im tollen Gang ging's von Stufe zu Stufe weiter.

Ein Zeichen der Zeit, ein Vorzeichen des nahenden Sturmes, war die Anfeindung, welche der Jesuitenorden erfuhr. Während noch den Jansenisten gegenüber die Jesuiten von den Päpsten kräftig in Schutz genommen worden waren, forderten jetzt die katholischen Mächte selbst die Aufhebung des Ordens. Nachdem einzelne, voran Portugal 1759, weil sie seine Grundsätze für unvereinbar mit den Forderungen der Unbeschränktheit der Staatsgewalt erkannten, mit der Vertreibung der Jesuiten vorgegangen waren, wurde die Aufhebung des Ordens selbst endlich 1773 durch Papst Klemens XIV. Ganganelli in dem Breve Dominus ac Redemtor noster ausgesprochen. Bezeichnend ist, daß sein wenige Wochen darauf erfolgter Tod von der öffentlichen Meinung den Jesuiten zugeschrieben wurde. Der Orden zählte zur Zeit seiner Aufhebung 22589 Mitglieder in 24 Provinzen. Er fand für die nächste Zeit im stillen einen Halt an dem verwandten Orden der Redemtoristen oder Lignorianer, gestiftet 1732 durch den Neapolitaner Lignori.

Aber auch im Bereich der Hierarchie selbst erhoben sich Proteste gegen die Uebermacht des Papstes. Hatte sich schon unter Ludwig XIV. die französische Kirche sich mit einer entschiedenen Erklärung in den vier Sätzen der „gallikanischen Propositionen" eine verhältnismäßige Freiheit und Selbständigkeit zu wahren gesucht (1682), so versuchte nun Kaiser Joseph II. (1780—90) in seinen österreichischen Landen Reformen im Sinne der Aufklärung durchzuführen.

Nach außen hin wollte auch er die Kirche seiner Staaten gegen den ausländischen Einfluß sichern, nach innen wollte er sie für die Volksaufklärung nützlicher machen, nach beiden Seiten hin sollte auch die Aufhebung eines Teils der Klöster dienen. Die Absicht erschien so bedenklich, daß Papst Pius VI. sich veranlaßt sah, selbst nach Wien zu reisen. Sein Besuch war freilich vergeblich; aber Joseph's Reformen wurden durch ihn selbst, durch seine alles überstürzende Hast und oft gewaltthätige Aufklärungssucht vereitelt. Ein bleibender Ruhm seiner Regierung ist es, daß er durch das Toleranzedikt vom 25. Oktober 1781 den Protestanten in seinem Reiche Duldung, in kirchlicher Hinsicht wenigstens die Freiheit eines stillen Gottesdienstes (die Gotteshäuser ohne Turm und Glocken und mit dem Eingang nicht von der Straße aus), in bürgerlicher Hinsicht gleiches Staatsbürgerrecht mit den Katholiken gewährte. In Tyrol wurde es nicht angenommen, in Ungarn nur nach heftigem Widerspruche der katholischen Mehrheit.

Mehr und mehr war der französische Hof unter Ludwig XV. zu einem Pfuhl des Lasters geworden. Da er seinem Nachfolger eine Schuldenlast hinterlassen, zu deren Tilgung dem Hofe alle Mittel fehlten, so erfolgte auf den Rat des Finanzministers Necker und der Notabeln die Berufung an das Volk, dessen Stände, Adel, Geistlichkeit und Bürgertum am 14. Juli 1789 zu Versailles zu einer Nationalversammlung zusammentraten. Das Bürgertum gewann in derselben bald den beherrschenden Einfluß und machte die Rousseauschen Grundsätze geltend, die Grundsätze von der Volkssouveränität und den angebornen, natürlichen Menschenrechten, die es im Laufe der letzten Jahrzehnte nach und nach in sich aufgenommen. Die einmal betretene Bahn führte reißend schnell abwärts in die Tiefe. Der noch leidlich gemäßigten konstituierenden Nationalversammlung, in welcher Mirabeau das große Wort führte, der zwar ein zerrütteter Mensch war, aber doch noch Sinn hatte für die Notwendigkeit einer festen Ordnung im Staate, folgte am 1. Oktober 1791 die gesetzgebende Versammlung, in welcher die Girondisten hervortraten, bereits eifrige Republikaner, welche mit dem allgemeinen Rousseau'schen Schlagwort von Freiheit, Gleichheit und Brüderlichkeit die Köpfe anfüllten. Aber im Konvent, der am 21. September 1792 die Republik in Frankreich einführte, hatten Männer die Gewalt, gegen welche die Girondisten noch gemäßigte Leute waren. Ihm fielen erst der König Ludwig XVI., dann die Girondisten selbst als Opfer und es wurde über Frankreich eine Pöbel- und Schreckensherrschaft verhängt, die ihren Höhepunkt im Wohlfahrtsausschuß (1793—95) gewann, in welchem ein Danton, Marat, Robespierre das große Wort führten. Durch diese erreichte die Zersetzung der bürgerlichen Gesellschaft ihre äußerste Grenze. Alles, was noch an die früher bestehenden Ordnungen erinnerte, wurde abgeschafft, und alle Anhänger des Alten mit dem Tode bedroht. In allen Städten waren untergeordnete Ausschüsse gebildet und wüteten mittelst der Guillotine gegen alles, was aus der Masse irgendwie, sei es durch Stand, sei es durch Bildung, sei es durch Reichtum hervorragte. Die christliche Zeitrechnung wurde abgeschafft, ebenso die Feier des Sonntags; der christliche Kultus überhaupt wurde verboten, dafür Feste der Vernunft und der Brüderlichkeit gefeiert; das Dasein eines höchsten Wesens wurde erst öffentlich und gesetzlich für abgeschafft erklärt, später aber dann doch wieder anerkannt. Lange freilich konnte dieses Wesen nicht bestehen. Die Schreckensmänner selbst fielen, als das wiedererwachende Gefühl bürgerlicher Freiheit und Ordnung zur Aufstellung einer neuen Verfassung führte mit einem Direktorium an der Spitze, aus welchem dann der General **Bonaparte** als Diktator und schließlich als unumschränkter erblicher Kaiser hervorging.

Die **Revolution** hinterließ Kirche, Staat und Gesellschaft in Frankreich im Zustande der völligsten Verwüstung. Gegen die Priester vor allem hatte sich der Haß des Pöbels gerichtet, und zu Hunderten waren sie unter dem Beil der Guillotine gefallen; die Kirchen waren geplündert worden, das Kirchengeräte zur Münze geschafft, die Glocken in Kanonen umgegossen worden. Der revolutionäre Fanatismus überschritt bald die Grenzen Frankreichs und trug die rote Fahne der Freiheit, Gleichheit und Brüderlichkeit „zur Völkerbeglückung“ nach außen. Ein allgemeiner europäischer Krieg entwickelte sich, in welchem die Fäulnis der von der Aufklärung bereits zersetzten und schon in voller Auflösung begriffenen alten Staatswesen einer- und das Feldherrngenie Bonapartes andererseits zusammenwirkten, um einen allgemeinen Umsturz der Verhältnisse hervorzurufen. In Spanien, Deutschland, Oesterreich, Italien und Rußland siegten die französischen Waffen und es entstanden neue Reiche „von Napoleon's Gnaden“, während die alten untergingen. Allenthalben wurde durch die „**Säkularisationen**“ die katholische Hierarchie ihrer Besitzungen, der Papst selbst seines Gebiets, Pius VI. († 1799 in der Citadelle zu Valence) und Pius VII. sogar eine Zeit lang der Freiheit beraubt.

Auch für das „**heilige römische Reich deutscher Nation**“ (s. S. 98 f.), welches schon zu einem Schattenbilde heruntergesunken war, schlug jetzt die letzte Stunde. In Folge der Errichtung des Rheinbundes unter Napoleons Protektorat, welcher die dem Reiche angehörigen Staaten Bayern, Württemberg, Sachsen u. a. zu Frankreichs Bundesgenossen machte, faßte Kaiser Franz II. am 6. August 1806 den Entschluß, seine Würde als deutscher Kaiser niederzulegen. Es war ein „tausendjähriges“ Reich“ gewesen, und diese seine Dauer trotz aller Stürme, die es erlebt, ein Zeichen und Zeugnis von der Macht der Idee, aus der es entstanden!

C. Unsere Zeit.

Nachdem die das Recht der Persönlichkeit und die Freiheit der Gewissen unterjochende Macht der mittelalterlichen Kirche in der Reformation gebrochen war, hatte auch das auf sich selbst gestellte Streben der Menschheit Raum gewonnen, und hatte, wie wir gesehen, bald auch die letzten Schranken der Autorität wegzuräumen gesucht, von welcher der menschliche Eigenwille und die menschliche Vernunft sich beinträchtigt glaubten. Die Periode der Aufklärung hatte zur vollen Auflösung alles geschichtlich Gewordenen in Kirche, Staat und Gesellschaft geführt und hat nur das protestantische und in seinem protestantischen Bewußtsein freie England im wesentlichen unberührt gelassen, während durch dieselbe innerhalb der katholischen Welt die Revolution zum dauernden Zustand geworden ist. Aber auch dieser Gang der Dinge mußte nach Gottes Rat doch zur Förderung seines Reiches dienen. Nicht bloß daß im Sturm und Drang jener Zeit endlich auch Gedanken und Grundsätze zur Ausführung kamen, welche ebenso reformatorisch, wie urchristlich sind, wie z. B. die Aufhebung der Leibeigenschaft, so mußte auch die ernste Erfahrung des Jahrhunderts dazu führen, daß man wieder zur Besinnung kam und die Gotteskraft des in der heiligen Schrift bezeugten Evangeliums wieder suchen und den Wert der kirchlichen wie der staatlichen Ordnung besser würdigen lernte. Ja, es ergab sich aus der ganzen Entwicklung nicht bloß eine Vertiefung der christlichen Erkenntnis, vornehmlich eine tiefere Fassung und vollere Entfaltung der Idee der christlichen Persönlichkeit, sondern es trat nun auch in dem Begriffe der Kirche der Gedanke der kirchlichen Gemeinschaft, des christlichen Gemeindelebens und darüber, im Zusammenhange mit der Entwicklung der Mission, der große, umfassende, lebensvolle Gedanke des Reiches Gottes wirksam hervor. Aber es fehlt freilich noch viel daran, daß die ganze Zeitgenossenschaft sich diesen Weg hätte führen lassen und diese Stellung eingenommen hätte; im Gegenteil wirkt der Geist der Aufklärung und Revolution noch fort, ja in manchen Erscheinungen im Leben der heutigen Welt ist ein völliges und ausgesprochenes Widerchristentum an den Tag getreten.

I. Die Erneuerung des geistigen und religiösen Lebens an der Wende des Jahrhunderts.

1) Der Umschwung in Wissenschaft und Literatur.

Wie in der Natur noch mitten im starren Winter die neuen Blütenknospen sich vorbereiten und unter der Schneedecke neues Leben keimt, um ans Licht zu treten, sobald die Frühlingssonne jene schmilzt, so erstanden auch schon mitten im Winter der Aufklärung die Frühlingsboten einer neuen Zeit. Vereinzelte Zeugen des Glaubens hatten noch während jener Epoche ihre Prophetenstimmen erhoben, und noch ehe die Not der Zeit die Völker wieder aufrüttelte, hatte sich eine tiefere Auffassung der Welt und des Lebens Bahn gebrochen, welche, ohne daß man es gerade immer wußte und wollte, auch zu einer tiefern Erfassung des Evangeliums behilflich war.

Klopstocks begeisterte Dichtung: „der Messias" (1748) weckte in religiöser Hinsicht eine neue Begeisterung in den Herzen seiner Zeitgenossen, wie seine patriotischen Lieder in vaterländischer Hinsicht; Lessings scharfe Kritik der damaligen Orthodoxie (s. S. 282) übte, wie wir schon oben erwähnten, doch auch eine reinigende und anregende Wirkung. J. Gottfr. Herder (geb. 1744 zu Morungen in Ostpreußen, gest. 1803 als Generalsuperintendent in Weimar), ebenso begeistert für das klassische Altertum wie für die Bibel, bahnte durch seine Schrift „vom Geiste der ebräischen Poesie" (1782) ein höheres

Verständnis der heiligen Schrift alten Testamentes, insbesondere seiner dichterischen Schönheiten an. Und wie er in seiner Schrift: „die älteste Urkunde des menschlichen Geschlechtes“ die mosaische Schöpfungsgeschichte von dem Mißverstande, als wollte sie ein Lehrbuch der Naturlehre sein, zu retten suchte, so eröffnete er durch seine „Ideen zur Philosophie der Geschichte der Menschheit“ eine tiefere Auffassung der Geschichte überhaupt. In seinen theologischen Schriften bekämpfte er die einseitige Auffassung des Christentums als Lehre und hob die Person Christi hervor als die erste thätige Quelle der Reinigung, Befreiung und Beseligung der Welt, als den größten Boten und Lehrer und Menschen des Vorbilds, der aber auch seiner Person nach der Eckstein der Seligkeit sei. Freilich betonte er vor allem das Menschliche in der Person Christi, den „Menschensohn“, und verkündete, eingehend auf die Richtung seiner Zeit, als Prediger des Evangeliums in dem Bilde des Menschensohns: „Seht, welch ein Mensch ist das!“ das Ideal der Humanität, wie er in seinen „Briefen über Humanität“ die Bedeutung des Christentums für jene ins Licht stellt: „Humanität ist der Schatz und die Ausbeute aller menschlichen Bemühungen, gleichsam die Kunst unseres Geschlechts. Ich wünschte, daß ich in das Wort Humanität alles fassen könnte, was ich bisher über des Menschen edle Bildung zu Vernunft und Freiheit, zu Erfüllung und Beherrschung der Erde gesagt habe, denn der Mensch hat kein edleres Wort für seine Bestimmung, als er selbst ist. Das Christentum aber gebietet die reinste Humanität auf dem reinsten Wege.“

Johann Gottfried Herder.
Nach einem Gemälde von G. v. Kügelgen, gestochen von Faustin Anderloni.

Ihm befreundet und landsmännisch nahestehend ließ J. Gg. Hamann (1730–1788), der „Magus des Nordens“ genannt, scharfe Blitze einer höhern Wahrheit in seine Zeit hineinleuchten: „Was ist die hochgelobte Vernunft mit ihrer Allgemeinheit, Unfehlbarkeit, Ueberschwenglichkeit, Gewißheit und Evidenz? Ein ens rationis, ein Ölgötze, dem ein schreiender Aberglaube der Unvernunft göttliche Attribute andichtet.“ In dem Glauben an Jesum

Christum hat sich ihm das lodernde Feuer der innern Sehnsucht gestillt, das keine Aufklärung zu stillen vermochte: er, der einst alle Bücher verschlungen hatte, sagte, als er die h. Schrift gefunden, „sie sei durch ein Wunder von allen Büchern verschieden", und „allen philosophischen Widerspruch und das ganze Rätsel unserer Existenz" fand er durch „die Urkunde des fleischgewordenen Wortes" gelöst. Hamann gehörte dem Kreise an, der sich um die edle und fromme katholische Fürstin Galizin in Münster gesammelt hatte. Hier fand der vielumhergeworfene eine Stätte, wo er sein Haupt niederlegen durfte; die Fürstin hat ihm auf sein Grab die charakteristischen Worte geschrieben: „Den Juden ein Ärgernis und den Heiden eine Thorheit!" (1 Kor. 1, 23—25.) Zu jenem Kreise gehörte auch der Philosoph Friedr. Jacobi (geb. 1743 zu Düsseldorf, gest. 1819 in München), welcher von dem so viel gerühmten Verstande auf die Vernunft mit ihrer tieferen Erkenntnis hinwies, deren Wissen

Joh. Georg Hamann. Nach einem Jugendbild (im Besitze der Erben des Herausgebers der Werke Hamanns, weil. Oberconsistorialpräsident v. Roth in München), gestochen von H. Lips.

von Gott das Gewisseste im Menschen sei, das sich aber so schwer zur Wissenschaft gestalten lasse: „Licht ist in meinem Herzen, aber sowie ich in den Verstand es bringen will, erlischt es. Welche von den beiden Klarheiten ist die wahre? die des Verstandes, die zwar feste Gestalten, aber hinter ihnen nur bodenlosen Abgrund zeigt? oder die des Herzens, welche zwar verheißend aufwärts leuchtet, aber bestimmtes Erkennen vermissen läßt?" Aber er hielt fest an dem lebendigen Gottesglauben, der Gott nicht in überweltlicher Ferne hält, wie die Deisten (s. S. 286), sondern mit ihm in lebendiger, innerer, persönlicher Gemeinschaft steht (Theismus). Neben diesem traten auch noch Jung Stilling und Lavater als Zeugen eines tieferen und innigeren Lebens im Glauben,

wenn auch nicht ohne schwärmerischen Anflug, auf. Jung Stilling († 1817 als Arzt in Heidelberg), der reformierten Kirche angehörig, trat auf als ein „Prophet des Heimwehs“ in der Menschenbrust. „Selig sind, die das Heimweh haben, denn sie sollen nach Hause kommen!“ Freudigeren Geistes suchte der schweizerische Pfarrer Lavater († 1801 in Zürich), ein Apostel christlicher Humanität, vielgewandt und vielgeschäftig allen, auch den verschiedenartigsten Naturen alles zu werden, um ihrer etliche zu dem — Christus — zu gewinnen, von dem er bezeugte: „Meine grauen Haare sollen nicht in die Grube kommen, bis ich einigen Auserwählten in die Seele gerufen: Er ist gewisser, als ich bin!“

Mit diesen allen verbunden und doch in ganz anderer Art regte Matth. Claudius († 1815), der Wandsbecker Bote, durch gemütvolle Zeugnisse zum Glauben an. Im ersten seiner Briefe an Andres — sein alter ego — schreibt er: „Aber es macht Dir graue Haare, schreibst Du, unsern Herrn Christus verkannt und verachtet zu sehen. — Du liebe gerechte Seele, mag es doch; wer sie um ihn trägt, trägt mit Ehren graues Haar. Zwar seinetwegen brauchst Du Dir keine wachsen zu lassen. Er wird wohl bleiben, was er ist. So viele ihrer die Wahrheit nicht erkennen und nutzen, die haben des freilich Schaden; aber was kann es ihr schaden, ob sie erkannt und genutzt wird, oder nicht? Sie bedarf keines, und es ist die Größe und Herrlichkeit ihrer Natur, daß sie immer bereit ist, von Undank nicht ermüdet wird und wie die aufgehende Sonne mit den Wolken und Dünsten ringt, um sie zu reinigen und zu vergolden. Laß sie denn ringen, Andres, und brich Dir auch um was Du nicht ändern kannst, das Herz nicht. Wer nicht an Christus glauben will, der muß sehen, wie er ohne ihn raten kann. Ich und Du können das nicht. Wir brauchen jemand, der uns hebe und halte, weil wir leben, und uns die Hand unter den Kopf lege, wenn wir sterben sollen; und das kann er überschwenglich, nach dem, was von ihm geschrieben steht, und wir wissen keinen, von dem wir's lieber hätten. Keiner hat je so geliebt, und so etwas in sich Gutes und in sich Großes, als die Bibel von ihm saget und setzet, ist nie in eines Menschen Herz gekommen und über all sein Verdienst und Würdigkeit. Es ist eine heilige Gestalt, die dem armen Pilger wie ein Stern in der Nacht aufgehet, und sein innerstes Bedürfniß, sein geheimstes Ahnen und Wünschen erfüllt. *Wir wollen an ihn glauben, Andres, und wenn auch niemand mehr an ihn glaubte.* Wer nicht um der andren willen an ihn geglaubt hat, wie kann der um der andren willen auch aufhören, an ihn zu glauben? Nur eine so zarte und überirdische Gestalt ist gar zu leicht verändert und verstellt, und sie kann von Menschenhänden nicht berührt werden, ohne zu verlieren; deswegen ist auch immer des Zankens und Streitens über ihn unter den Menschen kein Ende gewesen."

Auch *Goethe* und *Schiller*, die beiden Großen im Reiche der Dichtung, ob auch der Kirche in ihrer damaligen wirren Gestalt fremd und ferne gegenüberstehend, haben doch auf ihre Art und auf ihrem Wege zur geistigen und sittlichen, so

Friedrich v. Hardenberg, genannt Novalis.

auch mittelbar zur geistlichen Erhebung und Erneuerung mit beigetragen. Nachdem sie selbst durch eine Sturm- und Drangzeit (s. S. 285) zur vollen Klarheit und Meisterschaft hindurchgedrungen, geißelten sie nicht bloß, wie in ihren gemeinsamen Epigrammen, die oberflächliche Bildung ihrer Zeit, sondern erfüllten im Gebiete der Dichtung mit ihren Meisterwerken im höhern Maße, was man in jener Zeit im tiefsten Grunde ersehnte und erstrebte. Und entzückte in Goethes Gedichten der Zauber einer höhern, einer echten Natur, als für die man vorher schwärmte (s. S. 277), so trat in Schillers Werken eine höhere Sittlichkeit entgegen, welche Geist und Gemüt der Zeitgenossen, vornehmlich der deutschen Jugend zu edler Begeisterung erweckte. Obwohl Goethe für seine Person sich kühl zurückhielt, wie auch sonst von dem, was sein persönliches und dichterisches Behagen störte, so hat er doch öfters seinen Zeitgenossen gegenüber gewichtige Zeugnisse für das Christentum und die heilige Schrift abgelegt, wie in jenem Worte: „Ich für meine Person halte die Bibel lieb und wert; denn fast ihr allein war ich meine sittliche Bildung schuldig, und die Begebenheiten, die Lehren, die Symbole, die Gleichnisse, alles hatte sich tief bei mir eingedrückt und war auf die eine oder andre Weise wirksam gewesen. Mir mißfielen daher die ungerechten, spöttlichen und verdrehenden Angriffe", und: „In allen vier Evangelien ist der Abglanz einer Hoheit wirksam, welche von der Person Christi ausging, und die so göttlicher Art, wie nur das Göttliche auf Erden erscheinen kann." — Das waren Äußerungen des alternden Goethe. Der junge Goethe war Lavaters Freund gewesen und hatte, wie er uns in „Wahrheit und Dichtung" erzählt, von Hause aus den reformierten pietistischen Kreisen in Frankfurt nahe gestanden. Dazwischen liegt freilich eine Zeit, in der er in schwärmerischer Begeisterung für Kunst und Literatur des klassischen Altertums sich rühmte ein Heide zu sein. Ein großartiges Bekenntnis Goethe's haben wir übrigens in seinem Faust. Es ist bedeutsam, daß die Faustsage, die aus dem Anbruche der neuen Zeit stammt, gerade jetzt ihre dichterische Vollendung gefunden hat. Und was ist sein Bekenntnis? Auf dem Weg des Wissens naht der alles auflösende Zweifel, der Weg des Lebensgenusses, den Faust hernach einschlägt, führt in Schuld und Tod und die Verzweiflung naht. Wie weiter? Im zweiten Teil müht sich der Dichter ab, den Frieden suchen zu lehren — nächst der Hingabe an das Kunstideal — in der Arbeit, im thatkräftigen gemeinnützigen Handeln. Es ist das Bekenntnis vieler geworden; aber wie viel fehlt doch zur Tiefe christlicher, evangelischer Erkenntnis und zu dem Frieden, der über alle Vernunft ist (Phil. 4, 7)!

Schiller war freilich noch viel mehr als der unbefangenere Goethe von Vorurteilen gegen die Kirche eingenommen; er verwechselte zu sehr die zeitliche Form und Weise mit dem Geist und Wesen des Christentums. Aber er war eine um so mehr sittlich angelegte Natur und ein aufrichtiger Feind aller seichten Freigeisterei. „Auch jetzt, schrieb er, ist der große Geschmack, seinen Witz auf Kosten der Religion spielen zu lassen, daß man beinahe für kein Genie mehr passiert, wenn man nicht seinen gottlosen Satyr auf ihren heiligsten Wahrheiten sich herumtummeln läßt. Die edle Einfalt der Schrift muß sich in alltäglichen Assembleen von den sogenannten witzigen Köpfen mißhandeln und ins Lächerliche ziehen lassen; denn was ist so heilig und ernsthaft, das, wenn man es falsch verdreht, nicht belacht werden kann? Ich kann hoffen, daß ich der Religion und wahren Moral keine gemeine Rache verschafft habe, wenn ich diese mutwilligen Schriftverächter in der Person meiner schändlichsten Räuber dem Abscheu der Welt überliefere." Schiller strebte mit der reinen Glut, die recht eigentlich sein Wesen war, hinweg aus der Welt des Gemeinen; als er mitten in seinen Entwürfen abgerufen ward, da sang ihm Goethe die schönen und bezeichnenden Worte ins Grab nach:

> Und hinter ihm in wesenlosem Scheine
> Lag, was uns alle bändigt, das Gemeine.

Er hatte die Versöhnung zwischen der Wirklichkeit und dem Ideal, das er in sich trug, rast- und ruhelos gesucht, ohne doch den Weg zu Christus zu finden, so nahe ihm derselbe auch oft zu liegen schien. Er hat ihn nicht mehr gefunden, aber seine Tochter Karoline ist diesen Weg gegangen, und sie hat auf Grund eines Gesichts des Glaubens gelebt, daß ihr Vater oben gefunden habe, was er auf Erden vergeblich suchte.

Was in diesen Heroen weniger hervortrat, das drang eben noch zu ihrer Zeit um so mächtiger, ja einseitig und überschwenglich hervor in der sog. romantischen Dichterschule. Auch diese Schule, bestehend aus jungen genialen Männern, machte das Ich geltend, aber nicht das ordinäre Ich der Aufklärung, sondern das geniale, nicht das Ich in seiner Beschränktheit, sondern hingegeben an das Unendliche, nicht das Ich des hausbackenen Verstandes, sondern das Ich, getragen von der Phantasie, durchdrungen von Poesie, erleuchtet von einer höheren philosophischen Anschauung, geweiht durch die himmlische Macht der Religion. Diese Geister spielten der zopfbegabten Philisterwelt der Aufklärung mit den Waffen der Ironie, des Witzes arg mit, und suchten gegenüber der Prosa und verstandigen Nüchternheit, die ihnen auf allen Gebieten entgegentrat, den Zauber der Märchenwelt und den Geist des Mittelalters zu erwecken, der ihrer zwei in die katholische Kirche trieb (Fr. Schlegel und Zacharias Werner), während der früh verklärte Novalis († 1801 im Alter von noch nicht 24 Jahren), M. v. Schenkendorf († 1817) und der liederreiche Jos. Freiherr von Eichendorff († 1857) den Weg zu einer wahrhaft gesunden Frömmigkeit fanden. Des erstern Lieder:

> Wenn ich Ihn nur habe,

oder

> Wenn alle untreu werden,
> so bleiben wir doch treu,

durfte man als die ersten Frühlingsboten eines neuen geistlichen Lieds begrüßen.

Diese Schule war schon von dem Zuge der neuern philosophischen Entwicklung ergriffen, welche, von Kant ausgehend, um diese Zeit in Fichte (1762 - 1814) einen Höhepunkt erreicht hatte. Kant, der Königsberger Denker, wenn er auch in Bezug auf seine Auffassung der Religion der Aufklärung nicht ferne stand (s. S. 282), hat das unvergängliche Verdienst, in strenger Gedankenarbeit die „reine Vernunft“, mit welcher seine Zeit so viel operierte, einer schneidenden Kritik unterworfen und ihre Trüglichkeit an den Tag gebracht zu haben. Es gieng als Inhalt seiner Philosophie einerseits das Geständnis hervor, daß wir von dem Wesensgrund der Dinge nichts wissen und nichts wissen können, andererseits die Forderung, daß, wenn alles trügt und schwankt, doch das Moralische, Sittliche feststeht wie auf Felsengrund, denn es ist dem Menschen ins Herz ein „Du sollst“, ein „kategorischer Imperativ“ geschrieben. Nachdem dann Kants großer Schüler Fichte († 1814), erfüllt von edler Begeisterung und einem an Luther erinnernden Glauben an die Macht des Sittlichen das von Kant auf die sittliche Welt beschränkte Ich kühnlich zum Herrn dieser Welt erklärt und in seinen „Reden an die deutsche Nation“, die er nach den unglücklichen Schlachten von Jena und Auerstädt im J. 1807

Fr. Wilh. J. v. Schelling (geb. zu Leonberg in Württemberg), 1798 Professor zu Jena, seit 1827 in München, 1841 in Berlin.

zu Berlin hielt — zur befreienden **That** aufgerufen hatte, da brach sich jene ganze Richtung der Aufklärungsepoche, welche von Cartesius (s. S. 275) an die menschliche Vernunft zum Maßstab und Richter aller Dinge gemacht hatte, bis in der Revolution alle geschichtlichen Ordnungen zerschlagen waren. Das Ich erkannte in der schweren Not der Zeit, daß es eine Macht gäbe, die erhaben ist über die menschliche Vernunft und lernte, als die Stunde des Handelns schlug, emporschauen zum Herrn der Heerscharen, zu dem Gott der Geschichte. Fichtes Schüler, die beiden großen Schwaben, **Schelling** (1775—1854) und **Hegel** (1770—1831) lenkten zurück zu der Anerkennung der objektiven Lebensmächte in Natur und Geschichte. Hat sich diese Philosophie nicht frei von pantheistischen Irrwegen gehalten (s. S. 276), so hat sie doch das Verdienst, den Deismus der Aufklärung gebrochen und die Brücke gebaut zu haben zu einem tieferen Eindringen in das Wesen des Christentums, für dessen Reichtum und Tiefe Hegel seinen Zeitgenossen den Sinn wieder erschloß.

Eine ähnliche Bewegung vollzog sich auch im Gebiete des **Erziehungswesens**. Dem Schweizer J. H. **Pestalozzi** (geb. 1746 zu Zürich, † 1827 zu Brugg) war es gegeben, hier das Wort zu sprechen und die That zu thun, welche ihm den Ehrennamen: „Schulmeister des menschlichen Geschlechts“ eintrug. In der „Abendstunde eines Einsiedlers“ trat dieses Wort aus der Stille der Betrachtung hervor, und die religiösen Grundgedanken desselben sind: „Der Glaube an Gott ist die Stimmung des Menschengefühls in dem obersten Verhältnisse seiner Natur; er ist vertrauender Kindersinn der Menschheit gegen den Vatersinn der Gottheit. Und der Glaube an Gott ist die Quelle alles reinen Vater- und Brudersinnes der Menschheit, die Quelle aller Gerechtigkeit.“ Von diesen Grundgedanken aus war Pestalozzi bestrebt, die Jugend auf naturgemäße Weise mit Hilfe des Anschauungsunterrichts zu bilden, und es war ihm das innigste Anliegen, das Leben des Gemüts in derselben zu pflegen. Um dieses Ziel zu erreichen, wendete er sich zunächst an die Mütter als die natürlichen Erzieherinnen, so in seinem Volksbuche: „Lienhard und Gertrud“ und im „Buche der Mütter“. Obwohl er in dem Manne Gottes, der mit Leiden und Sterben der Menschheit das allgemein verlorene Gefühl des Kindessinnes gegen Gott wiederhergestellt hat, den Erlöser der Menschheit feierte, blieb ihm das volle Verständnis des Evangeliums allerdings noch verschlossen. Aber

Joh. Heinr. Pestalozzi.

das Kinderevangelium des HErrn hat er im Geist seines Gemüts tiefsinnig erfaßt. „Lasset die Kindlein zu mir kommen!“ das erfüllte auch sein Herz; und: „Wer ein Kind aufnimmt in meinem Namen, der nimmt mich auf!“ das war seine That, als er dort auf den rauchenden Trümmern von Stanz die durch den Krieg verwaisten und verarmten Kinder aufnahm und sich mit ganzer Liebe ihrer Pflege und Erziehung widmete. Dabei zeigte sich an ihm ein Sinn, wie ihn der HErr verlangt: „Wenn ihr nicht werdet wie die Kinder, so könnt ihr nicht in das Himmelreich kommen!“ „Liebet einander, wie uns Jesus Christus geliebet hat!“ so mahnte der 73jährige Greis in einer Ansprache die Genossen seiner Anstalt in Burgdorf; „werden wir dies thun, so werden wir alle Schwierigkeiten, die dem Ziel unsres Lebens entgegenstehen, überwinden und im Stande sein, das Wohl unsres Hauses auf den ewigen Felsen zu gründen, auf den Gott selber das Wohl des menschlichen Geschlechtes durch Jesum Christum gebauet hat!“

2) Das Auftreten Schleiermachers.

Im Zusammenhange mit diesen Bestrebungen war am Wendepunkt des Jahrhunderts (1799) Daniel Friedrich Ernst *Schleiermacher*, damals Prediger an der Charité in Berlin, mit seinen „Reden über die Religion an die Gebildeten unter ihren Verächtern“ hervorgetreten. „Ich weiß“, hob er an, „daß ihr ebensowenig in heiliger Stille die Gottheit verehrt, als ihr die verlassenen Tempel besucht, und daß in euren aufgeschmückten Wohnungen keine andern Heiligtümer angetroffen werden, als die klugen Sprüche unsrer Weisen und die herrlichen Dichtungen unsrer Künstler, und daß Menschlichkeit und Geselligkeit, Kunst und Wissenschaft so völlig von eurem Gemüte Besitz genommen haben, daß für das ewige und heilige Wesen, welches euch jenseit der Welt liegt, nichts übrig bleibt.“ Dann zeigt er seinen Zeitgenossen das Eigentümliche der Religion im Unterschiede von Wissenschaft und Sittlichkeit und doch in innigster Ver-

D. Fr. Schleiermacher.

bindung mit ihnen: sie habe ihren Sitz im Gemüte und sei wesentlich Gefühl der Abhängigkeit des Endlichen vom Unendlichen, ein Leben in Gott, habend und besitzend alles in Gott und Gott in allem. Und wieder weist er nach, daß die Religion notwendig Gemeinschaft bilde; denn das religiöse Gefühl habe das Bedürfnis sich auszusprechen und zu bezeugen, mit Gleichgesinnten sich zusammenzuschließen; Reden und Hören sei ihm unentbehrlich und zwar im unmittelbaren und persönlichen Verkehre; die bestehenden Kirchen seien freilich höchstens nur Vorschulen für diese wahre religiöse Gemeinschaft. Am vollkommensten erscheine die Religion in der christlichen; denn in Christo sei, wie er es später ausdrückte, das Urbild und Vorbild alles Menschlichen erschienen und die innigste Gemeinschaft mit Gott hergestellt; aber es werde sich in dieser Zeit eine neue Gestalt derselben herausbilden.

Sein Zeugnis mußte auf alle empfänglichen Gemüter um so größeren Eindruck machen, als er selbst auf der Höhe seiner Zeit und in Fühlung mit allen Seiten ihres Lebens und Strebens stand. Von Hause aus der reformierten Kirche angehörig, durchlebte er seine Schulzeit in den herrnhutischen Anstalten zu Niesky und Barby. Auf der letzten Anstalt rief das Geständnis seiner Zweifel ein Mißverhältnis zwischen ihm und seinem Vater hervor, welches durch das vermittelnde Eintreten seiner Schwester Charlotte gemildert wurde. Auf der Hochschule in Halle ergab er sich vor allem dem Studium der philosophischen Schriften der alten und neuen Zeit, insbesondere Platos und Spinozas. Später trat er, als Prediger in Berlin, in vertraute Verbindung mit den Romantikern Ludw. Tieck, den Gebr. Schlegel, Brentano, Varnhagen u. a. Ob er sich auch nicht ganz frei von den Irrungen derselben bewahrte, so verlor er doch seine Selbständigkeit nicht an sie, wie sich eben in seinen Reden bekundet. Und daß in diesen Reden bei aller Innigkeit des religiösen Sinnes doch die protestantische Freiheit des Geistes in voller Stärke sich kundgab, gewann ihnen auch bei solchen williges Gehör, die im

Vorurteil gegen das Christentum befangen waren. Viele bekannten, daß sie von diesen Reden „den Stoß zu einer ewigen Bewegung“ erhalten hatten. Eine ähnliche Wirkung hatten die „Monologe“, die er 1800 veröffentlichte wie einen Gruß zum neuen Jahrhundert, während seine Reden über die Religion wie ein Abschiedsgruß an das scheidende gewesen. In ihnen ist seine Anschauung über das sittliche Wesen des Menschen niedergelegt: wie ein jeder Mensch in sich auf eigene Art die Menschheit darstellen solle in freier Gemeinschaft mit andern, im frischen Bildungsstreben einer ewigen Jugend im Geiste. So bewährte sich denn auch Schleiermacher ebensowohl in seinen wissenschaftlichen Bestrebungen, wie in der Pflege der Geselligkeit, teilnehmend von ganzer Seele in Leid und Freud an den nationalen Angelegenheiten, wie er in seinem häuslichen Leben ein Muster christlich deutscher Häuslichkeit darstellte. In dem Dialog „die Weihnachtsfeier“ (1806), der allerdings in seiner allzukünstlichen Anlage die Einfalt vermissen läßt, zeigte er dann die Herrlichkeit Christi, des Urbildes und Vorbildes unsres Glaubens, wie sie sich abspiegle im Kindesleben, im Gemütsleben der Frauen und im Geistesleben der Männer.

In diesem Geiste hat Schleiermacher, von 1810–1834, als Prediger vornehmlich die gebildeten Kreise mächtig angezogen und zu einer tiefern Fassung des christlichen Glaubens und reichern Ausbildung des christlichen Lebens angeregt. Als Lehrer an der neugegründeten Universität Berlin, der Hochschule der beginnenden neuen Zeit, an welcher 1819 auch Hegel (s. S. 296) eine großartige, für die staatliche und kirchliche Erneuerung fruchtbare Lehrthätigkeit eröffnet hatte, hat Schleiermacher aber eine noch eingreifendere Wirksamkeit geübt, und seine „Glaubenslehre“ (1821) ist der Ausgangspunkt der neueren Theologie geworden. Hier suchte Schleiermacher den christlichen Glauben zu begründen mit dem Nachweis seiner Thatsächlichkeit im Gemüte, und entwickelte die Glaubenslehre selbständig aus den Gemütszuständen, welche sich notwendig und allgemein bei jedem lebendigen Gliede der christlichen Gemeinschaft vorfanden, unter sehr freier — kritischer — Stellung sowohl zur Schrift als zur Kirchenlehre. Je nachdem der Anschluß erfolgte, ergab sich eine sehr verschiedene theologische Richtung. Während einer der ersten Schüler Schleiermachers, der Kirchengeschichtschreiber Neander, Professor in Berlin, und ihm nach Tholuck in Halle eine Theologie des neuen, des evangelischen Lebens, sowohl wie es im Einzelnen als wie es in der Gemeinde im Ganzen sich kundgebe, pflegten und ausbildeten, entwickelte sich über sie hinausgehend und Schleiermachers spekulativer Haltung folgend die sog. spekulative Theologie, deren bedeutendste Vertreter Immanuel Nitzsch in Bonn, Julius Müller in Halle, Ullmann in Göttingen und Rothe in Heidelberg, Dorner, Professor und Oberkirchenrat in Berlin, in neuerer Zeit Beyschlag in Halle u. a. wurden; sie wird auch Vermittlungstheologie genannt, weil sie, im Anschluß an die philosophische Entwicklung der Neuzeit, das Bestreben hatte, die Gegensätze in der Wissenschaft, wie im kirchlichen Leben aufzulösen. Auf der andern Seite ging von Schleiermacher eine kirchliche Theologie aus, welche im treuen Anschluß an das Bekenntnis der lutherischen Kirche und doch nicht in Unfreiheit eine Erneuerung des kirchlichen Lehrbegriffs, wie durch dogmatische und dogmengeschichtliche Darstellungen, so insbesondere durch eine erneute und eingehende Schriftforschung anstrebte; in ihr haben sich Hengstenberg in Berlin, v. Hofmann und Thomasius in Erlangen, Delitzsch und Kahnis in Leipzig vor andern einen Namen gemacht. Aber auch die kritische Haltung, welche Schleiermacher zur Kirchenlehre und Schrift eingenommen, fand Nachfolger. Diese Theologie, die sog. liberale oder „protestantische“ Theologie, wie sie sich gerne nennt und die mit der „modernen" Wissenschaft im engen Bunde steht, hat ihren Geist am bezeichnendsten in dem Vorgehen der sog. Tübinger Schule (s. S. 328) kundgegeben.

5) Die religiöse Erhebung in den Freiheitskriegen und die Erneuerung des kirchlichen Bewußtseins und Lebens.

Auch im Leben des Volkes bahnte sich ein Umschwung mit dem Anfange dieses Jahrhunderts an. Der Sturm der Revolution mit ihren Greueln und Schrecken hatte die Völker aufgerüttelt. Dazu kam die Heimsuchung durch die napoleonische Gewaltherrschaft. Sie rief zum Ernst, zur Buße und die tiefe Erniedrigung, welche vor andern dem deutschen Volke widerfahren war, hieß nach der Erhebung in Gott ringen, von dem allein die Hilfe kommt (Ps. 124; 60, 13—14).

Ernst Moritz Arndt (nach einem Bildnis im J. 1817).

„Nur Eine Rettung ist da", rief Ernst Moritz Arndt (1769—1860), der getreue Eckart seines Volkes, seinen Zeitgenossen zu, „nur Eine Rettung ist da, hineinzugehen in den feurigen Tod der Verwandlung, damit wieder Leben werde, damit man das lebendige Leben für sich und andere gewinne." In diesem Sinne ist die hochherzige Königin Louise von Preußen ihrem Volke als Beispiel vorangegangen. „Mit uns ist es aus", schrieb sie 1808, also in der Zeit der tiefsten Erniedrigung Preußens, an ihren Vater, den Großherzog von Mecklenburg-Strelitz, „mit uns ist es aus, wenn auch nicht für immer, so doch für jetzt. Offenbar ist Napoleon ein Werkzeug in des Allmächtigen Hand, um das Alte, welches kein Leben mehr hat, das aber mit den Außendingen fest verwachsen ist, zu begraben. Gewiß wird es besser werden; das verbürgt der Glaube an das vollkommenste Wesen. Ich finde Trost, Kraft und Mut und Heiterkeit in dieser Hoffnung, die tief in meiner Seele liegt. Ist doch alles in der Welt nur Uebergang! Wir müssen durch. Sorgen wir nur dafür, daß wir mit jedem Tage reifer und besser werden!" In diesem Geiste hat der Reichsfreiherr von und zum Stein (1757—1831) im Bunde mit andern an der „Wiedergeburt" des deutschen Volkes gearbeitet. Und als dann das deutsche Volk, zunächst in Preußen, nach dem Gottesgericht über Napoleon in Rußland sich zum Kampfe um seine Freiheit erhob, da war die neue Begeisterung für das Vaterland getragen und geweiht durch eine neu erwachte Gottesfurcht. „Mit Gott für König und Vaterland!" das war die Losung des Tages. Allenthalben ließen die Scharen der Freiwilligen sich in feierlichen Gottesdiensten zum Heldenkampfe weihen. Der Geist der Selbstsucht wich und ein Geist hoher Opferwilligkeit überkam die Herzen. Das „eiserne Kreuz" wurde als Ehrenlohn der besten Thaten vom Könige geboten, von den Kämpfern ersehnt. Und die Vaterlandssänger, welche mit begeisterten Liedern die Glut der Vaterlandsliebe und des Heldenmuts anfachten, hatten den rechten Grundton gefunden. Da sang Arndt, der erste unter den mannhaften Vorkämpfern in Wort und Lied:

Gotthilf Heinrich v. Schubert
(nach einer Lithographie im 68. Lebensjahre).

„Wer ist ein Mann? Wer beten kann
Und Gott dem HErrn vertraut;
Wenn alles bricht, er zaget nicht,
Dem Frommen nimmer graut.
Wer ist ein Mann? Wer glauben kann
Inbrünstig wahr und frei;
Denn diese Wehr trügt nimmermehr,
Die bricht kein Mensch entzwei."

Und Theodor Körner, der Heldenjüngling mit der Leier und dem Schwerte, betete voll heiligen Ernstes sein Schlachtlied: „Vater, ich rufe dich, brüllend umwölkt mich der Dampf der Geschütze." Und er starb, wie er gebetet: „Gott, dir ergeb' ich mich!"

„Wenn mich die Donner des Todes begrüßen,
Wenn meine Adern geöffnet fließen,
Dir, mein Gott, dir ergeb' ich mich!
Vater, ich rufe dich!"

Und Max v. Schenkendorf, der Kämpfer mit der gelähmten Rechte, der Sänger des Freiheitsliedes: „Freiheit, die ich meine, die mein Herz erfüllt", sang nach dem großen, entscheidenden Siege das Te Deum:

Herr Gott, dich loben wir, Herr Gott, wir danken dir!
Es schallt der Freien Lobgesang vom Anfang bis zum Niedergang!

So warfen sich auch auf die Kunde von der siegreichen Entscheidung in der großen Völkerschlacht bei Leipzig (18. Oktober 1813) die verbündeten Fürsten: der protestantische König von Preußen, der griechisch katholische Kaiser von Rußland und der römisch katholische Kaiser von Oesterreich mit einander auf die Kniee nieder, um dem Herrn der Heerscharen die Ehre zu geben. Auch die Gründung der „heiligen Allianz" durch sie war ein Zeichen der Zeit, wenn sie vorerst auch nur wie eine Weissagung eines ersehnten „Gottesfriedens" unter den Völkern erschien.

Als das dritte Jubelfest der Reformation (1817) und zwar allenthalben sehr festlich gefeiert wurde, neigten sich die Herzen wieder mehr dem Glauben der Väter zu. Unbefriedigt (Jes. 2, 20) von der Öde des rationalistischen Gottesdienstes suchten die Angeregteren sich in vertrauten Zusammenkünften zu erbauen. Sie ließen sich weder durch den Vorwurf des Pietismus, noch durch landeskirchliche und polizeiliche Maßregeln gegen ihre „Konventikel" irre machen. Ihre Anzahl wuchs immer mehr in allen Ständen.

Der Reichsfreiherr von und zum Stein.

Friedrich Perthes.

(Nach den „100 deutschen Männern" mit freundl. Bewilligung der Verlagshandlung von G. Wigand in Leipzig.)

Schon 1779 hatte sich durch die Bemühungen des vormals augsburgischen Predigers J. A. Urlsperger in Basel eine „deutsche Christentumsgesellschaft zur Beförderung reiner Lehre und wahrer Gottseligkeit" gebildet. Und von diesen Kreisen ging der erneuernde Einfluß aus. Da konnte man etwa sehen, daß ein Gelehrter und Naturforscher wie Gottl. H. Schubert aus Hohenstein in Sachsen (1780 1860), dessen inneres wie äußeres Leben in seiner Selbstbiographie zu beschaulicher Betrachtung vorliegt, in inniger Vereinigung mit gläubigen Bürgern Nürnbergs stand, vor allen mit Joh. Kießling, dem Kaufmann, der die köstliche Perle gefunden und aus dem guten Schatze seines Herzens mit Wort und That den Bedürftigen in Nähe und Ferne reichlich darreichte. In Erlangen ging von dem Professor der Theologie und Pfarrer an der deutsch reformierten Gemeinde J. Chr. G. Krafft seit 1824 eine tiefeingreifende und nachhaltige Erweckung aus, wie dies unter vielen andern der nachmals berühmt gewordene Philologe Nägelsbach dankbar bezeugte; in seinen Vorlesungen über Missionsgeschichte konnte man Studierende aller Fakultäten erblicken. Wie auch im Bürgertum ein neues Leben sich regte, dafür gibt einer der edelsten Vertreter des deutschen Bürgertums, der Buchhändler Fr. Perthes aus Rudolstadt (früher in Hamburg, seit 1822 in Gotha, † 1843) den Beweis. Durch die verjüngte deutsche Dichtung, insbesondere durch Schiller, für alles Höhere angeregt und begeistert, wurde er durch seine Verbindung mit Karoline Claudius, der Tochter des Wandsbecker Boten, zu einer tiefern religiösen Erkenntnis geführt, die er sein ganzes Leben durch mit der Kraft inniger Ueberzeugung im mannigfachsten Verkehre mit den verschiedensten Geistern vertrat. Sein Christentum erprobte sich auch thatkräftig in der Art und Weise, wie er sein Geschäft auffaßte und führte in lauterster Gesinnung als einen Dienst an seinem Volke, und nicht minder in der hochherzigen vaterländischen Gesinnung, die ihn für das Wohl Hamburgs 1813 alles freudig daran setzen ließ, ebenso auch in seiner frischen und freudigen Teilnahme an allen menschenfreundlichen Bestrebungen und an den Werken der innern Mission. Die Darstellung seines Lebens aus der Hand seines Sohnes Klemens ist ein sehr wertvoller Beitrag zur Geschichte jener Zeit. — Mit Kraft und Geschick wurde auch alsbald das neue Mittel der Presse benützt, um den Kampf gegen den Rationalismus durchzuführen und zu lebendigerem Glauben, zu tieferer Erkenntnis anzuregen. In ebenso umfassender als scharf eingreifender Weise that dies Dr. E. W. Hengstenberg, Professor in Berlin, mit seinen Gesinnungsgenossen in der seit 1827 erscheinenden „Evangelischen Kirchenzeitung“; in engerem Kreise wurde in Franken das homiletisch-liturgische Korrespondenzblatt, zu dessen Herausgabe sich um den Pfarrer Brandt die Brüder G. Chr. Aug. und Heinr. Bomhard u. a. sammelten, „das Organ für die neuerwachte christliche Heilserkenntnis, zum Sammelpunkte der gleichgesinnten Freunde, zum Schwert des entschlossenen Kampfes gegen den herrschenden Unglauben“. Nun ging man wieder auf die heilige Schrift zurück, als den Brunnen, daraus das Wasser des Lebens quillt. Auch griff man, um kräftige Nahrung für die Seele zu erlangen, wieder zu den alten Erbauungsbüchern, die, ob auch zum Teil in veralteter Form, doch voll Salbung des Geistes sich erwiesen. Dringend forderte man eine Erneuerung des Gottesdienstes wie der christlichen Unterweisung und drang mit dieser Forderung mehr und mehr durch. Es wurden nach und nach allenthalben neue Agenden eingeführt, ausgestattet mit Gebeten aus der ersten Zeit des Glaubens; es wurden neue Gesangbücher herausgegeben, in welchen auf die alten Kernlieder zurückgegriffen war, und die Lieder wurden wieder in ihrer ursprünglichen „rhythmischen“ Tonweise gesungen. Dazu kam die Liturgie wieder in Ehren, wie sie von Anfang an in der lutherischen Kirche bestanden. Für die Unterweisung der Jugend trat Luthers kleiner Katechismus wieder siegreich auf den Plan und für die Lehrer wurde hingewiesen auf die Bekenntnisschriften als bindende Zeugnisse und Normen des Glaubens. Von der Kanzel ging wieder eine Kraft der Erbauung aus durch gläubige Prediger, die wie mit „neuen Zungen“ redeten; unberechenbar ist die erweckende Wirkung, die

z. B. ein Hofacker († 1828 im Alter von 30 Jahren zu Rielingshausen) in Württemberg, ein Menken in Bremen, Löhe, Arndt, Bomhard, Harms, Ahlfeld u. a. durch ihre Predigten übten. Eine reife Frucht des Segens erwuchs aus den neu eingerichteten Bibelstunden und aus vielerlei neuen Schrifterklärungen. Nicht minder reiften neue Früchte des Glaubens heran in vielen Erbauungsschriften und Gebetbüchern.

Auch das geistliche Lied nahm an der Erneuerung Teil. Nicht bloß lebte das alte Kirchenlied wieder auf und es haben sich in dieser Hinsicht vor allen E. M. Arndt mit seiner Schrift (1819): „Von dem Wort und dem Kirchenlied", Professor K. v. Raumer in Erlangen durch sein „Gesangbuch" (1829) und dessen Pflegesohn Philipp Wackernagel durch seine groß angelegte „Geschichte des Kirchenliedes" 1862 ff. große Verdienste erworben; sondern es trieben aus dem neuen Geiste auch neue Blüten hervor. Voran ging der schwäbische Dichter Alb. Knapp (der auch eine Sammlung geistlicher Lieder aus allen Jahrhunderten herausgegeben, allerdings nicht ohne vielerlei willkürliche Veränderungen im Texte derselben). Aus der Brüdergemeinde trat Albertini hervor. Die freudigste Aufnahme fanden die Lieder des hannöverschen Predigers Spitta „Psalter und Harfe". Neben diesen sind unter andern hervorzuheben: J. F. v. Meyer, Rud. Stier, Viktor v. Strauß, Bahnmaier, Jahn, Puchta, Julius Sturm, K. Gerok. Auch eine Anzahl von Frauen hat sich auf diesem Wege in der christlichen Gemeinde der Neuzeit einen Namen gemacht. Wie in der katholischen Kirche Annette Elisab. v. Droste-Hülshof in ihrem „geistlichen Jahr" eine bedeutende Gabe geboten, so hat es auch in der evangelischen Kirche an köstlichen Gaben dieser Art nicht gefehlt. Voran steht Louise Hensel aus der Mark Brandenburg als die Dichterin der Lieder: „Müde bin ich" ff. und: „Immer muß ich wieder lesen"; aus einem protestantischen Pfarrhause stammend, trat sie doch, der sog. romantischen Schule angehörig, zur katholischen Kirche über, unglücklich über die Öde der protestantischen Kirche jener Zeit. Außer ihr sind noch hervorzuheben: Cäcilie Zeller, Meta Häußer und Anna Schlatter, die beiden letztern der reformierten Kirche angehörig. Hat auch dies neue geistliche Lied nicht die Kraft und den Gehalt des alten Kirchenlieds, so sind doch viele seiner Blüten vielen der Zeitgenossen zur Erquickung geworden. Auch das religiöse Volkslied wurde wieder gesucht und geschätzt.

II. Neugestaltung des Kirchenwesens in der evangelischen Kirche.

In dem Maße als sich der wiedererwachende christliche Sinn vertiefte und zugleich damit das kirchliche Bewußtsein sich schärfte, trat auch die Frage der Rückkehr zu festen kirchlichen Verbänden in den Vordergrund. Diese Verbände waren noch vorhanden. Die Bekenntnisschriften standen überall noch in rechtlich anerkannter Geltung, nur daß sie dem Bewußtsein der Zeitgenossen entschwunden waren. So bestanden auch noch die äußeren Ordnungen, nur daß sie in Erstarrung geraten waren und nicht mehr wirken wollten. Zunächst richteten sich nun die Bestrebungen auf einen engern Anschluß der beiden evangelisch-protestantischen Kirchen, deren Gegensatz im Bewußtsein der Zeit zurückgetreten war und auch bei der

Erneuerung des Glaubens und Lebens, in der Freude, nur überhaupt wieder den gemeinsamen christlichen und evangelischen Boden gefunden zu haben, nicht in Betracht gezogen wurde. Im Zusammenhange damit und im Verlaufe der Zeit immer mehr trat dann die Frage nach der Verfassung der einzelnen Landeskirchen hervor. Bald auch zeigten sich Bestrebungen, welche, zerfallen mit der Kirche der Gegenwart oder je einer Landeskirche, der bestehenden Kirchengemeinschaft den Rücken kehrten.

l) Die Union und die lutherische Kirche.

Bei der 300jährigen Jubelfeier der Reformation im Jahre 1817 verkündete der aufrichtig fromme König Friedrich Wilhelm III. von Preußen (1798—1840) den Entschluß, die „Union" d. i. die kirchliche Einheit zwischen den Lutherischen und Reformierten in den preußischen Staaten durchzuführen, und veranlaßte, daß die hauptstädtischen Geistlichen beider Bekenntnisse am Reformationsfeste 1817 gemeinsam das heilige Abendmahl genossen. Auf einer zwei Tage zuvor veranstalteten Berliner Synode unter Schleiermachers Vorsitz war bestimmt worden, daß für die Ausdrücke lutherisch und reformiert die Bezeichnung „evangelisch" eintreten sollte. Damit war die unierte Kirche begründet.

Es liegt in der Natur der Sache, daß das preußische Fürstenhaus der Hohenzollern, welches 1613 von der lutherischen Kirche zur reformierten übergetreten war, den Wunsch einer Einigung der beiden protestantischen Kirchen hegte. Und dieser Wunsch konnte sich steigern, je mehr es nach und nach an reformierter Bevölkerung mit seinem Staatswesen verband. Und gerade zu dieser Zeit kam diesem Wunsche auch die Stimmung in der Bevölkerung entgegen. Denn im Laufe der Zeit war mit der veränderten Lage der Dinge das Bewußtsein des religiösen Gegensatzes geschwunden, wenn er auch äußerlich noch feststand und festgehalten wurde. Dazu kam nun auch das neuerwachte vaterländische Gemeingefühl, erwachsen aus der gemeinsamen Not, geweiht durch gemeinsamen Kampf, versiegelt in den Herzen durch gemeinsame Siegesfeier, wie sie im Oktober 1814 begangen wurde. Da hatte schon Arndt in seinem „Katechismus für den deutschen Kriegs- und Wehrmann" gerufen: „ihr sollet in Einmütigkeit und Friedseligkeit erkennen, daß ihr Einen Gott habt, den alten treuen Gott, und daß ihr Ein Vaterland habt, das alte treue Deutschland", und hatte vor der Losung gewarnt: „Hie Papst! Hie Luther! Hie Calvin!" War dies zunächst im Blick auf das gemeinsame Vaterland gesprochen, so hatten sich auch schon andere Stimmen erhoben, die aus religiösen Gründen für eine Vereinigung oder doch Annäherung sprachen, wie schon 1804 Schleiermacher in „zwei unvorgreiflichen Gutachten" einer Abendmahlsgemeinschaft zwischen den beiden Konfessionen das Wort redete, ohne daß damit ein Übertritt von der einen zur andern verbunden sein sollte. Im Hinblick auf das bevorstehende Reformationsjubiläum hatte König Friedrich Wilhelm III., dem die Religion Herzenssache war, an hochgestellte Geistliche, darunter den Bischof Sack, Professor in Bonn, mit Anfang des Jahres 1817 ein Schreiben gerichtet: „Ich erwarte von Ihnen Vorschläge, wie die Vereinigung der beiden, so sehr wenig abweichenden Konfessionen am leichtesten und am zweckmäßigsten zu bewirken sein möchte.“ In einem Ausschreiben vom 27. September desselben Jahres erklärte er sich näher dahin, daß er nicht im Sinne habe, jemand einen neuen Glauben aufzudringen. „Die Union“, sagt er, „hat nur dann einen wahren Wert, wenn weder Überredung noch Indifferentismus an ihr Teil haben, wenn sie aus der Freiheit eigner Überzeugung rein hervorgeht und sie nicht nur eine Vereinigung der äußern Form ist, sondern in der Einigkeit der Herzen nach echt biblischen Grundsätzen ihre Wurzeln und Lebenskräfte hat. Möchte der verheißene Zeitpunkt nicht mehr fern sein, wo unter einem gemeinschaftlichen Hirten alles in einem Glauben, in einer Liebe und in einer Hoffnung sich zu einer Herde bilden wird!“ (Eph. 4, 13.) Die Anstellung der Prediger sollte hinfort von der Konfession unabhängig sein. Für die Feier des Abendmahls hatte man sich für einen Mittelweg verständigt: es sollte nicht die lutherische Hostie, aber auch nicht das calvinische gesäuerte Brot gebraucht werden, sondern wohl ungesäuertes Brot, dies aber gebrochen. Bei der Austeilung sollte, damit niemand in seiner Überzeugung sich beengt fühle, die Formel gebraucht werden: Christus spricht: Nehmet, esset ꝛꝛ., nehmet, trinket ꝛꝛ.

In Preußen fand der Vorschlag des Königs, voran in der Hauptstadt fast allgemein Beifall. Außerhalb Preußens fielen besonders die Rheinländer der Union zu: Nassau und die bayerische Rheinpfalz schon 1818; in Baden vereinigte man sich auf der Generalsynode von 1820 zu einer evangelisch-protestantischen Kirche, in welcher die Augsburger Konfession und der Heidelberger Katechismus gleiche Geltung haben sollten, soferne das Recht der freien Schriftforschung in ihnen beurkundet sei; bald folgte Kurhessen und diesem Hessen-Darmstadt. Auch das Anhalt'sche Ländchen (Dessau und Bernburg) folgte Preußens Beispiele. In andern Ländern, wo nicht zweierlei Konfessionen vorhanden waren, also auch kein Bedürfnis nach Vereinigung sich aufdrängte, neigte man doch zumeist in der Stimmung der Union zu.

Bei Einführung der Union war nun aber nicht beachtet worden, daß der Gegensatz der Lehre zwischen den beiden evangelischen Kirchen noch keineswegs gelöst und innerlich überwunden war. So konnte es denn kaum fehlen, daß ihre Durchführung auf Widerstand stieß. Und dieser ging begreiflich von lutherischer Seite aus. Schon gleich am Anfang hatte Klaus Harms in Kiel sich dagegen erklärt. Der Widerstand wurde allgemeiner, als vom König 1821 eine Unionsagende zur Ordnung des gemeinsamen Gottesdienstes hinausgegeben wurde, welche den reformierten Gemeinden wegen verschiedener, aus der lutherischen Kirche aufgenommenen Gebräuche als katholisch verdächtig war, noch mehr den lutherischen wegen der calvinischen Abendmahlslehre. Im Streite darüber drang allerdings die königliche Agende nach mancherlei Abänderungen durch; aber es bildete sich nun auch im J. 1830, zunächst in Schlesien, eine separierte Kirche der Altlutheraner, welche lieber alles erdulden, als das väterliche Bekenntnis daran geben wollten.

Mit aller Entschiedenheit hatte schon 1817 Klaus Harms, Archidiakonus in Kiel, ein Mann aus dem Volke und feuriger, volkstümlicher Prediger, gegen den Plan einer Union sich erklärt, indem er im Anschluß an Luthers Thesen auch 95 Thesen aufstellte gegen allerlei Irr und Wirrnisse der Kirche seiner Zeit. Sie waren ebensowohl wider den Rationalismus gerichtet als gegen die Union: „Wenn unser Herr und Meister spricht: Thut Buße!, so will er, daß die Menschen sich nach seiner Lehre formen sollen; er formt aber die Lehre nicht nach den Menschen, wie man jetzt thut, dem veränderten Zeitgeist gemäß. Den Papst zu unserer Zeit können wir nennen in Hinsicht des Glaubens die Vernunft, in Hinsicht des Handelns das Gewissen. Die Vergebung der Sünden kostete doch Geld im 16. Jahrhundert; im neunzehnten hat man sie ganz umsonst, denn man bedient sich selbst damit. Die sogenannte Vernunftreligion ist entweder von Vernunft oder von Religion, oder von beiden entblößt. — Man soll die Christen lehren, daß sie das Recht haben, Unchristliches und Unlutherisches auf den Kanzeln und in den Kirchen- und Schulbüchern nicht zu leiden.“ So erhob er sich wider die Aufklärung. Wider die Union aber bezeugte er weiter: „Als eine arme Magd möchte man die lutherische Kirche jetzt durch eine Kopulation reich machen. Vollzieht den Akt ja nicht über Luthers Gebein! Es wird lebendig davon und dann wehe euch! Sagen, die Zeit habe die Scheidewand zwischen Lutheranern und Reformierten aufgehoben, ist keine reine Sprache!“ (Vgl. auch S. 179.)

Lautete auch der Widerhall auf diesen Ruf in die Kirche seiner Zeit hinein zunächst meist gegen Harms und für die Union, so fand doch Harms nach und nach zögernde Anerkennung und die zwangsweise Einführung der neuen Agende beschleunigte die Entscheidung.

Unter der Führung des Professors und Predigers Dr. Scheibel in Breslau trennte sich nun, als er wegen seines beharrlichen Widerspruchs von seinem Amte suspendiert wurde, eine Anzahl von 2000 Gemeindegliedern von der unierten Landes- und Staatskirche. Andere folgten nach aus verschiedenen Teilen des Landes. Unter den Ausgetretenen befanden sich auch zwei hervorragende Männer, Professoren der Breslauer Universität, der Professor der Rechte G. Ph. Ed. Huschke (geb. 1801 zu München), welcher späterhin die oberste Leitung der separierten lutherischen Kirche überkam, und H. Steffens (1770 zu Stavanger in Norwegen geboren, † 1843 in Breslau), Philosoph, Naturforscher und Dichter, der romantischen Schule angehörig. Ihm war nach seinem tiefen Gemüte die Religion „alles“ und nur die Hingebung an die Kirche, bezeugte er, mache erst den Christen in vollem Sinne, und nur die Kirche könne den wahren Frieden geben.“ Mit allem Feuer seiner Seele hatte er sich schon 1823 gegen „die falsche Theologie“, worin er auch die seines Freundes Schleiermacher mitinbegriff, erklärt und ungescheut trat er 1831 mit seinem Bekenntnis hervor: „Wie ich wieder ein Lutheraner wurde und was mir das Luthertum ist.“ Außer diesen nahmen auch Professor Guericke in Halle und Superintendent Rudelbach den Kampf auf und führten ihn mit Nachdruck in der „Zeitschrift für lutherische Theologie und Kirche“ (1840–51).

So lange Friedrich Wilhelm III. regierte, der immer wieder erklären ließ, daß durch die Union nicht eine Aufhebung des lutherischen Bekenntnisses beabsichtigt sei, wurden die Altlutheraner nicht geduldet, vielmehr wurden ihre Versammlungen verboten, ihre Prediger abgesetzt, ja es kam vor, daß einer Gemeinde, zu Hönigern in Schlesien, die Kirche mit Anwendung militärischer Gewalt weggenommen wurde. In Folge der vielen und großen Belästigungen

20*

entschlossen sich nicht wenige zur Auswanderung nach Nordamerika. Erst als Friedrich Wilhelm IV. 1840 auf den Thron kam, hörten die Anfechtungen auf, und es wurde der alten lutherischen Richtung Raum gegeben, sich als besondere Kirchengemeinschaft, ganz abgeschlossen von der Staatskirche und unabhängig von der Staatsgewalt, zu ordnen (1841).

Die separierte lutherische Kirche fand ihren Rückhalt in den andern lutherischen Landeskirchen Deutschlands, in Sachsen, Bayern, Hannover, Mecklenburg, wo unter dem Unionsstreit überall das konfessionelle Bewußtsein wieder lebendig erwacht war. In Bayern waren es vornehmlich Löhe und seine Freunde, welche der konfessionellen Richtung wieder Bahn machten, während Harleß dieselben Interessen in der 1838 begründeten „Zeitschrift für Protestantismus und Kirche" vertrat, für welche in neuerer Zeit die „allgemeine lutherische Kirchenzeitung" in Leipzig eintrat. Aber auch innerhalb der preußischen Landeskirche schloß sich der Gegensatz zwischen den strenger konfessionell Gesinnten, geführt von der Hengstenbergischen Kirchenzeitung (gegenwärtig auch vertreten in der sog. Augustkonferenz), und den entschiedenen Unionsfreunden, geführt von der „Neuen evangelischen Kirchenzeitung" einerseits und von der „protestantischen" andrerseits, nie ganz.

Der Kampf ist noch nicht entschieden, und wird auch nicht entschieden werden, so lange nicht eine innere Überwindung des vorhandenen Gegensatzes durch eine weitere Fortentwicklung und Vertiefung der Theologie, wie des kirchlichen Lebens erzielt sein wird.

Man mag es beklagen, daß die evangelische Erneuerung des Christentums zugleich auch einen neuen Zwiespalt erzeugt hat. Aber daß der Strom des evangelischen Lebens sich in zwei getrennte Bette ergossen hat, hat doch auch wieder zu einer um so reicheren Ausprägung geistlichen Lebens geführt. Wie auch schon früher gezeigt wurde, ist das deutsche Luthertum mit seiner nach innen gerichteten Stetigkeit des Gemüts und der Gewißheit der sakramentalen Gegenwart seines Herrn und Heilands nicht immer geschützt gewesen gegen die Gefahr unlebendigen Erstarrens. Andrerseits aber strauchelt der beweglich thatkräftig nach außen wirkende Calvinismus in seinem Drang, lebendige Früchte des Evangeliums zu schauen, nicht selten an der Klippe der Gesetzlichkeit und einer unevangelischen Unruhe und Gewaltsamkeit im Ergreifen des Heiles von oben. Beide, das lutherische und das reformierte Christentum aber sind geschichtlich gewordene und ausgeprägte kirchliche Gemeinschaften, die wohl an einander lernen und mit einander in innigem Wechselverkehr und geistlichem Austausch stehen können und sollen, nun und nimmer aber in einer mittleren oder neutralen Verbindung aufgehen können, ehe denn ein neuer und höherer Gedanke aus ihnen beiden heraus erzeugt ist, in welchem sie ihre wirkliche und wahrhaftige Einheit finden. Indessen ist die Union freilich eine geschichtliche Thatsache geworden, von der nicht zu erwarten ist, daß sie wieder rückgängig werde. Und so berechtigt der Kampf ist, welchen die „Konfession" gegen die „Union" führt, hinter der sich ja auch unleugbar der Indifferentismus in nicht geringem Maße verbirgt, so wird doch der Gedanke der Einigung nicht ersterben und in der deutschen evangelischen Christenheit nun um so weniger, als im neuen deutschen Reich die nationale Einheit gewonnen ist. So ist denn auch der Gedanke einer deutsch-evangelischen Nationalkirche, welcher seit 1848 in den Kirchentagen, zu welchen in jener Zeit deutsch-evangelische Männer zusammentraten, aufkeimte, nicht wieder zurück-, sondern noch mehr hervorgetreten, wenn auch vielfach unklar. Und immerhin ist es gegen die frühere landeskirchliche Abgeschlossenheit eine erfreuliche Erscheinung, daß in den sog. Eisenacher Kirchenkonferenzen von Vertretern der deutschen Kirchenbehörden auf der Grundlage der Konföderation eine gewisse Verständigung zwischen den einzelnen Landeskirchen vermittelt wird. Auch ist im allgemeinen doch nicht zu leugnen, daß, wie in der Theologie ein gewisser Ausgleich zwischen den beiden Konfessionen in gegenseitiger Würdigung sich vollzieht, andrerseits auch auf dem praktischen Gebiet ein ausgleichender Wechselverkehr stattfindet, wie denn unter anderm auf die reformierte Kirche von der lutherischen Anregungen zu einer reichern Ausgestaltung des Gottesdienstes ausgingen, während für diese in ihrer Verfassung das Beispiel der reformierten nicht ohne Einfluß blieb, und auf dem Gebiete der Mission stehen beide in erfreulichem Wetteifer.

2) Kirchliche Verfassungsbestrebungen.

Die Kämpfe, welche durch die Union hervorgerufen worden, und welche die Bedeutung des kirchlichen Bekenntnisses wieder ins Licht gestellt hatten, mußten auch bewirken, daß sich das Interesse an dem äußern Bestand der Kirche und an der Rechtsordnung derselben, sowohl bezüglich der Verfassung als der Verwaltung derselben erhöhte. Übrigens war ja ohnedem eine Umbildung der öffentlichen Ordnungen im Zuge mit der Richtung, das Volk mit an der Verwaltung seiner Angelegenheiten teilnehmen zu lassen; so konnte ein gleiches Bestreben auf dem kirchlichen Gebiete nicht ausbleiben. Dazu hatte sich ja die in der Reformationszeit gewonnene Grundlage der evangelischen Kirchenverfassungen dadurch umgestaltet, daß es in ganz Deutschland keine konfessionell gesonderten Staaten mehr gab, sondern in allen Glieder verschiedener Konfessionen zusammengefaßt waren, zu denen sich die Juden als ein neues einflußreiches Element gesellten. Daraus folgte, daß die Interessen des Staates nicht mehr mit denen einer einzelnen Kirche zusammengingen, daß er vielmehr, absehend von diesen Glaubensverschiedenheiten seiner Angehörigen, seine Ziele selbständig zu verfolgen habe, und dies legte notwendig den Kirchen die Verpflichtung auf, ihre Angelegenheiten nicht mehr bloß vom Staate besorgen zu lassen, sondern selbst in die Hand zu nehmen, und führte zu mannigfachen Versuchen kirchlicher Verfassungen. Hiebei machte sich hauptsächlich eine zwiefache Richtung geltend: die eine, welche den Trägern des geistlichen Amtes neben der ihnen anbefohlenen Verwaltung der Gnadenmittel auch den möglichst großen, wo nicht ausschließlichen Anteil an der Kirchenregierung übergeben wissen wollte; die andere, welche das von den Reformatoren so sehr hervorgehobene Recht der Gemeinde betont, an der Verwaltung und Regierung der Kirche teilzunehmen.

Nachdem in der Reformation mit der öffentlichen Vertretung des evangelischen Bekenntnisses auch die Fürsorge für die Kirche den Landesherren (Reichsständen) zugefallen war, entwickelte sich daran die Vorstellung, welche den Landesherrn als den obersten Bischof, Landesbischof (Summepiskopat) bezeichnete. Dazu gesellte sich bald die andere Ansicht, daß die Kirchengewalt an sich schon ein Teil der Staatsgewalt sei, so daß der Landesherr in der Kirche ebenso zu regieren habe als im Staate (Territorialsystem, vgl. S. 256, zuerst theoretisch ausgeführt von Hugo Grotius), und dies ging so lange ganz gut, als die Gebiete ebenso konfessionell wie politisch abgegrenzt waren. Ob nun wohl der Landesherr nicht unmittelbar, sondern durch seine Konsistorien (Konsistorialverfassung) das Regiment auszuüben pflegte, so waren diese doch staatliche Behörden und die Kirche somit doch ganz und gar Staatskirche, eine Staatsanstalt. Indem man sich also der Veräußerlichung der römischen Kirche als eines großen Kirchenstaats zu entwinden gesucht hatte, war man in eine andere Veräußerlichung hineingeraten, indem die Staatsgewalt als solche die Kirche mit gesetzlichem Zwange regierte. Die üblen Wirkungen eines solchen Systems zeigten sich in der Erstarrung des kirchlichen Lebens und in der Gleichgültigkeit der Gemeindeglieder gegen die Kirche zu sehr, als daß eine Gegenwirkung ausbleiben konnte. Sie trat mit dem allgemeinen Umschwung und mit der Erneuerung des Glaubenslebens um so mehr ein, als auch in dem Verhältnis der Landesherren zu den Kirchen ihres Landes die oben genannte wesentliche Verschiebung stattgefunden hatte. Während sich die Staaten konstitutionelle Verfassungen gaben, sollten in der Kirche die Gemeinden zum Anteil an der kirchlichen Verwaltung herangezogen werden (Synodalverfassung).

Gerade im Jahre des Reformationsjubiläums, 1817, wurde zuerst in Nassau eine Synodal- und Presbyterialverfassung eingeführt. In Bayern wurde nach der Verfassungsurkunde von 1818 ein Oberkonsistorium, unter dem Ministerium des Kultus stehend, als die Behörde, durch welche der König seine bischöfliche Gewalt ausübt, eingesetzt. Daneben wurden in jedem Dekanat jährlich zu versammelnde Diöcesansynoden eingeführt, gleichheitlich aus geistlichen und weltlichen Mitgliedern zusammengesetzt, und alle vier Jahre tritt eine Generalsynode zusammen, zu welcher aus jedem Dekanat ein geistliches und ein weltliches Mitglied gewählt wird, zur Beratung allgemeiner kirchlicher Angelegenheiten, teils aus eigener Initiative, teils nach Vorlagen des Kirchenregiments. Auch das im Jahre 1823 in den Gemeinden zurückgewiesene Institut der Kirchenvorstände (Presbyterien) ist seit 1850 zur Vertretung der einzelnen Kirchengemeinden eingeführt, so daß die Konsistorial- und Presbyterialverfassung in Bayern verbunden ist und sich gegenseitig stützt. Nachdem auch in den meisten andern Landeskirchen, wie in Baden, Württemberg, Sachsen diese Einrichtung durchgeführt war, ging man auch in Preußen ernstlich daran; es wurde zuerst eine vorberatende Synode einberufen (1846), deren Frucht zunächst wenigstens die Einsetzung einer kirchlichen Oberbehörde, des Oberkirchenrats, war. Ehe es zur Durchführung kam, trat die Revolution des Jahres 1848 ein, wo die radikale Partei nach der beabsichtigten gründlichen Umgestaltung der Staatsverfassung auch die Verfassung der Kirche auf der breitesten Grundlage der „Volkssouveränität“ in die Hand zu nehmen gedachte. Nicht bloß sollte jedes erwachsene Kirchenglied, so geistig unmündig, so kirchlich gleichgültig es sein mochte, volles Recht und volle Stimme in der Kirche, sowohl für die äußern als innern Angelegenheiten (Bekenntnis und Lehre), mit haben, sondern es wurde auch von offenbar ganz Ungläubigen dieser Anspruch auf Grund des „allgemeinen Priestertums", wie zum Hohne, erhoben.

In jener Zeit stellte sich der Gegensatz der Ansichten und Parteien in zwei hervorragenden Persönlichkeiten dar, welche beide Ratgeber des für den Einfluß der Religion auf sein Volk und für die Förderung der Kirche in seinem Lande eifrigst bedachten Königs Friedrich Wilhelm IV. (1840—61) waren: Stahl und Bunsen.

Dr. Fr. Jul. Stahl, in München von jüdischen Eltern geboren, 1819 nebst seiner Familie in Erlangen zur evangelischen Kirche übergetreten, gewann nach seiner Berufung als Professor des Rechtes nach Berlin (1840) dort schnell einen immer weitergreifenden Einfluß, bald auch als Mitglied des Oberkirchenrats. Er wurde im Bunde mit der „Neuen preußischen (Kreuz-)Zeitung" der Vorkämpfer der konservativen Partei, ausgezeichnet durch Scharfsinn und Gewandtheit. Mit größter Entschiedenheit trat er allen Bestrebungen entgegen, auf revolutionärem Wege Staat und Kirche von unten auf zu reformieren, welche nach seiner Ansicht auf eine „Emancipation des Menschen von Gott" hinaus liefen, zu nichts anderm führen müßten, als „den ganzen öffentlichen Zustand auf den Willen des Menschen statt auf Gottes Ordnung und Fügung zu gründen", und welche schließlich mit der kirchlichen und staatlichen Ordnung auch die gesellschaftliche, die sociale Ordnung unter Aufhebung des Eigentums und Einführung des Kommunismus, wie er sich in einzelnen schwärmerischen Versuchen in Frankreich ankündigte, umstürzen würden. Dem gegenüber vertritt Stahl den Grundsatz der Autorität, weist er hin auf die Ordnungen in Staat und Kirche als göttlich gestifteten Institutionen, welche im engsten Bunde mit einander — Staatskirche, christlicher Staat — ihre Aufgabe zu erfüllen hätten, und will Recht und Macht der Amtsgewalt, dort des Königtums, hier des Priestertums, gesichert und gestärkt wissen. Und wie das Königtum von Gottes Gnaden sei, so sei auch das geistliche Amt etwas über und vor der Gemeinde, eine göttliche Stiftung, und es müsse die evangelische Kirche strenger zusammengefaßt werden durch ein episkopales Kirchenregiment, durch welches das Bekenntnis und die äußere Selbständigkeit verbürgt werde. Dies waren die Gedanken, welche Stahl in Staat und Kirche Preußens und bei dem Könige Friedrich Wilhelm IV. zur Geltung zu bringen suchte, nicht ohne daß er sich den Vorwurf zuzog, er befinde sich im Widerstreite mit den Grundsätzen der protestantischen Kirche und suche katholisierende Anschauungen als protestantisch und lutherisch zu verbreiten. Indessen stand er nicht allein. Im engsten Bunde mit ihm kämpfte der Oberappellationsgerichts-Präsident E. L. v. Gerlach, Mitbegründer der Kreuzzeitung und Bearbeiter der „monatlichen Rundschau" in derselben, für die gleichen Gedanken. Andere hoben mehr einzelne Punkte hervor. Während Hengstenberg, Professor der Theologie an der Berliner Universität, und Harleß, Professor in Erlangen, dann in Leipzig, zuletzt Präsident des Oberkonsistoriums in München, die Autorität des Bekenntnisses, wie es in der Reformation ausgeprägt worden und in rechtlicher Geltung dastehe, betonten und die Diener der Kirche strenge und unbedingt an dasselbe gebunden wissen wollten, wiesen Vilmar in Hessen und Kliefoth in Mecklenburg gegenüber einseitiger Betonung des Worts und des persönlichen Glaubens auf das geistliche Amt als einen wesentlichen Punkt im Bestand der Kirche hin:

jener pries das Amt der Kirche über alles als das Sakrament verwaltende, dieser beklagte, daß in den reformatorischen Bekenntnissen das Amt vom allgemeinen Priestertum der Gläubigen abgeleitet und seine Führung als Auftrag der Gemeinde behandelt werde. Andere gingen in dieser Richtung noch über Stahl hinaus, wie denn der Geschichtschreiber Leo in Halle mit unverhohlener Bewunderung auf die völlig unabhängige und unwidersprechliche Autorität der römisch-katholischen Kirche blickte und in der Lehre Luthers von der Gemeinde und der Stellung des Amtes in ihr „die Wurzel aller die menschliche Gesellschaft in den letzten Jahrhunderten bedrohenden Lehren" sah. Und der einflußreiche dänische Prediger Grundtvig ging so weit, das apostolische Symbol als die Standarte der kirchlichen Einheit über die heilige Schrift zu setzen. Allerdings aber forderte die religiöse Zerfahrenheit in der protestantischen Kirche, welche katholische Schriftsteller veranlaßte, von einer baldigen Selbstauflösung des Protestantismus zu weissagen, dazu auf, die erhaltenden, stärkenden, leitenden Elemente in der Kirche mehr zur Geltung zu bringen.

Stahl gegenüber trat Bunsen hervor, auf dessen Empfehlung früher Stahl nach Berlin gekommen war. Chr. K. Josias Bunsen, geb. 1791 zu Korbach in Waldeck, ein vielseitiger Geist, von innig gläubigem Gemüte und von großer persönlicher Liebenswürdigkeit, hatte mit Begeisterung den neuen religiösen und kirchlichen Bestrebungen sich angeschlossen und hatte während seines Aufenthaltes in Rom bei der preußischen Gesandtschaft in den Jahren 1818—38 besonders den Gedanken einer „liturgischen Wiederbelebung" der protestantischen Kirche (sowohl für den öffentlichen Gottesdienst, als für die Hausandacht) verfolgt, wobei er für die englische Liturgie, wie auch die anglikanische Episkopalverfassung, große Vorliebe hegte. Als er hernach in England weilte, seit 1841 in amtlicher Stellung zur Begründung des Bistums in Jerusalem und dann als Gesandter, lernte er über die englische Kirchenverfassung, aus welcher die entschieden zum Katholizismus zurücklenkende puseyitische Richtung (s. S. 321) hervorging, in vielen Stücken anders denken. Auch der Verlauf des Jahres 1848, von dem er in überschwenglicher Hoffnung ein „Himmelskind von Freiheit" erwartete, hat ihm freilich schmerzliche Enttäuschungen bereitet; doch glaubte er durch dasselbe mündig geworden zu sein. Im Jahre 1854 nach Deutschland zurückgekehrt, wo er zu seinem Wohnsitz Heidelberg wählte, nahm er alsbald den lebendigsten und thätigsten Anteil an den kirchlichen Angelegenheiten. In einer Schrift: „die Zeichen der Zeit" (in Briefen an E. M. Arndt) wendete er sich sowohl an seinen König, als an das protestantische Volk und trat, wie er schon 1845 in seiner „Verfassung der Kirche der Zukunft" gethan, gegen „Gewissensdruck und Knechtung des Geistes" auf, die er von der Richtung Stahls und seiner Freunde fürchtete. Er verlangte Gewissensfreiheit gegenüber aller staatskirchlichen Bevormundung, forderte für die Gemeinde als eine mündige das Recht der Selbstverwaltung, eine Kirchenordnung, in welcher die Gemeinde durch die Synoden ihre Angelegenheiten selbständig entscheide, forderte eine Nationalkirche, in welcher die in Landeskirchen äußerlich abgeschiedene evangelische deutsche Christenheit sich zusammenschließe. Er schaute dabei, ohne sich von dem wirklichen Stande dieser Gemeinde stören zu lassen, voll froher Zuversicht in die Zukunft der Kirche, getragen von dem Glauben an die ewige, göttliche Wahrheit, an die sittliche Weltordnung, deren Mittelpunkt uns Christus, deren Ziel die Menschheit heißt, deren Geheimnis in jeder gottsuchenden Seele schlummere, wie er es in seinem Buche: „Gott in der Geschichte" ausführt. Um nun die Gemeinde für ihre Aufgabe mit heranzuziehen, widmete er sich der Herausgabe eines Bibelwerks (1850 ff.); denn „ein Christentum ohne Bibel wird alles, nur keine Religion des Evangeliums, nur die Bibel kann uns helfen." Aber er glaubte nun, ihr Verständnis der Gemeinde vermitteln zu müssen durch eine „Übersetzung aus dem Semitischen ins Japhetitische, durch welche erst die religiöse Überlieferung der heiligen Schrift der ungöttlichen, nationalen Beimischung entkleidet, reine Menschheitssache, reine Wahrheit werde". — Bunsens Gedanken und Pläne wurden nach seinem 1860 eingetretenen Tode vom Protestantenverein aufgenommen und weiter verfolgt. Aber, ob auch so entschieden gläubige Christen wie der Heidelberger Professor Rich. Rothe und der Rostocker Mich. Baumgarten ihm angehörten, so hat dieser Verein doch große und gerechte Besorgnisse hervorgerufen, da er nicht bloß selbst eine unsichere Stellung zur heiligen Schrift einnimmt, sondern auch der „Majorität" des großen Haufens die heiligsten Angelegenheiten preiszugeben auf dem Wege ist.

Das waren die Gegensätze, die sich in dieser für unsere Zeit brennenden Frage von der Kirchenverfassung herausbildeten. Indessen gab doch in der Hauptsache die vermittelnde Richtung den Ausschlag, welche ebensowol das Ansehen und den Einfluß des kirchlichen Amtes bewahren und heben, als auch der Gemeinde ihr Recht widerfahren lassen und zugleich das Band der Kirche mit dem Staate nur genauer abgrenzen, nicht auflösen wollte, wenn auch hierin vielfach ein Schwanken sich zeigte, wie weit in „Konzessionen" zu gehen, was in „Kompromissen" zu erstreben sei. In diesem Sinne ist auch die preußische Generalsynodal-Ordnung vom Jahre 1876 mit ihrer Gliederung in Gemeindeälteste, Kreissynoden, Provinzialsynoden und Generalsynode verabfaßt worden, welche nun ihre Probe zu bestehen haben wird.

3) Sektenbildungen und separatistische Bestrebungen.

Das Suchen und Ringen nach einer entsprechenden Ausprägung des neuerwachten Lebens und nach einer gedeihlichen Ordnung des christlichen Gemeindewesens führte aber nicht bloß zu heftigen Parteikämpfen innerhalb der bestehenden Landeskirchen, sondern auch zu kirchlichen Neubildungen in kleineren Kreisen, und das außerhalb der deutsch-evangelischen Kirche, wie innerhalb derselben.

Im Jahre 1833 gründete der schottische presbyterianische Prediger Edward Irving in London die kirchliche Gemeinschaft der Irvingianer. Er erstrebte die Erneuerung der Kirche durch Wiedererweckung der schlummernden außerordentlichen Gnadengaben (Charismen, 1 Kor. 12; 14) und dazu durch Wiederaufrichtung der apostolischen Ämter (Eph. 4, 11: Apostel, Propheten, Evangelisten, Ältesten, Hirten, Engel, nach Offb. 2, 1, 8). Ihre Sendboten, Apostel, kamen auch nach Deutschland, ohne besondere Erfolge zu haben; doch trat später der um die christliche Wissenschaft und die Kirche wohlverdiente Kirchenlehrer H. Thiersch zu ihnen über. — Gleichfalls in England entstand die Sekte der Darbysten oder der „Plymouthsbrüder", welche von dem Irländer J. Darby gestiftet wurde und seit 1840 in der französisch reformierten Kirche der Schweiz, in Waadtland, Boden gewann. Ihnen erscheint die protestantische Kirche, wie sie in der Welt vielfach gebunden und verunstaltet dasteht, als ein „Babel", aus dem man ausziehen müsse. An allem Kirchentum verzweifelnd ziehen sie sich auf die kleinen Kreise der „Kinder Gottes" zurück, der nahen Zukunft Christi zur Vollendung aller Dinge entgegenharrend.

Auch in Deutschland trat, abgesehen von einzelnen absonderlichen Erscheinungen, wie der schwärmerische Schönherr'sche Kreis in Königsberg, dessen Anhänger das Volk mit dem Namen „Mucker" betitelte, eine ähnliche Sekte hervor und zwar in Württemberg. Dies ist die „Gesellschaft des Tempels" oder „die Freunde Jerusalems", gegründet durch Christoph Hoffmann. Dort hatte schon im Jahre 1819 dessen Vater Gottl. Hoffmann, einer der Erweckten aus dem Kreise der dortigen „Stundenhalter" in Erbauungsstunden für kleinere Kreisen, schon frühe angeregt durch den originellen Pfarrer Flattich und durch die theosophischen Schriften Oetingers, eine ähnliche Gründung im kleinen zu Stande gebracht, wie Zinzendorf in Herrnhut. Er hatte in Kornthal in der Nähe von Stuttgart eine Gemeinde gegründet, die eine Gemeinde des HErrn darstellen sollte nach dem Vorbild der ersten apostolischen Gemeinde, dabei ebensowohl mit besondern Einrichtungen zur Heranbildung für den irdischen Beruf, wie für die Erfüllung des geistlichen Berufes in der Gemeinde der Gläubigen. Während aus dieser Gemeinde ein Wilhelm Hoffmann in den Dienst der Basler Missionsgesellschaft und später der preußischen Landeskirche trat, rief sein Bruder Christoph Hoffmann, voll Verdruß über die kirchlichen Zustände der abendländischen Christenheit, in seiner „Süddeutschen Warte" die Gläubigen zum Auszug aus den alten Christenländern und zur „Sammlung des Volkes Gottes im heiligen Lande", dem Mutterlande der Christenheit, auf und hat auch einen kleinen Anfang zur Gründung einer „Gesellschaft des Tempels" dort gemacht.

Außer diesen Sekten mit zum Teil tiefer gehenden Abweichungen von Bekenntnis und Lehre und Weise der evangelischen Kirche traten auch separatistische Bestrebungen hervor, welche zur Bildung von sog. Freikirchen führten. Der treibende Gedanke war, daß man auf diesem Wege, ungehemmt durch staatliche Schranken und äußere Rücksichten, durch strengere Kirchenzucht für Lehre und Leben eine reinere und bessere Gestalt christlichen Gemeindelebens erzielen und sichern könnte, als es in den Landeskirchen mit ihrer Menge von Namenchristen möglich sei, womit allerdings ein Preisgeben der in der Landeskirche zusammengehaltenen und noch unter dem Bereich der Gnadenmittel stehenden Bevölkerung sich verbindet.

Im Jahre 1843 entstand unter der Führung des Dr. Chalmers die schottische Freikirche (Free Presbyterian church), im Widerstreit gegen die schadlichen Einflüsse, welche das Patronatsrecht der Krone wie einzelner Privaten ausübte. Als das Parlament gegen die Protestierenden (Nonintrusionists) entschied, erklärten 400 Prediger ihren Austritt aus der Staatskirche und mit ihnen ein Drittel der Bevölkerung unter Verzicht auf alle vorhandenen Kirchengüter. Sofort waren 250,000 Pfd. Sterling gezeichnet, und seitdem wurden Millionen für die Bedürfnisse des Kirchenwesens aufgebracht, abgesehen von dem, was für Mission gespendet wird. In der französischen Schweiz, im Waatlande, führte ein scheinbar geringer Anlaß zur Bildung einer Freikirche unter dem Einfluß des Professors Alex. Vinet in Lausanne. Als von dem liberalen Staatsrat verlangt wurde, es sollte die neue Staatsverfassung von der Kanzel verlesen werden, erklärten 156 Pastoren ihren Austritt aus der Landeskirche; doch hat diese Freikirche sich nicht gleich kräftig entwickelt wie die schottische. Ähnliches geschah später auch im Kanton Neuchatel.

Die gleichen Bestrebungen zeigten sich auch in Deutschland. Abgesehen von der separierten altlutherischen Kirche in Schlesien, welche im Kampfe gegen die Union entstand (s. S. 306), haben sich noch andere freikirchlichen Gemeinden gebildet. Zunächst hat sich von der schlesischen Kirche wieder die Immanuelsynode (mit dem Sitze in Liegnitz) abgetrennt, um die Freiheit der Einzelgemeinde gegen das Kirchenregiment in Breslau zu wahren. Außerdem haben ähnliche Versuche stattgefunden in Nassau, Sachsen, Bayern, welche zumeist auf Einflüsse der Missourisynode in Amerika, die unter der Leitung des Professors Walther steht, zurückzuführen sind. „Der getroste Pilger aus dem Babel der Landeskirche in die lutherische Freikirche", so bezeichnet sich ein solcher Aus- und Uebergetretener. Aber auch aus ihren Kreisen wird geklagt, wie einer ihrer Pastoren berichtete: „Die Christen in meiner Gemeinde sind keine Lutheraner, und die Lutheraner darin sind keine Christen; insbesondere findet sich unter ihnen viel Hader um die Lehre, und man ist rasch mit der Erklärung zur Hand: „Einen solchen (der auch nur in einem in den Bekenntnissen selbst nicht endgültig festgesetzten Punkte abweicht), können wir nicht für einen Christen, geschweige denn für einen Lutheraner halten!" In neuester Zeit hat auch die Einführung der Civilehe zum Austritt des Pastors Th. Harms mit seiner Missionsgemeinde in Hermannsburg aus der hannöverisch-preußischen Landeskirche Veranlassung gegeben.

Aber auch die alten Sekten haben eine neue Regsamkeit entfaltet und auch auf Deutschland ausgedehnt, um auf diesem Boden „Propaganda" zu machen und aus der Landes- und Volkskirche heraus kleine Gemeinden von „Wiedergebornen" zu sammeln.

Zunächst sind die Baptisten, die in Spurgeon einen mächtigen Volksredner gewonnen, von England her aufgetreten, und der Thätigkeit des Baptistenpredigers Oncken in Hamburg (seit 1834) ist es gelungen, da und dort kleine Gemeinden durch die Wiedertaufe zu begründen. Im Wetteifer mit ihnen sind dann auch die Methodisten (s. S. 272) vornehmlich von Amerika herübergekommen und haben, vorsichtig in die Gemeinden eindringend und bald eindringlich nach ihrer Art auf sie einwirkend, kleine Kreise von „Erweckten" gesammelt. Selbst die Mormonen (s. S. 359) sind mit ihren Versuchen nicht ganz fehlgegangen und es haben sich ihrer etliche durch sie verführen lassen.

Es ist ersichtlich, daß in allen diesen Bewegungen im ganzen und großen das Bestreben vorherrscht, die Ordnung der Kirche auf den gegebenen Grundlagen so zu gestalten, daß die große Masse nicht preisgegeben, sondern mit den Kräften des Evangeliums immer wirksamer durchdrungen werde. Und ebenso herrscht darüber im allgemeinen ein erfreuliches Einverständnis, daß die Gemeinde zur thätigen Mitgenossenschaft in dem Haushalt der Kirche und der Erfüllung ihres Berufes in der

Welt beigezogen werde. Daß die Elemente zu einer solchen Gestaltung des kirchlichen Lebens in der evangelischen Kirche trotz der in weiten Kreisen herrschenden Unkirchlichkeit vorhanden sind, wird insbesondere die weiter unten folgende Betrachtung der innern und äußern Mission zeigen.

III. Die Restauration in der katholischen Kirche und das Verhältnis der protestantischen Kirche zu ihr.

Gegenüber einem Auflösungsprozeß, der an einzelnen Stellen der protestantischen Welt eintreten zu wollen scheint, gewährt die katholische Kirche das Bild geschlossener Einheit und innerer Festigkeit. Doch ist auch diese Einheit und Festigkeit mehr nur eine scheinbare und es fehlt viel daran, daß Rom noch wie im Mittelalter die geistigen Richtungen bestimmte und das Gemüt der Völker beherrschte. Vielmehr wurde auch das Papsttum und seine Kirche in die inneren Bewegungen unwillkürlich mit hineingezogen, und in den romanischen Ländern entfremdeten sich die gebildeten Stände noch viel entschiedener der kirchlichen Autorität, als in dem protestantischen Deutschland.

1) Die katholische Kirche.

Die Wiederherstellung der Ordnung, welche sich nach Beendigung des großen Kampfes gegen den von der Revolution emporgetragenen korsischen Eroberer der Wiener Kongreß in den Jahren 1815 und 1816 angelegen sein ließ, brachte die Wiedereinsetzung des Papstes mit sich. Von der Teilnahme selbst der protestantischen Welt begleitet, nahm Pius VII., aus seiner Gefangenschaft zurückkehrend, von dem Kirchenstaate wieder Besitz und zog, von der Menge jubelnd empfangen, in Rom ein. Aber alsbald begann auch das Werk der „Restauration". Sofort wurde durch die Bulle Sollicitudo omnium (7. Aug. 1824) der Jesuitenorden wiederhergestellt, welcher unverweilt seine „Missionen" zur Unterwerfung der Völker unter das Papsttum ins Werk setzte. Und während der Papst das Verhältnis zu den katholischen Staaten durch „Konkordate" neu zu regeln suchte mit sehr günstigem Erfolge sowohl was die Dotation der Bischöfe als die Anstellung derselben durch den Papst betrifft, wurden die protestantischen Bibelgesellschaften (1816) für eine „Pest" erklärt, für „eine Erfindung, durch welche selbst die Grundlagen der Religion erschüttert würden". Dieses Vorgehen der Kurie wurde getragen durch eine Richtung in der Kirche, welche alles Heil von jenseits der Berge, von Rom erwartet —

deshalb Ultramontanismus genannt — und welche den „Nichtkatholiken" schroff gegenübersteht. Der Versuch, dem gegenüber eine „deutschkatholische Kirche" zu gründen (1845) verlief nach einem ersten Anlauf im Sande.

Durch dieses Vorgehen des Papstes wurde die milde, gegen Andersgläubige versöhnlich gestimmte Richtung, wie sie durch den innig frommen und geistvollen Bischof Sailer von Regensburg († 1832) gepflegt worden war, verdrängt. Ebenso wenig konnte sich jene Freisinnigkeit behaupten, in welcher der Generalvikar des Bistums Konstanz, Freiherr von Wessenberg, thätig war, welcher auf Einführung der deutschen Sprache im Gottesdienste und auf den Gebrauch des Neuen Testamentes beim Jugendunterrichte drang. Eine Anzahl Geistlicher fühlte sich getrieben, zur evangelischen Kirche überzutreten, während andere unter viel Anfechtungen in ihrer Kirche beharrten. Der bedeutendste unter den letztern war Martin Boos, genannt der Prediger der Gerechtigkeit, die vor Gott gilt (Röm. 1, 17), welcher in Bayern (Augsburg) und Oesterreich verschiedenemal Gefängnisstrafe erdulden mußte, bis er in Rheinpreußen in Sayn eine Zufluchtsstätte fand, wo er 1825 starb. Der bedeutendste unter den Uebergetretenen war Joh. Evangelista Goßner, welcher, in Bayern verfolgt, in Berlin 1824 zur evangelischen Kirche übertrat. Er wurde Pfarrer an der Jerusalemskirche und wie an seiner Gemeinde, so auch in die Ferne ein rechter Evangelist, sowohl als Erbauungsschriftsteller wie als Gründer einer evangelischen Missionsgesellschaft. Im Jahre 1823 traten 220 Glieder der Gemeinde Mühlhausen bei Pforzheim mit ihrem Geistlichen Alois Henhöfer zur evangelischen Kirche über und 1837 wanderten 448 evangelisch gewordene Tyroler aus dem Zillerthale denselben Weg, wie die ein Jahrhundert früher vertriebenen Salzburger, und suchten und fanden eine Zuflucht in Preußen. Mit Eifer suchte sich die katholische Kirche der gemischten Ehen zu erwehren, was zu dem preußisch-deutschen Kirchenstreite führte (1837—42), als der Kölner Erzbischof Klem. Droste zu Vischering die kirchliche Einsegnung solcher Ehen ohne das Versprechen katholischer Kindererziehung verbot.

Die neue Erregung des katholischen Gefühls rief auch Erscheinungen jenes romantischen Wunderglaubens hervor, wie er dem Mittelalter eigen war. Eine Weile machte 1821 Alexander Prinz von Hohenlohe-Schillingsfürst durch seine angeblichen Wunderkuren großes Aufsehen. Von der Schwester Emmerich im Kloster Agnetenberg im Münster'schen wurde behauptet, daß sie wie Franziskus von Assisi die Wundenmale des HErrn an sich trage. Von da und dort gingen Gerüchte aus über Erscheinungen der Jungfrau Maria, wie sie sich bis auf den heutigen Tag immer wieder erneuern. Als im Jahre 1844 der Bischof Arnoldi von Trier eine feierliche Ausstellung des „heiligen, ungenähten Rockes Christi" veranstaltete, zu welcher viele Hunderttausende herbeiströmten, trat ein schlesischer Priester Johannes Ronge öffentlich dagegen auf. In den Bann gethan, schloß er sich mit dem Pfarrer Czerski in Schneidemühl bei Bromberg zusammen zur Gründung einer christlich-apostolisch-katholischen Gemeinde (1845). Aber Czerski zog sich bald wieder zurück, weil er in Ronge und seinen Anhängern das Christentum vermißte. Ronge machte wohl einen rauschenden Siegeszug durch Deutschland; aber der Erfolg war ein sehr geringer, und hätte nicht das Jahr 1848 diesen Deutschkatholizismus etwas gefristet, so würde er noch rascher in völlige Unbedeutendheit zurückgesunken sein.

Nachdem sich schon 1822 der Lyoner Verein zur Verbreitung der katholischen Kirche in den Heidenländern gebildet hatte, entstand nun auch im Jahre 1848 in Deutschland der sog. Piusverein, welcher die Strenggläubigen zum gemeinsamen Kampfe für die „Freiheit und Einheit" der katholischen Kirche, sowie zu gemeinsamer Arbeit für die Hebung des religiös-sittlichen Lebens im katholischen Volke einigte. Diesem hat sich außer andern Vereinen für den letzteren Zweck auch der Bonifaciusverein zugesellt, welcher sich die Aufgabe gestellt hat, die Katholiken in protestantischer Umgebung zu unterstützen. Unter denen, welche an der Hebung des katholischen Volkes arbeiteten, hat sich vor andern Margarethe Verflassen einen Namen gemacht.

Auch in wissenschaftlicher Hinsicht erhob sich der Katholizismus auf's neue, vornehmlich in Frankreich und Deutschland. In Frankreich trat der Romantiker Vicomte de Chateaubriand als Vertheidiger der Schönheit der katholischen Kirche auf, insbesondere in seiner Schrift: Le génie du christianisme ou beauté de la religion chrétienne (1802); aber ein Abbé Lamennais, der vordem dasselbe Bekenntnis gethan: „Ohne Papst kein Christentum", trat in den Tagen der Julirevolution in seiner Zeitschrift L'Avenir und in seiner Schrift Paroles d'un croyant als Prophet eines demokratischen Gottesreiches mit einer allgemeinen Gleichheit der Kinder Gottes auf; er starb 1854, mit seiner Kirche zerfallen. In der neuesten Zeit hat dort, während der Maler Gustav Doré in modernem Stile die Bibel illustrierte, Ernest Renan, vom Standpunkte der modernen Kritik aus, ein mehr romanhaftes als geschichtliches Lebensbild Christi entworfen (1864). — In Deutschland wurde zunächst Joseph Görres (1776—1848) aus einem Wortführer der Revolution der Wortführer des Katholizismus, und zwar des Katholizismus mit aller mittelalterlichen Wundersucht. Aber die Schriften eines G. Hermes, Professors in Bonn, welcher der Kritik mehr Raum in der Theologie gewährte, wurden verdammt. Tief katholisch, aber nicht römisch gesinnt suchte Franz v. Baader durch seine Naturphilosophie die katholische Anschauung neu zu begründen. Auch der Gegensatz gegen die protestantische Kirche kam in neuer Weise zur Besprechung. J. Ad. Möhler, Professor in Tübingen († 1848 als Domdekan in Würzburg), schrieb eine Symbolik, d. h. Darstellung der dogmatischen Gegensätze der Katholiken und Protestanten nach ihren öffentlichen Bekenntnisschriften (1832), worin er voll Begeisterung die Herrlichkeit der katholischen Kirche darlegt, die ursprüngliche Idee mit der Wirklichkeit verwechselnd. Bedeutsam ist die Bezeichnung seiner Schrift mit dem friedlichen, irenischen Namen: Symbolik. Das Siegesgefühl, ja sogar ein gewisser Übermut, welcher ungefähr seit jenen Zeiten die katholische Literatur erfüllte, sprach sich weiterhin am schärfsten aus in den Schriften des nunmehr mit seiner Kirche zerfallenen, gelehrten Münchner Stiftspropstes Ignaz Döllinger (geb. 1799 zu Bamberg, seit 1826 Professor zu München) und in der von Görres begründeten Zeitschrift: „Historisch-politische Blätter", welche mit Triumph die Selbstauflösung des Protestantismus verkündigten.

Was mit der Restauration unter Pius VII. angebahnt worden, das kam zur Vollendung, nachdem 1846 Mastai Ferretti als Pius IX. (Pio nono) auf den päpstlichen Stuhl erhoben worden war. Denn sein Pontifikat ist bezeichnet durch den Syllabus (1864), worin er nicht bloß der modernen Entwicklung, sondern damit zugleich dem Protestantismus den Krieg erklärte, sowie auch durch die Erhebung der Jungfrau Maria zur höchsten Ehre, indem er das langbestrittene Dogma von der unbefleckten Empfängnis Marias (immaculata conceptio) sanktionierte (1854), und endlich durch die Erhebung des Papsttums auf die höchste Stufe der Macht und des Ansehens durch das Dogma von der Unfehlbarkeit des Papstes, wenn er als solcher, ex cathedra, spreche, welches in dem vatikanischen Konzil des Jahres 1870, wenn auch nicht ohne Kampf, durchgesetzt wurde. Im schroffen Gegensatz zu dieser äußersten Erhebung widerfuhr es dem Papsttum um diese Zeit, daß es die durch so viele Jahrhunderte festgehaltene weltliche Grundlage seiner Unabhängigkeit verlor.

Am 18. Juli 1870, demselben Tage, an welchem die vatikanischen Dekrete vom Konzil angenommen wurden, erklärte Napoleon III. den Krieg an Preußen und den norddeutschen Bund. Als er aber durch die Siege der Deutschen genötigt, die französische Besatzung, welche allein noch den Rest des Kirchenstaats bisher geschützt hatte, zurückrief, wurde Rom eilends von den italienischen Truppen besetzt und nun zur Hauptstadt des geeinigten Italiens gemacht. Für den „Gefangenen im Vatikan" wurde nun durch die Sammlung des „Peterspfennigs" unter den katholischen Völkern Unterstützung und Entschädigung gesucht. — Aber auch aus dem neuen Dogma selbst erhoben sich nicht geringe Schwierigkeiten. Zwar der Versuch, eine „altkatholische" Kirche zu gründen, hatte keinen größern Erfolg, obwohl ihr der hochangesehene Stiftspropst Döllinger mit seiner Opposition gegen die „Unfehlbarkeit" den Weg bahnte. Aber in dem neugegründeten deutschen Reiche sah sich das Reichsregiment veranlaßt, gegenüber dem Zusammenschlusse der ultramontanen Richtung zu einer politischen Partei und gegenüber der Allgewalt des ausländischen geistlichen Herrschers sich Recht und Macht im eigenen Lande zu wahren. Noch ist dieser Kampf, dem man den Namen Kulturkampf gegeben, der übrigens auch in der Schweiz, in Belgien und Frankreich ausgebrochen, nicht beendet, und obwohl die Übelstände desselben auf beiden Seiten schmerzlich empfunden werden, hält es doch schwer, eine Ausgleichung der einander entgegenstehenden Mächte des Staats und der Kirche und damit die Grundlage des Friedens zu finden.

2) Das Verhältnis der protestantischen Kirche zu der katholischen.

Während in protestantischen Ländern die Katholiken volle Duldung fanden und alle entgegenstehenden Gesetze mehr und mehr aufgehoben wurden, war das Gleiche im Bereich der katholischen Kirche nicht der Fall. Um so nötiger zeigte sich die Selbsthilfe der Protestanten. Dies war denn auch die Absicht bei der Gründung des Evangelischen Vereins der Gustav-Adolfstiftung, welche, bei der 200jährigen Gedächtnisfeier des Heldentodes Gustav-Adolfs 1832 erfolgte und eine weitreichende und segensreiche Thätigkeit zu Gunsten der Protestanten in der Diaspora, d. h. der in der Zerstreuung unter ganz katholischer Bevölkerung wohnenden evangelischen Christen entfaltete, — eine Thätigkeit, die um so nötiger war, als durch die veränderten Verkehrsverhältnisse der Neuzeit ganz neue kirchliche Notlagen geschaffen wurden (Gal. 6, 10).

Gottlieb Christoph Adolf v. Harleß (geb. 21. Nov. 1806 in Nürnberg, † 5. Sept. 1879 als Präsident des Oberkonsistoriums a. D. zu München). Nach einem Stich von Barfuß.

Der Gustav-Adolf-Verein umfaßt mehr denn 1000 Zweigvereine, darunter auch Frauenvereine. Weithin über ganz Deutschland, ja über Europa und selbst fremde Erdteile erstreckt sich seine Thätigkeit, und er hat schon viele Hunderte von Kirchen und Schulen, von Pfarr- und Schulhäusern erbaut und sorgt durch Reiseprediger auch für die vereinzelten kleineren Partien von Protestanten. Da der Verein nicht angreifend auftritt, sondern nur bestrebt ist, das kirchliche Bedürfnis der je in einer Gegend vorhandenen Protestanten zu befriedigen, so konnten in die Länge selbst Bayern und Oesterreich ihm den Zugang nicht wehren, wie denn andrerseits auch der katholische Bonifaciusverein in den protestantischen Ländern ungestört sein Werk treibt. — In der neuern Zeit machte sich auch hier eine konfessionelle Sonderung bemerkbar, insoferne als dem Gustav-Adolf-Verein, welcher alle Evangelischen sowohl zum Geben als im Nehmen umschließt, ein lutherischer „Gotteskasten" gegenübergestellt wurde. Dies geschah zum Teil aus Gewissensbedenken, mit einem Vereine zusammen zu wirken, der wesentlich unionistisch angelegt sei, ja auch Freunde des Protestantenvereins in sich schließe und unterstütze; zum Teil auch in der Absicht, auf diese Weise auch denjenigen lutherischen Christen eine Unterstützung zuzuwenden, welche, wie die separierten Lutheraner, weil nicht in der Diaspora unter katholischer Bevölkerung lebend, vom Gustav-Adolf-Verein nach seinen Statuten eine Unterstützung nicht erhalten können.

Suchte man so Verlusten vorzubeugen, so ließ man es auch nicht an Abwehr der katholischerseits gemachten Angriffe fehlen.

Unter der nicht geringen Anzahl protestantischer Gegenschriften gegen Möhlers Symbolik ragt Prof. K. Hase's Handbuch der protestantischen Polemik hervor. Wenn er mit einer „Polemik" jener „Symbolik" gegenübertrat, um jenen „geistesmächtigen" Angriff zu bekämpfen, so geschah es doch mit voller Achtung gegen diesen „zarten, edlen" Geist und war schließlich nur zum Frieden gemeint. Den geschichtlichen Darstellungen Döllingers, insbesondere den Angriffen der „historisch-politischen Blätter" in den 40er Jahren setzte sich die von Erlanger Docenten herausgegebene „Zeitschrift für Protestantismus und Kirche" (s. S. 308) mit Nachdruck entgegen. Ihr Begründer, Professor v. Harleß, vertrat in gleicher Weise auch das Recht der Protestanten gegenüber der ultramontanen bayrischen Regierung, welche 1838 geboten hatte, daß die protestantischen Soldaten bei der Frohnleichnamsprozession nicht bloß Dienst thun, sondern auch ihre Kniee vor der in der Monstranz herumgetragenen geweihten Hostie beugen sollten.

Stiftspropst D. v. Döllinger in München. Nach dem Leben radiert von W. Rohr (mit Bewilligung der Verlagshandlung von Schottländer in Breslau aus der Zeitschrift „Nord und Süd" entnommen).

Indessen bildeten sich auch solche Vereine, welche sich zur Aufgabe machten, angriffsweise vorzugehen und das lautere Evangelium durch Sendboten auch in katholische Gegenden zu tragen und dort aus der Bevölkerung evangelische Gemeinden zu gründen. Dieses Bestreben ging vornehmlich von der reformierten Kirche aus, und die katholische Kirche forderte dazu heraus, insofern sie von je alle „akatholischen" Länder als ein ihr zugehöriges und wiederzueroberndes Gebiet betrachtete und zu diesem Zweck in denselben eine zum Teil sehr erfolgreiche „Propaganda" betrieb.

Die englischen Protestanten faßten zuerst diesen Plan. Sie waren durch ihren mannigfaltigen Verkehr mit den verschiedensten Ländern allerdings die Nächsten dazu. Aber sie wurden auch ganz besonders durch das Überhandnehmen des Katholizismus in ihrem Lande und durch das rücksichtslose Vorgehen der römischen Propaganda gereizt, nachdem die Katholiken 1779 den andern Dissenters gleichgestellt worden waren. Zudem hatte sich seit 1833 aus der bischöflichen Hochkirche (High church) eine Partei herausgebildet, von den Professoren Pusey und Newmann geleitet, durch welche die dieser Kirche eigentümlichen katholischen Elemente so hervorgehoben und gesteigert wurden, daß nur ein Schritt noch zum völligen Uebertritt war, welchen denn auch viele thaten (Puseyismus). — Auch in der französischen Schweiz bildeten sich, zum Teil auf englische Einflüsse hin, solche Gesellschaften zur Verbreitung des evangelischen Glaubens und sie suchten ihr Ziel durch Sendboten, wie insbesondere durch Kolporteure, welche Bibeln und Traktate zu verbreiten hatten, zu erreichen. — In Italien wurde die Evangelisation im Anschluß an die Waldenser-Gemeinden betrieben, welche seit 1848 den Vollgenuß der bürgerlichen und kirchlichen Rechte erlangt hatten. Schon 1853 wurde in Turin aus Gaben, welche meist von England und Preußen zugeflossen, eine große Waldenserkirche feierlich eingeweiht. Seitdem haben sie sich über ganz Italien ausgebreitet, und mit ihnen und neben ihnen sind noch andere evangelische Gemeinden entstanden, so daß sich der gegenwärtige Papst Leo XIII. veranlaßt gesehen hat, die Kräfte und Mittel der katholischen Kirche gegen diese „Sekte" aufzurufen, welche selbst vor dem Vatikan, der Burg des Papsttums, ihre Kapellen und Anstalten zu errichten begonnen. Allerdings blieben auch die Verfolgungen nicht aus, wie die Eheleute Madiai in Florenz im J. 1852 zu mehrjährigem Zuchthaus verurteilt schließlich aus Furcht vor England zur Verbannung begnadigt wurden, weil sie mit der Bibel heimlich für den evangelischen Glauben geworben hatten, oder wie unter der evangelischen Gemeinde in Barletta 1866 von einem zur Glaubenswut aufgestachelten Volkshaufen ein arges Blutbad angerichtet wurde. — Auch in dem sonst so streng verschlossenen Spanien wurde nicht ohne Erfolg gearbeitet, während es auch nicht an heftigen Verfolgungen fehlte, wie denn der evangelische Bekenner Matamoros und andere nur durch die ernstliche Fürsprache protestantischer Mächte vor dem Äußersten bewahrt werden konnten. In neuester Zeit ist die Zahl der Evangelischen erheblich gestiegen. — Die Evangelisation Frankreichs wird teils von der französischen Schweiz aus betrieben, wo 1831 in Genf eine von der Nationalkirche getrennte evangelische Gesellschaft entstand, zu welcher auch der Geschichtsschreiber der Reformation, Merle d'Aubigné gehört, teils von Paris aus, wo von den dortigen Protestanten eine gleiche Gesellschaft gegründet worden, nachdem die Protestanten seit der Julirevolution a. 1830 wieder freiere Bewegung erlangt hatten. Die evangelische Kirche Frankreichs selbst, welche etwa 2 Millionen Seelen zu einem großen Teile in Südfrankreich (Nîmes, Montauban) zählt, gehört der überwiegenden Mehrheit nach dem reformierten Bekenntnisse an. Unter ihren Gliedern haben sich in der neuen Zeit einen Namen gemacht: Graf Gasparin und der ehemalige Minister Louis Philipps Guizot, dann der größte Kanzelredner dieser Kirche, Adolphe Monod, der unter anderm in seiner Schrift: „die Frau" und in den auf seinem Kranken- und Sterbelager gesprochenen „Abschiedsworten an seine Freunde und an die Kirche" (les Adieux) ihr ein köstliches Erbe hinterließ († 1856); so auch sein Biograph, der Geschichtschreiber Pressensé, u. a. Die französische Kirche augsburgischer Konfession findet sich in den ehemals deutschen Landesteilen, wie bei Montbéliard (Mömpelgard) und ist durch die Wiedervereinigung Elsaß-Lothringens mit Deutschland sehr (von 350,000 auf 80,000) vermindert worden. Sie hat eine große Missionsaufgabe auf sich an der zugewanderten deutschen Bevölkerung in Paris und ist mit ihren Anstalten ganz auf die Unterstützung der deutschen Glaubensgenossen angewiesen.

Eine mehr friedlich abwehrende Tendenz verfolgt die „Evangelische Allianz", welche in England aus dem Grunde des neuerwachten Glaubenslebens und im Gegensatze zu dem um sich greifenden Katholizismus im Jahre 1846 entstand. Sie hat sich nicht eine besondere, einzelne Aufgabe gestellt, sondern will durch innige Verbrüderung der evangelischen Christen, unangesehen zu welcher Kirche oder Sekte (Denomination) sie gehören, den Protestantismus wie zum gemeinsamen Widerstand gegen den Andrang des Unglaubens, so auch Rom gegenüber stärken, und wie den Grundsatz der Gewissensfreiheit im allgemeinen fördern, so insbesondere für das Recht und die Sicherheit bedrängter Protestanten eintreten.

Die Anregung ging von der schottischen Freikirche aus. Die Absicht war nicht, einen Bund der Kirchen, sondern eine Verbrüderung einzelner Christen aus allen evangelischen Kirchen und Sekten zu gründen. Wer nur immer zu den Hauptstücken des christlich evangelischen Glaubens — in 9 Artikel gefaßt — sich bekenne, könne dem Bunde beitreten. Nach längern Vorberatungen brachte eine Konferenz zu London im Jahre 1846 den Abschluß. Um ihren Zweck zu erfüllen, hält die Allianz zu bestimmten Zeiten und an verschiedenen Orten allgemeine Versammlungen. In Deutschland wurde sie zuerst bekannt durch eine Versammlung in Berlin im Jahre 1857, eingeführt durch den Staatsmann Dr. Jos. von Bunsen (s. S. 312), willkommen geheißen durch König Friedrich Wilhelm IV. Aber sie fand wenig Anklang; doch hat die letzte Versammlung in Basel im Jahre 1879 um der größern Nüchternheit und Besonnenheit willen, die in ihren Beratungen herrschte, bessern Eindruck gemacht.

IV. Die Stellung der Kirche in der heutigen Welt.

Während diese Erneuerung im innern Leben der Kirche, zunächst der evangelischen Kirche, sich vollzog, erhoben sich für sie aus ihrer Stellung zur heutigen, „modernen“ Welt neue Anfechtungen und Kämpfe, neue Sorgen und Aufgaben. Hatte doch auch das neue Jahrhundert für das Gebiet des weltlichen Lebens, im Staate wie in der Wissenschaft, im sozialen Leben wie in den allgemeinen Kulturbestrebungen einen neuen Aufschwung gebracht; insbesondere hatte sich die Schule einer bedeutenden Entwicklung zu erfreuen. Dies führte nun nicht bloß zu mancherlei Grenzstreitigkeiten, sondern es zeigte sich bald, daß der weltlich gerichtete Geist der Zeit in weitem Maße der Kirche abhold sei, sich ihrem Einflusse zu entziehen strebe; sich abkehrend von der Anbetung Gottes im Kultus der Kirche machte er die Kultur, die Pflege und den Genuß der weltlichen Dinge höherer und niederer Art zu seinem Ideal. Nicht selten trat der Gegensatz in der schneidendsten Weise hervor. Der Pantheismus, welcher nach der Überwindung des „vulgären“ Rationalismus in den obern Schichten der Gesellschaft herrschte, legte schließlich durch seinen beredtesten Wortführer, Dav. Strauß, in dessen Buche vom „alten und vom neuen Glauben“ ein förmliches Bekenntnis ab. Aber schon stand hinter ihm, gestützt auf die Lehren vieler Naturforscher, ein atheistischer Materialismus, von der neuen Partei des Umsturzes, der Sozialdemokratie, alsbald mit wilder Leidenschaft angeeignet und verkündet. Und so wurde denn von den Vertretern dieser Anschauungen unter der Losung: „Kulturkampf“ ein Kampf auf Leben und Tod gegen die Kirche eröffnet (Phil. 3, 18 ff.), und dieser wurde um so ausgebreiteter, als auch die Presse, zusammen mit der belletristischen Literatur, sich zum großen Teil für diesen Kampf zur Verfügung stellte. In auffallender Weise haben sich auch an der Polemik und Agitation gegen die Kirche Angehörige des jüdischen

21*

Volkes, welches nun das Bürgerrecht unter den christlichen Völkern erlangte, beteiligt, um so einflußreicher als ihnen in weitem Maße die beiden Großmächte der heutigen Welt, die Presse und das Kapital, meist beides miteinander, zu Gebote standen und stehen. War nun auch dieser Kampf vor allem gegen die katholische Kirche gerichtet, so hatte ihn doch auch die evangelische Kirche mitzubestehen; dabei hatte sie viel unter den Angriffen zu leiden, welche die katholische Kirche durch ihre Gestalt und ihre Weltstellung herausforderte und gegen welche die evangelische Kirche selbst protestieren muß und von Anfang an protestiert hat.

1) Der Staat und die Kirche.

Die freiheitliche Entwicklung des Staatswesens, welche in der französischen Revolution zum Durchbruch gekommen war und die Versuche sie aufzuhalten im Jahre 1848 durchbrochen hatte, brachte eine nicht geringe Stärkung des Staatsgedankens mit sich, der sich zum Gedanken der Allgewalt des Staates, der nichts Gleichberechtigtes neben sich dulden dürfe, steigerte. Wenn nun ehedem die Inhaber der Throne im Besitze ihrer unbeschränkten Gewalt die Verbindung der Kirche mit dem Staate sorglich gepflegt und gewahrt hatten, so wurde jetzt mehr und mehr in den Volksvertretungen der Gedanke der Trennung von Kirche und Staat herrschend. Und da man mit unaufhaltsamem Drange die Richtung verfolgte, dem Einzelnen möglichste Freiheit der Bewegung zu verschaffen, so trat um so mehr in jenem Gedanken die Absicht hervor, die Kirche möglichst einzuschränken und das Volk ihrem Einflusse zu entziehen. Da konnten denn für die Kirche mancherlei Kämpfe und mancherlei Leiden nicht ausbleiben, und noch ist der Streit nicht zu Ende geführt.

Der Geist der Verneinung und des Umsturzes, welcher in der französischen Revolution entfesselt worden, war wohl zurückgedrängt, aber noch nicht überwunden. Und da von obenher aus Furcht vor demselben auch ernste und würdige Freiheitsbestrebungen verfolgt wurden, wie denn selbst ein E. M. Arndt der Verfolgung nicht entgehen konnte, so gewann er um so leichter unter gleißender Maske wieder Spielraum. Bald traten Wortführer desselben auf, welche, ein ungebundenes „Literatenleben“ führend, in zündender Rede die Leidenschaften anfachten, bis im Jahre 1848 eine neue Revolution fast ganz Europa erschütterte. Die Häupter dieser Richtung des „jungen Deutschland“ waren zwei Schriftsteller jüdischer Abkunft, L. Börne († 1837) und H. Heine († 1856), jener, mehr herben und polemischen Charakters und vorzugsweise auf dem politischen Gebiete thätig, dieser mehr durch leichtfertigen Spott das religiös-sittliche Leben zersetzend. H. Heine, obwohl wie Börne, vom Judentum zum Christentum übergetreten, blieb diesem doch innerlich fremd; er haßte nach seinem eigenen Ausspruch nichts so sehr, als die Predigt vom Kreuze (1. Cor. 1, 23), wagte sich mit seinem leichtfertigen Spott auch an das

Heiligste und verkündete gegenüber dem heiligen Ernste des Christentums das dichterisch verblümte Evangelium von der „Emancipation des Fleisches“. Ob er auch zuletzt auf seinem selbstverschuldeten, langen Krankenlager bekannte, daß er seine Ansichten über manche Dinge, besonders über göttliche, bedenklich geändert und daß vieles, was er früher behauptet habe, jetzt seiner bessern Überzeugung widerspreche, so war eben doch der böse Same ausgestreut und die Saat sproß im Revolutionsjahre 1848 üppig auf.

In der Frankfurter Nationalversammlung, welche zur Neuordnung Deutschlands vom Volke erwählt worden, wurde auch die religiöse und kirchliche Frage in Beratung genommen und das Ergebnis derselben mit den übrigen Beschlüssen in den „Grundrechten des deutschen Volkes“ niedergelegt. In Verfolgung der Gedanken, welche in der ersten französischen Revolution zum Durchbruch gekommen waren, wurde darin ausgesprochen, daß völlige Freiheit des Glaubens herrschen und das Staatsbürgerrecht von dem religiösen Bekenntnisse (also auch von Taufe und Konfirmation) ganz unabhängig sein sollte; der Bildung von neuen Religionsgesellschaften sollte kein Hindernis in den Weg gelegt werden, und die Religionsgesellschaften, von denen keine eine bevorzugte Stellung im Staate einnehmen dürfe, sollten wie jeder andere Verein die Freiheit haben, nach Maßgabe der allgemeinen Staatsgesetze sich selbst zu ordnen und zu verwalten. Auch der Eid sollte seiner christlichen Form entbunden werden und eine allgemeine religiöse Fassung erhalten; die bürgerliche Gültigkeit der Ehe sollte nicht mehr abhängig sein von der kirchlichen Trauung, sondern von der rechtlichen Eheschließung, die durch den Staat selbst vorzunehmen sei (Civilehe). Auch wurde die „Emancipation“ der Schule von der Kirche gefordert und zunächst beschlossen, daß der Staat die Oberaufsicht über die Schule in die Hand nehme und daß sie der Beaufsichtigung durch die Geistlichen entnommen werde, wenn auch die Betrauung sachkundiger Geistlicher mit der Schulaufsicht nicht ausgeschlossen sein solle. Damit war denn ein weiterer Stoß geführt auf die alte Verbindung zwischen Kirche und Staat, wie sie durch Konstantin den Großen (s. S. 30) begründet und bis jetzt festgehalten worden war.

Wohl ging der Sturm der Revolution bald vorüber, um einer ruhigeren Entwicklung Platz zu machen, und die „Grundrechte“ wurden von keiner der deutschen Staatsregierungen anerkannt. Aber die Bewegung ging doch weiter, und trotz aller Versuche sie aufzuhalten, vollzog sich im Lauf der nächsten Jahrzehente unter dem Drängen der „liberalen Partei“, die sich auf das Bürgertum stützte, eine stille, aber durchgreifende Umgestaltung des öffentlichen Lebens. An die Stelle der alten, vom Christentum getragenen und mehr idealen Grundlagen der Gesellschaft trat überall das materielle Interesse mit seinen auflösenden und zersplitternden Einflüssen. Das Streben ging dahin, mit den alten auf den Zusammenhalt des Ganzen berechneten Ordnungen aufzuräumen und unter Beseitigung entgegenstehender, häufig allerdings lästiger Schranken dem Einzelnen möglichst freie Bewegung und ungehemmten Spielraum zu gewähren. Dabei war ein Hauptgesichtspunkt, die „kirchliche Bevormundung“, wie das Schlagwort lautete, zu beseitigen, die Einwirkung der Kirche überhaupt möglichst zu beschränken. Das Jahr 1848 brachte auch die Ablösungsgesetze mit sich, durch welche die in der Reformation nur beschränkten Naturalleistungen der Gemeindeglieder an die Pfarrstellen in der Hauptsache beseitigt wurden. Tiefer eingreifend ins kirchliche Leben ist die Einführung der Civilehe (mit dem 6. Februar 1875), eine Anordnung, welche die Mitwirkung der Kirche bei der Eheschließung in den Augen vieler als unnötig erscheinen ließ und jedenfalls dieselbe für nicht mehr maßgebend erklärte. In ziemlichem Umfang wurde auch die Einrichtung sog. Kommunal- oder Simultan- oder konfessionsloser Schulen durchgesetzt, durch welche die Erziehung der Jugend dem kirchlichen Einflusse möglichst entzogen und dieser auf den Religionsunterricht beschränkt wurde, welcher neben den übrigen Unterrichtszweigen nur noch als einer unter vielen, nicht mehr als der bestimmende gelten sollte. Ebenso sind schon da und dort die Kirchhöfe ihrer unmittelbaren Beziehung zur Kirche entnommen und allgemeine Friedhöfe eingerichtet; ja sogar die urchristliche Bestattungsweise (s. S. 68) suchte man da und dort unter Genehmigung der Behörden in eine „Feuerbestattung" umzuwandeln.

Mit gerechter Besorgnis befürchten viele, es werde unter diesen Veränderungen der notwendige und trotz aller Gebrechen der Kirche über alles heilsame Einfluß derselben auf das Leben des Volkes arg gehemmt werden. Bei nicht wenigen der Wortführer der neuen Bewegung ist ja auch die Absicht der Entchristlichung, nicht bloß Entkirchlichung des Volkes unverhüllt hervorgetreten. Auch hat sich gezeigt, daß unter allen diesen Umgestaltungen, teilweise Umwälzungen in vielen der Zeitgenossen selbst die Grundlagen des sittlichen Lebens erschüttert wurden. Die mancherlei Angriffe auf die Kirche sowohl von der Rednerbühne als in der Presse trugen nicht zur Pflege der Gottesfurcht bei; Gotteslästerung, Meineid, Verachtung des Gottesdienstes traten ungescheut hervor. Durch die Angriffe auf die Autorität der Obrigkeit wurde die Ehrfurcht vor derselben als Gottesordnung untergraben, und der vordem als „beschränkt" zurückgewiesene Unterthanenverstand machte sich jetzt in schrankenlosester Weise breit, und das auch aus dem Munde der am wenigsten dazu Berufenen und Befähigten. Mit der Eröffnung der „freien Konkurrenz" in Handel und Wandel brach ein Kampf der Interessen herein, der die sittlichen Grundlagen des Verkehrs: Ehrlichkeit und Redlichkeit erschütterte und die neuen technischen Hilfsmittel zum schmählichsten Betruge auszubeuten verleitete. Insbesondere riß in der Jugend des Volkes, die nach der Auflösung des alten und zum Teil veralteten Zunftwesens in allzu früher und großer Freiheit heranwuchs, ein Geist der Zuchtlosigkeit ein, der auch die Männer des Fortschritts bedenklich machen mußte.

Wohl brachte der große Krieg 1870—71 mit seinen Gefahren, mit seinen Kämpfen, mit seinen Siegen eine tiefere Anregung und innere Erhebung. Es wurde ein allgemeiner Bußtag gefeiert, es wurden Gebete dargebracht zum Herrn der Heerscharen, es wurden Siegesdankfeste gefeiert und durch das ganze Land erscholl der Lobgesang der evangelischen Gemeinde: „Nun danket alle Gott!" Und es sollte auch das große Ergebnis des blutigen Kampfes, das deutsche Reich in neuer Gestalt, unter der protestantischen Vormacht Preußen, nach dem Sinne seines ehrwürdigen Begründers, des Kaisers Wilhelm I., ein „Reich der Gottesfurcht und frommen Sitte" sein. In diesem Sinne handelte auch das Oberhaupt des Reiches, insonderheit wo es mit dem persönlichen Bekenntnis seines Glaubens hervortrat, oder wenn es mäßigend auf die Beschlüsse des Reichstags einwirkte, wie bei dem Reichsgesetz über die Beurkundung des Personenstandes und die Eheschließung mit der Bestimmung am Schlusse: „Die kirchlichen Verpflichtungen in Beziehung auf Taufe und Trauung werden durch dieses Gesetz nicht berührt." Aber auch im neuen Reiche nahm die fortschrittliche Bewegung ihren Fortgang, nicht gewarnt durch Vorgänge, wie der Aufstand der Kommune in Paris. Denn die rein materialistischen Grundsätze, einmal in die Gesellschaft eingeführt und die besitzenden Klassen beherrschend, führen mit Notwendigkeit einen Interessenkampf aller um ihren Anteil an den allein noch für wertvoll geachteten Gütern des zeitlichen Lebens herbei.

Seit den Tagen der französischen Revolution (s. S. 286 ff.) treiben aus dem breiten Grund des Volkslebens Kräfte hervor, welche eine viel tiefer greifende Umgestaltung des öffentlichen Lebens erstreben, als das „liberale" Bürgertum, „Bourgeoisie", welches das öffentliche Leben beherrscht, es wünschte. Es war die Idee des Kommunismus und Sozialismus. Zuerst in Frankreich durch den schwärmerischen Grafen St. Simon verkündet († 1825), träumte der Kommunismus den Traum einer neuen Weltordnung, in welcher in allgemeiner Gütergemeinschaft alle Ungleichheit verschwinden sollte. Die Herolde dieser neuen Sozialphilosophie und Sozialpolitik verkündigten ihre Anschauungen mit der Begeisterung eines neuen Glaubens, um so gefährlicher, als sie vielfach sich fälschlich auf das Beispiel der ersten Christengemeinde (Apg. 2 V. 4, 5) beriefen und als auch wirklich in den gesellschaftlichen Verhältnissen eine fühlbare, drückende Ungleichheit durch die überraschende Entwicklung der Industrie und die Uebermacht des Kapitals eingetreten war. Aus dieser Richtung des Sozialismus bildete sich unter dem Namen „Socialdemokratie" eine festgeschlossene politische Partei des Umsturzes heraus, welche sich in einem internationalen Bunde zusammenfaßte. Aus ihr hervor ließen sich Stimmen vernehmen, welche wie auf gänzliche Umgestaltung des Staatswesens in eine große Arbeits- und Erwerbsgenossenschaft mit gleicher Berechtigung aller, so auch auf Abschaffung der Religion und Kirche, auf weitgehende Auflösung des Ehebundes, auf möglichste Beseitigung des Eigentums und des Erbrechts ausgingen. Durch übermütiges Gebahren, ja durch frevle Thaten, welche von Anhängern der Partei, wie in Frankreich im Aufstande der Kommune, so in Deutschland gegen das geheiligte Oberhaupt des Reiches verübt wurden, forderte sie die Strenge der Strafgewalt mit außerordentlichen Mitteln heraus.

Überhaupt haben die freiheitlichen Bestrebungen durch ihr Übermaß in der neuesten Zeit eine Reaktion von Seite der konservativen Richtung hervorgerufen. Und sicher bedarf es, um über dem erstrebten Fortschritt nicht die sittlichen Grundlagen des Volkslebens und der Volkswohlfahrt zu verlieren, einer ernsten Sammlung des ganzen Volkes (Mark. 9, 29) und einer gründlichen Reinigung von dem ungöttlichen Wesen, welches keineswegs nur in den untersten Schichten sich findet (Phil. 2, 15; 1 Petr. 4, 4).

2) Die Wissenschaft und die Kirchenlehre.

Fast noch größere Anfechtungen als die eben genannten hatte die Kirche von der Wissenschaft zu erfahren. Kaum war der Bann des Rationalismus durchbrochen und hatte durch Schleiermacher und seine Schüler eine Erneuerung der Theologie begonnen, so erhoben sich gegen das Christentum als solches neue Angriffe so heftig und umfassend, wie es seit den Tagen des Celsus (S. 38) nicht mehr geschehen. Eröffnet wurden sie 1835 durch den ebenfalls aus der Hegel'schen Schule hervorgegangenen schwäbischen Theologen Dav. Fr. Strauß mit seinem „Leben Jesu".

Aber sie breiteten sich bald über alle Punkte der Lehre aus. Alle Kräfte der Kritik, die in den Tagen der Aufklärung rege geworden, sammelten sich nun zum Sturmlauf auf das christliche Bekenntnis, und der Ansturm war um so gefährlicher, als die Waffen durch die philosophische Schulung der letzten Zeit geschärft worden und als die Gegner bald auch mit neuen Waffen gerüstet erschienen, die aus der Rüstkammer der gewaltig aufstrebenden sog. „exakten" Wissenschaften genommen wurden.

Die Philosophie Hegel's hatte in großartigem Gedankengang unternommen, die Welt und die Geschichte als eine fortschreitende Offenbarung Gottes zu deuten in der Weise, daß die Bewegung vom Satze zu seinem Gegensatze und durch die Versöhnung und Aufhebung beider zu einer höhern Stufe des Lebens und Bewußtseins sich vollzöge. Dabei fiel ihm Gott und Welt in eins zusammen (s. S. 276), und wie ihm alles Thatsächliche sich in Begriffe umsetzte, so erschien auch Gott schließlich nur als der höchste Begriff. Längere Zeit hatten viele Theologen (wie Daub, Marheinecke u. a.) durch den Geist und die Macht dieser Philosophie hingenommen gehofft, in derselben eine neuere und zwar wissenschaftlichere Begründung des Christentums zu finden, dessen Grundanschauung von der Dreieinigkeit, Gottmenschheit, Versöhnung in Hegels Systeme wiederkehrten, freilich wesentlich anders gefaßt. Kaum war 1831 Hegel gestorben, so trat aus der großen Schule, die er hinterlassen, eine Richtung hervor, die junghegelische Schule, welche ganz andere Folgerungen aus der Grundanschauung ihres Meisters zog. Mit unerbittlicher Schärfe wurden sie zuerst von dem Tübinger Repetenten der Theologie, D. Fr. Strauß, in seinem 1835 erschienenen „Leben Jesu" geltend gemacht. Christus als Gottmensch ist nach dieser „spekulativen" Auffassung nur eine Idee, in welcher sich das menschliche Bedürfnis nach wirksamer Lebenseinheit Gottes und des Menschen ausspricht. Dieser Idee werde in den evangelischen Berichten, sagt Strauß, lediglich ein geschichtliches Gewand gegeben, sie werde in Form einer wirklichen Geschichte erzählt, d. h. sie sei ein Mythus, zu deutsch: eine sinnreiche Sage. Diese Darstellung der evangelischen Geschichte gab Strauß in seinem 1835 erschienenen „Leben Jesu" und hielt sie in seinen spätern Schriften nicht blos aufrecht, sondern erweiterte sie bis zu einer vollständigen Auflösung und Verleugnung des christlichen Glaubens („Glaubenslehre" 1840). In seine Fußtapfen traten mit wachsender Feindseligkeit L. Feuerbach, der den persönlichen Gott nur für eine Wahnvorstellung und die Religion für eine arge Selbsttäuschung erklärte, und hinter diesem noch andere, welche mit wildem Hasse unter frivolen Aeußerungen gegen das Heiligtum des christlichen Glaubens anstürmten und die greulichsten Vorwürfe und Verleumdungen gegen dasselbe schleuderten.

Verschwanden auch diese Junghegelianer, welche auf dem Gebiet der Theologie ähnlich zerstörend wirkten, wie auf dem allgemein literarischen Gebiete das „junge Deutschland" (s. S. 324), ziemlich bald wieder vom Schauplatze, so traten dafür andere Gegner hervor im Namen der geschichtlichen Forschung, welcher man sich mehr und mehr mit allem Eifer zuwandte. Ferd. Chr. Baur († 1860), der Begründer der sog. Tübinger Schule, unterwarf die Entstehung der neutestamentlichen Schriften vom Standpunkte angeblicher völliger Voraussetzungslosigkeit einer „unbefangenen" geschichtlichen Untersuchung, die aber gerade von einer sehr ausgeprägten Voraussetzung ausging: der nämlich, daß das Urchristentum das Ergebnis sei einer Versöhnung zwischen petrinischem

Juden- und paulinischem Heidenchristentum. Dieses Vorurteil verleitete ihn, die meisten Schriften des Neuen Testaments viel später anzusetzen, als sie — nach ihrer eigenen Angabe und der kirchlichen Ueberlieferung — entstanden sind, zum Teil tief ins 2. Jahrhundert.

Baur und seine Schule kamen weiterhin den Bestrebungen einer naturwissenschaftlichen Aufklärerei entgegen, welche die Kirchenlehre samt der Bibel um alle Geltung in dem Geschlecht der Gegenwart bringen will als unvereinbar mit den Ergebnissen der „fortgeschrittenen" Wissenschaft. Die Schöpfungs- und Entwicklungslehre des englischen Naturforschers Darwin, insbesondere die angebliche Abstammung des Menschen vom Affen, wurde über die Absicht des Urhebers hinaus von seinen Anhängern zu diesem Zwecke ausgebeutet. Den Propheten eines neuen weltbeglückenden Evangeliums der „durchgängigen Naturgesetzlichkeit alles Lebens" verschlägt es wenig, daß gerade die strengen Forscher, und selbst solche, welche aus ihrem Gegensatze gegen die Kirche kein Hehl machten, eine sehr zurückhaltende Stellung beobachten. Einer der hervorragendsten Naturforscher der Neuzeit, der die Wissenschaft durch wichtige Entdeckungen bereichert hat, Du Bois Reymond in Berlin, hat sich vor wenigen Jahren gegen David Strauß (als dessen neuestes und letztes Buch: „Der alte und neue Glaube" 1872 erschien), über die Grenzen des naturwissenschaftlichen Erkennens in ähnlichem Sinne ausgesprochen, wie drei Jahrhunderte früher Baco von Verulam es gethan hat (vgl. S. 275), nämlich: das naturwissenschaftliche Erkennen gehe nicht über das Gebiet der sinnlichen Erfahrung hinaus und habe also auf Fragen, wie: gibt es einen Gott? gibt es einen Geist? gibt es eine Entstehung der organischen Leben aus sich selbst? gibt es eine generatio aequivoca? keine Antwort. Doch machten solche Mahnungen die weniger lauteren als lauten Wortführer des Dogmas von „Kraft und Stoff" nicht irre, um so weniger als es ihnen an dem Beifall des großen Haufens aus dem Kreise der vielen Halbgebildeten unserer Tage nicht fehlte (Ps. 73, 9 ff.). Der Berliner Professor Virchow, eine der anerkannten Größen in der heutigen Naturforschung, aber auch als Gegner der Kirche bekannt, sah sich veranlaßt, in öffentlicher Versammlung jener radikalen Richtung entgegenzutreten. Bezeichnend für die ganze Sachlage ist seine Erklärung: Zwar kennt man „keine einzige Thatsache", welche darthäte, daß je eine generatio aequivoca stattgefunden hat, daß je eine Urzeugung in der Weise geschehen ist, daß unorganische Massen jemals freiwillig zu organischen Wesen sich entwickelt hätten; nichtsdestoweniger aber, fährt er fort, „wenn ich eine Schöpfungstheorie nicht annehmen will, wenn ich nicht glauben will, daß es einen besondern Schöpfer gegeben hat, der den Erdenkloß genommen und ihm den lebendigen Odem eingeblasen hat, wenn ich mir einen Vers machen will auf meine Weise, so muß ich ihn machen im Sinne der generatio aequivoca." Es zeigt sich, wie schnell die Grenze überschritten wird, welche der Naturwissenschaft gezogen ist, aber auch, mit welcher Willkür man dann seine Weltanschauung sich bildet, je nachdem das Herz gelüstet (2 Tim. 4, 3 ff.). Ich will von Gott, dem persönlichen Schöpfer Himmels und der Erden und was damit zusammenhängt, so lautet das Raisonnement, loskommen, also leugne ich ihn und mache mir selbst einen Vers zurecht „auf meine Weise", nicht weil die wissenschaftliche Erkenntnis mich dazu nötigt, sondern obschon sie mir jede Handhabe dafür verweigert!

Diesen Angriffen gegenüber hatte denn die christliche Wissenschaft einen harten Kampf zu bestehen und sie konnte ihren Dienst an der Kirche nicht anders vollbringen, als indem sie mit der einen Hand die Arbeit that, in der andern die Waffen hielt (Neh. 4, 17). Aber sie trat nach der ersten schmerzlichen Überraschung und Erschütterung mutig in den Kampf ein in Abwehr und Angriff. Und während in der Niederung des Volkslebens die Erstarkung im Glauben und das kirchliche Bewußtsein wenigstens keine Rückschritte machte, hat die kirchliche Theologie (vgl. S. 299) durch den Drang der Zeit hindurch vielmehr wesentliche Fortschritte in der Erkenntnis gemacht und wichtige Ergebnisse gewonnen.

„Dein Wort ist meines Fußes Leuchte und ein Licht auf meinem Wege. Ps. 119, 105.“

Die Angriffe der Tübinger Kritik, welche in das Geleise der Semler'schen Bibelkritik zurücklenkte (s. S. 281), wenn sie auch andere Ergebnisse erzielte, führten vor allem zu einer tieferen Erforschung der christlichen Wahrheit aus der heiligen Schrift selbst, und insbesondere auch zu einer genaueren Beleuchtung des Urchristentums und seiner urkundlichen Bezeugung in den Schriften der Apostel. Das alttestamentliche Wort wurde mit den sprachlichen Hilfsmitteln, welche der noch dem Rationalismus angehörende Gesenius in Halle an die Hand gegeben, gründlicher erschlossen durch Hengstenberg in Berlin, Ewald in Göttingen und Delitzsch in Leipzig u. a. Daran schlossen sich die großen, bahnbrechenden Arbeiten J. Chr. K. v. Hofmann's in Erlangen (1839—1878) auf dem Gebiet des Neuen Testaments. Diese lieferten für das Schleiermacher'sche Christentum der inneren Erfahrung (s. S. 299) erst den notwendigen geschichtlichen Unterbau durch eine Ergründung der gesamten göttlichen Offenbarungsgeschichte aus den biblischen Urkunden, deren wissenschaftliche Erweisung als wirkliche Offenbarungsurkunde sich Hofmann zur Lebensaufgabe machte. In seiner Schrift: „Weissagung und Erfüllung“ (1833) suchte er den innern Zusammenhang des Alten und Neuen Testaments zu erschließen; in seinem „Schriftbeweis“ zeigte er die Art und Weise des rechten Schriftbeweises für die kirchliche Lehre auf, nicht aus einzelnen Stellen, sondern aus dem Ganzen der Schrift, die eben ein einheitliches Ganze in Ge-

D. v. Hofmann.

„Wer sich rühmt, der rühme sich des Herrn. 1 Kor 1, 31."

schichte und Lehre bilde; endlich zielte sein großartig angelegter Kommentar zum Neuen Testament auf den Nachweis, was es um die heilige Schrift sei, und daß die Kirche an ihr das zureichende Denkmal ihrer Ursprungsgeschichte besitze und den Kanon für ihre weitere Entwicklung. Besonders richteten sich die biblischen Forschungen auch auf den Reichtum des prophetischen Wortes, welches mit Ausscheidung der willkürlichen Allegorien und Deutungen, die man daran geknüpft hatte, nach seinen geschichtlichen Beziehungen auf die Gegenwart der Propheten und auf die Zukunft des Reiches Gottes an's Licht gestellt wurde.

Dem Ausbau der Glaubenslehre war die Zeit weniger günstig. Es mußte erst die sichere Grundlage in der Schriftforschung gewonnen werden. Doch widmeten sich ihr bedeutende Kräfte; Vermittlungstheologen wie Nitzsch, Ullmann, J. Müller, Dorner und neuestens Ritschl führten gedankenvolle Gebäude auf; Kahnis in Leipzig, Thomasius und neuestens Frank in Erlangen und noch andere Theologen der lutherischen Kirche prägten den kirchlichen Lehrbegriff in neuen Systemen aus. Daß die Glaubenslehre zugleich den Zug zur Verteidigung, zur Apologetik (s. S. 38) in sich fühlt, ergibt sich durch die so heftige Bestreitung, welche das Christentum heute wieder in seinen Grundlagen erfährt, mit selbstverständlicher Notwendigkeit. Nach dem Bedürfnis der Zeit tritt sie auch in die Gemeinde herein. Unter andern Schriften dieser Art sind besonders die apologetischen Vorträge Luthardts ein Buch geworden, das in weiten Kreisen gläubiger Christen begierig gelesen wurde und vielen Segen gestiftet hat und noch stiftet.

Aber auch in andern Gebieten der christlichen Wissenschaft war die Zeit einer Fortbildung günstig. Die geschichtliche Richtung der Zeit, wie das Bedürfnis der Kirche führte zu eingehender Erforschung und umfassender Darstellung der Geschichte der christlichen Kirche. Nachdem schon in der Zeit der Aufklärung Mosheim und Planck den Anfang gemacht hatten mit einer pragmatischen Darstellung derselben, gieng Neanders „Allgemeine Geschichte der christlichen Religion" liebevoll auf das Leben der Christenheit ein, worauf

Gieseler in Göttingen († 1854) mit ruhiger Klarheit die ganze Entwicklung der Kirche quellenmäßig vorführte, während K. Hase in Jena, Vertreter des philosophischen Rationalismus, durch die Kunst der gedrungenen lebensfrischen Darstellung anzieht. Mehr für die Gemeinde ist Hagenbachs Kirchengeschichte in Vorlesungen bestimmt.

Das Bedürfnis der Zeit forderte bald auch dazu auf, gegenüber der „modernen" Welt- und Lebensanschauung, das Bild der christlichen Sittlichkeit rein und voll darzustellen. So ist denn nun die christliche Ethik wiederholt dargestellt worden, seitdem Schleiermacher sie gegen die rationalistische Auflösung der christlichen Sittenlehre in eine Zusammenstellung moralischer Lebensregeln wieder zu einer einheitlichen Wissenschaft erhoben hat. Auf lutherischer Seite stellte Harleß in Erlangen (s. S. 320) in seiner „Ethik" die Entwicklungsgeschichte des Christen dar. Während Beck in Tübingen die sittlichen Grundsätze unmittelbar aus der heiligen Schrift erhob und in ein einheitliches System brachte, hat neuestens der dänische Bischof Martensen die christliche Weltanschauung gegenüber der modernen in eingehender Weise nach allen ihren sittlichen Beziehungen ausgeführt, und v. Oettingen die Ergebnisse der neuen Wissenschaft der Statistik für das sittliche Gebiet im christlichen Sinne verwendet. Diese alle gehören dem lutherischen Kirchenkreise an. Vom Standpunkt der Union aus hat in eigenartiger Weise Richard Rothe in Heidelberg (s. S. 313) die Ethik als einen Teil der spekulativen Theologie behandelt; sein Streben ging dahin, das Materielle zu vergeistigen, insoferne das Christliche das Natürliche und Weltliche ganz durchdringen solle, eine ideale Kulturlehre zu geben, wobei ihm schließlich, in ferner Zukunft, die Kirche gar in den Staat aufgeht, statt Kirche und Staat in das Gottesreich.*

Auch auf die Formen des öffentlichen Gottesdienstes wandte sich eine fruchtbare, vielseitige Thätigkeit. Die gar zu ausgeleerten liturgischen Formen wurden durch verbesserte Agenden aus dem vorhandenen Reichtum der älteren Kirche auf's neue belebt und in das gemeindliche Leben eingeführt. Besonderer Fleiß wurde auf die Anforderungen des religiösen Jugendunterrichts gewendet; nicht blos theoretisch wurde die Katechese in umfassender Weise behandelt und ihre geschichtliche Entwicklung nachgewiesen, sondern es wurde auch auf Verbesserung der Katechismen eingehender Fleiß verwendet, wobei die Bedeutung und der Wert von Luthers kleinem Katechismus immer kräftiger erwiesen wurde (vgl. S. 303). Besondere Verdienste haben sich um die wissenschaftliche Ausbildung der praktischen Theologie Immanuel Nitzsch in Bonn und Palmer in Tübingen, v. Zezschwitz in Erlangen und Harnack in Dorpat erworben, deren Arbeiten in der Pastoraltheologie auch dem praktischen Amtsleben in hohem Maße zu Gute kamen.

3) Die sozialen Zustände und die innere Mission.

Vom Francke-Denkmal zu Halle.

In demselben Maße, als sich die Kirche bemühte, das christliche Gemeindeleben wieder zu heben und auf die richtigen Grundlagen zu stellen, wurde die Entfremdung, in welcher vielfach die große Masse zu der Kirche und ihren Gnadenmitteln stand, erst recht offenbar. Namentlich in den großen Städten, in welchen sich die Bevölkerung infolge der sich steigernden und vervielfältigenden industriellen und merkantilen Bestrebungen immer mehr zusammendrängte, kam eine Summe sozialen und geistigen Elends an den Tag, welche das christliche Erbarmen zur Abhilfe unabweislich herausforderte. Die ordentlichen Mittel der Kirche, Seelsorge, Predigt, Katechese reichten diesen Schäden gegenüber nicht mehr aus, schon deswegen nicht, weil diese Schichten der Bevölkerung sich ihnen gerade entzogen. Es mußte daher auf neuen Wegen und in neuen Formen dem Übel entgegengetreten werden. Und dazu bot sich die Form **freier Vereinigung** der Gleichgesinnten, welche in vielverzweigter Thätigkeit den Schaden zu heilen sucht, und dieses Zusammenwirken der Gemeinde in ihren Freiwilligen mit dem Amt der Kirche ist eines der erfreulichsten Zeichen der Zeit.

In diesen und ähnlichen Bestrebungen ging **England** voran. In **Deutschland** gewann die heilige Sache ihren eigentlichen Aufschwung durch das Auftreten des Kandidaten Dr. **Wichern**, des Gründers des Rauhen Hauses bei Hamburg. Auf dem Kirchentage in Wittenberg hatte sich unter den Stürmen des Jahres 1848 eine große Anzahl evangelischer Männer unter Führung des Professors der Rechte, Moritz v. Bethmann-Hollweg, zu ernster Beratung über das Wohl der evangelischen Kirche Deutschlands versammelt. Dort stellte Wichern in der Schloßkirche vor dem Grabe Luthers mit zündender Beredsamkeit (Jer. 8, 22) die sittlichen Uebelstände im Leben des Volkes dar, mahnte zu gemeinsamer Buße für die gemeinsame Schuld und rief zu gemeinsamer Arbeit gegen das eingedrungene und noch drohende sittliche Verderben auf. Dies führte zur Gründung des Centralausschusses für die innere Mission, mit dem Sitze in Berlin und Hamburg, der als leitender Mittelpunkt für alle diese Bestrebungen dienen sollte, wie er denn durch „Reiseprediger" den Zusammenhang derselben vermittelt, durch die „Fliegenden Blätter" aus dem Rauhen Hause anregend und belehrend einwirkt, auch die allgemeinen Kongresse zur Beratung der gemeinsamen Angelegenheiten beruft. Von da breitete sich das Werk, für dessen Förderung Wichern sich im nächsten Jahre 1849 mit einer Denkschrift an die deutsche Nation wandte, immer weiter aus und verbreitete sich über das ganze Gebiet des Volkslebens, soweit irgend ein tieferes Gebrechen sich zeigte.

Die innere Mission greift mit ihrer Arbeit vornehmlich bei dem Punkte an, welcher für die Zukunft unseres Volkes von erster Wichtigkeit ist, bei der Erziehung der Jugend. Sie sieht die arge Verwahrlosung, in welcher viele Kinder des Volkes durch Schuld ihrer Eltern und deren drückende Notlage aufwachsen; sie bedenkt den großen Schaden, der entsteht, wenn bei der Erziehung nicht der rechte Grund gelegt wird in der Zucht und Vermahnung zum HErrn, sie bangt vor den Gefahren, welchen die Jugend ausgesetzt ist, wenn sie nun nach der Konfirmation aus der Schule und aus dem Vaterhause in die Welt hinaustritt. Diese Wahrnehmungen und Erwägungen haben den Eifer zu einem Werke erweckt, das nun mit einem geschlossenen Kreise von Einwirkungen und Einrichtungen das ganze Jugendleben des Volkes zu umfassen bestrebt ist von der zartesten Kindheit bis zur Stufe der Mündigkeit. Und es erweist sich in diesem vielgegliederten und reichgesegneten Werke die christliche Kirche auch von Seite der Gemeinde als die geistliche Mutter, welche für ihre Kinder herzlich und treulich sorgt.

Zur Pflege armer und vernachlässigter Säuglinge gründete die innere Mission Krippenanstalten, wo solche Kinder von morgens bis abends, während die armen Eltern ihrem Broterwerb nachgehen müssen, gewartet und gepflegt werden. Dadurch werden nicht bloß viele Kinder vom frühen Tode errettet, sondern es wird durch die leibliche Pflege ein guter Grund zu gesunder Entwicklung nach Leib und Seele gelegt. Der Begründer dieser Einrichtung ist F. Marbeau, Beamter in Paris, die erste hohe Gönnerin derselben die Herzogin Helene von Orleans, eine mecklenburgische Prinzessin; am 14. November 1844 wurde die erste Anstalt in Paris eingeweiht und eröffnet.

Um den noch nicht schulpflichtigen Kindern im Alter von 3—6 Jahren einen Ersatz für die mangelnde gute Erziehung zu gewähren, baut sie Kinderbewahranstalten, Kinderpflegen, Kinderschulen, wo die Kinder den größten Teil des Tages, mit oder ohne Mittagstisch, um eine Lehrerin oder Pflegerin versammelt sind und gemeinsam unterhalten, beschäftigt und unterwiesen und in allem und durch alles hindurch zu Kindern Gottes erzogen werden sollen. Ihr Wahlspruch ist: „Lasset die Kindlein zu mir kommen!" Die erste Anstalt dieser Art wurde schon 1779 von dem reichbegnadeten F. Oberlin, Pfarrer im Steinthale im Elsaß (1740—1826), dessen vielseitiges, menschenfreundliches Wirken selbst vom Nationalkonvent der französischen Revolution durch eine Ehrenerwähnung in den Protokollen der Republik anerkannt wurde, gegründet, und zwar unter sehr ausgiebiger Mitwirkung seiner frommen und treuen Magd Louise Schepler. In Deutschland wurde die erste durch die Fürstin Pauline zu Lippe 1802 eingerichtet, wie denn meist Frauenvereine diesen Zweig der innern Mission pflegten. Es gibt deren jetzt in Deutschland eine große Anzahl; aber eine noch größere Verbreitung haben sie in Frankreich und England (Infant schools) gefunden. Weiterhin kam diesen Anstalten auch der Fortschritt zu statten, den das Erziehungswesen durch Fr. Fröbel (1782—1852) mit der Ausbildung des Spiel- und der Beschäftigungsmittel gewann, während die Fröbel'schen Kindergärten, ohne entschieden ausgeprägten christlichen Charakter, von Haus aus nur dem Bedürfnis der gebildeten Stände dienen. In neuerer Zeit hat sich der Freiherr Adolf v. Bissing-Beerberg, Johanniterritter († 1880), der Kinderschulsache mit großer Wärme angenommen und eine Vereinigung der gleichgesinnten Vereine unter dem Namen „Oberlinverein" herbeigeführt, welcher durch die Zeitschrift „die christliche Kleinkinderschule" vertreten ist.

Die verwahrlosten Kinder werden in Rettungshäuser gesammelt. Diese Anstalten kamen in Deutschland in den Tagen der großen Kriegsnot am Anfang des Jahrhunderts auf. Wie schon Pestalozzi in der Schweiz gethan, so sammelte in Deutschland der Dichter Daniel Falk, Legationsrat in Weimar, durch den Krieg verwaiste und verwahrloste Kinder in eine Anstalt (1813), zu deren Erhaltung er eine „Gesellschaft der Freunde in der Not" gründete. Ihm folgte der Graf von der Recke, Gründer des Vereins der „Menschenfreunde", welcher im alten Trappistenkloster zu Düsselthal, das er kaufte, 150 verwahrloste Kinder sammelte. Um jene Zeit richtete auch Pestalozzi's Schüler Zeller im Komtureischlosse des deutschen Ritterordens zu Beuggen im südlichen Baden eine Rettungsanstalt ein zugleich mit einem Seminar zur Bildung freiwilliger Armenschullehrer (1820). Und so entstanden andere an andern Orten, in Jena, Erfurt, Potsdam, Berlin. Die hervorragendste Stiftung dieser Art wurde das „Rauhe Haus" in Horn bei Hamburg, 1833, durch Wichern (später Mitglied des Oberkirchenrats in Berlin) gegründet. Sie wurde die Musteranstalt wie für die Erziehung der Kinder, so für die Ausbildung von „Brüdern" für den Dienst der innern Mission. In ungefähr 400 Rettungsanstalten finden jetzt solche arme Kinder Deutschlands eine Heimstätte. — Neben den Rettungshäusern sind auch vielfach Vereine zur Erziehung armer Kinder in Familien thätig, wie der von Pastor Brams 1846 in Rheinpreußen gegründete „Erziehungsverein", dem andere folgten. — In England hat sich Dr. Guthrie in Edinburg ein großes Verdienst erworben durch die Gründung der sog. „Lumpenschulen" (ragged schools), um die Kinder der Aermsten vor der Verbrecherlaufbahn zu bewahren (1847). Von gleicher Liebe getrieben und von unerschütterlichem Gottvertrauen beseelt, entfaltete der Deutsche Georg Müller zu Bristol in England eine großartige Thätigkeit in der Fürsorge für Waisen. Neuerdings betreibt Miß Macpherson in England mit Eifer und Geschick die Uebersiedlung armer Kinder nach Kanadien (canadian homes).

Um der nicht konfirmierten Jugend den Segen der Sonntagsfeier in einer für diese Altersstufe geeigneten Weise zu vermitteln, kommen in der neuesten Zeit die „christlichen Sonntagsschulen" in Aufnahme. Sie wurden 1781 durch den Zeitungsredakteur Robert Raikes in Gloucester angefangen, als er die Verwilderung der Jugend unter der Entheiligung des Sonntags, welcher sie anheimgefallen war, wahrzunehmen Gelegenheit erhielt. Als er 1811 starb, war das Senfkorn, das er gepflanzt, schon zu einem mächtigen Baume herangewachsen, unter dem sich Tausende von Kindern versammelten. In Deutschland wurden sie zuerst durch den Baptistenprediger Oncken in Hamburg eingeführt, welcher darin von Pastor Rautenberg († 1865) unterstützt wurde; in neuerer Zeit haben sie sich besonders durch die Bemühungen des Kaufmann-

W. Bröckelmann in Heidelberg weit verbreitet. Man faßt sie aber hier lieber als „Kindergottesdienst", wie sie früher schon da und dort eingeführt worden waren, so von dem Stadtvikar Dr. Schmuck in Erlangen. Aber das Neue ist, daß dabei freiwillige Kräfte aus der Gemeinde zur Verwendung kommen und daß die Kinder gruppenweise erbaulich unterwiesen werden. Die Zahl dieser „Sonntagsschulen" in Deutschland beträgt jetzt ungefähr 2000 mit über 8000 freiwilligen Lehrern und Lehrerinnen und einer großen Anzahl Kindern, die sich sonntäglich einfinden.

Um die konfirmierte und reifere Jugend des Volkes vor den Versuchungen, denen sie bei der Lockerung der Familienbande und bei der Auflösung des alten Zunftwesens mit seinen ursprünglich gesunden, genossenschaftlichen Banden mehr als je ausgesetzt ist, zu bewahren und sie durch heilsame Einflüsse zu fördern, wurden die christlichen Jünglingsvereine gebildet. Der erste Verein dieser Art entstand 1835 durch den Professor K. v. Raumer († 1865) in Erlangen, wurde aber zuerst übel angesehen und verboten. Bald aber erwuchsen eine Menge solcher, wie dann auch in der katholischen Kirche, hier „Gesellenvereine" genannt. In Norddeutschland schlossen sie sich seit 1849 zu engen Bündnissen zusammen, so der westliche in Rheinland und Westfalen mit gegen 50 Vereinen, dann der östliche Jünglingsbund in den östlichen Provinzen Preußens mit gegen 60 Vereinen und andere anderwärts, jetzt 2340 mit 1½ Mill. Mitgliedern. Auch über Deutschland hinaus haben sie eine große Verbreitung gefunden. Sie wollen ebensowohl der Pflege einer edlen Geselligkeit und der geistigen Fortbildung dienen, als der christlichen Förderung, und zwar jenen beiden mit der Abzweckung auf diese und in dem Geiste dieser; das ist der wesentliche Unterschied von den andern „Fortbildungsvereinen" der Neuzeit. Weniger verbreitet sind die so dringend nötigen Lehrlingsvereine. Auch die Vereine für junge Kaufleute nehmen in Deutschland nicht solchen Fortgang, wie in England und Amerika.

Man ist aber noch einen guten Schritt weiter gegangen und hat der wandernden Jugend des Volkes, die in der Fremde, zumal in den großen Städten der Entfremdung von Gott ausgesetzt ist, „Herbergen zur Heimat" gebaut, d. h. Herbergen zur Aufnahme und Bewirtung, von denen aber alles Un- und Widerchristliche durch eine christliche Hausordnung ferne gehalten wird, ohne daß aber jemand zu der täglichen Hausandacht gezwungen würde. Das Verdienst, den Anfang gemacht zu haben, im Jahr 1856, gebührt Klemens Perthes, Professor der Rechte in Bonn, einem Sohne des Buchhändlers Perthes. Weit über 100 solcher Herbergen befinden sich jetzt in Deutschland, fast in jeder größern Stadt eine, alle von der Opferwilligkeit christlicher Liebe errichtet. — Ebenso hat sich die christliche Fürsorge der dienenden weiblichen Jugend zugewendet und hat in größern Städten Mägdeschulen, auch Mägdeherbergen („Marthastifte") gegründet, welche auch von Sonntagsvereinen dazu benutzt werden, um der dienenden weiblichen Jugend eine reine Sonntagsfreude zur Erquickung für Leib und Seele zu verschaffen.

Zum andern faßt die innere Mission die besonderen und außergewöhnlichen Notstände ins Auge, welche sich für einzelne Glieder durch besondere Heimsuchungen, durch eigene Verschuldung oder durch andere Ausnahmszustände ergeben. Hier greift sie mit Pflege und Handreichung in jeder Art, leiblich und geistlich, aufs wohlthätigste ein mit ihrer Armen-

und **Krankenpflege**, mit ihrer **Fürsorge für Gefallene und Gefangene**, in ihrer **Stadt- und Emigrantenmission**.

In der **Armenpflege** hat auch zu dieser Zeit die christliche Gemeinde durch den Dienst der Mission den Beweis gegeben, daß sie von dem Geiste nicht verlassen ist, der in der ur- und altchristlichen Zeit sich so mächtig erwies. Nicht nur ist durch das Drängen vor allem der Freunde der innern Mission die bürgerliche Armenpflege auf eine höhere Stufe gehoben worden, sondern es hat sich die freie Vereinsthätigkeit derselben ergänzend und, durch den persönlichen Einfluß, belebend und fördernd zur Seite gestellt. Allen voran hat hier Dr. Chalmers († 1847), der Leiter der schottischen Freikirche, anregend gewirkt. In Bayern suchte König Max II. 1853 mit der Gründung des St. Johannisvereins einen Mittelpunkt für die verschiedenen Einzelvereine für Wohlthätigkeit zu schaffen.

In nächster Verbindung mit der Armenpflege steht die **Krankenpflege**. In beider Hinsicht gab **Amalie von Sieveking**, aus einer hamburgischen Senatorsfamilie stammend (1794–1859), ein leuchtendes Beispiel, so daß sie die Hamburger Tabea genannt wurde, wie früher Beata Sturm (1682–1730) die württembergische Tabea hieß. Mit dem Unterrichte armer Mädchen begann sie. Als im Sommer 1831 die Cholera auftrat, bot sie ihre Dienste zur Krankenpflege an und bewährte sich so, daß sie bald von der Direktion des Spitals zur Oberaufseherin des gesamten Personals bestellt wurde. In ihre früheren Verhältnisse zurückgetreten stiftete sie 1832 einen Frauenverein für Armen- und Krankenpflege zu häufigem und regelmäßigem Besuch bei armen Kranken in ihren Wohnungen, zur genauen Beaufsichtigung derselben, zur Sorge für Ordnung und Reinlichkeit und alles Übrige, wodurch ihnen geistlich und leiblich geholfen werden kann; „persönlicher Umgang mit den Armen und Erweisung der Liebe, die aus dem Glauben kommt“ — das war der Grundsatz, auf den der Verein gestellt wurde. Sie gründete weiterhin auch noch eine von jenen Anstalten, die ein so lieblich tröstliches Bild christlicher Liebesthätigkeit gewähren, ein Kinderhospital, hernach ihr zu Ehren „Amalienstift“ genannt. Außer den Kinderheilanstalten wie in Basel, in Ludwigsburg, Nürnberg u. a. O. entstanden auch noch andere Heilanstalten für jene unglücklichsten aller Kranken und Elenden, wie Blödsinnige und Epileptische. Es gibt gegenwärtig 26 **Idiotenanstalten** in Deutschland. Die älteste und bedeutendste ist die evangelische Heil- und Pflegeanstalt Hephata für blödsinnige Kinder zu Gladbach in Rheinpreußen. Zum großen Segen sind die Vereine zur **Pflege der Kranken und Verwundeten im Felde** geworden; auch Frauen haben sich hierin hervorgethan, wie Florence Nightingdale im Krimkriege und Frau Marie Simon in Dresden im deutsch-französischen Kriege sich vor andern einen Namen erworben haben. Verwandt mit diesen Vereinen, aber in die Form der alten geistlichen Ritterorden gekleidet, ist der **Johanniterorden**, in welchem der deutsche Adel sich in den Dienst der Verwundeten, der Armen und Kranken gestellt hat. Ihm schließt sich seit dem Kriege der **vaterländische Frauenverein** an, der auch Krankenpflegerinnen ausbildet.

Ist diese Art von Liebesthätigkeit ein Dienst, so ist die andere, wo es die Arbeit gegen Unglück gilt, welches durch Sünde und Missethat verursacht worden, ein Kampf. Aber die christliche Liebe hat auch diese Arbeit und diesen Kampf aufgenommen. Ein Grundschaden des Volkslebens ist die Unmäßigkeit und Trunksucht, welche Zerrüttung der Gesundheit wie Verarmung nach sich zieht, ja Verderben über ganze Familien bringt. Gegen sie hat man die

Enthaltsamkeits- und Mäßigkeitsvereine unternommen. Die Fahne trug der irische Mäßigkeitsapostel, Pater Theob. Mathew, dem das dankbare Volk in Cork 1864 ein Standbild errichtete. Und eben so hat christliche Liebe sich aufgemacht, um den schweren Kampf gegen Unsittlichkeit und Zuchtlosigkeit zu kämpfen, und hierin ging der holländische Pastor Heldring voran; eine ganze Reihe von Asylen für Verirrte, Magdalenenstifte genannt, sind errichtet worden, um solche Unglückliche auf den rechten Weg zu führen. So entstand auch 1851 in Lintorf in Rheinpreußen ein Asyl für verkommene Erwachsene männlichen Geschlechts, welche sich nach einem geordneten sittlichen Wandel sehnen, aber bei ihren Gewohnheiten und in ihrer Umgebung schwer dazu durchdringen können. Großes wurde auch geleistet auf dem Gebiete des Gefängniswesens. Der Engländer John Howard wandte, von Lissabon aus der Kriegsgefangenschaft heimgekehrt, seinen ganzen Eifer und die ganze Kraft seines Lebens der Besserung des Gefängniswesens zu, dessen traurigen Zustand er in einem 1777 herausgegebenen Buche schilderte. Die Erneuerung des Gefängniswesens, welche Howard eingeleitet hatte und welche schließlich auf die Einführung der Zellenhaft hinausging, wurde weitergeführt insbesondere auch durch die rastlose und aufopfernde Thätigkeit der edlen Quäkerin Elisabeth Fry, geb. Gurney (1780—1845), welche sich den schönen Ehrennamen „Engel der Gefangenen" erwarb. Von barmherziger Liebe getrieben, wurde sie die Stifterin eines Frauenvereins zur Besserung weiblicher Gefangenen, — und dabei erzog sie doch in ihrem Hause ihre 11 Kinder unter viel Prüfungen und hatte allezeit „feste Hand im Hausstand!" Und nicht bloß auf die Gefangenen beschränkte sich die Thätigkeit ihrer Liebe, sondern sie erweiterte sich auch auf andere Kreise, wie auf die Irren, für deren mildere Behandlung sie eintrat, auf die dienende Klasse, für deren Wohl sie einen Verein gründete, und erstreckte sich selbst bis zu den Küstenwächtern auf ihrem schweren, mühsamen Posten am Strande. Als sie im J. 1845 starb, trauerte ganz England um sie und die Küstenwächter thaten, „was geschah, wenn die Königin gestorben wäre", die Flaggen wurden während der Leichenfeier auf die Hälfte der Masten herabgelassen; Elisabeth Fry hatte ja auch das königliche Gesetz der Liebe erfüllt (Jac. 2). Neben ihr ist eine Jungfrau, die Schneiderin Sarah Martin, zu nennen, die 30 Jahre lang dem heiligen Dienste an den Gefangenen sich widmete, um ihnen aus der Bibel den Weg des Friedens zu zeigen, den sie selbst nach einer Zeit der Entfremdung darin gefunden. „Jetzt in der herrlichen Freiheit, mit der mich Christus frei gemacht hat", so bekennt sie, „empfand ich den Drang, auch Zeugnis zu geben von meiner dankbaren Liebe und ich flehte zum HErrn, daß er mir eine Thüre öffnen möge, meinem Nächsten zu dienen, auf daß ich vielleicht, die Bibel in der Hand, andere zu den Quellen der Freude leiten möge, aus denen ich so reichlich zu meinem Segen schöpfte." — In Deutschland ging Dr. Th. F. Fliedner (geb. 1800 zu Eppstein im Nassauischen, seit 1822 Pfarrer in Kaiserswerth, † 1864), auf diesem Wege voran. In einer Zeit, in welcher weder von staatlicher noch von kirchlicher Seite dem Gefängniswesen die entsprechende Beachtung zugewendet wurde, erbat er sich die Erlaubnis zu geistlicher Wirksamkeit unter den Gefangenen und gründete zur Unterstützung seiner Bestrebungen den rheinisch-westfälischen Gefängnisverein. Bald bildeten sich auch Vereine für entlassene Sträflinge, um diese wieder in die bürgerliche Gesellschaft einzuführen und sie vor Rückfall zu bewahren. — Wenn diese Vereine und Anstalten unter denen arbeiten, welche sich durch eigene Schuld um ihr Heil gebracht, so läßt die christliche Liebe auch jene nicht aus dem Auge, welche durch Auswanderung

in Gefahr stehen, der Kirche und dem Worte des Heils entfremdet zu werden, oder obwohl im Lande wohnend, doch, wie in den Großstädten, durch die örtlichen Mißverhältnisse der Entfremdung anheimgefallen sind oder anheimzufallen drohen. In ersterer Hinsicht wurden nicht bloß, wie von Neuendettelsau aus durch die Gesellschaft für innere Mission im Sinne der lutherischen Kirche (1850), Prediger ausgebildet und hinübergesendet, sondern man hat eine eigentliche *Emigranten-Mission* gegründet, welche durch eigens aufgestellte Missionare den Auswanderern mit Rat und That in jeder Hinsicht an die Hand geht. So sind von der lutherischen Kirche in Bremen und Hamburg Stationen errichtet und noch mehr in Amerika, wo unter andern Stationen in **New York** gegenüber Castle Garden (State Street 16) ein Auswanderer-Missionar angestellt und ein Emigrantenhaus eingerichtet ist. Andrerseits hat man, um der Gottentfremdung und Entsittlichung des armen Volkes in den großen Städten entgegenzuwirken, *Stadtmissionen* eingerichtet, zuerst in England von David Nasmith angeregt. Die Arbeiter derselben sind junge, erweckte Leute aus der Gemeinde, welche mit dem Worte Gottes in der Hand ausgehen sollen, um in allen Winkeln einer großen Stadt (wie in Berlin jetzt 450 Arbeiter thätig sind) zu suchen und selig zu machen, was verloren ist. In ähnlicher Weise ging man auch mit geistlicher Pflege den Eisenbahn- und Erntearbeitern, den Fluß- und Seeschiffern und andern nach.

Andere Bestrebungen sind mehr auf das Ganze des Volkslebens gerichtet und zielen darauf, dem ganzen Volke, insbesondere den arbeitenden und ärmeren Klassen den vollen Genuß der Segnungen des Christentums als der Grundbedingung der Volkswohlfahrt zu bewahren und die Mittel darzureichen, durch welche eine gesunde Volksbildung erreicht und gesichert werden könne. Mit der doppelten und naheverwandten Thätigkeit, die eine auf die Sonntagsheiligung gerichtet, die andere auf Verbreitung christlicher Schriften, greift die innere Mission, wie mit ihren andern Bestrebungen, aufs bedeutsamste in die „soziale" Frage der Gegenwart und ihre Lösung ein.

Seit langer Zeit schon kämpft die innere Mission mit dem kirchlichen Amte gegen die Entheiligung des Sonntags, welche trotz bestehender Verbote immer mehr eingerissen ist, und sucht die Bedeutung des Sonntags für die Wohlfahrt des gesamten Volkes ins Licht zu stellen und zur Anerkennung zu bringen und sie auf diesem Wege als eine Gottesordnung, die nicht ungestraft verletzt werde, zu erweisen. Insbesondere ist sie gegenüber der Industrie und dem Verkehre, welche in ihrer mächtigen Entwicklung diese heilige Schranke umzustürzen drohen, für das Recht des Arbeiters in irgend welcher Stellung kräftig eingetreten. Mit diesem ihrem Zeugnis für das Recht des Arbeiters hat sie ihr soziales Programm ausgegeben, für dessen Verwirklichung V. Aimé Huber in hervorragender Weise schriftstellerisch thätig war; denn die Sonntagsfrage greift in alle andern sozialen Fragen ein, soweit sie allgemein sittlicher Natur sind: der Sonntag gebietet Schonung der Gesundheit und Arbeitskraft des Arbeiters; der Sonntag heischt schonende Berücksichtigung des Familienlebens, wie er die Pflege desselben ermöglicht und weiht; der Sonntag verlangt eine menschenwürdige Wohnung für den Arbeiter, darin er sich seines Eigentums, das ihm so verklärt wird, freuen könne; der Sonntag fordert ein richtiges Maß des Lohns, auf daß der Arbeiter nicht bloß einen Zehr- und Notpfennig habe, sondern auch einen Gottes- und Ehrenpfennig; der Sonntag erzieht den Arbeiter zur Gemeinschaft, da er ihm in der feiernden Gemeinde die Gleichheit mit allen andern gewährt, ihn als Glied des Ganzen sich fühlen läßt und den rechten genossenschaftlichen Sinn weckt und pflegt, welcher den Neid und Klassenhaß ausschließt; der Sonntag erhebt ihn und macht ihn zu einem Freien, der seine Arbeit thut nicht aus Not und Zwang, sondern um des Gewissens willen zu Gott, als einen gottgeordneten Beruf, und zugleich ist es der Sonntag, welcher, wie das Beispiel der englischen Arbeiter und die Förderung, die sie aus ihren Sonntagsschulen gewonnen, beweist, die geistige Fortbildung des Arbeiters ermöglicht. Es haben auch die Arbeiter selbst schon eingesehen und erkannt, welche Bedeutung der Sonntag auf die Hebung ihres Standes habe, und haben lange nachdem das kirchliche Amt und die innere Mission darum gekämpft, den freien Sonntag auf ihre Fahne geschrieben; nur daß noch ein großes Werk zu thun bleibt, weniger um die christliche Sonntagsordnung aufrecht zu erhalten, als eine rechte evangelisch innige und doch freie Sonntagssitte zu begründen. In der neuesten Zeit hat sich durch die Thätigkeit des Schweizers Lombard ein „internationaler Kongreß" zu diesem Zwecke gebildet (1876), welcher unermüdlich der Erreichung seines Ziels nachtrachtet.

Eine große Ausdehnung hat die Vereinsthätigkeit zur Verbreitung christlicher Schriften gewonnen. Die Lage der Dinge drängte dazu, auch die Presse zu benützen, um Verlorne zu retten, Irrende zu belehren, Schwankende zu stärken und Erweckte zu fördern. Unter allen voran stehen die Vereine zur Verbreitung der Bibel. Auf Anregung des englischen

Predigers Jos. Hughes entstand 1804 die britische und ausländische Bibelgesellschaft. Sie hat im Lauf dreier Jahrzehente nicht weniger denn 80 Millionen Bibeln in 302 Sprachen verbreitet mit einem Aufwand von über 150 Mill. Mark. Auch in Deutschland, wo schon 1712 von Canstein in Halle (s. S. 266) die erste Bibelanstalt gegründet worden war, haben sich in neuerer Zeit nicht wenige Bibelgesellschaften gebildet, etwa 25 an der Zahl. Außerdem entstanden noch andere Vereine zur Verbreitung erbaulicher Schriften größeren und geringeren Umfanges, wie der christliche Verein für Norddeutschland, der Calwer Verlagsverein, der evangelische Bücherverein in Berlin, die christliche Bücherstiftung in Stuttgart, der evangelische Verein in Nürnberg (jetzt in Erlangen). Nicht geringe Wirksamkeit üben die Traktatgesellschaften durch ihre Flugblätter aus, wenn auch manches Blatt nicht gerade die rechte Art hat. In neuerer Zeit hat man sein Augenmerk besonders auf Herstellung christlicher Kalender gerichtet. Zur Verbreitung solcher Schriften werden Agenturen angelegt und Kolporteure ausgesendet. Diese Vereine sorgen aber nicht bloß für Darbietung erbaulicher Schriften, sondern auch für Verbreitung guter Volks- und Jugendschriften im weitern Sinne. Sind doch, um den Einwirkungen der schlechten Presse auf die im Volke wachsende Leselust entgegenzutreten, eine große Anzahl echter Volksschriftsteller hervorgetreten, seitdem Altmeister Schubert (s. S. 301) sein „Altes und Neues aus dem Gebiet der innern Seelenkunde" geschrieben hat, worin er die Gnadenführungen Gottes im menschlichen Leben darstellt. Allerorten traten solche hervor: in Württemberg Christian Barth, Ottilie Wildermuth, Emil Frommel; in Bayern Caspari, Redenbacher, Stöber, Wild; in der Schweiz Jeremias Gotthelf, in Hessen Glaubrecht, in Holstein Fries, in Bremen Funcke, in Sachsen das Ehepaar Nathusius, im Elsaß Marg. Spörlin, Klein u. s. f. Eine Fülle trefflicher Schriften ging von diesen Schriftstellern aus, fast ausnahmslos ebenso kräftige und schmackhafte als gesunde geistige Kost bietend; um sie unter das Volk zu bringen, hat man angefangen in Stadt und Land Leihbibliotheken einzurichten. — Auch die Pflege der Kunst hat sich die innere Mission zur Aufgabe gemacht. Verschiedene Vereine für christliche Kunst, darunter auch Paramentenvereine (wie in Neuendettelsau) zur Ausschmückung der gottesdienstlichen Stätten, lassen es sich angelegen sein, wie Kirche, so auch Haus und Schule mit den Erzeugnissen christlicher Kunst, kleinen und großen, zu zieren. — Auch durch das mündliche Wort wird in größeren Städten zur Erweckung des religiösen Sinnes in der Gemeinschaft, wie zur Förderung christlicher Erkenntnis eingewirkt, und viele edle Früchte des Geistes sind in solchen Vorträgen oder Vorlesungen dem gebildeten Teile des Volkes schon geboten worden. Um für solche Vorträge, wie überhaupt für die verschiedenen Bestrebungen und Thätigkeiten der Vereine für innere Mission eine geeignete Stätte zu gewinnen, hat man neuerdings angefangen, eigene Vereinshäuser, meist im Anschluß an die Herbergen zur Heimat, zu bauen.

Um alle diese heiligen und hohen Zwecke erfüllen zu können, bedarf man geeigneter Arbeiter, und wiederum zu deren Ausbildung entsprechender Anstalten. Mit großen Opfern wurde nach und nach eine beträchtliche Anzahl solcher Anstalten gegründet und eine große Anzahl von Arbeitern, Diakonen und Diakonissen, ausgesendet.

Unter den Anstalten zur Ausbildung von Diakonen, „Brüdern", steht voran die Brüderanstalt des Rauhen Hauses, 1845 durch

Wichern gegründet. Die Anforderungen für die Aufnahme bezeichnet Wichern in den fliegenden Blättern des Rauhen Hauses dahin: „Es müssen Männer sein, die zwischen dem 20. und 29. Lebensjahre stehen, unbescholten, von ernster und lauterer christlicher Gesinnung, mit genügenden Schulkenntnissen und jedenfalls fähig, dieselben leicht zu erwerben oder zu erweitern. Sie müssen körperlich gesund sein und bereits einen ordentlichen Beruf erlernt haben — sei es als Lehrer, oder als Kaufleute, oder als Handwerker, oder als Landleute u. dgl. — in den sie jederzeit wieder zurücktreten können, falls sie sich etwa nicht als tüchtig erweisen sollten. Solche Leute, die in ihrem Fache etwa auf keinen grünen Zweig haben kommen können, weil es ihnen an Tüchtigkeit oder Geschick oder angeblich an „Glück“ gefehlt hat, können unsere Brüderanstalten nicht

Löhe's Pfarrhaus zu Neuendettelsau.
Mit freundl. Bewilligung der Verlagshandlung von Bertelsmann in Gütersloh nach dem Titelbilde in Löhe's Leben Bd. II. 1 in Holzschnitt nachgebildet.

brauchen. Ebensowenig können Leute von beschränktem Verstande berufen werden, die weder Herz noch Kopf auf dem rechten Flecke haben. Manche derselben mögen sehr achtbar und ehrenwert sein, aber für die Zwecke unserer Brüderanstalt sind sie nicht tüchtig.“ Obwohl weithin, nicht blos in Deutschland, sondern auch in andern Ländern Europas, ja in andern Erdteilen zerstreut, bleiben sie doch mit dem Rauhen Hause in enger Verbindung und bilden „die Genossenschaft des Rauhen Hauses“. Nach dem Muster dieser Anstalt richtete Dr. Wichern in Berlin 1858 die Brüderanstalt des „evangelischen Johannisstifts“ ein. Auf seine Anregung hin war schon vorher (1850) eine ähnliche Anstalt in Züllichow bei Stettin entstanden. Weiter traten hervor die Anstalt zu Puckenhof bei Erlangen, zu Reinstädt bei Quedlinburg, die Pastoralgehilfen-

oder Diakonenanstalt zu Duisburg, das Stephansstift (Apg. 6) in Hannover auf Anregung Dr. Uhlhorn's (1869), und andere mehr.

Eine noch umfassendere und fruchtbarere Entwicklung als die Bildung der Diakonen gewann der **altchristliche Diakonissenberuf**. Pastor Dr. **Fliedner** (S. 339) war es, welcher im Bunde mit Graf Recke-Vollmarstein und unterstützt von seiner vortrefflichen Gattin die erste Diakonissenanstalt in Kaiserswerth a. Rh. gründete am 13. Oktober 1836. Diese wurde die Mutteranstalt, der „Kinder geboren wurden wie Thau aus der Morgenrote"; denn nach kaum drei Jahrzehnten gab es schon über 40 selbständige Diakonissenhäuser mit über 2000 „Schwestern", welche auf 526 Stationen arbeiteten. Eine ganze Reihe von Diakonissenhäusern entstand nach dem Vorgang von Kaiserswerth, wo nach Fliedners Tod Disselhoff wirkt; mehrere in Berlin, vor allem Bethanien (seit 1847) eine Stiftung Friedrich Wilhelm IV., dann in Königsberg, Danzig, Posen, Frankenstein in Schlesien, Breslau, Halle, Hannover, Frankfurt a. M.; zu Ludwigslust in Mecklenburg; in Hamburg, in Bremen, in Dresden, in Darmstadt, in Karlsruhe, in Straßburg, in Stuttgart, in Augsburg u. a. O. Im Jahre 1854 gründete der geistgesalbte Pfarrer **Wilhelm Löhe** († 1872) auf dem abgelegenen Dorfe Neuendettelsau in Franken eine Diakonissenanstalt von ausgeprägt lutherischem Charakter, um die sich bald ein reicher Kranz von verwandten Anstalten für innere Mission dortselbst fügte. — Überall werden in diesen Anstalten Jungfrauen, und zwar bis zum 40. Lebensjahre, zunächst als

Probeschwestern aufgenommen, bis sie nach bestandener Probe als Diakonissinnen eingesegnet werden. Sie werden entweder Lehr- oder Pflegeschwestern. Eine sie als „Schwestern" kennzeichnende Kleidung ist vorgeschrieben. Der Austritt steht nach einer gewissen Zeit frei. Das Mutterhaus sendet sie auf irgend eine Station aus; nach erfüllter Dienstleistung kehren sie dahin zurück. Für Unterkunft und Versorgung der krank oder alt gewordenen Diakonissinnen ist vorgesehen. — In der neuern Zeit hat sich ein Zweig dieser Thätigkeit, der Dienst an den Kleinen, selbständiger herausgebildet; durch Frau Dr. Jolberg († 1870) wurde zu Nonnenweier in Baden 1847 eine Diakonissenanstalt für **Kleinkinderlehrerinnen** gegründet. Andere folgten nach, neuerdings ist in Nowawes bei Potsdam durch den „Oberlinverein" eine solche Anstalt errichtet worden.

Von allen diesen Anstalten läßt sich immer wieder der Ruf hören, wie ihn 1868 eine Anzahl von 29, zu einer Generalkonferenz in Kaiserswerth versammelter Mutterhäuser ausgehen ließ: „Die Konferenz hat mit tiefem Danke gegen den HErrn auch von ihrem Arbeitsgebiete rühmen dürfen: die Ernte ist groß! Aber sie hat mit tiefem Schmerze auch hinzusetzen müssen: Wenige sind der Arbeiter!" Und es ist hier ein edler und gesegneter Wirkungskreis für christliche Jungfrauen eröffnet; denn die Diakonie wird in ihrem Werte von den Gemeinden geschätzt und ihr Dienst begehrt.

So liegen denn auf dem Gebiet der innern Mission die praktischen Ideale der evangelischen Christenheit unsrer Tage. Und wie die Kirche darin den Beweis des Geistes und der Kraft hat und gibt, so geht sie darin auch mit ihrer Zeit und leistet, ob auch mit mancherlei Schwächen und Gebrechen behaftet, der Welt einen Dienst, dessen Bedeutung kein Einsichtiger verkennen kann, mögen Unverständige noch so viel schmähen (1 Petr. 2, 11—12). Die Werke der innern Mission tragen mehr zur Lösung der sozialen Frage bei, als alle gelehrten Untersuchungen über diese brennende Frage, so nötig sie auch sind, es zu thun vermögen.

4) Die Kirche und die moderne Kultur.

Nach allen Seiten findet die Kirche in ihrer Stellung zur heutigen Welt nicht gewöhnliche Schwierigkeiten, unter denen sie zu leiden, die sie zu überwinden hat. Es geht ihr nicht anders mit ihrer Stellung zur Kultur, welche der Ruhm der heutigen Welt ist, zu den allgemeinen Kulturbestrebungen, welche auf die weitgehendste Ausbildung der menschlichen Natur wie auf den umfassendsten Ausbau aller irdischen Verhältnisse sich richten und das eigentliche Ideal der Zeit sind. Die Kirche schließt sich freilich allen Bestrebungen, welche auf die sittliche, geistige und wirtschaftliche Erhebung unsres Volkes abzielen, willig an und erweist sich dabei als das mächtigste Gegengewicht gegen jene Richtung, welche alles, auch Wissenschaft, Literatur und Kunst, von ihrer idealen Höhe herabzuziehen sucht. Aber gleichwohl will man ihr bei der vorherrschenden weltlichen Richtung auch hier keinen tiefergehenden Einfluß zugestehen noch zulassen, es sei denn daß sie ihr eignes Wesen verleugne und den Grund, auf den sie gegründet ist, verlasse; ja, es gibt deren nicht wenige, welche behaupten, daß sie mit der modernen Kultur in einem unversöhnlichen Widerspruch stehe und für sie in der heutigen Welt eigentlich keine Stelle mehr sei, ähnlich wie der alten Christenheit von dem Boden der antiken Kultur aus zugerufen wurde: „Ihr habt kein Recht zu bestehen!" (s. S. 21). Indessen geht die Kirche gleichwohl ihren Gang weiter und thut ihr heiliges Werk, das sie nicht lassen kann, zum Heil der Völker

(Apostlg. 4, 7 ff.), wie es denn auch an Zeichen und Zeugnissen nicht fehlt, daß das Christentum noch immer die erste Kulturmacht, die Kirche noch immer die erste Dienerin am Werke der Kultur ist und daß in der Gemeinde, die sich an den Gnadenmitteln erbaut, auch die wahre Civilisation ihre Stätte findet, sofern sie anders ihrem Wesen, Gemeinde der Heiligen zu sein, nicht untreu wird. Und sollte es der Kirche beschieden sein, mehr und mehr an Raum in der alten Welt zu verlieren, so hat sich bereits für sie, als die Trägerin der wahren Weltkultur, ein großer Wirkungskreis aufgethan, der bis an die Enden der Erde reicht (Matth. 21, 43).

Gewiß hat das weltliche Leben, nachdem man auf die Ausbildung desselben alle jene Kraft gewendet hat, welche ehedem der Kirche zu gut kam, nicht geringe Fortschritte gemacht. Nicht bloß die staatliche und bürgerliche Ordnung hat einen lebhaften Aufschwung gewonnen, sondern auch die Tempel der Kunst, Theater und Museen, treten immer zahlreicher und schmuckvoller hervor, seitdem die Künste eine neue Blüte erlebt. Nicht bloß die Schulhäuser, die Stätten des Unterrichts und der Bildung, mehrten sich und wurden immer ansehnlicher, sondern allerwärts erhoben sich auch dem Vergnügen dienende Gebäude stattlich und anspruchsvoll. Dazu hat durch die Entdeckung neuer Weltteile und durch die bewunderungswürdigen Erfindungen der Neuzeit das wirtschaftliche Leben und der große Weltverkehr sich auf eine ungeahnte Höhe erhoben, und in den großartig angelegten Verkehrsanstalten der Neuzeit hat sich gleichsam eine neue Welt vor Augen gestellt. Viele sind dadurch auf die Meinung geraten, als bedürfe man des Christentums und der Kirche nicht mehr; ja als sei sie vielmehr ein Hemmnis, denn eine Hilfe, sei am Ende eine Feindin der modernen Kultur und darum wenigstens bei Seite zu schieben, wo es nicht möglich wäre sie aufzulösen.

Nun liegt ja bei den Reibungen, die vorkommen, die Schuld nicht immer nur auf einer Seite. Es ist nicht zu leugnen, daß die Kirche manchmal vergißt, in welcher Zeit sie lebt und es einer Mutter ähnlich macht, die vergißt, daß mündig gewordene Kinder anders geleitet sein wollen als unmündige (vergl. S. 88); es ist wahr, daß nicht selten zelotisches Eifern, orthodoxe Befangenheit, pietistische Ängstlichkeit, kirchlich-politischer Parteigeist Verwirrung angerichtet haben, während doch dann Ergebnisse der neuen Bestrebungen, nachdem die erste Überraschung vorüber war, allgemein auch von den Gläubigen angeeignet und verwertet wurden. Auch bereiten die konfessionellen Gegensätze nicht geringe Schwierigkeiten, schon auch für das Verständnis des Christentums. Indessen sind dies keine Schwierigkeiten, welche etwa einen unlösbaren Widerspruch zwischen der Kirche und der modernen Kultur begründeten. Aber es besteht allerdings ein *unversöhnlicher* Gegensatz. Wenn auf Seite der Kirche eine oft auffallende Ängstlichkeit gegenüber den modernen Kulturbestrebungen besteht, während doch ihr Grundsatz ist und sein muß: „Alles ist euer; ihr aber seid Christi, Christus aber ist Gottes" (1. Kor. 3, 22–23), so erklärt sich das aus dem scharfen Blick derselben in den Geist, den un- und widergöttlichen Geist, der vielfach sich in jenen kundgibt, ja oft ungescheut das Wort führt (Offb. Joh. 13; 13, 11; 17). Die Kirche schätzt die Bildung und hat von je Wissenschaft und Schule gefördert und mit groß gezogen; aber wenn die Wissenschaft eine Richtung einschlagt, welche auch die Grundlagen des Glaubens zu zersetzen droht wie geschehen (s. S. 327 ff.), dann steht die Kirche in unversöhnlichem Kampfe gegenüber, selbst wo sie in protestantischer Freiheit sich hält. Die Kirche hat von je das wirtschaftliche Leben zu würdigen gewußt, zumal die Kirche der Reformation hat den status oeconomicus (den „Nährstand") wie den status politicus („Wehrstand") neben dem status ecclesiasticus („Lehrstand") in voller Ehre hingestellt, und selbst das weltflüchtige Mönchtum hat dieses Berufs nicht ganz vergessen; aber wo sich ein Geist des Egoismus kundgibt, wie vielfach in den neuern Kulturbestrebungen, da ists nicht möglich, daß die Kirche Frieden halte. Und ein solcher Geist hat sich kund gegeben, wie denn L. Feuerbach den Egoismus als die Ursache aller Laster aber auch aller Tugenden hinstellt, und andere über ihn noch hinausgehen, wie einer der neuern Kulturhistoriker, Fr. v. Hellwald, von dem Kampf ums Dasein redet, daß derselbe die Mittel heilige und den Ausschluß der Liebe bedinge. Und so hat denn auch alle Lehre des Nationalökonomen Ad. Smith (die sog. Manchestertheorie), daß, wer nur irgend für sein eigenes Interesse sorge, mittelbar auch das Wohl des Ganzen fördere, eine Anwendung gefunden zur rücksichtslosesten Ausbeutung der Nächsten, der arbeitenden Klassen durch das „Kapital", und dadurch einen Klassenhaß hervorgerufen, welcher mit einer allgemeinen Umwälzung droht. Einem solchen Geiste steht die Kirche in unversöhnlichem Kampfe gegenüber, weshalb sie freilich nicht bloß den grimmigen Haß der socialdemokratischen Agitatoren, sondern auch die Feindschaft nicht weniger Kapitalisten sich zugezogen. Die Kirche verwehrt nicht den Genuß der irdischen Dinge, nicht den höhern und niedern Genuß, nicht den die Natur und nicht den die Kunst gewährt; hat sie doch selbst von je die Künste gehegt und gepflegt, wie sie die Elemente der Natur dienend in ihrem Gottesdienste verwendet und heiligt. Aber sie muß gegen alles Übermaß und alle Zuchtlosigkeit kämpfen, wie die christliche Gemeinde in aller evangelischen Freiheit sich immer der innern Schranke in der Selbstbewahrung zu Gott bewußt sein muß (1. Kor. 6, 12). Und so ist sie nicht selten auch in der Gegenwart genötigt, mit ernstem Zeugnis sich der Genußsucht zu widersetzen, und sie muß gegen die Zeitströmung auch für solche Dinge kämpfen, welche an sich nicht unauflösliche sittliche Gebote sind, wie christliche Sitten, kirchlicher Brauch, Beobachtung heiliger Zeiten (s. S. 199), um dem schrankenlosen Durchbruch der Genußsucht zu wehren.

Aber so entschieden die christliche Kirche und Gemeinde hierin trotz aller Anfechtung Stellung nehmen und behaupten muß, so ist sie doch nichts weniger als kulturfeindlich. Vielmehr ist ihre Mitwirkung auch in unsrer Zeit, wenn auch nicht mehr in demselben Grade wie früher, von entscheidender Bedeutung für das Gedeihen dieser Bestrebungen; sie ist auch hier das Licht der Welt und das Salz der Erde. Und so viele Gebrechen sie auch an sich haben mag, so ist ihre Stellung im Grunde doch unangreifbar, weil ihre Leistung von unersetzbarem und unberechenbarem Werte. Ist doch die Kirche die Anstalt, welche das Gesetz auch des Staates erfüllen lehrt in einem Geist und Sinn, die, wie einer der alten Christen gesagt, „die Gesetze selbst übertrifft" (Matth. 5, 20)! Und von den Gottesdiensten der Kirche, der „heiligen", in der alles auf die Heiligung abzielt, gehen Kräfte eines höhern Lebens aus, wie sie in keiner andern „Genossenschaft" oder „Gesellschaft" gefunden und gewonnen werden können, Kräfte eines ewigen Lebens, die auch dann noch dauern, wenn das Natürliche dahinsinkt. Und das Gebet, mit dem die Christengemeinde durch die Welt geht, es ist doch und wird mehr und mehr werden — das Gebet der Menschheit, auch das rechte Kulturgebet. Mag man das „Weltkind" noch so sehr schmücken, das Gotteskind mit dem „Abba, lieber Vater" im Herzen hat doch eine so viel tiefere Anlage, in welcher die höchsten Kräfte zum Wachstum des Menschen entgegen seinem Vollmaße liegen (2. Petri 1, 3 ff.), und einen offenen Sinn für die weite Welt, die Gottes ist und Gottes immer mehr werden soll. Es hat die gläubige Gemeinde der Gegenwart in dem Werke der innern Mission hinreichend gezeigt, welch ein Herz sie hat für die Welt und ihre Not auch in ihren geringsten Gliedern, und welch einen Dienst sie derselben zu leisten vermag und wirklich leistet. Aber sie ist dieselbe auch in allen andern Beziehungen. Wenn ihr Dichten und Trachten vor allem darauf geht, daß Gottes Name durch sie verherrlicht, die Welt zum Tempel Gottes verklärt werde, so schließt sie in dieses ihr Gebet auch mit ein, daß Gott alle „edlen Künste und Wissenschaften mit seinem göttlichen Segen krönen möge." Wenn sie betet und arbeitet und kämpft um Gottes Reich, um einen Zustand und Ordnung der Dinge, in der alle Welt Gott unterthan und alles von der Gottesfülle des Lebens in ungestörter Eintracht erfüllt ist, so schließt sie in staatlicher und wirtschaftlicher Hinsicht damit auch das Wohl des eigenen Volkes ein, wie ja doch auch die Kirche im ganzen, wie ihre gläubigen Glieder im einzelnen an Patriotismus in all den Jahren nicht zurückgestanden sind, ohne zu vergessen, daß die Kirche nicht bloß die Kirche eines Volkes ist, sondern einen allgemeinen Beruf über die nationalen Schranken hinaus hat. Und wenn die christliche Gemeinde darnach trachtet, daß Gottes Wille in ihr geschehe wie im Himmel, und so nach der Vollendung der Persönlichkeit ringt, so umfaßt sie damit alles, was Erziehung und Bildung in Familie und Schule heißt und alle „gemeinnützigen Anstalten in Stadt und Land".

Allerdings steht die Kirche jetzt in soferne zurück, als sie nicht, wie in den ersten Zeiten unsres Volkes, diese Kulturaufgaben unmittelbar in die Hand nimmt: sie überläßt es ihren einzelnen Gliedern, in welcher Art sie sich an der Lösung dieser Aufgaben beteiligen; es sei erinnert an die eigenartige Wirksamkeit, welche Pfarrer Christoph Blumhardt in Bad Boll übte, oder wie Gustav Werner in Reutlingen der wirtschaftlichen Not durch industrielle Anlagen mit einem Kreise von Werkstätten zu steuern suchte und wie neuerdings unter der Führung des Hofpredigers Stöcker in Berlin eine christlich-sociale Partei sich bildete, um selbständig und thatkräftig in die sociale Bewegung einzugreifen. Aber die Kirche als solche beschränkt sich auf ihre eigene Aufgabe, das Werk der Heiligung in den Herzen zu wirken, in dem Bewußtsein, daß sie damit allein den sichern Grund für das gesamte Volkswohl lege. Und es fehlt auch nicht an Zeichen und Zeugnissen, daß doch, bei so vieler Verkennung und Kränkung, ihr Dienst und ihre Leistung für die Volkswohlfahrt und die Weltkultur gewürdigt wird. Um nur auf einige solche Zeugnisse hinzuweisen, so hat schon Göthe bezeugt: „Mag die geistige Kultur nur immer fortschreiten, mögen die Naturwissenschaften in immer breiterer Ausdehnung und Tiefe wachsen und der menschliche Geist sich erweitern, wie er will — über die Hoheit und sittliche Kultur, wie sie in den Evangelien leuchtet, wird er nicht hinauskommen." Es ist in unserer Zeit der Schule eine hervorragende Stelle angewiesen. Mag sie dieselbe immerhin in möglichster Selbständigkeit von der Kirche, von der sie groß gezogen worden, ausfüllen wollen, der Mund ihrer besonnenen Vertreter bekennt doch, daß sie ihren Beruf nicht erfüllen wird, wenn sie sich mit dem Geiste, der in der christlichen Gemeinde waltet, in Widerspruch setzt; sie muß doch auch und wird es, wie der Herold der neuen Erziehungsweise, Pestalozzi (s. S. 297), es kundete, und wie sein bedeutendster Schüler F. Fröbel ihm nach bezeugte, ihr Hauptziel sein lassen: „den Kindersinn der Menschheit gegen den Vatersinn der Gottheit zu erwecken und zu pflegen.“ Und die Begründer der politischen Neugestaltung Deutschlands zu dem lang ersehnten und mit Freude begrüßten deutschen Reiche haben nie anders geplant, als es auf den Grund des christlichen Geistes zu gründen: wie Kaiser Wilhelm I. (s. S. 326) so stehen auch seine obersten Räte im Krieg und Frieden auf demselben Standpunkte, wie ihn Graf Moltke im Reichstag vertritt, und Fürst Bismarck mit Kraft und Nachdruck bezeugte: „Jeder Staat, wenn er seine Dauer gesichert sehen, wenn er nur die Berechtigung zur Existenz nachweisen will, muß sich auf religiöser Grundlage bewegen“; diese Grundlage aber kann er nur erkennen in dem, was in den christlichen Evangelien geoffenbaret ist. Und so bekannte er während des Feldzugs in Frankreich zu einem seiner Vertrauten auch von sich persönlich, daß er, was er gethan habe, nur zu thun vermochte, weil er ein gläubiger Christ sei. „Ich habe die Standhaftigkeit“, so sagte er, „die ich zehn Jahre an den Tag gelegt habe gegen alle möglichen Widerwärtigkeiten, nur aus meinem entschlossenen Glauben. Nehmen Sie mir diesen Glauben, und Sie nehmen mir das Vaterland selbst.“ Aber auch auf einem andern, so wichtigen und ausgebreiteten Kulturgebiet zeigt sich dieselbe erfreuliche Erscheinung. So sehr der herrschende, der Religion abgewandte Sinn der Neuzeit auch in der Kunst und Literatur sich bemerkbar macht, welche vorzugsweise ihre Stoffe nicht mehr in der religiösen Sphäre, überhaupt nicht mehr in der Welt des Idealen, sondern in den Erscheinungen des gemeinsten alltäglichen Lebens aufsucht, so sind es doch gerade die hervorragendsten Schöpfungen, welche die Verbindung mit der Religion bewahren. An Dichtern, wie Uhland, Rückert, Geibel, Storm u. a. läßt sich durchfühlen, daß die Wurzeln ihres geistigen Lebens doch in dem Boden des Christentums stehen. Man wird auch nicht behaupten können, daß die noch in das Ende des vorigen Jahrhunderts der Aufklärung fallenden genialen Komponisten, wie Haydn, Mozart, Beethoven von christlichem Geiste leer gewesen seien, und ihren Werken, wenn sie recht verstanden werden, könnte man der Zeugnisse genug hiefür entnehmen. Und Felix Mendelssohn-Bartholdy (1809—47) hat, als ein gläubiges Christentum wieder in den Landen Wurzel faßte, den Zeitgenossen den religiösen Geist eines Paulus und Elias in großen musikalischen Werken in der Form des Oratoriums lebendig gemacht. Endlich ist es gewiß kein Zufall, daß das Wiedererwachen des christlichen Bewußtseins am Anfang dieses Jahrhunderts unmittelbar auch ein Wiedererwachen der seit Rembrandt in tiefen Schlummer versunkenen bildenden Künste in Deutschland zur Folge hatte. Was auf diesem Gebiete seitdem wahrhaft Großes und Unvergängliches gelungen ist, das ist alles von dem religiösen Geiste beeinflußt gewesen. Da malte Peter von Cornelius (1783—1867) in der Ludwigskirche zu München sein gewaltiges jüngstes Gericht und schuf für die Grabkapelle (Campo Santo) der preußischen Könige zu Berlin einen umfassenden Cyklus von religiösen Darstellungen, von welchen die „vier apokalyptischen Reiter“ und die 7 Werke der Barmherzigkeit“ bekannter geworden sind. Selbst ein W. v. Kaulbach mußte in seinen großen Weltgeschichtsbildern die sieghafte Kraft des Christentums ins Licht stellen. Julius Schnorr v. Carolsfeld († 1872 als Direktor der Dresdener Akademie), welcher die Heldengestalten der alten deutschen Zeit schuf, hat seinem Volk auch sein Meisterwerk in Holzschnitt gewidmet: die Bilderbibel, in ebenso echt biblischem als deutschem Geiste. Und in den zahlreichen gemütvollen Bildern Ludwig Richters in Dresden ist der

Beweis geliefert, wie das Volksleben in seinen natürlichsten Aeußerungen doch trotz allem und allem vom Christentum erfüllt und durchdrungen ist. Mit Recht hat man gesagt, was Luther vom Familienleben gepredigt, was Paul Gerhard von ihm gesungen, das habe Ludwig Richter gezeichnet. – Ein großartiges Denkmal der Reformation endlich schuf in den Jahren 1856 ff. der gottbegnadete, ebenso deutschgesinnte als christlich fromme Bildhauer Rietschel

Das Lutherdenkmal in Worms.

von Dresden in dem Wormser Luthermonumente: wo er den Gottesmann, die Bibel auf dem Arme, stehend, alles übrige hoch überragend, die 4 Vorreformatoren Petrus Waldus, Wiclef, Hus und Savonarola sitzend zu seinen Füßen darstellte; die Medaillons von acht Fürsten und Theologen als Beschützern und Helfern am Reformationswerk, die Kurfürsten Johann der Beständige und Johann Friedrich von Sachsen, Hutten und Sickingen, Jonas und Bugenhagen, Calvin und Zwingli, umsäumen den obern Würfel des Postaments; den untern Würfel umgeben die Hauptscenen aus Luthers Leben in Relief. Vom Postamente in einiger Entfernung halten vier größere Einzelstatuen: Kurfürst Friedrich der Weise, Landgraf Philipp von Hessen, Ph. Melanchthon und sein Lehrer Johann Reuchlin gleichsam „als schirmende Ecktürme des Heiligtums der deutschen Reformation" die Wacht, zwischen diesen die drei Städtefiguren Speier, Augsburg und Magdeburg; den umgebenden Zinnenwall aber endlich schmücken die Wappen von 24 an der Reformation beteiligten Städten. – Und gerade in diesen Tagen ist ein Bauwerk vollendet worden, das zu den großartigsten und herrlichsten gehört und in welchem sich auch dem blödesten und verdüstertsten Auge unverkennbar und unwidersprechlich darstellt, wie der innige Bund der Religion und der Kunst, des christlichen Geistes und der Kulturbestrebungen das Größte und Herrlichste zu leisten vermag: es ist der Kölner Dom. Von der mächtigen religiösen Begeisterung des Mittelalters 1248 begründet, blieb er unter den Wirren der Zeit, namentlich der Fehden zwischen dem Erzbischof und der Bürgerschaft Kölns unvollendet. Als die neue Zeit anbrach, stand nur der Chor fertig da, von den Türmen war nur der nördliche samt den Seitenschiffen eben begonnen, und in ihr mit den großen innern Kämpfen konnte von einer Fortführung des Werkes keine Rede sein. Aber mit dem Anbruch der neusten Zeit brach auch wieder eine Blütezeit der Kunst an, und dazu ging mit der religiösen Erneuerung auch eine nationale zusammen. Brachte auch diese Erneuerung der Kunst nicht etwa einen neuen kirchlichen Baustil, so doch einen regen Eifer, die ehrwürdigen Bauten aus alter Zeit nach dem ursprünglichen Stile und Plane zu restaurieren und zu vollenden. Vor allem wendete sich dieser Eifer, gemischt aus religiösem Sinn, vaterländischem Ehrgefühl und aus Begeisterung für die Werke der Kunst, dem Kölner Dome zu. Der Gedanke seines Ausbaues entstand zuerst in einem Kreise junger deutscher Künstler, unter ihnen Cornelius, Overbeck, Führich, welche sich, vom Geiste der Romantik erfüllt, zu einem Bunde zusammengethan, dem man bald den Namen „die Nazarener" beilegte. Er zündete bald auch in dem Herzen des hochsinnigen preußischen Kronprinzen, der noch nicht lange den Thron bestiegen hatte, als er am 4. September 1842 feierlich den Grundstein legte zur Vollendung des unvergleichlichen Bauwerks nach den ursprünglichen Plänen, welche durch eine günstige Fügung wieder aufgefunden worden waren. Mit Gottes Hilfe ist nun der erhabene Bau unter der Teilnahme des ganzen deutschen Volkes zu einem glücklichen Ende geführt und die Einweihung am 15. Oktober 1880 von Kaiser Wilhelm, dem ersten des neuen deutschen Reiches, feierlich vollzogen, und auch widerstrebende Geister zur Rechten und zur Linken konnten sich dem Eindruck der Feier und ihrer Bedeutung nicht entziehen.

Dies ist denn die Stellung, welche die christliche Kirche, die evangelische Kirche voran, in der Welt der Neuzeit einnimmt. So festbegründet sie ist, so ist sie doch im Gedränge der Zeit um so weniger leicht zu behaupten, als diese sich als eine Zeit des Übergangs darstellt mit all der Unruhe und dem wirren Streit, der einer solchen eigen ist. Aber die Kirche geht, im Grunde im vollsten Einklang mit allen ernsten und edlen Bestrebungen, ihren Weg durch die Zeiten weiter, immer zunehmend in dem Werke des HErrn, sintemal sie weiß, daß ihre Arbeit doch nicht vergeblich ist in dem HErrn (1. Kor. 15, 58). Es liegt vor Augen, daß sie nicht gesäumt hat, wo es galt, an der Überwindung der Gebrechen, insbesondere der sozialen Gebrechen unsrer Zeit zu arbeiten, und daß sie sich nicht gescheut hat, auch die schwersten Lasten dabei zu heben und die undankbarsten Dienste zu leisten. Sie treibt ihr Liebeswerk, getragen von Glaube und Hoffnung, und so hat sie sich frei gehalten vom eitlen Traume eines falschen „Optimismus": wie so herrlich weit wir es gebracht und daß nur Friede, Friede sei und keine Gefahr; — aber ebenso hat sie auch, selbst wo sie die tiefsten Notstände vor sich hatte, den größten Schwierig-

Der Dom zu Köln,

begonnen im Jahre 1248 unter der Regierung des deutschen Königs Wilhelm von Holland,
vollendet im Jahre 1880 unter der Regierung Kaiser Wilhelm's I.

keiten begegnete, die schmerzlichsten Erfahrungen machte, jenem „Pessimismus“, der nun in den Philosophen der neusten Zeit, wie Schopenhauer und Hartmann, aus verzweifelndem Weltschmerz zu verbittertem Weltverdrusse fortgeschritten ist, in ihrem Sinn und Gemüte keinen Raum gegeben. Sie weiß, daß der Geist, der in ihr ist, stärker ist, als alles was in der Welt ist (1 Joh. 4, 4), und daß ihr das Reich doch bleiben muß.

V. Die Ausbreitung des Christentums in der außerchristlichen Völkerwelt.

Wie schon beim Beginne der neuen Zeit (Seite 140) bemerkt wurde, brachte diese nicht bloß die innere Erneuerung der Kirche, sondern auch den Anfang zu einer weiteren Verbreitung des Christentums nach außen. Mit der Entdeckung der neuen Welt durch Kolumbus (1492), der folgenden Umschiffung des Vorgebirges der guten Hoffnung durch Vasco de Gama (1498) und der ersten Seereise um die Welt durch Ferd. Magelhaens (1519—22) brach eine neue, die dritte große Missionszeit an. Zuerst ging die katholische Christenheit der romanischen Länder, von welchen die Entdeckungen ausgegangen waren, auf diesem Wege voran, während die protestantische Christenheit noch vollauf durch die innern Kämpfe zur Begründung und Sicherung ihres eigenen Bestandes in Anspruch genommen war.

1) Der Anfang durch die katholische Kirche.

Zunächst wurde ein großer Teil Mittel- und Südamerikas durch christliche Ansiedler besetzt. Bald entwickelte der Jesuitenorden auch auf dem Gebiete der Mission seine erobernde Thätigkeit nicht bloß in Amerika, wo es in Paraguay sogar zur Gründung eines förmlichen Jesuitenstaates, eines neuen Kirchenstaates, kam, sondern auch in Asien von Ostindien an bis China und Japan.

Schon dem Entdecker Kolumbus war bei seinen Plänen der Gedanke an Ausbreitung des Christentums nicht fremd; noch mehr war die Königin Isabella von Spanien, welche ihn zur Entdeckungsfahrt ausrüstete, von diesem Gedanken beseelt und geleitet. Aber die Spanier wüteten bald schonungslos unter den Eingebornen; wo die Kirche in jenen Ländern begründet wurde, trat auch sofort die Inquisition in Thätigkeit. Das Hinschwinden der Indianer unter dem harten Drucke veranlaßte den Bischof Bartolomeo de las Casas den Vorschlag zu machen, sie in der harten Arbeit, der sie nicht gewachsen waren, durch die starken Neger Afrikas zu ersetzen, und so wurde er, in wohlmeinendster Absicht, der Urheber des schrecklichen Sklavenhandels (1517).

Eine großartige Thätigkeit entfaltete der Jesuit Franz Xaver, einer der Gründer des Ordens. Er taufte von 1542 an in Ostindien Hunderttausende aus der verwahrlosten Kaste der Parias und drang seinem Wahlspruche: „amplius, amplius!" d. h. weiter, immer weiter! gemäß selbst bis nach Japan vor, wo sein Werk freilich bald hernach durch eine heftige Verfolgung zerstört wurde. Xaver wurde durch seinen Tod (1552) verhindert, auch in China einzudringen; aber andere Ordensbrüder führten sein Vorhaben aus und nicht ohne einen gewissen Erfolg. Doch nahmen selbst die Dominikaner Anstoß an ihrer weitgehenden Anbequemung an heidnisches Wesen, womit sie, nicht in apostolischer Weise (1 Kor. 9, 19—23), allen alles werden wollten, um allenthalben möglichst viele zu gewinnen. Xaver, der Apostel Indiens, wurde der Schutzheilige aller katholischen Missionen, sein Leben und Wirken von der Legende reichlich ausgeschmückt.

Die ganze Missionsthätigkeit der katholischen Kirche erhielt vom Jahre 1622 an ihren alles beherrschenden Mittelpunkt in Rom durch die sog. Congregatio de propaganda fide, von Papst Gregor XV. errichtet. Alle nicht christlichen, aber auch alle nicht katholischen (akatholischen) Länder werden als Provinzen derselben betrachtet und behandelt. Im Jahre 1627 wurde ein Seminarium de propaganda fide hinzugefügt, in welchem sämtliche Missionare ihre Ausbildung erlangen. Alljährlich am Epiphaniasfest pflegt dieses Seminar in den verschiedenen Zungen der Welt redend sich darzustellen.

Nachdem die Missionsthätigkeit der katholischen Kirche im vorigen Jahrhundert fast ganz zum Stillstand gekommen, bestrebte sich Gregor XVI. (1830 bis 1846) aufs eifrigste, die Anstalt wieder zu beleben. Überhaupt war nach den Stürmen der Revolutionszeit der Missionseifer wieder erwacht und äußerte sich in der Gründung des Franz-Xaververeins zu Lyon im J. 1822, der sich so weit ausgedehnt hat, daß seine Jahreseinkünfte gegenwärtig ungefähr 6 Mill. Fr. betragen. Die Verteilung der vorhandenen Geldmittel hat aber die Propaganda in der Hand.

2) Das Erwachen des Missionsgeistes in der evangelischen Kirche.

Mit der Wiedererneuerung des religiösen Lebens an der Wende des Jahrhunderts wurde auch in der evangelischen Kirche der Eifer rege, das Evangelium zu verkünden in aller Welt, unter allen Völkern. Das Reich Gottes und Christi in der Welt auszubreiten und auszubauen bei denen, die ferne, wie bei denen, die nahe sind, — das war der Gedanke, der sie mehr und mehr beseelte, das wurde ihr Gebet und ihre Arbeit. Man begriff, daß die christliche Kirche eine Mission, einen Beruf in der Welt habe, der keine Grenzen kenne, als die Grenzen der Erde, und so bildeten sich auch hier zahlreiche Vereine für „äußere" Mission. So viel man in den Tagen der Aufklärung von Menschenwohl und allgemeiner Menschenliebe schwärmte, so hatte man doch das in den Tagen des Pietismus angefangene Werk der Mission gänzlich liegen lassen; ja, es war den meisten eine Thorheit und ein Ärgernis gewesen; denn die Wortführer der Aufklärung priesen in sentimentalen Reden die wilden Völker in ihrem „Naturzustande" glücklich und ereiferten sich gegen eine Störung desselben durch die Mission. Nun aber hatte der erweiterte Weltverkehr die wirklichen Zustände in der Heidenwelt genauer kennen gelehrt und die echte christliche Liebe drängte dazu, das Heil, welches eben wieder tiefer erkannt und lebendiger empfunden war, auch den Heiden zu bringen, um den schädlichen Einflüssen einer bloß äußerlichen Kultur bei denselben entgegenzuwirken und sie zur wahren Gesittung zu führen. Dies geschah aber auf dem Wege freiwilliger Vereinigung aller, welche von dem Geiste des Glaubens und der Liebe und der Hoffnung in Christo beseelt waren, dem Geiste, welcher die christliche Religion von Anfang an zu einer missionierenden Religion gemacht hat.

Wenn die evangelische Christenheit erst so viel später als die römische Kirche an das Missionswerk der neuen Zeit herantrat, so war der Grund nicht der, daß ihr der Gedanke der Mission fremder gewesen wäre; sondern es erklärt sich aus ihren Verhältnissen, aus der Notwendigkeit, zuerst sich selbst zu begründen und zu erbauen. Schon Luther that nicht bloß seine Heerpredigt wider den „Türken" (s. S. 227), sondern er gemahnte auch die Christen an das „Elend" der Heiden und Türken. Und wie der Humanist Erasmus eingehend in einer Schrift von der Missionspflicht der Christen handelte, so sprechen sich auch Gottesgelehrte der Reformation in gleichem Sinne aus. Und Fürsten, wie Herzog Christoph von Württemberg († 1568) und Herzog Ernst der Fromme von Gotha mahnten auch ihre Unterthanen an diese Pflicht; der König Gustav Wasa von Schweden gründete schon 1559 eine Missionsstation unter den heidnischen Lappen im Norden seines Königreichs. In gleicher Weise regte sich der Missionsgeist in der reformierten Kirche. Von Genf aus ging im Jahre 1556 eine Missionskolonie nach Brasilien, nahm aber durch den Verrat des französischen, insgeheim mit Rom verbundenen Führers ein klägliches Ende unter dem Martyrium einzelner Teilnehmer.

Im 17. Jahrhundert, um die Zeit als auch der fromme Chr. Scriver in seinem Seelenschatz darüber klagte, daß man wohl zu den Heiden reise, um ihr Gut zu holen, aber nicht daran denke, ihnen das Evangelium zu bringen, trat der deutsche Freiherr Just. E. v. Welz um 1660 in Schriften mit dem neuen und bedeutsamen Plane hervor, eine Gesellschaft zur Ausbreitung des Christentums unter den Heiden zu bilden, ein Schneeglöckchen, das den nahenden Frühling einläutete. Sein Versuch einer evangelischen Ansiedlung auf Surinam in holländisch Guyana scheiterte freilich ganz und gar, und er selbst starb bald als Opfer seiner Bestrebungen. Während um diese Zeit der Protektor Cromwell vom politischen Gesichtspunkt aus sich mit dem Plane trug, der römischen Propaganda (s. ob.) etwas ähnliches gegenüberzustellen, nahm in Deutschland der Philosoph Leibnitz (s. S. 276) den Missionsgedanken auf, indem er insbesondere die Bedeutung der Mission für die Förderung der Wissenschaft und des Handels ins Auge faßte, so daß auf seine Anregung hin die Ausbreitung des Christentums in den Stiftungsbrief der berliner Akademie der Wissenschaften (1700) als eines ihrer Ziele aufgenommen wurde.

Aber schon war die Zeit der Thaten gekommen. Bereits hatte der Engländer John Elliot 1646 angefangen, den Indianern Nordamerikas das Evangelium zu verkünden und das unter Gutheißung und Unterstützung des Parlaments, und bereits war in England die erste größere Missionsgesellschaft hervorgetreten (1698), die society for promoting christian Knowledge (jetzt propagation society). Und nun trat auch die lutherische Christenheit, zunächst Deutschlands und zwar im Bunde mit Dänemark auch die Norwegens mit ein, ja voran. Der Pietismus ist es, welcher den lebenskräftigen Anfang der Mission gemacht hat in der dänisch-Halle'schen Mission in Trankebar auf der Ostküste Südindiens. Und zogen auch die beiden Halle'sche Missionare Ziegenbalg und Plütschau als Sendlinge des Dänenkönigs Friedrich IV. in dessen ostindische Besitzung als „königlich dänische Missionare", so tritt dafür bei der herrnhutischen Brüdergemeinde, welche mit ebenso großem Eifer als Erfolg ans Werk ging, die Mission als Angelegenheit der ganzen Gemeinde hervor.

Während in Deutschland die evangelische Christenheit noch unter dem auflösenden und lähmenden Einflusse der Aufklärung stand, regte sich bereits in England, vornehmlich durch den Einfluß des Methodismus, neues Leben. Die Frucht desselben nach außen hin war die Gründung von zwei großen Missionsgesellschaften. Und damit bricht nun die neue Weise des Missionswerkes durch, die unserer Zeit eigen ist, die Form der Association, um mit vereinter Kraft aus der Gemeinde heraus zu wirken. Und trotz aller Vorurteile, welchen das Werk begegnete, und trotz der mancherlei Gebrechen, an denen es leidet, hat es immer zugenommen und es ist die Mission ein lebensvolles und lebenerweckendes Ideal der heutigen Christenheit geworden.

Die erste dieser Gesellschaften war die 1792 gegründete Baptistenmissionsgesellschaft, welche gegenwärtig etwa 60 Missionare auf mehr als 80 Stationen im Dienst hat und jährlich die Summe von 700,000 ℳ aufbringt. Ihr Begründer, W. Carey, früher Schuhmachergeselle, sprach auf der entscheidenden Versammlung das große Losungswort der neuern Mission: „Erwartet große Dinge von Gott und thut große Dinge für Gott!" (Jes. 2, 3.) Auf noch breitere Grundlage stellte sich die 1795 gegründete Londoner Missionsgesellschaft, insofern sich in ihr evangelische Christen der verschiedensten Richtungen einmütig zusammenschlossen. Wie in alten Zeiten ging also auch jetzt wieder England im Missionswerke voran. Mußten doch auch die Gläubigen im Lande des Welthandels am ersten den Ruf vernehmen: „komm herüber und hilf uns!" (Apostelgesch. 16, 9), wie ihnen ja auch zugleich die beste Gelegenheit zur Erfüllung ihres Missionsberufs gegeben war. Nach diesem Durchbruch schlug die neue Bewegung ihre Wellenkreise mächtig weiter. Bald entstanden noch andere Vereine, wie in England selbst mit Schottland (jetzt 27), in den Niederlanden, in Amerika, das auch hierin ein kräftig aufstrebendes, opferfreudiges Leben zeigt und bereits 18 Missionsgesellschaften zählt, in Dänemark, Schweden und Norwegen, in Finnland.

Nun erwachte auch in Deutschland der Eifer, das Werk der Mission in der neuen Weise zu treiben, wenn auch die deutsche evangelische

Christengemeinde sowohl in der Beteiligung wie in der Leistung hinter England und Amerika um ein beträchtliches zurückblieb.

Schon im Jahre 1800 gründete Pastor Jänicke an der Bethlehemskirche zu Berlin in der Stille eine kleine Missionsschule, aus der eine Anzahl bedeutender Missionare, wie Rhenius, Gützlaff hervorgingen, die aber alle in den Dienst auswärtiger Gesellschaften abgegeben wurden. — Die erste größere deutsche Missionsgesellschaft war die in *Basel* seit 1815, ihrem Grundstock nach württembergisch. Die Anregung dazu ging von Mitgliedern der Christentumsgesellschaft (s. S. 302) aus, insbesondere von ihrem Sekretär Spittler. Die Veranlassung wurde gegeben durch den Anblick, den so viele heidnische Baschkiren im russischen Heere während der Kriegszeit 1813—15 gewährten. Ebendeshalb waren auch zuerst ihre Gedanken auf Rußland gerichtet, auf die Länder am Kaukasus. Aber bald wurde die dortige Mission, in der auch Zaremba, ein geborner russischer Graf, als Zögling der Anstalt thätig war, von der russischen Regierung, welche nur der einheimischen Kirche das Recht zu missionieren zugestand, verboten. Die Anstalt, welche zuerst von dem württembergischen Magister Chr. Gottl. Blumhardt geleitet wurde, dann von W. Hoffmann und von Josenhans, entfaltete bald eine große Thätigkeit und hat gegenwärtig 30 Hauptstationen mit über 100 Missionaren und einer Einnahme von über 700,000 M., die sie aus der Schweiz und aus Südwestdeutschland gewinnt. Ihr Arbeitsfeld ist Westafrika, die Westküste von Ostindien, China. — Im Jahre 1823 entstand die *Berliner* Missionsgesellschaft, auf deren Gründung auch Neander Einfluß geübt hat; sie richtete, als nach Jänickes Tode dessen Anstalt aufhörte, ein eigenes Missionsseminar ein. Zur Zeit hat sie auf ihrem Arbeitsfeld Südafrika 53 Missionare auf 33 Stationen bei einer Jahreseinnahme von über 200,000 M. — Ihr folgte 1828 die *Rheinische* Missionsgesellschaft mit dem Sitze in Barmen. Bei einer Einnahme von etwa 300,000 M. hat diese Gesellschaft zur Zeit 62 Missionare auf 48 Stationen in Südafrika, auf dem indischen Archipel und in China; die Anzahl der gesammelten Gemeindeglieder beträgt ungefähr 18,000. — Im Jahre 1836 entstanden zwei Missionsgesellschaften. Aus einer Vereinigung einzelner Missionsvereine entstand die *norddeutsche* Missionsgesellschaft mit dem Sitze in Hamburg, später in Bremen; bei einer Einnahme von 80,000 M. unterhält sie jetzt 11 Missionare auf 5 Stationen und zwar in Neuseeland und Westafrika. Die andere Missionsgesellschaft jenes Jahres war die *evangelisch-lutherische*, welche 1848 unter der Direktion von Dr. Graul ihren Sitz von Dresden nach *Leipzig* verlegte. Sie übernahm nach Übereinkunft mit dem Kopenhagener Missionskollegium 1841 die Reste der dänisch-halle'schen Mission und hat jetzt bei einer Einnahme von etwa 240,000 M. dort 20 Missionare auf 16 Stationen und gegen 11,500 Gemeindeglieder. — Im selben Jahr trennte sich der Prediger Goßner in Berlin von der dortigen Missionsgesellschaft, weil er eine mehr praktische, nicht wissenschaftliche Ausbildung der Missionare für geeigneter hielt. Das hauptsächlichste Arbeitsgebiet dieses Berliner (*Goßner'schen*) Missionsvereins ist in Ostindien, in Südbengalen unter den Kolhs, wo auf 6 Hauptstationen und vielen Nebenstationen 14 europäische Missionare thätig sind, welche eine Gemeinde von 20,000 Eingebornen um sich haben; die Einnahme beträgt jetzt ungefähr 150,000 M. Verwandt mit dieser ist die von dem Buchhändler Spittler 1840 zu St. *Krischona* bei Basel gegründete *Pilgermission*, sofern sie von einer gelehrten Vorbildung der Missionare absieht. Sie erwies sich thätig durch Heranbildung von Arbeitern, die sie an englische Missionsgesellschaften übergab, und durch Gründung eigner Anstalten in Palästina, Ägypten, Abessinien, hat sich aber jetzt von der äußern der innern Mission zugewendet. In Berlin, wo schon 1842 ein Frauenverein zur Bildung des weiblichen Geschlechts im Morgenlande hervorgetreten war, entstand auch 1852 der Berliner Hauptverein für China. So bildete sich dort auch ein Frauenverein, welcher ein Findlinghaus für die auf Hongkong ausgesetzten und weggeworfenen Chinesenkinder gründete. Endlich wurde noch 1853 von Pastor Ludwig Harms die Hermannsburger Missionsgesellschaft in Hannover gegründet mit der Missionsgemeinde Hermannsburg als Mittelpunkt. Sie ist auf den Grundsatz gestellt, daß Mission und Ansiedlung, Evangelisation und Kolonisation, Verkündigung des Evangeliums und Darstellung des Lebens christlicher Gemeinschaft miteinander verbunden sein müßten. Ihr Hauptarbeitsfeld ist Afrika, und zwar, nachdem ein Versuch bei den wilden Gallas mißlungen, Südafrika, unter den Betschuanen und Kaffern, mit 60 Missionaren auf 50 Stationen; außerdem arbeitet sie auch in Indien mit 10 Missionaren. Durch den Austritt des gegenwärtigen Leiters Th. Harms aus der Landeskirche wegen der Civilstandsgesetzgebung ist keine wesentliche Störung in der Gesellschaft eingetreten. — Auch die Brüdergemeinde hat mit neuem Eifer und mit dem alten Erfolg zu dem Missionswerke sich geschickt. Sie fügte zu den alten Missionsfeldern noch neue hinzu, besonders auf der Moskitoküste in Centralamerika, bei den Papuas in Australien, bei den Tibetanern am Westhimalaya, wobei aber auch die ausländischen Zweige der Brüdergemeinde (in England, Holland und Amerika) mitwirken. In 16 Missionsgebieten arbeitet sie mit 160 Missionaren auf 92 Stationen und einer Einnahme von etwa 360,000 ℳ. Sie hat in der Heidenwelt eine Anzahl von 22,000 Kommunikanten, gegen 15,000 Schüler und etwa 70,000 in geistlicher Pflege. — Noch scheint die Bildung von Missionsgesellschaften auch in Deutschland nicht abgeschlossen zu sein.

L. Harms
bei den Abendversammlungen in seinem Hause.

Gegenwärtig finden sich in Europa und Amerika gegen 70 evangelische Missionsgesellschaften mit einer Einnahme von ungefähr 24 Mill. Mark (davon etwa 14 Mill. in England), und ungefähr 2400 evangelische

Missionare stehen draußen in der Arbeit, darin unterstützt von etwa 24000 eingebornen Hilfsarbeitern. Der Missionsschulen sind es 12000 mit etwa 400000 Schülern. Die Missionare werden in besonderen Missionshäusern, gewöhnlich am Sitze ihrer Gesellschaft ausgebildet und von da, nachdem sie eingesegnet worden (Apostelg. 13, 2. 3), hinausgesendet. In Missionsstunden und in Missionsblättern (das älteste das Basler Missionsmagazin) wird die Teilnahme am heiligen Werke erweckt und rege gehalten. Jährlich werden von den Haupt- und Zweigvereinen Missionsfeste gehalten, um in Gemeinschaft an dem Werke sich zu freuen und zu demselben sich zu stärken, wie in dem Basler Missionsfest, der Wupperthaler Festwoche, dem Leipziger Missionsfeste in der Pfingstwoche. Dabei wird über den Fortgang des Werkes Bericht erstattet und von der Verwendung der Gaben Rechenschaft abgelegt, die in neuerer Zeit bei den großen Kosten und der großen Ausdehnung des Werkes vielfach Defizite aufweist. Bereits ist es soweit, daß sich eine eigentliche Missionswissenschaft bildete, in welcher Richtung außer einzelnen Schriftstellern besonders die Halle'sche Allgem. Missionszeitschrift thätig ist.

3) Der gegenwärtige Stand der Dinge auf dem Missionsgebiete.

Nachdem nun die evangelische Kirche ihren Kampf ums Dasein sieg reich durchgekämpft, nachdem auch die neuen protestantischen Staaten, die katholischen überflügelnd, eine Machtstellung sich errungen hatten, widmete auch sie sich dem Werke der Mission und sie leistete bald darin das Größte. Es gewann nun das heilige Werk eine Ausdehnung, wie in keiner der vorhergehenden großen Missionszeiten, so daß man auf die äußere Ausdehnung gesehen von einer „Weltmission" reden kann, wenn auch nach den Erfolgen, die erzielt worden, nach den Angaben, die noch vorliegen, nur erst bescheidene, wenn auch lebenskräftige und hoffnungsreiche Anfänge gemacht sind.

1. Amerika.

Nachdem zu Mittel- und Südamerika auch Nordamerika durch christ liche Ansiedler, hier vorwiegend evangelischen Bekenntnisses, meist von England, dann auch von Deutschland aus besetzt worden und nur geringe Reste der Eingebornen, um deren Bekehrung die Mission sich noch bemüht, sich erhalten haben, ist Amerika als ein christlicher Erdteil zu betrachten.

Unter den Eingebornen Nordamerikas verkündete zuerst der aus England eingewanderte John Elliot seit 1646 das Evangelium, nachdem er 15 Jahre auf die Erlernung ihrer Sprache gewendet. Er war dabei von dem Gedanken beseelt, „Christianisierung und Civilisierung mit einander zu verbinden, und legte eine kleine Stadt Nonanetum (Wonne) für die bekehrten Indianer an, der bald eine zweite (Concord) folgte. Nach 25jähriger Thätigkeit mußte er den Schmerz erleben, seine Gründung durch die Kämpfe der Eingebornen und Eingewanderten fast gänzlich zerstört zu sehen. Nebst Elliot erwarb sich die Familie Mayhew, eine Missionsfamilie bis ins dritte und vierte Glied, großes Verdienst um die armen Indianer. Unter andern Missionsgesellschaften haben auch die Herrnhuter und unter ihnen wieder D. Zeisberger († 1808) das gute Werk der Barmherzigkeit an den Indianern gethan; auch katholische Missionare haben sich eifrig um sie bemüht. Aber das Schicksal, welches Elliots Werk traf, war wie eine Weissagung auf das ganze Missionswerk unter den Indianern. Diesem Volke, das durch fortwährende Kämpfe unter sich wie mit den Europäern, die ihm zu allem Leide auch den verderblichen Genuß des „Feuerwassers" brachten, unaufhaltsam dahinsiecht, konnte die christliche Kirche nur den letzten Trost, wie am Lager eines Sterbenden, spenden. Aber was die Mission doch noch an einzelnen Stämmen und auch für dieses Leben geleistet hat, davon bietet unter anderm — es gibt etwa 27,000 evangelische Indianer — einen glänzenden Beweis die durch den Missionar Duncan begründete Indianerkolonie (etwa 1000) in Metlahkatlah in Britisch-Kolumbia, über welche der englische Generalgouverneur Lord Dufferin in einem amtlichen Berichte sich also ausspricht: „Ich habe die wundervolle Niederlassung Mr. Duncans zu Metlahkatlah und die interessante Mission zu Fort Simpson besucht und bin dadurch in den Stand gesetzt, durch Thatsachen zu beweisen, was für ein Schauspiel des Friedens und der Unschuld, idyllischer Lieblichkeit und materieller Behaglichkeit von den kräftigen Männern und Frauen einer Indianergemeinschaft dargeboten werden kann, wenn sie unter der weisen Verwaltung eines verständigen und frommen Missionars steht."

Abgesehen von den Resten noch heidnischer Indianer ist jetzt ganz Nordamerika von eingewanderten Christen besetzt. In dem Hauptlande, den Vereinigten Staaten, hat sich unter dem Sternenbanner der Freiheit, das unter der Führung G. Washington's und Benj. Franklin's entfaltet worden (1776—83), ein neues Kirchentum gebildet in den verschiedensten Formen und Gestalten, da in religiöser wie in sozialer und politischer Hinsicht fast unbeschränkter Spielraum gegeben ist. Am 15. Dezember 1791 wurde in die Konstitution die Bestimmung aufgenommen, daß der Staat, bezw. der Kongreß niemals Gesetze für oder wider die Religion geben dürfe. Indessen blieb die Grundlage des Staates doch eine religiöse, ja christliche, wie schon in der allgemein und streng gehaltenen Feier des Sonntags sich zeigt. Für die Beschaffung der Mittel aber, welche für das kirchliche Leben nötig sind, hat jede Kirchengemeinschaft selbst zu sorgen nach dem Grundsatz der freiwilligen Leistung (voluntary principle). Die Kraft dieses Grundsatzes, wo ein aufstrebendes Leben ist, hat sich in Nordamerika sowohl für die eigenen religiösen Bedürfnisse wie für die Mission glänzend bewährt. Unter den dortigen religiösen Gemeinschaften — statt Sekten als gleichberechtigt „Denominationen" genannt — finden sich Presbyterianer, Kongregationalisten (Independenten), Methodisten, Baptisten, Anglikaner, Quäker, Unitarier, Swedenborgianer, deutsche Reformierte, holländische Reformierte. Die katholische Kirche ist am zahlreichsten in den südlichen Staaten; aber fest zusammengeschlossen und stetig und sicher geleitet, nimmt sie auch in dem übrigen Gebiete sehr zu. Auch die Herrnhuter haben sich dort angesiedelt, und wie deutsche Reformierte sich zusammengeschlossen, so hat auch die deutsch-lutherische Kirche dort eine Stätte gefunden, die altlutherische, strengste Richtung in der Missouri-Synode abgesondert und zusammengefaßt. Alle diese Kirchengemeinschaften sind auch in der Mission thätig, insbesondere auch unter den Indianern und Negern, für welch letztere seit der Emancipation nach dem Bürgerkrieg von 1861—65 im Süden schon über 1000 Kirchen gebaut wurden, meist von den Methodisten und Baptisten. Diese alle haben volle Freiheit, sich zu bewegen; nur die wunderliche Sekte der Mormonen, „der Heiligen der letzten Tage", welche wie einst die Wiedertäufer „in dieser letzten Zeit" unter der fast unbeschränkten Herrschaft ihres Propheten, zuerst des Gründers Joe Smith (durch Pöbelhaufen 1844 erschossen), dann Brigham Young († 1878) einen sichtbaren Gottesstaat herstellen wollten, mußten sich vor dem Widerwillen des Volkes, da sie durch die Vielweiberei auch die Grundlage christlich sittlichen Volkslebens verlassen hatten, über die Felsengebirge nach dem Salzsee (Utah) zurückziehen.

Um die Zeit, als den Lappländern, den letzten Heiden Europas, durch den norwegischen Pfarrer Thom. v. Westen († 1727) das Evangelium gebracht wurde, ging das Licht desselben auch den Eskimos in der kalten Nacht Grönlands auf. Den Anfang machte der norwegische Pfarrer Hans Egede, der 1721 dort landete an der Stelle der Westküste, welche von ihm Godthaab (Gute Hoffnung) genannt wurde. Nachdem er 12 Jahre lang unter unendlichen Beschwerden, gestützt durch die Glaubensfreudigkeit seiner treuen Gattin Gertrud, ausgehalten, erhielt er Unterstützung durch Missionare der herrnhutischen Gemeinde. Nach fünf Jahre langem Harren konnten sie den ersten Grönländer, Kajarnak, taufen, der dann mitwirkte zur Gewinnung anderer; die Gründung einer Reihe von Stationen, wie Neuherrnhut, Lichtenau, Lichtenfels, Friedrichsthal u. a. war das weitere Ergebnis ihrer Wirksamkeit. Jetzt ist fast die ganze Küste des südlichen Grönlands von christlichen Gemeinden besetzt. Auch zu den Eskimos in Labrador gingen die Herrnhuter hinüber.

In dem von Kolumbus entdeckten Westindien, auf den Inseln Mittelamerikas war durch den schrecklichen Sklavenhandel eine neue Bevölkerung entstanden, die unter dem furchtbarsten Drucke lebte. Auch ihnen wurde Trost und Licht des Evangeliums zuerst durch die Herrnhuter gebracht und zwar auf den dänischen Inseln, zunächst auf St. Thomas. Durch einen Negersklaven Anton, der als Kammermohr eines Grafen nach Kopenhagen gekommen war, hatte Zinzendorf einen Einblick in das Elend dieser Ärmsten gewonnen. Auf seine Ansprache an seine Gemeinde erboten sich sofort der Töpfer Dober und der Zimmermann Nitschmann — denen dann Fr. Martin folgte — zum Missionsdienst unter den Negern (1732), bereit Sklaven zu werden, wenn ihr Plan anders nicht auszuführen wäre. Nächst den Herrnhutern haben die Methodisten unter den Negern, besonders auf Jamaika, erfolgreich gewirkt, am erfolgreichsten Dr. Coke (1789). Andere Gesellschaften folgten nach; unter den baptistischen Missionaren kämpften Thom. Burchell und Will. Knibb furchtlos und unermüdet für die Sklavenemancipation. Trotz des mörderischen Einflusses des Klima auf die Missionare und trotz des vielfachen Widerstands der europäischen Pflanzer, der sich sogar zur blutigen Verfolgung steigerte, ist es dahin gekommen, daß nicht bloß äußerlich das Joch der Sklaverei und der „Stecken des Treibers" zerbrochen wurde, sondern daß auch ein großer Teil der Neger die innere herrliche Freiheit der Kinder Gottes fand. Die Mission hat dort ihre Aufgabe gelöst; denn es besteht nun eine Negerkirche (etwa 340,000), die sich selbst schon an der Mission im Heimatland der Neger beteiligt. Und als auf das unermüdliche Betreiben des frommen und edlen Methodisten Wilberforce im englischen Parlament 1831 die Sklavenemancipationsbill durchging und die Aufhebung der Sklaverei in Angriff genommen wurde, bewährte sich die Kraft und Zucht des christlichen Geistes unter den Negern der Mission aufs glänzendste, während bei den andern die Freiheit sich als ein gefährliches Geschenk erwies, an dem viele zu Grunde gingen.

Auch in Südamerika, soweit es nicht schon von katholischen Ansiedlern besetzt war, trieb die evangelische Mission ihr Werk, ein hartes und schweres Werk, sowohl unter den verwilderten Buschnegern Guyanas, als unter den räuberischen Indianern Patagoniens und des Feuerlands. Über dem Bemühen, den letztern das Evangelium zu bringen, erlitt Allen Gardiner, früher Schiffskapitän, mit seinen Begleitern den Hungertod (1837), und einige Jahre darauf wurde die ganze Mannschaft des Missionsschiffes „Allen Gardiner" mit Ausnahme eines einzigen ermordet. Doch waren die schmerzlichen Opfer nicht vergeblich gebracht, wie ein Beispiel aus der neuesten Zeit zeigt, wo Schiffbrüchige nicht bloß keiner Mißhandlung, sondern nicht einmal einer Beraubung ausgesetzt waren, so daß die Königin von England den Missionaren öffentlich ihren Dank für ihren heilsamen Einfluß aussprechen ließ. Auf ähnliche Vorkommnisse bezieht sich auch das Zeugnis des englischen Naturforschers Darwin: „Die Tadler vergessen oder sie wollen vielmehr nicht daran denken, daß Menschenopfer, die Macht einer götzendienerischen Priesterschaft, Wollust und Kindsmord, daß alles dies beseitigt und abgeschafft ist, und daß Unredlichkeit und Unmäßigkeit und Frechheit durch die Einführung des Christentums in ziemlichem Maße sich vermindert haben. Es ist die niedrigste Undankbarkeit, daß die Reiseberichterstatter das vergessen. Sollte es ihnen beschieden sein, an irgend einer unbekannten Küste Schiffbruch zu leiden, so würden sie ein heißes Gebet zum Himmel schicken, daß doch die Lehren der Missionare bis zu deren Bevölkerung gedrungen sein möchten."

2. Australien.

Auch nach dem andern neuentdeckten Erdteil, Australien, wurde das Christentum zunächst durch europäische Ansiedler gebracht, welche zum Teil, wie in Tasmanien, nicht weniger schonungslos mit den Eingebornen verfuhren, als ehedem die katholischen Spanier in Westindien. Indessen wurde auch durch die Mission dort unter der eingebornen Bevölkerung Großes geleistet. Zwar unter den Papuas, den Eingebornen des Festlands, sowie auf den zunächst gelegenen Inseln Melanesiens hatte das Werk einen schweren Anfang und einen geringen Fortgang unter sehr schmerzlichen Opfern; aber um so größer waren die Erfolge, welche auf der Inselwelt Polynesiens und Mikronesiens und auf den Sandwich-Inseln erzielt wurden. Auf jener ganzen Inselwelt Oceaniens ist der Sieg des Evangeliums im wesentlichen entschieden und die hellen Töne der Glocken von all den Kirchen und Kirchlein, in denen über 300,000 eingeborne Christen sich sammeln, lassen das Siegesgeläute weithin über die Wogen erklingen.

Ein hartes und dornenvolles Arbeitsfeld fand die Mission unter den Eingebornen, den Papuas, des Festlands Australien, wie später unter denen der nördlich davon gelegenen großen Insel Neu Guinea. Der Erstling unter ihnen, der durch die biblischen Bilder von der Sündflut und vom Kampfe des HErrn in Gethsemane ergriffen worden, wurde 1860 auf der herrnhutischen Station Ebenezer getauft. Auch auf den zunächst gelegenen Inseln Melanesiens wurde unter den schwarzen Papuas trotz schwerer Opfer nicht viel erreicht mit Ausnahme der Insel Aneitnum, die ein Bergungsort für die verfolgten Missionare und Christen wurde und zugleich der Ausgangspunkt für weitere Missionsthätigkeit. Eine wahre Opferstätte ist die Insel Erromanga geworden. Dort fand 1839 John Williams, der Apostel der Südsee, mit seinem Gefährten den Tod unter den Keulen der Eingebornen, welche durch die Schandthaten einiger Schiffsmannschaften auf alle Weiße erbost waren; die Erschlagenen wurden verzehrt. 1861 wurde dort der Missionar Georg Gordon, der in Gemeinschaft mit seiner edlen Gattin drei Jahre unter ihnen gewirkt, samt derselben erschlagen. Aus ähnlicher Veranlassung wie J. Williams erlitt auch der englische Missionsbischof von Melanesien, Patteson, 1871 den Märtyrertod. Um Eingeborne auf ein Schiff zu locken und als Sklaven wegzuführen, war auch des Bischofs Name mißbraucht worden. Aus Rache wurde der Unschuldige, der 16 Jahre lang mit herzlicher Liebe zum Heile der Eingebornen dort gewirkt hatte, von den Wilden ermordet.

Aber um so herrlicheren Fortgang hatte das heilige Werk unter den braunen Einwohnern Polynesiens. Den größten Sieg errang es unter den menschenfressenden Maoris auf Neuseeland, die in solchem Grade dem Kannibalismus ergeben waren, daß im Jahre 1825 die Leiber von 1000 in einer Schlacht unter dem Häuptling Hongi getöteten Feinden sämtlich miteinander gebraten und verzehrt wurden. Die Palme der Ehre gebührt hier dem Engländer Samuel Marsden. Schon als Prediger der Verbrecherkolonie in Sydney hatte er sich den Weg zu den Herzen der Maoris gebahnt, indem er sich ihrer Landsleute, welche dahin kamen, freundlich annahm. So konnte er es wagen, drei Missionare dorthin zu bringen und am Weihnachtsfeste 1814 dort die erste Predigt zu halten. Immerhin ging es schwer genug, auch als noch Hilfe von andern Missionsgesellschaften gekommen war. Doch lag, als Marsden 1838 starb, bereits das Neue Testament mit den 14 Buchstaben der Maorischrift gedruckt vor. Schon früher unterblieb beim Begräbnis des Häuptlings Hongi die sonst gebräuchliche Opferung von Sklaven, und sein letztes Wort war: „Laßt die Missionare im Frieden wohnen, sie haben uns nichts als Gutes gethan!" Ein Jahrzehent später zählte man schon über 900 Arbeiter aus Europäern und Maoris, 19,000 eingeborne Schüler und ca. 40,000 Teilnehmer am Gottesdienst. Ein alter kriegerischer Häuptling bezeugte einmal laut: „Ja, das Christentum ist eine gute Religion, es erhält die Leute am Leben. Alle unsre Vorfahren sind im Kriege getötet worden. Warum seid ihr doch nicht früher gekommen, daß sie auch von Christo gehört hätten!" Aber leider stellte die Habsucht der eingewanderten Europäer den gedeihlichen Fortgang der Civilisation und des Christentums nahezu in Frage, weil sie fast den ganzen Grundbesitz sich aneigneten und die Ureinwohner von ihrem Boden verdrängten, besonders seitdem die Engländer die Insel förmlich in Besitz genommen haben. Dagegen griffen die Eingebornen zu den Waffen, und ein verheerender Krieg richtet ebensoviel innere als äußere Verwüstung an. Einen hocherfreulichen Anblick gewährten auch die übrigen Inseln Polynesiens mit ihrer braunen (malayischen) Bevölkerung, vor allem Tahiti, „die Königin der Südsee". Im Jahre 1797 landete dort ein Schiff mit 30 Missionaren unter dem Kommando des alten, frommen Kapitäns Wilson. Es war von der großen Londoner Missionsgesellschaft ausgesandt worden auf die Kunde von den traurigen

Menschenopfern und der himmelschreienden Unsittlichkeit, verbunden mit Kindermord, die auf diesen von dem Entdecker Cook als so idyllisch gepriesenen Inseln herrschte. Und doppelt fühlte man sich schuldig, alles zum Wohle dieser armen Heiden aufzubieten, als die meisten der dort landenden Europäer nur neue Laster und verheerende Krankheiten ins Land gebracht hatten, wodurch die Zahl der Einwohner binnen 20 Jahren von 200,000 auf 16,000 sank. Die Missionare wurden vom König Pomare I. freundlich aufgenommen. Trotz mancher Wechselfälle hatte das Werk unter Pomare II. und dann der Königin Pomare einen solchen Fortgang, daß nicht nur Tahiti ein christlicher Staat wurde, sondern das Christentum sich auch auf die übrigen Gesellschaftsinseln verbreitete. Eine sehr empfindliche Störung trat 1834 dadurch ein, daß französische katholische Missionare sich eindrängten und überhaupt die Franzosen sich dort festsetzten und weiterhin noch auf einer Reihe von Inseln, um von da aus ihren politischen Einfluß zu begründen und gegen den englischen zur Geltung zu bringen. Indessen blieb die Bevölkerung dem evangelischen Bekenntnisse treu und ist darin insofern gesichert, als die englische Missionsgesellschaft dieses Gebiet an die evangelische Missionsgesellschaft in Paris abtrat. Auf diesen Inseln wie auf den andern Inselgruppen Polynesiens, den Hervey-, Samoa-, Tonga-, Fidschi-Inseln u. a., erwarb sich der obengenannte Märtyrer der Mission, John Williams, das größte Verdienst. Auf Raratonga gründete er eine Missionsschule, aus der viele Lehrer hervorgingen nach den verschiedenen Inseln. Dort empfing er das Zeugnis von jenem Bettler, einem Krüppel an Händen und Füßen: „Willkommen, du Knecht Gottes, der du das Licht in dieses finstre Thal gebracht hast; dir haben wir das Wort von der Versöhnung zu danken!“ Und der Bettler hatte doch nicht selbst dem Gottesdienste beiwohnen können; aber er hatte sich von denen, die aus dem Gotteshause heimgingen, das Wort des Lebens, das sie gehört, förmlich erbettelt. Bei einem Kinderfeste auf der Insel Rajatea, an dem 600 Kinder teilnahmen, rief ein alter Häuptling aus: „Laßt mich sprechen, ich muß sprechen! o daß ich gewußt hätte, daß das Evangelium kommen würde. Dann würde ich meine Kinder gerettet haben und sie würden unter der glücklichen Schar gewesen sein! Ich habe sie alle (deren 19!) getötet, ich habe nicht eines übrig gelassen!“ Und nachdem er seinen Göttern geflucht, setzte er sich nieder und weinte bittere Thränen. So ist auch auf den Fischerinseln, wie auf den weiter westlich gelegenen Fidschi-Inseln das Heidentum fast ganz verschwunden. „Wir sind Söhne des Worts; wir warten auf ein Religionsschiff, das uns von Jesu Christo erzählen soll; ist dies das eure?“ so ward Williams auf einer Insel empfangen, als er nach 2 Jahren sie wieder besuchte. Und auf einer andern Insel hatte ein Eingeborner jede Woche sein Leben auf dem tiefen Meere daran gewagt, um auf einer der Samoainseln „ein Stück Religion zu holen und es am Sonntage seinen Landsleuten auszuteilen“. Auf der Tongagruppe wurde durch den bekehrten König Georg ein blühendes Kirchen- und Staatswesen eingerichtet und bei dem 50jährigen Jubiläum der Christianisierung seines Landes konnte er rühmen: „Ein heidnisches Volk hat das Christentum angenommen; Barbaren sind halb civilisiert; Kirchen und Schulen findet ihr an jedem Orte; jede Art von Sklaverei ist aufgehoben; eine Verfassung ist gegeben, Gesetze herrschen, Gerichtshöfe arbeiten, verschiedene Verwaltungsbehörden sind in Thätigkeit; Straßen durchziehen das ganze Land, Läden öffnen sich in jedem Dorfe und alle Hilfsmittel der Civilisation beginnen das Land zu zieren.“

Während in Polynesien das Werk soweit gediehen ist, daß die Missionsarbeit nahezu als vollendet erscheint, ist auch in Mikronesien schon eine große

Anzahl, sogar von selbständigen christlichen Gemeinden vorhanden. Insbesondere gewährt die nördlichste, abgesonderte Inselgruppe Hawaii oder wie sie von ihrem Entdecker, dem Kapitän Cook, der durch die Wilden dort seinen Tod fand, genannt wurde, Sandwich, einen ähnlich tröstlichen Anblick wie Tahiti. Schon war durch mancherlei Einflüsse, durch den Verkehr mit Europäern, durch Beziehungen zu bekehrten Insulanern der Südsee das „Tabu“ (das „Unnahbare“), d. i. der Bann, welcher alle mit dem Götzendienst in Beziehung stehenden Gegenstände und Menschen für heilig und unantastbar erklärte und so gegen das Christentum abschloß, erschüttert. Da kamen 1819 evangelische Missionare aus Nordamerika. Trotz verschiedener Verfolgungen und trotz der böswilligen Verdächtigung durch unchristliche Europäer, welche nun auf ihren Seefahrten dort nicht mehr den gewohnten Spielraum für ihre Zuchtlosigkeit fanden, war doch der Sieg des Christentums bald entschieden. Schon nach 20 Jahren war der vierte Teil der Bevölkerung bekehrt, obwohl auch hier die beklagenswerte Störung durch das Eindrängen französischer Jesuiten eintrat. Ein Augenzeuge berichtet: „Um die vorgegangene Umwandlung richtig zu schätzen, muß man Charakter und Leben der Nation vorher gekannt haben. Aus rohen Wilden — dem Götzendienst, der Trägheit und Sinnenlust und Unmäßigkeit, dem Kindermorde im höchsten Grade ergeben — ist ein gesittetes Volk geworden. Wohl that hiezu der Handel das Seinige; er weckte das Verlangen nach etwas Besserem. Aber dieses Bessere kam nur auf den Befehl des HErrn: „Gehet hin in alle Welt und prediget das Evangelium!“ 21 Jahre lang kämpften die Sendboten. Jetzt haben sie dort hundert Millionen Blattseiten in der Landessprache gedruckt und verteilt, darunter zwei Ausgaben der Bibel und viele Unterrichts- und Erbauungsbücher, nicht weniger allgemein bildende Schriften, und eine einheimische Literatur sproßt hervor. Das weibliche Geschlecht lernte von den Frauen der Missionare Nähen, Sticken, Weben, Spinnen; Handwerke und Künste, die vorher unbekannt waren, blühen jetzt. Ackerbau und Viehzucht sind veredelt, die Sklaverei ist verschwunden, der Wohlstand wächst. Friede und häusliche Glückseligkeit herrschen. Mögen andere urteilen, wie sie wollen. Ich sah die Sonne der Gerechtigkeit über einem blinden Geschlechte aufgehen. Ich sehe es als herrliche Oase aus der weiten Wasserwüste ragen, die den müden Seefahrer erquickt. Statt des Geheuls verräterischer Wilden, statt der Arglist fleischeslustiger, tierischer Barbaren, statt des Anblicks gemordeter Kinder, bitterer Zwietracht, schrecklicher Menschenschlächterei und der Grausamkeit erbarmungsloser Gewaltherrscher tritt mir der freundliche Gruß, die liebreiche Einladung zum gastlichen Herde, der friedliche Handel, das billige Walten der Gesetze und die Anbetung Gottes im Geist und in der Wahrheit entgegen.“ Und ein sprechendes Denkmal von den Früchten der Gerechtigkeit, welche das Missionswerk unter diesen Heiden gezeitigt hat, ist die 1865 auf der Insel Molokai begründete Gesundheitsstation für Aussätzige, für welche die Staatsverwaltung der Sandwichinseln jährlich 300,000 ℳ auszahlt, abgesehen von dem Jahresgehalt von 20,000 ℳ für einen gebildeten Arzt, der sich ganz und gar dem Dienst an diesen Unglücklichen widmet. Welcher Unterschied zwischen sonst und jetzt!

So wurden also durch die Arbeit der Mission die beiden neuentdeckten Erdteile, der eine mehr, der andere minder, aber beide im wesentlichen vollständig vom Christentum in Besitz genommen. Zu gleicher Zeit aber wurde auch in den alten Erdteilen das Werk in Angriff genommen.

3. Afrika.

Für den altbekannten und doch zum Teil erst neuentdeckten Erdteil Afrika scheint nun auch die Stunde des Heils geschlagen zu haben (Ps. 68, 32). Zwar auf der ganzen Nordküste hat sich der Islam festgesetzt (s. S. 81), der von da aus auch nach Süden hin vorgedrungen ist und noch ununterbrochen vordringt. Auch die Versuche, die koptischen Christen Ägyptens, sowie die versteinerte Kirche Abessyniens wieder zu beleben, waren nicht von größerem Erfolge begleitet. Aber die erfreulichste Aussicht ist dem Missionswerk in der südlichen Hälfte, dem eigentlichen Negerlande, eröffnet, seitdem dieser „dunkle“ Erdteil durch die neuen Entdeckungsreisen von Livingstone's Unternehmungen an erschlossen ist. Und wenn irgendwo, so thut hier Hilfe dringend not; denn dies ist das Land der „Knechte aller Knechte unter ihren Brüdern“, und entsetzlich ist es, was dieses Geschlecht schon geduldet hat unter der geistigen Knechtschaft seines Götzendienstes der allerrohesten Art (Fetischismus), unter der bürgerlichen Knechtschaft durch die grausame Willkür seiner Herrscher und durch den verderblichen Sklavenhandel, der noch viel mehr Menschen verschlingt als er wegführt, und vor dem sie, trotz des Verbots des Sklavenhandels, noch fast alle bangen müssen. In Afrika hat, wie es scheint, die Mission eine große Zukunft vor sich, groß in der Aufgabe, wie voraussichtlich, trotz all der ungeheuren Schwierigkeiten, groß in den Erfolgen.

In Ägypten arbeitet vor allem die amerikanische Missionsgesellschaft und es ist ihr wenigstens soweit gelungen, daß sie an 21 Orten koptisch-evangelische Gemeinden unter 8 Missionaren und ebensovielen Missionslehrerinnen gesammelt hat. Wie eine Insel mitten im Meere war die abessynische Kirche im Heimatlande des Kämmerers aus Mohrenland (s. S. 5 und 33) auf ihrem Gebirge stehen geblieben, als der Strom der islamitischen Bewegung sich ringsum ergoß. Aber abgeschieden vom Verkehre mit der übrigen Christenheit und von Heidentum und Islam umgeben und bedrängt, verfiel sie einer verhängnisvollen Erstarrung. Schon im 17. Jahrhundert regte sich der Wunsch, die Verbindung mit dieser Kirche wiederherzustellen; aber der Versuch der Jesuiten, dort zu wirken, mißlang. In unserm Jahrhundert wurden die Versuche von evangelischer Seite erneuert. Im Jahre 1830 ging ein Zögling des Basler Missionshauses, Samuel Gobat, dahin ab. Später, 1854, traten auf seine Anregung hin Zöglinge der Krischona-Anstalt an seiner Statt ein; aber bald wurden sie von dem gewaltthätigen Könige Theodor II. gefangen gesetzt, und gewannen erst nach 12 Jahren nach dem Siege der Engländer bei Magdala über Theodor im Jahre 1868 die Freiheit wieder. Auf diese Weise erlangte die Kirche Abessyniens wenigstens wieder Fühlung mit der allgemeinen Kirche, während zu gleicher Zeit in den Islam auf der Nordküste eine Bresche gelegt wurde mit der Eroberung Algiers durch die Franzosen und durch den Einfluß der europäischen Mächte in Ägypten.

Unterdessen war aber für das Negerland eine neue Zeit angebrochen, indem das Evangelium von der Bestimmung aller Menschen zu Kindern Gottes von immer zunehmenden Scharen von Evangelisten in ihm verkündet wurde. Der Anfang wurde im Kaplande gemacht, wo die europäische Kolonie einen Stützpunkt bot. Und zwar war es ein Sendbote der Herrnhuter, G. Schmidt, welcher 1737 die Mission in Afrika eröffnete. Trotz der Feindschaft der europäischen Ansiedler, der hartherzigen holländischen Bauern (Boers), erwuchs doch gleich dem Birnbaum, den er an der Stelle, da er predigte, als Sinnbild des Lebens pflanzte, eine kleine Gemeinde von Hottentotten. Und als nach 55 Jahren endlich wieder Missionare dort wirken durften, fand sich noch wie ein schwaches Reis aus dürrem Erdreich ein altes, fast blindes Mütterlein namens Lena vor, welche noch von Schmidt getauft worden; sie brachte voller Freude das von Schmidt zurückgelassene Neue Testament. Aus der hottentottischen Niederlassung Bavianskloof wurde „Gnadenthal“. Bald kamen nun auch Sendboten von andern Missionsgesellschaften, unter welchen besonders der Holländer van der Kemp, früher Rittmeister, dann Arzt, der von der Londoner Missionsgesellschaft abgesendet worden, sich auszeichnete. Die Barmer Missionsgesellschaft hat dieses Land zu ihrem Arbeitsgebiet erwählt. Weit über den Oranjefluß hinaus unter den Namaquas und Hereros steht das ganze Gebiet vollständig unter christlichem Einfluß. Beim Jubelfest der Barmer Mission wirkte im Hererolande auch ein Posaunenchor schwarzer Jünglinge mit und die Eingebornen brachten eine Jubiläumskollekte von 10,000 M. auf. Von da aus breitete sich das Evangelium auch gegen Norden und Nordosten hin unter den Kaffern und Betschuanen (darunter die Bassuto) bis gegen den Zambesi hin aus, freilich nur langsam wegen der immer sich wieder erneuernden Kämpfe der Eingebornen mit den europäischen Ansiedlern. Auf diesem Gebiete wirkte seit 1821 eine Reihe von 53 Jahren der englische Missionar Moffat; 1840 trat neben ihm sein Schwiegersohn Livingstone ein. Unter den bekehrten Kaffern erwarb sich einer, Tijo Soga, ein Zögling der schottischen Mission und Schüler der Universität Glasgow, einen Namen als treuer und begabter Prediger († 1870). In der neuesten Zeit erlitt die Mission in jenen Gegenden eine empfindliche Störung durch den Krieg der Engländer mit den Zulukaffern. In diesem Kriege, welcher den Engländern gegen 160 Mill. M gekostet, sowie das Leben von 2500 Weißen und von 10,000 Zulus, wurden 20 Missionsstationen zerstört, darunter allein 13 von der Hermannsburger Mission, welche mit ihren Missionaren und Kolonisten hier ein gesegnetes Werk getrieben hatte. Hoffentlich wird, nachdem der Kaffernfürst Ketschwajo sowie der Bapedihäuptling Sekukuni im Norden der holländischen Transvaalrepublik gefangen genommen worden ist, das Missionswerk bald wieder sich heben. — In Südafrika berechnet sich die Zahl der eingebornen Christen auf etwa 180,000.

Auch auf der Westküste wurde Bedeutendes geleistet. Niederguinea war vorwiegend von den Portugiesen besetzt, und katholische Missionare bemühen sich jetzt dort wieder gut zu machen, was portugiesische Sklavenhändler verschuldeten und noch verschulden. Aber in Nordguinea wurden durch den Eifer evangelischer Christen liebliche Gründungen geschaffen. Die lieblichste ist wohl Sierra Leone mit seiner Hauptstadt Freetown, wo von englischen Christen Ende des vorigen Jahrhunderts (1787) für aus der Sklaverei befreite oder entflohene Negersklaven eine Freistatt gegründet worden ist. Mit großem Segen wirkte der fromme Zuckerbäcker Jansen aus Hannover als Missionar unter ihnen. Fast die ganze Einwohnerschaft ist jetzt zum Christentum bekehrt; fast in jedem Dorfe finden sich Kirche und Schule mit eingebornen Predigern und

Lehrern, deren Unterhalt die Gemeinden selbst bestreiten; auch sind sie zum Teil bereits selbständig in der Mission unter ihren Landsleuten thätig. Im Jahre 1864 wurde dort der erste Negerbischof Samuel Crowther eingesetzt, der früher selbst als Knabe aus den Armen seiner Mutter aufs Sklavenschiff geschleppt, aber von den Engländern befreit worden war. Südlich davon auf der Pfefferküste wurde von Amerika aus der Negerfreistaat Liberia gegründet und dort das Christentum wenigstens teilweise eingeführt, aber unter großen Opfern an Menschenleben in Folge des Klimas; eines dieser Opfer, der methodistische Prediger Cox, gab als seine rechte Grabschrift an: „Laßt 1000 Missionare sterben, ehe Afrika aufgegeben wird!“ Noch weiter südlich hat die Basler Mission auf der Goldküste das Werk der Barmherzigkeit mit großer Ausdauer und viel Aufopferung getrieben. „Seit 1828 waren dort 124 Arbeiter thätig als Prediger, Lehrer, Kaufleute, Handwerker, von denen 36 dort begraben sind, mehr noch wegen gebrochener Gesundheit zum Heimkehr genötigt wurden. 4000 Neger sind dort in geordnete Gemeinden gesammelt, die heilige Schrift in zwei Sprachen übersetzt, in 41 niedern und höhern Schulen werden 1130 Schüler unterrichtet. Der Urwald mit seinen gefährlichen Dünsten beginnt zu weichen, geordnete Pflanzungen sind angelegt, freundliche Christendörfer entstanden und allerlei Handwerk hat sich eingebürgert, so daß selbst Feinde die Mission als die größte Wohlthäterin der Goldküste anerkennen müssen.“ So durfte freilich die Basler Mission mit Freude und Dank am 18. Dezember 1878 ihre 50jährige Jubelfeier dort begehen. Auch in andern Gegenden der Westküste sind bedeutende Anfänge gemacht, deren Wirkungen mehr und mehr in das Innere des Erdteils greifen werden. Nördlich von

Negerbischof Samuel Crowther.

Sierra Leone in Senegambien, zwischen dem Senegal und Gabunfluß, finden sich 112 evangelische Stationen mit 131 Missionaren, gegen 70,000 schwarzen Christen und gegen 40,000 evangelischen Schülern, und 15 Negersprachen sind dort durch die Missionare zu Schriftsprachen erhoben worden. Südlich von Sierra Leone hat auf der Sklavenküste die norddeutsche Missionsgesellschaft seit 1847 ihr heilsames Werk gethan. Von Sierra Leone aus wurde in Abbeokuta im Jorubalande ein verheißungsvolles Werk nicht ohne Schwierigkeiten begonnen (1846). Auch am Niger wurde das Missionswerk angefangen; seit 1864 ist Crowther als Bischof der Nigermission, von 17 schwarzen Negerpredigern umgeben, eifrig thätig, um das Evangelium den Nigerstrom aufwärts zu tragen, und im Nigerdelta ist bereits an die Stelle des Sklavenhandels der Handel mit Landesprodukten und Palmöl getreten. Auch hat man schon angefangen, in das durch die Engländer gedemütigte Reich der Asante, wo vor kurzem noch Basler Missionare in mehr als vierjähriger Gefangenschaft gehalten worden waren, vorzudringen; Missionar Ramseyer nebst seiner Frau, die unter den Gefangenen waren, sind auch unter den neuen Boten des Heils. Obwohl die Missionsgesellschaft zu Basel 142,000 Fr. zur Begründung dieser Mission für nötig fand und erst 92,000 eingegangen waren, hat sie doch in Gottes Namen sich an das Werk gemacht. Sogar Dahomey, das Land von Mord und Blut erfüllt, ist schon ins Auge gefaßt.

Auf der Ostseite wurde das Vorland Afrikas, die große, so schöne und reichgesegnete Insel Madagaskar, ein auserlesenes Missionsgebiet. Im Jahre 1819 sandte die englische Missionsgesellschaft einige Missionare dahin. Nachdem diese dem Fieber erlegen waren, gelang es dem Missionar Jons und seinen Begleitern selbst bis zur Hauptstadt vorzudringen. Der König Radama war der Gründung von Schulen günstig gestimmt und erlaubte weiterhin den Übertritt zum Christentum. Aber unter seiner Nachfolgerin Ranavalona (1828—61) brachen heftige Verfolgungen aus. Tausende von eingebornen Christen verloren Hab und Gut, ja selbst Freiheit und Leben. Die östlicher gelegene, kleine Insel Mauritius, meist von katholischen Christen bewohnt, wo 1814 auch die evangelische Kirche begründet worden, war für viele der Verfolgten eine Zufluchtsstätte. Aber es haben in diesen Zeiten die Gläubigen sich eher vermehrt als vermindert, und ihr eigener Minister erklärte der Königin, das Töten sei ein unzulängliches Mittel zur Vertilgung der Christen. Als ums Jahr 1853 die Verfolgung nachzulassen schien, sandte die Londoner Missionsgesellschaft ihren Sekretär W. Ellis dorthin, der in Wort und That und Schrift sich um die madagassische Kirche sehr verdient gemacht hat. Als Radama II. zur Regierung kam, hörte die Verfolgung ganz auf, ohne daß er sonst die Erwartungen rechtfertigte, die man von ihm hegte. Als er nach zwei Jahren ermordet wurde, duldete seine Nachfolgerin Rasoherina die Mission, und zwar die katholische, die auch hier aufzutreten begann, zusammen mit der evangelischen. Nach ihrem Tode im J. 1861 nahm das Werk der Christianisierung wenn auch unter mancherlei Wechselfällen einen stillen, gesegneten Fortgang, bis Ranavalona II. gleich bei ihrer Thronbesteigung sich entschieden für das Christentum aussprach und im J. 1869 die Taufe annahm. Schon als Mädchen war sie von einem Christen, der nachher als Märtyrer den Feuertod erlitt, angeregt worden und ließ sofort bei ihrer Thronbesteigung deutlich merken, was ihres Herzens Gedanken seien. Auf den vier Seiten der Tribüne, die zu ihrer Krönungsfeier errichtet worden, stand der Spruch geschrieben: „Ehre sei Gott in der Höhe, Friede auf Erden und den Menschen ein Wohlgefallen; Gott sei mit uns!" Vor ihr aber lag neben der Krone die Bibel. Sofort verjagte sie auch den Götzenpriestern als solchen ihre Anerkennung, ließ das Götzenbild der alten Königin aus dem Palaste entfernen, führte die christliche Sonntagsfeier ein und ließ sich selbst von evangelischen Missionaren unterweisen, während sie den Zauberern ihr Geschäft verbot. Jetzt werden viele und zum Teil stattliche Kirchen erbaut; in hunderten von Schulen werden etwa 100,000 Kinder unterwiesen. In feierlicher Volksversammlung hat die Königin alle Sklaven auf Madagaskar für frei erklärt.

An der Ostküste Afrikas konnte die Mission bis jetzt über schwache Anfänge nicht hinauskommen, und das Innere muß erst erschlossen werden. Aber seit der Missionar Dr. Livingstone — von Haus aus Fabrikarbeiter, dann Missionar, zuletzt Entdeckungsreisender (1849—73) — vom Süden aus seine bahnbrechenden Reisen über den Zambesi bis an den Nyassasee und selbst

Livingstone auf der Reise (nach einem englischen Holzschnitte).

bis zum Tanganyikasee gemacht, bis er dem Klima erlag, ist für Innerafrika das Morgenrot einer neuen Zeit angebrochen. Und bereits sind in diesen und andern, von andern Forschern entdeckten Gebieten, nicht ohne Opfer von Menschenleben, Missionsstationen errichtet worden; die von der englisch-kirchlichen Missionsgesellschaft nach dem Viktoria-Nyanza zu König Mtesa in Uganda unter Wilsons Führung gesandten Missionare wurden durch dort eingetroffene Jesuiten verdrängt. Von großer Bedeutung ist das kühne Unternehmen des Amerikaners Stanley (17. Nov. 1874 bis 9. August 1877) geworden, der den Lauf des Kongo entdeckte, dessen Stromgebiet den Hauptteil Innerafrikas umfaßt und dessen Lauf das Innere mit dem atlantischen Meere an der Westküste verbindet. Schon ist auch eine Kongomission von England aus in Angriff genommen, wozu ein Engländer der Baptisten-Missionsgesellschaft 30,000 ℳ, eine Nähterin 10 ℳ, ein Kohlenarbeiter, der immer eine Karte von Afrika mit sich herumträgt, 100 ℳ gegeben haben.

4. Asien.

Die größte und schwierigste Aufgabe liegt der Mission noch in dem Erdteile vor, von welchem das Christentum ausgegangen ist, in Asien. In Vorderasien, welches vom Islam besetzt ist, konnten in dem Kreuzzug, der zu unserer Zeit nicht mit fleischlichen, sondern mit geistlichen Waffen (2 Kor. 10, 4) unternommen worden, vorerst nur einzelne Stätten, darunter auch Jerusalem, mit Missionsstationen besetzt werden. Aber in den nordwestlichen und nördlichen Ländern Asiens hat Rußland eine große Kulturmission zum Teil schon erfüllt und zwar mit dem Schwerte, wie einst die Deutschen gegenüber den Slaven, doch auch nicht ohne daß die griechische Kirche sich ihres geistlichen Missionsberufs erinnert hätte. Im südöstlichen Teile Asiens, unter den Völkermassen Hinterasiens, stehen zwei starke Bollwerke des Heidentums der Ausbreitung des Christentums mit zähem Widerstande entgegen: das eine ist der pantheistische Brahmaismus in Vorderindien mit seiner die Masse des Volkes knechtenden Kasteneinteilung, das andere ist der den Gottesdienst auf einen gedankenlosen Mechanismus herabsetzende Buddhismus in Hinterindien, Tibet, China und Japan, der seinen Hunderte von Millionen zählenden Anhängern als höchsten Trost die Auflösung in das Nichts bietet. Wohl ist dem Eindringen des Evangeliums wie im Norden durch die russischen Eroberungen, so im Süden durch die Herrschaft der Engländer in Ostindien eine Bahn gebrochen; aber immerhin ist die Arbeit in jenen Gebieten eine schwere, um so schwerer als das Heidentum dort gestützt ist durch die verhältnismäßig hohe Kultur unter jenen Völkern, und als der Islam, welcher auch dort sich ausgebreitet hat und zumal in Hinterindien und der dazu gehörenden Inselwelt sich noch weiter ausbreitet, den Widerstand sehr fühlbar verstärkt. Indessen ist doch auch dort dem riesenhaften Gewächse des Heidentums schon die Axt an die Wurzel gelegt, und ganz Hinterasien sieht sich an wie eine mächtige Burg, die rings von Missionsstationen belagert, ja die an wichtigen und entscheidenden Stellen schon von immer zunehmenden Christengemeinden besetzt ist.

Die türkischen und russischen Länder.

Während die Herrschaft des Islam in Europa, nachdem in sechsjährigem Heldenkampfe (1821—27) Griechenland sich frei gemacht, immer mehr beschränkt wird, so daß infolge des letzten russisch-türkischen Krieges (1877—78) zu Rumänien, Serbien und Montenegro hinzu auch Bulgarien im wesentlichen vom türkischen Joche befreit und Bosnien unter österreichische Verwaltung gestellt ist, und während in der Hauptstadt Konstantinopel selbst nicht bloß eine große Anzahl Christen unter dem Schutze der europäischen Großmächte lebt, sondern auch eine Mission unter den Türken selbst begründet ist, hat das Evangelium auch an einzelnen Stellen Vorderasiens, wo einst blühende Christengemeinden zu finden waren, wieder festen Fuß gefaßt. Zunächst war dies geschehen in den größern Küstenstädten mit ihren europäischen Ansiedlungen, wie Smyrna in Kleinasien und Beirut in Syrien (Phönizien). In beiden Städten hat die Kaiserswerther Anstalt Diakonissenstationen errichtet und hat sich insbesondere verdient gemacht durch die Gründung des Waisenhauses Zoar in Beirut (1860) zur Aufnahme von Christenkindern (Maroniten), welche in den Kämpfen zwischen ihnen und den Drusen ihrer Eltern beraubt worden; es wurden darin seither 681 Kinder aufgenommen, von denen 35 jetzt Lehrerinnen sind. Auch die große amerikanische Missionsgesellschaft ist nebst andern dort mit Erfolg thätig, zumal an der Jugend. Aber auch in seiner Heimat, in Palästina, insbesondere in der Hauptstadt Jerusalem, hat das Christentum wieder, wenn auch in bescheidenem Maße, eine Stätte gewonnen. Es finden sich dort im Christenviertel (an der Nordwestseite der Stadt mit dem Pilgerthor) zahlreiche Niederlassungen der katholischen Kirchengemeinschaften, deren Eifersucht in ihren vielfach sehr unwürdigen Vertretern oft genug die Kirche des heiligen Grabes mit wüstem Streit erfüllt und die Gegenwart und Thätigkeit einer türkischen Wache zur Schmach des Christennamens nötig macht. Aber auch die evangelische Kirche, geachtet von den Mohammedanern, hat dort eine hoffnungsreiche Niederlassung durch die Errichtung eines evangelischen Bistums aufzuzeigen. Die Gründung desselben war ein Lieblingsgedanke des Königs Friedrich Wilhelm IV. von Preußen und gelang im J. 1841 mit Hilfe Bunsens (s. S. 312) unter Vereinbarung der preußischen Krone mit der anglikanischen Kirche, deren Ritus in dem Gottesdienst zu Jerusalem eingeführt wurde. Unter dem Bischofe Samuel Gobat (1846—78), dem frühern abessynischen Missionar, wurde die Christuskirche auf der Nordseite des Zionsberges gebaut, in welcher in hebräischer, englischer und deutscher, auch in arabischer und spanischer Sprache gepredigt wird. Die deutsch-evangelische Gemeinde daselbst zählt etwa 150 Seelen; im evangelischen Diakonissenhause wurden in der letzten Zeit 650 Kranke verpflegt, 4800 vorübergehend behandelt; in der Waisenanstalt Talitha kumi (Mägdlein, stehe auf! Mark. 5, 41) befinden sich 110 Kinder. Außer den drei evangelischen Gemeinden in Jerusalem (der deutschen, englischen, arabischen) haben sich im Anschluß oder doch in Anlehnung an das Bistum auch an andern Orten, wie in Jaffa, Bethlehem, Nablus (Sichem), Nazareth evangelische Gemeinden gebildet. Während man also auf der einen Seite Palästina durchforschte und an mehreren Orten Nachgrabungen anstellte, um eine genauere Kenntnis der biblischen Altertümer zu erlangen, hat man sich bestrebt, auf diese Weise dem Bedürfnisse der Gegenwart unter den Einwohnern des Landes zu genügen. Hat auch die Erwartung des Stifters, der eine weithin den Orient umfassende Wirksamkeit erhoffte, sich nicht erfüllt, so hat doch das Zeugnis thätiger Liebe in dem tiefversunkenen Lande unter Türken und Arabern seine Wirkung nicht verfehlt. Auch mag die Zeit nicht allzuferne sein, wo sich die unter den Türken umgehende Prophezeiung, welche sie zur Vermauerung des goldnen Thors (Matth. 21!) bestimmt hat, daß an einem Freitag einst ein christlicher König durch dasselbe als Sieger einziehen werde, in Erfüllung geht.

Noch schwerer zugänglich sind die innern Gebiete wie in Kleinasien, so in dem Stromgebiete des Euphrat und Tigris. Immerhin sind jetzt, wo bereits die ganze Bibel ins Arabische und Türkische übersetzt ist, un-

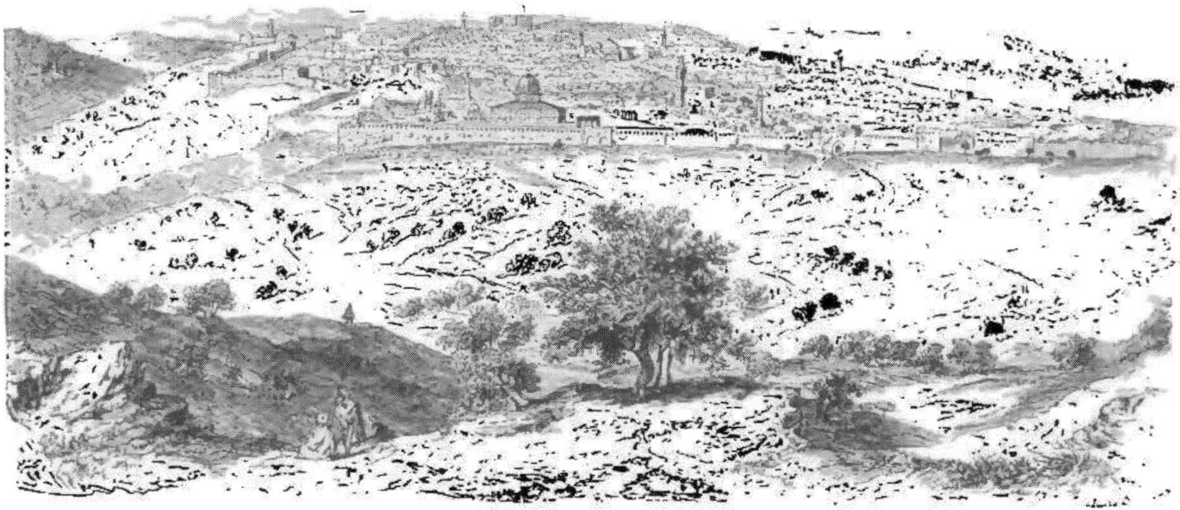

Jerusalem vom Ölberge aus. Unten der Garten von Gethsemane, weiter das Thal Josaphat mit dem wasserlosen Bett des Kidron, jenseits Morijah mit der Area des Salomonischen Tempels, auf dessen Grund jetzt die gewaltige Moschee des Kalifen Omar in bunten Farben erglänzt. Das Thor an der Ostmauer heißt „das goldene“, durch welches der Heiland am Palmsonntag seinen Einzug gehalten haben soll (von Bethanien und dem Ölberg her). Auf der Höhe des Zion weht auf der Davidsburg, jetzt Citadelle, die Fahne. Sehr nahe dabei östlich die deutsch-englische Christuskirche, etwas weiter herwärts inmitten zweier Minarets, die beiden Kuppeln der Grabeskirche, von welcher Stufen hinan gen Golgatha führen.

gefähr 200 Missionare mit etwa 600 eingebornen Lehrern in der Türkei thätig und gegen 500 Schulen errichtet. Auch hat man von evangelischer Seite aus versucht, einen belebenden Einfluß auf das noch vorhandene armenische und nestorianische Kirchentum zu üben. In den nordwestlichen und nördlichen Grenzgebieten des Islam hat Rußlands Macht schon weit hinein europäischer und christlicher Kultur die Bahn gebrochen bis hin an die ungeheure Bergwand des Hindukusch und die Quellen des Indus, und im Norden gegen China bis zur chinesischen Mauer. Denn seit 1835 alle evangelischen Missionen im russischen Reiche verboten wurden (s. S. 355), hat sich auch die griechische Kirche auf ihren Missionsberuf besonnen, und ihre Missionare ziehen unter großen Mühsalen und Entbehrungen mit tragbaren Kapellen den Wandervölkern der Steppe nach. Sehr erfolgreich war die russische Mission um Irkutsk und am Altai; ja, sie ist auch schon über das eigene Gebiet hinaus geschritten und hat in Japan 26 Stationen errichtet.

Ostindien.

Während so im Norden durch die russische Herrschaft dem Evangelium die Bahn gebrochen wird, geschieht dies im Süden durch die englische Herrschaft in Ostindien und von Ostindien aus. In Ostindien hat die Mission den Kampf zu bestehen mit dem Brahmaismus, einem Religionssysteme, so üppig und so zäh zugleich, wie die Riesenbäume und die ganze Natur in jenem Lande. Sein Grundzug ist die Weltvergötterung. Das anfangslose Ureine entfaltet sich zunächst in der Trimurti oder der Dreiheit von Göttern: dem Brahma, dem Gott des Entstehens, dem Wischnu, dem Gott des Bestehens, dem Siva, dem Gott der Zerstörung, und verliert sich dann in eine Mannigfaltigkeit der Erscheinungen und in wechselnde Verwandlungen (Inkarnationen) des Göttlichen ins Menschliche, um sich aus dem Bann der sinnlichen Welt wieder zu gewinnen. Der Mensch muß vor dem Göttlichen sich demütigen in Opfern, mit denen ein vielgestaltiger Götzendienst geübt wird, muß sich von der Befleckung des Sinnlichen reinigen durch Waschungen und dergleichen, insbesondere im heiligen Fluß, dem Ganges, und muß endlich an das Ureine sich hingeben in Beschauung, die sich bis zur Entzückung steigert aus der sinnlichen Welt hinweg, und in Buße, die sich die äußerste Selbstpeinigung zur Abtötung des sinnlichen Menschen auferlegt (Fakir). Für das Volk aber ist die Hauptsache, sich ehrfurchtsvoll an die Brahmanen, als die sichtbaren Vertreter der Gottheit zu halten, welche die Gottgebornen, die Geistesmenschen, und daher unnahbar erhaben sind über alle andern Stände. Das führt nun zu einer Ständesonderung der schroffsten Art, die sich auf alle andern Stände fortsetzt bis hinab zu dem armen Auswurf der Gesellschaft, den Parias. Derselbe Zug findet sich wieder in der gänzlich untergeordneten, unwürdigen Stellung des Weibes gegenüber dem Manne, das nichts vor ihm ist und nichts ohne ihn, so daß die Witwen sich auf dem Scheiterhaufen, auf dem der Leichnam des Mannes verbrannt wurde, selbst dem Flammentode preisgaben oder preisgeben mußten. So viel Tiefsinniges nun auch die indische Religion in sich schließt, und so bedeutend in vieler Hinsicht die Kultur ist, welche aus diesem Geiste entstand, in Wissenschaft, (ihre Vedas, die heiligen Bücher), in Dichtung (z. B. Nal und Damajanti), in bildender Kunst (ihre Bauten, Tempel und Pagoden), in Industrie (Webereien u. a.), so ist doch dieser Götzendienst ein Götzendienst und liegt wie ein schwerer Bann auf dem Volke, verhüllt durch den verführerischen Zauber üppiger Formen.

Begonnen wurde die evangelische Mission, noch vor der englischen

Herrschaft in Ostindien, von Trankebar aus, einer dänischen Ansiedlung an der Ostküste. Dorthin kamen am 9. Juli 1706 auf Veranlassung des frommen Dänenkönigs Friedrich IV. zwei Deutsche, Bartholomäus Ziegenbalg und Heinrich Plütschau, welche ihm von Aug. Hermann Francke aus Halle (s. S. 266) zugesendet worden waren. Trotz der Schwierigkeiten, welche der dänische Kommandant ihm bereitete und die sich bis zu viermonatlicher Einkerkerung steigerten, wirkte Ziegenbalg doch bis 1719 mit unermüdlichem Eifer und nicht geringem Erfolg unter den Heiden, nachdem er in 8 Monaten die Sprache der Tamulen erlernt hatte. Er baute die Jerusalems-Kirche, übersetzte den Katechismus Luthers nebst etlichen geistlichen Kernliedern ins Tamulische, das erste christliche Buch in indischer Sprache, und weiter das Neue Testament, das erste Neue Testament in dieser Sprache. Er versuchte es, in das Innere des Landes vorzudringen, in weißer Hindukleidung, rote Pantoffeln an den

Ansicht Trankebars, der Missionsstätte Bartholomäus Ziegenbalgs vom Steindamm aus.

Füßen, den Turban auf dem Kopfe, um den Heiden die Botschaft des Heils zu bringen. Von ihm sagte der englische Bischof Heber: er sei einer der thätigsten, furchtlosesten und erfolgreichsten Missionare gewesen, welche seit den Aposteln aufgetreten. Andere Missionare kamen nach: Benj. Schulze und der Hesse Fabricius gründeten die Gemeinde in Madras, wo die ostindische Kompagnie Englands zuerst ihre Faktoreien anlegte. Bald wurden auch eingeborne Lehrer herangezogen; der erste eingeborne Prediger Aaron wurde noch durch Ziegenbalg getauft. In der zweiten Hälfte des Jahrhunderts nahm die deutsch-dänische Mission durch die reichgesegnete Thätigkeit des Missionars Chr. Fr. Schwarz aus Sonnenburg in der Neumark (1750—89) einen großen Aufschwung; er bahnte den Weg über Tritschinopoli bis nach Tanjore und noch südlicher bis Tinnevelly; als er starb, waren gegen 18—19,000 Heiden getauft. Der nachmalige Radscha von Tanjore, Serfodschi, damals sein Zögling, ließ ihm später als „seinem Vater, Freund, Beschützer und Vormund" ein ehrendes Grabdenkmal in Marmor setzen und sein Bildnis unter die Bildnisse seiner Vorjahren in seinem Palaste einreihen. Einen weitgreifenden Einfluß übten die Lieder des von Schwarz gebildeten eingebornen Sängers Wedanaichen, von dem während seines langen Lebens († 1864 zu Tanjore) nicht weniger als 100 christliche Schriften ausgegangen sind. — Aber gegen Ende des Jahrhunderts kam eine arge Stockung in das Missionswerk. Mit dem Verfall des Glaubenslebens in der Heimat während der Aufklärungszeit vergaß und versäumte man die Mission; nachdem vorher über 50 Missionare hinausgegangen waren, kamen jetzt weder Missionare noch Geldspenden, und die noch draußen waren, wurden von den einheimischen „Missionsfreunden" etwa um Sammlung von Pflanzen, Käfern, Muscheln und dergl. angegangen, womit freilich der Missionssache nicht gedient war. Als aber 1831 der letzte deutsche Missionar mit Tod abgegangen war, da eröffnete Missionar Cordes von dem

Christian Friedrich Schwarz,
geb. 26. Okt. 1726 zu Sonnenburg,
† 13. Febr. 1798 zu Tanjore.

Wedanaichen Sastri,
geb. 7. Sept. 1774 zu Tinnevelly,
† 24. Jan. 1864 zu Tanjore.

Dresden-Leipziger-Missionsverein, dem bald die Dänen ihr Missionsgut übergaben, einen neuen Zuzug von Sendboten, und jetzt erstreckt sich ihre Thätigkeit von Madras bis nahezu an die Südspitze und von der Ostküste bis an die blauen Berge (Nilagiri) über 442 Ortschaften, in denen Christen wohnen, mit einer Gesammtzahl von 11,425 Gemeindegliedern (auf der Station Madura in 2 Jahren von 200 auf 949 angewachsen); die Zahl der Schulen beträgt 121 mit 153 Lehrern, die fast alle aus dem Missionsseminar hervorgegangen sind, und mit einer Gesamtzahl von 2253 Schülern. Die 20 Missionare sind unterstützt von 9 ordinierten Tamulen, 57 Katecheten, die in dem Seminar zu Trankebar (Poreiar) gebildet worden, und 50 andern Missionsdienern. Eine Zweigstation befindet sich auf Rangun in Hinterindien für die ausgewanderten Tamulen. Aus der Buchdruckerei der Mission sind schon viele, größere und kleinere Schriften ausgegangen, neuerdings das Neue Testament in Fabricius' Übersetzung und die tamulische Gottesdienstordnung sogar in Stereotypausgaben.

Die englische Mission in dem nördlichen Bengalen, dem Gangeslande, durch W. Carey 1793 eröffnet, hatte in den ersten zwei Jahrzehnten mit dem Widerwillen schwer zu kämpfen, den die „ostindische Kompagnie" gegen sie hegte, eine Gesellschaft von Kaufleuten, welche im J. 1600 von der englischen Regierung über das ganze Land hin den Alleinhandel überkommen und damit nahezu die Alleinherrschaft errungen hatte. Diese Handelsgesellschaft hatte von kleinen Anfängen an im Laufe der Jahrzehnte durch kluge Politik und durch die Thatkraft des aus ihrer Mitte hervorgegangenen Lord Clive, noch mehr aber infolge der inneren Zersetzung, welche sich in dem großen, im 16. Jahrhundert gegründeten Reiche des Großmoguls in Delhi vollzog und zur Auflösung desselben in eine Reihe zwieträchtiger kleinerer Herrschaften unter den „Nabob's" oder „Nizam's" führte, sich thatsächlich zum Gebieter fast des ganzen gewaltigen, nahezu den Flächenraum des westlichen Europas einnehmenden Reiches gemacht. Aber diese Gesellschaft verfolgte ausschließlich ihr materielles Interesse. Ungeheures Vermögen wurde von ihren Beamten in rapider Weise zusammengehäuft, viele Millionen Hindu's dem äußersten Grade des Elends überliefert. Die Regierung des Landes hatte die Gesellschaft einheimischen Fürsten überlassen, ihren Kreaturen, welche auch ihrerseits das arme Volk nach Kräften aussaugten. Damit dieses in leidlicher Ruhe bleibe, schien es im Interesse der Kompagnie zu liegen, die eingeborne Religion zu schützen, ja sie bewilligte zur Erhaltung der Götzentempel sogar bestimmte Summen, beschenkte die Tempel und ließ noch dazu das Militär vor den Götzenbildern salutieren. Die Erlaubnis zur Verbrennung der Witwen wurde von den Beamten der Kompagnie unterzeichnet, und wenn ein Eingeborner zum Christentum übertrat, ging er nach dem Gesetze der ostindischen Kompagnie des bürgerlichen Rechtes, sogar des Erbrechts verlustig, während er ohnedem nach dem Landesgesetze der Eingebornen seine Kaste verlor und damit den empfindlichsten Verlust erlitt. Als indessen 1813 der Freibrief der ostindischen Kompagnie erneuert werden mußte, wurden diese Hindernisse zum Teil beseitigt. Nun trat eine ganze Reihe von Missionsgesellschaften aus verschiedenen Ländern hier in Thätigkeit, und nicht bloß unter den (arischen) Hindus, sondern auch unter den Resten der (drawidischen) Urbevölkerung, wie unter den Santals, griff man das Werk mit Eifer an. Unter diesen hat eine deutsche Missionsgesellschaft, die Goßner'sche, seit 1846 die bedeutendsten Erfolge gehabt und zwar unter den Kolhs, die etwa 50 Meilen westlich von Kalkutta wohnen; 30,000 Christen in mehr als 1000 Dörfern sind die Frucht ihrer Thätigkeit, die oft die Kräfte der Gesellschaft zu übersteigen schien. Unter den englischen Bischöfen, die in Indien angestellt wurden, widmeten sich besonders Heber und Wilson dem Missionswerk mit großem Eifer. Über den letztern urteilt ein hochgestellter heidnischer Richter: „Dr. Wilson kam nach Indien 1829. Von da bis zu seinem Tode im J. 1875 regierten 18 Gouverneure über die Westprovinzen. Jeder that, was er konnte, zum Besten des Landes; dennoch hat Dr. Wilson mehr Gutes für Indien und speziell für die Präsidentschaft Bombay gethan, als alle 18 Gouverneure zusammen." — Mit Eifer war man auf Einrichtung von Schulen bedacht, worin besonders Dr. Duff († 1878), Missionar der schottischen Freikirche, dem Schottland in Edinburgh ein Standbild errichtete, wo er mit der Bibel und dem Hammer in der Hand dargestellt ist, sich auszeichnete. Noch günstiger gestaltete sich die Lage nach dem furchtbaren Aufstand der Eingebornen im Jahre 1857, in welchem unter vielen andern Europäern auch 11 Missionare mit ihren Familien den Tod fanden. Die Mißregierung der ostindischen Kompagnie war nunmehr zu schrecklich an den Tag gekommen, und die englische Regierung entschloß sich, nach Beseitigung der Kompagnie durch einen Statthalter oder Vizekönig das Regiment selbst in die Hand zu nehmen. Aber trotzdem und obwohl die Königin von England seit 1878 den Titel einer „Kaiserin von Indien" sich übertragen ließ, ist doch nur erst ein Anfang zur Bekehrung des gewaltigen Reiches gemacht, dessen Einwohnerzahl sich auf nahezu 240 Millionen, also nahezu die Einwohnerzahl von Europa, beläuft. Der indische Brahmaismus ist eine gewaltige Macht, die das Volk besonders mit seinem schroffen und zähen Kastenwesen in Banden hält. Dazu leistet der Mohammedanismus, der über 50 Millionen Bekenner umfaßt und in stetem Fortschreiten im Lande ist, einen hartnäckigen und feindseligen Widerstand. Ein katholischer Missionar, Dubois, ein redlicher Mann, kehrte 1823 mit schwerem Herzen nach Europa zurück, daran verzweifelnd, daß es dem Evangelium je gelingen werde, die Vorurteile dieser Heiden zu überwinden. Und doch ist dieser stolze Bau im Grunde bereits erschüttert. Nicht bloß, daß jedes Jahr Tausende von Eingebornen zum Christentum übertreten, sondern zwischendurch macht die Bekehrung überraschende Fortschritte, wie im Jahre 1878 im Tinnevellygebiete gegen 35,000 Hindus, wohl auch zum Teil in Folge der großen Hungersnot, durch die Thätigkeit des Bischofs Caldwell dem Christentum gewonnen worden sind. Fast noch größer ist die stille Wirksamkeit der christlichen Einrichtungen im Lande, insbesondere der christlichen Schulen, ungefähr 3000 mit etwa 200,000 Schülern, dazu der Schriftenverbreitung, während gegenwärtig im ganzen bereits ungefähr 400 ordinierte eingeborne Prediger mit vielleicht 4000 nicht ordinierten Gehilfen unter ihrem Volke in Arbeit stehen. Auch arbeiten 35 Missionspressen, um der heidnischen und ungläubigen Literatur entgegenzuwirken. Nicht geringe Hoffnung gewährt endlich die sog. Zenane-Arbeit, d. h. die Thätigkeit christlicher Frauen in den Frauengemächern der Eingebornen, wohin nur wieder Frauen Zutritt haben. Die eigentliche Urheberin dieser Missionsthätigkeit war nächst der Missionsfrau Hanna Marschmann und der englischen Erzieherin Mary Anna Wilson die Engländerin Mary Bird (1823—33). Jetzt ist diese Thätigkeit von Vereinen in die Hand genommen, welche Missionarinnen zu diesem Zwecke aussenden. In Kalkutta allein werden schon 1639 Hindufrauen in ihren Gemächern von Missionarinnen unterwiesen. Während immer mehr christliche Gemeinden entstehen, zerfallen da und dort die Götzentempel. Ein bedeutsames Zeichen der Zeit ist, daß unter dem Einfluß der europäischen Kultur sich eine Reformpartei gebildet hat, welche, ohne gerade das Evangelium anzunehmen, doch mit ihrem Heidentum zerfallen ist. Bezeichnend für die Stimmung des Volkes ist es, wenn ein alter Hindu sagte: „Zwei Dinge weiß ich gewiß, über das dritte bin ich noch zweifelhaft; gewiß ist, daß ich kein Christ werde, ebenso gewiß ist, daß mein Enkel ein Christ wird, ungewiß ist nur, was mein Sohn thun wird." Das Hauptblatt jener Reformpartei, die besonders in der Presse thätig ist, redet dem Gewährenlassen seitens der Regierung gegenüber der Einführung der Bibel in allen Schulen das Wort, und eine neueste Meinungsäußerung aus jenen Kreisen lautet: „Wer regiert Indien? Nicht die Diplomatie, nicht die Bajonette beeinflussen unsere Herzen. Ihr könnt nicht in Abrede stellen, daß unsere Herzen berührt, erobert, überwunden sind durch eine höhere Macht. Und diese Macht ist Christus. Christus beherrscht Indien, nicht die britische Regierung. Niemand als Jesus, niemand als Jesus, niemand als Jesus hat dieses köstliche Diadem „Indien" verdient, und er wird es haben!"

Hinterindien.

Nicht minder schwer als auf dem Boden des üppigen, stolzen Brahmaismus mit seiner Vergötterung des Weltalls ist die Missionsarbeit auch auf dem Boden des trübseligen, weltschmerzlichen Buddhismus, dessen Gläubige „ohne Gott und ohne Hoffnung" (Ephes. 2, 12) dahinleben. Er wurde durch den indischen Königssohn Sakyamuni, Buddha, d. i. der Erleuchtete genannt, um das Jahr 600 v. Chr. im Gegensatz gegen das Ceremonien- und Kastenwesen des Brahmaismus begründet. Der buddhistische Grundgedanke ist die „beseligende" Lehre von der Nichtigkeit des Alls, vom Nichts, aus dem die Welt, die Stille des reinen Nichts trübend, hervorgegangen, um in dasselbe wieder zu versinken (Nirwana). Abgewandt von der üppigen Gottesverehrung des Brahmaismus, haben die Buddhisten sich einer Heiligenverehrung ergeben, d. h. einer Verehrung derer, welche dem Beispiele Buddha's, ihres Vorbildes, folgend, dem Irdischen ganz entsagen und sich aus der Welt zurückziehen, so daß unter ihnen eine Art Mönchtum (Bonzentum) entstand. Die Welt sei es eigentlich nicht wert, daß man in ihr lebe und sich viel in ihr plage; aber man müsse eben das Leben in ihr ertragen, bis es ins Nichts sich auflöse. Aus dem Jammer um die Menschen, die in dieses armselige Leben gekommen, entstand im Buddhismus das Bestreben, ihrer Mitgenossen in diesem elenden Leben sich anzunehmen und sie über die Nichtigkeit des Lebens aufzuklären. So ist der Buddhismus eine missionierende Religion geworden; aber sein Evangelium sozusagen ist die „beseligende" Lehre vom Nichts. Hat man gesagt, daß der Buddhismus mit dem Christentum den Hang zur Askese und das Gebot der Liebe gemein habe, so ist doch nicht zu übersehen, daß Klosterleben, Weltflucht und Quietismus und dergleichen — welches alles für den Buddhisten ein notwendiges Erzeugnis seines das Dasein als solches verneinenden Glaubens ist — innerhalb des Christentums nur Verirrungen sind. Denn der Christ strebt nicht nach einer Seligkeit des Nichts, sondern nach einer Verwirklichung des Reiches Gottes, und er verneint nur das Widergöttliche in der Welt, nicht aber die Welt als solche, die er vielmehr zu einem Reich Gottes handelnd und leidend verklären will. Es ist ein Zeichen, wie traurig es mit den asiatischen Völkern unter dem Heidentum stand, daß diese Lehre, in Indien selbst mit Gewalt unterdrückt, von Ceylon aus sich über Hinterindien, China und Tibet verbreitete und ungefähr 450 Millionen, fast ein Drittel der ganzen Menschheit, umfaßt.

Während im Gebiete des Buddhismus die katholischen Missionare seit zwei Jahrhunderten unter viel Leiden und Opfern — in Cochinchina haben von 1669—1859 nicht weniger als 212 Missionare ihr Leben gelassen — für die Ausbreitung des Christentums wirkten, wurde mit dem Anfang dieses Jahrhunderts auch von evangelischer Seite das Werk mit Eifer begonnen. In **Ceylon** hat die evangelische Mission unter den in die größte Trägheit versunkenen buddhistischen Singhalesen ein mühevolles, aber nicht ungesegnetes Arbeitsfeld gefunden. In **Birma** hat sich der Amerikaner Judson, welcher von 1813—50, unterstützt von seiner trefflichen Gattin, dort wirkte, durch seine geisteskräftige und treue Arbeit den Ehrennamen „Apostel der Birmanen" gewonnen. Als die Engländer 1824 das stolze Birma mit den Waffen in der Hand züchtigen wollten, wurde er 11 Monate lang im Totenkerker gefangen gehalten und war nahe daran, als Opfer geschlachtet zu werden. Während auf der reichen und schönen Halbinsel **Malakka** der Islam drohend den Zutritt verwehrte, hat sich nördlich davon ein Missionsgebiet aufgethan, das zu den lieblichsten zählt. Es ist dies das nicht buddhistische Volk der **Karenen**, der kaukasischen Race angehörig, das eine besondere Empfänglichkeit für das Evangelium zeigte. Schon die Erstlingsfrucht, welche der amerikanische Baptistenmissionar Boardman einheimsen durfte, war ein edler Gewinn. 1828 wurde von ihm ein Karene, namens Ko-Tha-Bju, vorher Räuber und Mörder, getauft und durchzog bald selbst als Prediger das Land der „Waldleute“. Tausende folgten diesem Erstling nach und Boardman, der Apostel der Karenen, durfte noch sterbend (1834) des Anblicks genießen, daß gerade 34 Karenen getauft wurden. Trotz der Verfolgungen durch die Birmanen hat ihre Zahl bis über 100,000 zugenommen und sie haben auch in der Trübsal Treue bewahrt, wie sie im täglichen Leben durch ihren Wandel den Beweis des Glaubens nicht schuldig geblieben sind.

Ein anderes Bild bietet die Inselwelt, welche sich an Hinterindien anschließt. In der westlichen und südlichen Gruppe derselben, insbesondere auf Sumatra und Java, stand dem Missionswerke der Islam der Malayen entgegen, welcher darauf ausgeht, die gesamte Bevölkerung mit Gewalt an sich zu ziehen. Ihm arbeitete auch eine Zeit lang in auffallender Weise die dortige holländische Regierung in die Hand, welche die holländischen Missionare nicht unterstützte, fremde sogar vertrieb, und die Verbreitung der Bibel und christlicher Schriften verbot, während sie an die Muhammedaner unentgeltlich Tausende von Koranen austeilen ließ. Indessen hat die Rheinische Missionsgesellschaft auf Sumatra eine Mission unter den wilden Battas begründet 1861, und auf Java erlangten in neuerer Zeit 1859 Goßner'sche Missionare die Erlaubnis zu predigen, und durch den Eifer eines deutschen Müllergesellen aus Waldeck, namens Emde, im Verein mit einem Uhrmacher Lamprecht, welche beide Prinzessinnen aus einem heruntergekommenen Fürstengeschlechte heirateten, entstand von einfachen Hausandachten aus eine blühende christliche Pflanzung in der Handelsstadt Surabaya. Emde brachte sogar mit Lamprecht zusammen nach 10jähriger Arbeit eine malayische Bibelübersetzung zu Stande; auch ihre Frauen beteiligten sich an ihren Bestrebungen durch Übersetzung christlicher Schriften ins Malayische. Auf Celebes haben holländische und Barmer Missionare trotz der Gegenwirkung der dortigen holländischen Regierung eine reiche Ernte gehabt; ein Häuptling, vormals ein blutdürstiger Krieger, ermahnte die Missionare bei ihrer Aussendung: „Ihr müßt euer Wort angenehm machen und mit der Glut der Liebe Christi reden, daß den Menschen die Herzen aufgehen; kühle und scharfe Worte sind wie Angeln ohne Köder!“ Über die Wirksamkeit der Mission auf der Halbinsel Minahassa auf Celebes, wo von 114,000 Einwohnern 80,000 bekehrt sind und die niederländische Missionsgesellschaft allein über 100 Schulen unterhält, urteilt der Naturforscher Wallace: „Die Missionare haben ein Recht, stolz auf diese Gegend zu sein. Sie haben der Regierung beigestanden, wilde Stämme in eine civilisierte Bevölkerung in merkwürdig kurzer Zeit umzuwandeln. Vierzig Jahre vorher war das Land eine Wildnis, das Volk ein Haufe nackter Barbaren, die ihre rohgezimmerten Hütten mit Menschenschädeln verzierten. Jetzt ist die Gegend ein Garten, würdig ihres lieblichen Nationalnamens Minahassa.“ Auf der Ostgruppe, den Molukken und Philippinen, konnte von der evangelischen Mission wenig gethan werden, da wenigstens die letzteren als unter spanischer Herrschaft stehend nur katholischen Missionaren geöffnet wurden. Indessen hat auf der Molukkeninsel Amboina, die unter holländischer Herrschaft steht, der Holländer Kam (früher Lederhändler und Gerichtsbote, dann Missionar, † 1833) ein gesegnetes Werk gethan. Sehr erfolgreich war aber die evangelische Mission auf der Mittelgruppe, vor allem auf der Insel Borneo, wenigstens unter den durch ihre Wildheit verrufenen Dajaken. Freilich wurde dort das Werk der rheinischen Missionare aufs äußerste gestört, als durch die Aufhetzung der malayischen Muhammedaner ein Aufstand losbrach. Binnen einer Woche waren alle Gemeinden zerstört, 5 Missionare und mit ihnen 230 bekehrte Dajaken ermordet; doch ist das Werk wieder aufgenommen.

China und Japan.

Endlich ist auch in neuer Zeit das Jahrtausende lang streng verschlossene Reich der Mitte, China mit seinen etwa 400 Mill. Einwohnern, und hernach und noch völliger Japan dem europäischen Verkehre und damit der Mission erschlossen worden. In China, wo in den Schulen als Reichsreligion die religionslose, mechanische Sittenlehre des Confucius gelehrt wird, die keinen Gott, sondern nur den Himmel mit seiner Ordnung kennt (500 v. Chr.), während das Volk Buddha verehrt, hatte sich die katholische Kirche seit zwei Jahrhunderten erhalten, so daß die Zahl ihrer Glieder im Jahre 1859 ungefähr 350,000 Seelen betrug. Am Anfang dieses Jahrhunderts begann auch die evangelische Missionsarbeit. Der erste Missionar war der Engländer Dr. Morrison. Als er im Jahre 1807 abreisen wollte, fragte ihn jemand: „Und Sie hoffen also, mein Herr, die Chinesen zu bekehren!?" „Nein, mein Herr," antwortete Morrison, „ich glaube aber, Gott wird es thun!" Nachdem er sich in Kanton im Chinesischen ausgebildet, mußte er sich freilich auf die portugiesische Niederlassung Macao zurückziehen und konnte nur als Übersetzer einer englischen Handelsfaktorei sich halten und nur hinter verschlossenen Thüren das Evangelium predigen; doch hat er durch Übersetzung der Bibel und anderer Schriften einen guten Grund gelegt. Er starb 1834. Aber schon waren neue Kräfte auf den Plan getreten: amerikanische und deutsche Missionare. Unter den letztern entfaltete vor allen K. Gützlaff, ein Pommer aus dem Seminar Jänicke's in Berlin, eine bedeutende Wirksamkeit (1831–51), gefördert in derselben durch gewandte Anbequemung an chinesische Lebensweise und durch geschickte Ausnützung seiner Arzneikunde. Seine Thätigkeit wurde im J. 1839 unterbrochen durch den schmählichen Krieg, in welchem die Engländer die Chinesen zwangen, nicht bloß die Insel Hongkong abzutreten und 5 Häfen dem europäischen Verkehr, sondern auch dem verderblichen indischen Opiumhandel Thür und Thor zu öffnen. Je betrübender dies war, um so mehr bemühte sich Gützlaff, sofort wieder den Segen des Evangeliums in das Land einzuführen. Und da die Verachtung des Fremden auf Seite der stolzen Chinesen ein Hindernis für die Ausbreitung des Evangeliums war, so wendete er allen Fleiß an, durch eingeborne Prediger es ihnen nahezubringen, deren er, als er 1851 durch den Tod abgerufen wurde, 200 ausgesendet hatte, von denen freilich manche sich nicht bewährten. Nach seinem Tode brach die Taipingrevolution aus, deren Anführer sich als den jüngern Bruder des himmlischen Jesus hinstellte, mit dem Berufe ein Reich der „Friedensbrüder" zu begründen unter Vernichtung des herrschenden Kaisergeschlechtes und des herrschenden Götzendienstes. Aber die Bewegung, die bald ausartete, wurde unter furchtbarem Blutvergießen nach langem Kampfe unterdrückt. Während in der neuern Zeit durch die Auswanderung vieler Chinesen als Arbeiter (Kulis) in christliche Länder, besonders nach Nordamerika, gleichsam ein äußeres Entgegenkommen der Chinesen zu dem Evangelium stattfindet, sind in China selbst von den 18 Provinzen des Reiches 9 allein schon von der evangelischen Mission besetzt, nämlich mit 436 Missionaren und Missionarinnen, von denen 210 aus Amerika,

194 aus England und 32 aus Deutschland kamen. In Peking besteht auch eine ärztliche Mission der Londoner Missionsgesellschaft, in der in einem Jahre 20,000 Kranke behandelt wurden, die in mannigfacher Weise ihre Dankbarkeit ausdrückten. Die Zahl der Christen in China beträgt etwa 500,000.

Auch in Japan, wo außer der ursprünglichen Religion auch der Buddhismus eingedrungen und die Lehre des Confucius wenigstens erlaubt ist, wurde das Christentum zuerst durch katholische Missionare am Anfang der neuen Zeit verkündet; es wurde aber die ganze Gründung nach wenigen Jahrzehnten durch die blutigsten Verfolgungen zerstört. Nachdem in neuerer Zeit verschiedene Versuche fehlgeschlagen waren, wurde seit 1854 durch Handelsverträge auch der Mission der Zugang ins Land eröffnet. Und während nicht wenige Japanesen auf dem Wege des Verkehrs mit Europäern und in Europa selbst, wohin die begabteren Jünglinge streben oder gesandt werden, mit dem Christentum in Berührung kommen, ist bereits auch im Lande selbst eine bedeutende Anzahl evangelischer wie katholischer (römisch- und griechisch-katholischer) Missionare in Thätigkeit getreten. Im Jahre 1878 gab es in Japan 161 evangelische Missionare von 15 verschiedenen Religionsgesellschaften, 94 Stationen, 44 Gemeinden, von denen 12 ihre Ausgaben ganz, 26 teilweise bestreiten, 1761 Kirchenglieder, 73 Theologie Studierende, 102 eingeborne Prediger, darunter 9 ordinierte, in 52 Sonntagsschulen 1856 Kinder, 24 Bibelkolporteure und Bibelfrauen, 135 Kirchen, Kapellen und gottesdienstliche Stätten. Merkwürdiger Weise ist neuerdings durch das ganze Land der christliche Sonntag als Ruhetag eingeführt, und dies zwar, nachdem sich der Mikado, das geistliche Oberhaupt, nach Absetzung des weltlichen, des Taikun, zum Alleinherrscher gemacht. Auch wird das „fremde Buch" unter Männern und Frauen viel gelesen, und eben ist nun auch durch die amerikanische Bibelgesellschaft eine vollständige Übersetzung der Bibel ins Japanesische zu Stande gebracht. Indessen droht noch manche Gefahr. Noch sind die früheren grausamen Gesetze gegen das Christentum nicht aufgehoben, wenn auch gerade die Protestanten durch diese am wenigsten bedroht erscheinen; auch bleibt sonst Widerspruch nicht aus, wie denn ein gelehrter Heide in Jeddo eine Schrift gegen das Christentum geschrieben hat: „Bemmo, des Irrtums Darlegung." Aber es wird doch die beseligende Gotteskraft des Evangeliums immer mehr erkannt; einer der angesehensten Männer Japans, der erblindete Yamamoto, erklärte vor wenigen Jahren einem amerikanischen Missionar: „Ich schätze eure Eisenbahnen, Telegraphen, Dampfschiffe und alle eure bewundernswürdigen Maschinen; ich freue mich, daß eure Wissenschaft in unsern Schulen gelehrt wird; ich sehne mich nach dem Tage, wo eure humanen Gesetze in unserm ganzen Lande eingeführt werden. Aber Japan braucht mehr als alles das. Die Herzen des Volkes müssen geändert werden. Der Buddhismus ist ein Bündel von Lügen und die Lehre des Confucius, so bewunderungswürdig in vielen Stücken, ist dazu völlig unzureichend (Röm. 8, 3!). Ich glaube, daß das protestantische Christentum allein die Macht hat, die Herzen des Volkes zu ändern."

Nach dem einstimmigen Zeugnis der Missionare und der Heiden ist unter den vielen Hindernissen, die dem Erfolg der Mission entgegenstehen, das größte das un- und widerchristliche Leben der Namenchristen draußen, wie ein gebildeter Hindu 1877 in einer Studentenversammlung zu Kalkutta erklärte: „Der große Abstand zwischen dem, was Christus gelehrt hat, und dem, was man in Indien von christlichem Leben zu sehen bekommt, ist

RELIGIONS- UND MISSIONSKARTE.

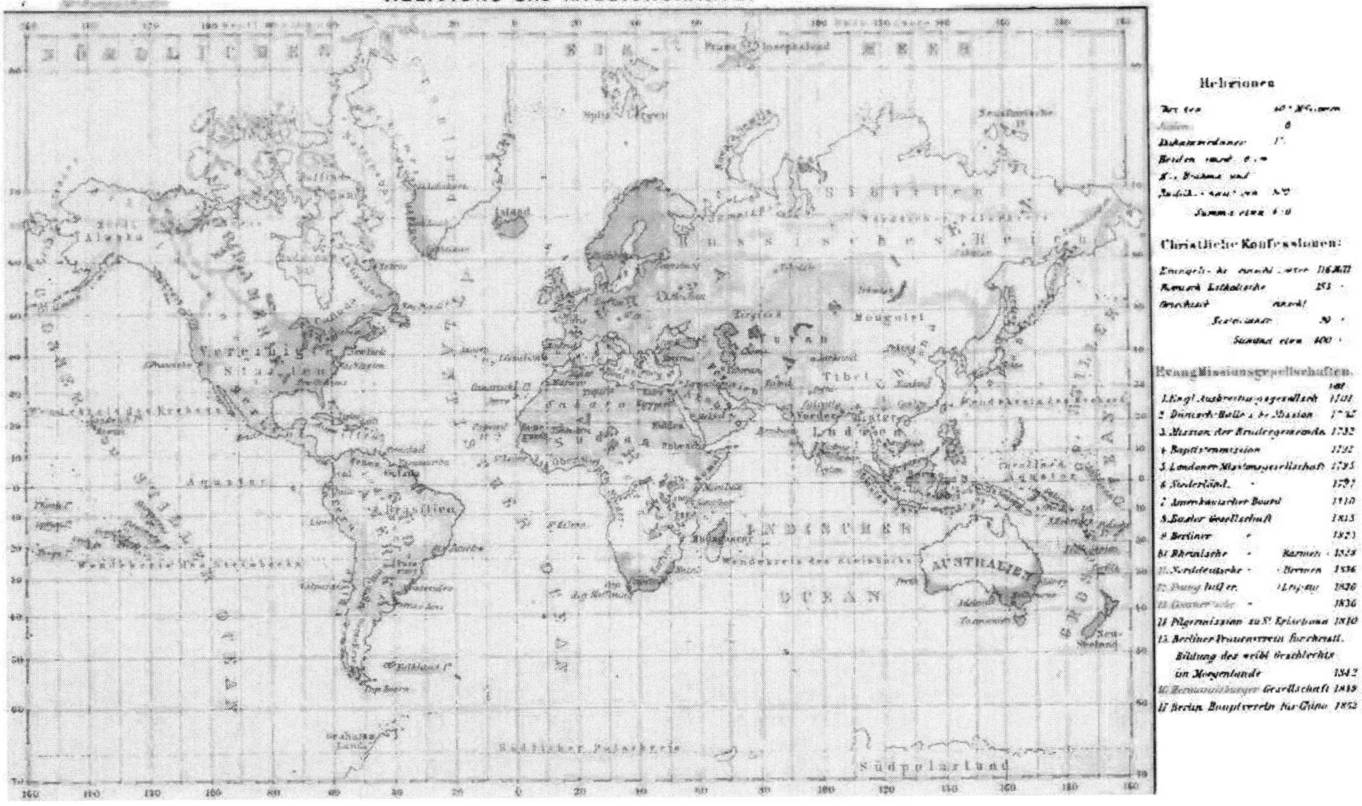

das größte Hindernis für die Ausbreitung dieser Religion gewesen", und ein Japaner in einer Broschüre schreibt: „Das Betragen der Fremden mit Ausnahme der Missionare und weniger Laien ist eine Schande für den Namen des Christentums und der Civilisation und hält den Fortschritt beider auf." Wohl ist noch weit dahin, daß die „Fülle der Heiden" eingegangen sei, aber ein lebenskräftiger Anfang dazu ist allerwärts gemacht (Röm. 11, 25—26) und allerwärts wird schon das „neue Lied" von dem Heil, das der Welt in Christo geworden, gesungen (Ps. 98).

4) Die Mission unter Israel.

Zugleich mit dieser Ausbreitung des Christentums unter den Heiden ist auch die Stellung der Christenheit zu dem Volke, von dem das Christentum ausgegangen ist, eine sehr andere geworden. Wie die Glieder desselben nicht mehr Gäste und Fremdlinge sind unter den Völkern, unter denen sie in der „Zerstreuung" leben, sondern Bürger und Hausgenossen, so bleibt ihnen auch nicht das heimische Evangelium vorenthalten, welches die köstlichste Perle in der Kultur der christlichen Völker ist, sondern es ist nun auch eine Mission unter Israel begonnen.

Das Missionswerk unter Israel wurde durch den Pietismus angefangen. In den Tagen A. H. Franckes im J. 1728 wurde durch Callenberg in Halle eine Anstalt gegründet zur Verkündigung des Evangeliums und zur Verbreitung des Neuen Testamentes unter den Juden (Institutum judaicum). Der bedeutendste unter den Missionaren dieser Anstalt war Stephan Schultz, der Sohn eines westpreußischen Schuhmachers, ein sprachenkundiger Mann, der schon in seiner Jugend der Mutter erklärte: er werde studieren, den Talmud lernen und die Juden bekehren. In einem Zeitraum von 20 Jahren, von 1740 an, durchreiste er fast ganz Europa, um die zerstreuten Kinder Israels aufzusuchen: „In der Synagoge, nicht minder aber im Hause und auf der Straße, im Kaufmannsladen und auf dem Schiff, im dichten Gewühl des großen Haufens und in einsamen Stunden der Nacht, in der Wüste Syriens und unter den Cedern des Libanon, auf dem Dache eines Hauses zu Jerusalem und im Gefängnisse trat Schultz ihnen mit der Frage entgegen, die sein Herz erfüllte." Indessen ging die Callenbergische Anstalt bald ein (1771). In der neuern Zeit haben sich besondere Gesellschaften für die Mission unter Israel gebildet. Auch hier ging England voran, wo durch die Bemühung des reichen Edelmanns Lewis Way 1809 die „Londoner Gesellschaft zur Ausbreitung des Evangeliums unter den Juden" gegründet wurde; in ihrem Dienste starb 1873 Jos. Paul Stern, ein jüdischer Proselyt, der aus Ungarn nach Jerusalem gewandert war, um dort seinen letzten Tag zu erwarten, aber durch die Predigt des Evangeliums gewonnen, nun selbst ein Evangelist unter der jüdischen Bevölkerung dort wurde, ohne sich durch die schmerzlichsten Anfechtungen abhalten zu lassen. Auf die Anregung Ways hin wurde eine ähnliche Gesellschaft auch in Deutschland (Berlin 1822) gegründet, ebenso in Basel ein „Verein der Freunde Israels". Diese Gesellschaften wirken teils durch Missionare, teils und noch mehr auf dem stillen Wege der Schriftenverbreitung; bereits ist auch durch Professor Dr. Delitzsch das Neue Testament ins Hebräische übersetzt. Im Ganzen sind nach den verschiedenen Berichten seit dem Anfang dieses Jahrhunderts etwa 100,000 Juden zum Christentum übergetreten. Es hat sich allenthalben als Notwendigkeit herausgestellt, zur ersten Aufnahme Übergetretener Proselytenhäuser zu erbauen. „Saat auf Hoffnung" ist die Losung der „Freunde Israels" bei ihrem Werke.

Aber neben dieser mehr vereinzelten Einwirkung auf das Judentum geht eine andere auf der breiten Bahn der allgemeinen Entwicklung einher, nachdem in der neueren Zeit „der Zaun, der dazwischen war", hinweggenommen worden. Denn es sind nun seit den Tagen der „Aufklärung", in der Lessing, der Dichter des Nathan, dem Philosophen Moses Mendelssohn auf dem Boden einer allgemeinen, natürlichen Religion die Bruderhand reichte, zumal seit der französischen Revolution, die Schranken gefallen, welche all die Jahrhunderte hindurch die Juden in schroffer Weise vom Bürgerrecht unter den christlichen Völkern ausgeschlossen hatten, und sie sind nun Mitgenossen worden an der gesamten Bildung und Kultur der christlichen Völker. Wohl hat sich unter dieser Mitgenossenschaft, nicht am wenigsten unter dem Reformjudentum, welches seit den Tagen Mendelssohns sich ausgebildet, vielfach eine „Feindschaft des Kreuzes Christi", zumal in der Presse bemerklich gemacht; und dies wie auch der überwiegende Einfluß, den das Judentum vielfach auch sonst im öffentlichen Verkehre gewonnen und den einzelne nicht selten in herausfordernder Weise geltend gemacht haben, hat in neuester Zeit eine Gegenwirkung hervorgerufen. Aber es ist doch unverkennbar, daß auch auf dem Wege der neuern Entwicklung sich Gottes Gedanken, ob auch durch manche Gerichte hindurch, zum Heil aller Welt vollziehen werden (Röm. 11, 33 ff.). Ist doch die Bildung und Kultur der christlichen Völker in dem Reinsten, Höchsten und Besten, was sie in sich trägt, vom Sauerteig des Evangeliums durchdrungen, das sich unvermerkt allen mitteilt, die an jener teilhaben. Und nicht wenige auch von den Juden haben nach ihrem Übertritt zum Christentum im Dienste der Kirche und der christlichen Wissenschaft sich reichlich verdient gemacht, wie der Kirchengeschichtschreiber Neander († 1850), der Rostocker Professor Philippi, der Leipziger Professor Franz Delitzsch und noch mehrere andere!

So gewährt denn der Blick auf die äußere Mission und ihren großartigen Fortgang in dieser Zeit einen mächtigen Beweis des Glaubens auch für das Werk der innern Mission, welches die Kirche und Gemeinde der Gegenwart unter den alten christlichen Völkern zu erfüllen hat. Und überall wird es auch in der Mission der Neuzeit offenbar und selbst auch von Heiden bezeugt, daß die Kirche mit ihrem beseligenden Evangelium von Christo zugleich auch die erste, stillwirkende, aber grundlegende Kulturmacht ist. Um so weniger läßt sich erwarten, daß ihre Bedeutung im Leben der christlichen Kulturvölker der Gegenwart je allgemein und dauernd werde verkannt werden. Aber es geht der Kirche wie jenem Christophorus in der Legende, — und sie ist ja auch eine Christusträgerin —: es will ihr oft bedünken, als ob die Last, die doch „leicht" ist (Matth. 11, 30), ihr zu schwer würde, und sie sorgt, wie sie mit derselben durch die Fluten des Weltlaufs und seiner oft so reißenden Strömungen gelangen möge. Aber immer wieder wird ihr doch der Stab des Wortes, auf den sie sich stützt, in einen grünenden Zweig verwandelt zum Zeichen der unüberwindlichen und weltüberwindenden Lebenskraft, die ihr innewohnt in dem Geiste, der ihr gegeben ist. Was darum auch die Zeiten bringen mögen, so viel ist gewiß, daß auch „die Pforten der Hölle sie nicht überwältigen sollen“, sondern daß sie das heilige Werk, zu dem sie gesetzt ist, vollenden muß, bis daß „alle Dinge zusammen unter Ein Haupt verfaßt sind in Christo“ (Ephes. 1), zum Reiche Gottes, darin auch alles Irdische vollendet ist, wie der Prophet des neuen Bundes die Gemeinde vollendet schaut im Bilde des neuen Jerusalems in dem neuen Himmel und der neuen Erde (Offb. 21).

Ende.

Schlußbild aus Schnorr's Bilderbibel (Offenbarung Johannis 21; vergl. 19, 1—9).

Namen- und Sachregister.

(Die Ziffern beziehen sich auf die Seitenzahlen.)

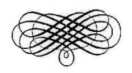

FSC
www.fsc.org
MIX
Papier aus verantwortungsvollen Quellen
Paper from responsible sources
FSC® C141904

Druck:
Customized Business Services GmbH
im Auftrag der KNV-Gruppe
Ferdinand-Jühlke-Str. 7
99095 Erfurt